GUT ZUM DRUCK

Gut zum Druck

LITERATUR DER DEUTSCHEN SCHWEIZ SEIT 1964

HERAUSGEGEBEN VON DIETER FRINGELI

ARTEMIS VERLAG ZÜRICH UND MÜNCHEN

© 1972 ARTEMIS VERLAG ZÜRICH UND MÜNCHEN

UMSCHLAG UND TYPOGRAPHIE: P. RÜFENACHT, ARTEMIS

EINBAND: BUCHBINDEREI BAUMANN & CIE. AG, ERLENBACH

SATZ UND DRUCK: BUCHDRUCKEREI STÄFA AG, STÄFA

PRINTED IN SWITZERLAND

ISBN 3 7608 0315 6

Jürg Acklin

Tagelang, nächtelang wird oft der Regen auf das dünne Blechdach meines Mobilheimes trommeln. Ich werde zwar vor Blitzen wie in einem Faraday-Käfig geschützt sein. Aber dieses unablässige Trommeln. Die Blechschicht ist dünn, der Regen könnte eines Tages durchdringen.

Noch perlt die Nässe an der Lackschicht ab. Alle paar Monate, alle paar Wochen werde ich wachsen, polieren. Aber das Wasser könnte mich über Nacht fortschwemmen, eine Flutwelle von irgendwoher. Mein Heim ist leicht, würde eine Zeitlang schwimmen, dahintreiben, bis es allmählich unterginge.

Im Winter wird morgens eine Reifschicht drauf liegen. Zeitungen werde ich unter die Scheibenwischer klemmen müssen, wenn ich gleich losfahren, wenn ich mich nicht von der Witterung abhängig machen will. Schneepneus und Ketten werde ich anschaffen müssen. Eingeschneit werde ich sein, kein Bagger, kein Lastwagen in der Nähe.

Ich werde mein Mobilheim nur neben einem Neubau aufstellen, in den bereits die ersten Bewohner eingezogen sind. Schon um vier Uhr werden die Lichter angezündet, Fernsehröhren flimmern, die Kinderstunde.

Neben einem leerstehenden Neubau könnte ich nicht im Winter, wenn flatternde Plastiktücher im eisigen Wind, gähnende Fensterlöcher, festgefrorene Sandhaufen. An langen Winterabenden werde ich Bücher lesen über Karate, werde jedem jederzeit gewachsen sein, werde mein Leben sinnvoll gestalten, die Sonnentage nützen.

Ich werde mit Hausfrauen an Januarmorgen auf zugefrorenen Tümpeln eislaufen, mit Sekretärinnen Schneehöhlen bauen, mit gereifteren Damen Curling spielen, mit Kunstgewerblerinnen verschneite Humushügel hinunterschlitteln, werde den Eisschrank abstellen, die Milch, die Butter, das Fleisch im Schnee kühlen können. Ich werde das eingefrorene Türschloß mit meinem Feuerzeug auftauen müssen, den Weg freischaufeln, wenn Besuch kommt.

Telefonistinnen mit erhitzten Gesichtern, Schneiderinnen, Hauswirtschaftsschullehrerinnen, alle werde ich sie in meinen VW-Bus führen, werde ihnen aus den Mänteln, den Stiefeln, werde ihnen eine warme Suppe, einen Kaffee, einen heißen Punsch, werde ihnen einen warmen, trockenen Pullover anbieten. Dann werde ich Käse, Bündner Fleisch auftischen, was ich eben gerade im Haus habe, viel ist es nicht, aber es kommt von Herzen und schmeckt nach der Herumbalgerei an der frischen Luft. Die eine oder andere wird einen eiskalten Hintern, unterkühlte Brüste haben wegen der schlechten Durchblutung, der sitzenden Lebensweise.

Die Scheiben werden sich beschlagen von unserem warmem Atem, Eisblumen. Unsere Lebensgeschichten, alltägliche Kleinigkeiten: der Chef hat, ich werde noch, so oder so gesehen. Auf der Pritsche, nackt in rötlichem Licht, halb zugedeckt, verschwitzt. Breithüftige mit vollen, schmalhüftige mit flachen Brüsten, breithüftige mit flachen, schmalhüftige mit vollen Brüsten. Wohlproportionierte mit zu schmalen Lippen, zu großen Nasen. Leidenschaftliche mit plombierten Zähnen, schüchterne mit Leberflecken, kühle mit abstehenden Ohren, spitzen Knien. Dicke mit aufgeworfenen Lippen, scharfen Fingernägeln. Hemmungslose mit schmaler Taille, vorstehendem Bauchnabel, schwimmenden Augen, verzerrten Gesichtern, feuchtem Nacken, mit Ringen unter den Augen. Überschminkt im Dämmerlicht, am Morgen werde ich sie zu ihren Häusern, zu den Läden, den Verwaltungen, den Banken begleiten. Ich werde mich verabschieden, vielleicht bis zum Abend, ein gemeinsames Essen, vielleicht für immer.

Ich werde ihnen ein Es-war-schön mit auf den Weg geben, ein Du-warst-wundervoll, werde ihnen nachrufen: keine Angst vor dem Älterwerden, jede wird einmal alt, vielleicht, daß die Wissenschaft! Keine Angst vor unheilbaren Krankheiten, vielleicht, daß die Wissenschaft! Jeder erkrankt einmal, jedem kann jederzeit etwas, am Morgen, wenn er in die, am Abend, wenn er aus den. Sogar sich selbst kann einer ein Leid antun, mit oder ohne Absicht. Er kann stolpern, ungeschickt vor ein Auto treten, gegen eine Wand anrennen, aus dem Fenster stürzen, er kann sich mit dem Messer schneiden, zu Tode ärgern, vielleicht, daß ihm die Wissenschaft wird helfen können, vielleicht auch nicht. Auf alle Fälle sollte man auf meinen Großvater achtgeben, sollte ihn nicht der Lächerlichkeit preisgeben, sollte ihn nicht mit Gewalt. Er ist bis jetzt immerhin nicht unglücklich gestolpert, hat sich kein Leid angetan. Ich werde zum Rechten sehen müssen, werde mich an Sohnes Statt um ihn kümmern, seinen Widersachern Einhalt gebieten müssen.

Ich werde mich an seine Seite stellen, seinen Mund wischen, seine Nase schneuzen müssen. Wenn er etwas schlecht ausspricht, werde ich ihn verbessern, werde Spaziergänge mit ihm unternehmen, ihn vor den Lausbuben, den Tannzapfen und Steinen schützen. Ich werde ihm von James Bond erzählen, ihm sagen, daß ich nicht wisse, ob er meine, was er meine, oder ob er wisse, daß er meine, er meine. Ich werde ihm sagen, daß ich wissen werde, daß ich meine, werde ihm zuzwinkern, seine zitternde Rechte drücken im stillen Einverständnis, werde ihm meinen Browning, mein Stilett, werde ihm die Handgranate vorführen. Wir werden einander verstehen, ich werde seine Ohren zuhalten bei der Detonation. Nachher werde ich ihn aufklären, sagen, daß sein Sohn, mein Vater, auch schon meine, ein anderer zu sein, als er sei für die andern, für mich zum Beispiel, seinen Sohn, für ihn zum Beispiel, seinen Vater. Ich möchte nicht zu spät kommen mit meiner Dankbarkeit dem Grossvater gegenüber, möchte nicht eines Tages hören müssen, dass man ihn im Sumpf hinter dem nahen Wäldchen, die Hand in die spärlichen Haare verkrallt, gefunden habe, dass man ihn mit einem Traktor habe herausziehen wollen. Bis zum Kopf sei er im Morast, daß glücklicherweise einige abgeraten, daß man ihn zuletzt mühsam ausgegraben habe. Nein, das möchte ich nicht!

Mein Grossvater soll noch erleben dürfen, was er an seinem Enkel in seinen alten Tagen, soll noch stolz sein können auf mich.

Er soll noch sehen, daß ich nicht aus der Art, daß ich ein rechter bin, James Bond. Meine Waffensammlung wird ihm genügen, ich werde das Glitzern in seinen Augen nie mehr vergessen, jetzt in diesen Zeiten, ich werde es ihm ansehen. Jetzt in diesen Zeiten kann man sich nicht genug vorsehen. Mein Großvater mit fünfzig Rappen, barfuß zu seiner Zeit.

Ich werde die Lausbuben verscheuchen, mit ihm durch den Wald spazieren, auf seine Schultern klopfen. Wenn er erzählt, werde ich ihn mit Spannung anhören, seiner brüchigen Stimme lauschen, ihm hin und wieder mit dem Taschentuch über die feuchte Stirn wischen, werde ihm einen Haselstock schneiden, ein Blümchen in den Mund stecken, eine Sumpfdotterblume ins Knopfloch. Pünktlich zur Essenszeit werde ich ihn im Heim abliefern, den Heimleiter scharf ins Auge fassen. Dann werde ich mich zum Essen einladen lassen, mich um das Tischgebet bewerben. Mein Großvater wird mit mir zusammen sprechen dürfen, ich werde ihm aufmunternd zulächeln beim Amen und meinen Nachtisch zuschieben. Achtung werde ich ihm verschaffen, Ehre. Jeder hat ein Recht! wird in meinen vorwurfsvollen Blicken zu lesen sein. Sein ganzes Leben ordentlich. Unter hundert Bewerbern wurde er ausgesucht. Sein Sohn ist immerhin, hat immerhin eine eigene Sekretärin.

Ich bin immerhin, seht mich hier! Ich weiß, wer ich bin, wer von euch, ihr sabbernden Greise, ihr kopfwackelnden Greisinnen, kann das von sich behaupten?

Dem Heimleiter werde ich zum Abschied die Hand drücken, daß

ihm Hören und Sehen, daß ihm Münchhausen jederzeit angenehm, daß er mit gepannter Aufmerksamkeit den Ausführungen meines Großvaters.

Nette Leutchen, diese alten Menschen! werde ich ihm beim Abschied zuraunen, nicht wahr? Eine wundervolle Aufgabe haben sie!

Sie müssen ein edler. Das geht eben nur mit Grundsätzen, mit einer religiösen Einstellung. Münchhausen wurde wahrscheinlich lutheranisch erzogen, man müßte Nachforschungen anstellen. Fragen sie doch einfach meinen Großvater. Er wird es ihnen sicher, obwohl katholisch erzogen, wird er es ihnen sicher, das kommt ja nicht mehr so drauf an in solchen Zeiten.

Ich werde meinen Großvater nicht im Stich. Auf mich kann er. Ich werde dem allem einen Riegel, werde meinen Vater zurechtweisen, ihm zurufen: jetzt weiß ich, wer du, mit wem ich es zu tun habe. Was stellst du dir eigentlich, wenn du einmal alt, wenn du einmal meinst! Hast du denn gar keine Achtung? Für wen hältst du dich eigentlich? Ich werde ihn einschüchtern, zur Vernunft bringen, bis er reuevoll seine Freizeit seinem Vater, meinem Großvater, opfert. Bis er sich sogar frei nimmt unter der Woche, um seinen Vater auf Spaziergängen zu begleiten, um ihm zuzuhören. Ist es nicht billigste Sohnespflicht? Man hat zu seinen Eltern zu stehen, auch wenn. Du kannst doch nicht jetzt wegen der andern. Er ist und bleibt nun einmal dein Vater. Schämst du dich nicht? Deine abschätzige Gleichgültigkeit!

Wart nur bis ich, bis du, mit Münchhausen hat das nichts zu tun. Dir wird es nicht besser.

Du hast ein Auto, ein Haus, eine Zahnbürste, Frau und Kind. Du hast eine Hausbar, ein schlechtes Herz, einen Bauch, eine Lebensversicherung, Hühneraugen, und Angst hast du.

Lerne deinen Vater lieben. Liebe ihn, und du wirst alle lieben lernen, wirst lieben lernen müssen. Wirst nicht nur deinen Nächsten, wirst Verwandte, Nachbarn, Bekannte, Bewohner deiner Stadt, deines Landes. Du wirst sie alle lieben müssen in solchen Zeiten, deshalb übe dich an deinem Vater!

Das wäre ja noch schöner, das brauchst du dir doch nicht bieten zu lassen, ein Mann deines Schlages, die wissen ja gar nicht, wer du bist, die wissen ja überhaupt nichts!

Zeig endlich deine Zähne, schlag mit der Faust auf den Tisch! Pack deine Gegner am Kragen, schaff sie auf die Seite, schaff ihn auf die Seite, deinen Vater, meinen Großvater, diesen senilen Greis ab, diesen plappernden Alten. Schieb ihn nicht einfach, er geht je-

dem jederzeit auf die Nerven, der ist doch untragbar, nutzlos!
Überlaß ihn den Kindern! Sie werden ihn steinigen. Überlaß ihn
den Heimleitern! Sie werden ihn erdrosseln. Einen Münchhausen
hast du dir nicht zum Vater, das ist ja gar kein Mensch mehr! Achte,
ehre sein Andenken! Laß die Fotografie vergrößern, auf der er
mich, seinen Enkel, in den Armen hält, steif und strahlend, rührend, laß sie vergrößern und stell sie auf deinen Schreibtisch! Zeig
sie allen Leuten, sie wird allen Leuten, muß allen Leuten gefallen!
Entlaß alle Angestellten, denen sie nicht gefällt! Noch ist es nicht
zu spät. Noch können wir uns zusammenschließen. Wir wissen
doch noch, das wäre ja noch schöner, wir wissen doch noch, wer
wir sind, da gibt es doch noch Werte, für die!

Dieter Bachmann

BIOGRAPHIE, AMTLICH

Während das Neugeborene den ersten Schrei tut, legt ihm die
Schwester ein Band um den Arm: auf ihm steht ein Name, *sein*
Name. Mit dem Band hat sich auch schon ein Gutteil Schicksal um
diese Existenz geschlossen. Der Name macht den Menschen auf-
findbar, ermöglicht es, ihm eine Vergangenheit und Vorfahren anzuhängen, läßt die Existenz, die vorher im Raum völliger Freiheit
sich regte, in den amtlichen Akt eingehen: mit Stunde und Minute
der Geburt, mit Vor- und Nachnamen, mit dem Namen der Erzeuger – alles Dinge, welche sie von außen bestimmen und kneten.
Ist es vorstellbar, einem Kind keinen Namen zu geben? Wenn es
auch später einen erhielte: er käme ihm zu aufgrund von Eigenschaften seiner selbst, nicht Spekulationen der Eltern, die so bereits seine Unterdrücker werden. In der Namensgebung schon ver-
schiebt sich etwas im Gleichgewicht von Freiheit und Schicksal,
bekommt das Amt die Biographie in den Griff.
Pässe, Führerausweis, Identitätskarten, Zulassungsscheine, Personalausweise: sie sind die Kürzestbiographien des Subjekts, amtlich
– ohne Wertung – Person geheissen. Personalien, sie sind das Substrat, welches das Amt vom Menschen braucht, um ihn als solchen
registrativ am Leben zu erhalten. Eine romantisierende Zeit hat ge-
glaubt, das Wesentliche am Menschen sei Innerliches; aber was die
Person im Innersten zusammenhält, ist die Äußerlichkeit ihrer Personalien, spärliche Fakten, in denen sie sich selbst erkennt, auch

wenn alles fragwürdig geworden ist. Beim Paß endet jedes Identitätsproblem. «Der Paß ist der edelste Teil vom Menschen», sagt Bertolt Brecht in den Flüchtlingsgesprächen. «Er kommt auch nicht auf so einfache Weise zustand wie ein Mensch. Ein Mensch kann überall zustande kommen, auf die leichtsinnigste Art und ohne gescheiten Grund, aber ein Paß niemals. Dafür wird er auch anerkannt, wenn er gut ist, während ein Mensch noch so gut sein kann und doch nicht anerkannt wird.» Das ist ironisch gegen die Reduktion des Menschen auf seine Nationalität hin angesprochen. Aber nicht nur hat der Mensch für den Paß eine Funktion – «Man kann sagen, der Mensch ist nur der mechanische Halter eines Paßes» –, umgekehrt ist auch das Amtspapier auf eine nicht zu unterschätzende Weise für den Menschen da: er findet sich in ihm zurecht, wenn es drunter und drüber geht, mehr noch: der Heranwachsende richtet sich in seinen Personalien ein und entwickelt um sie herum Schichten von Personen (Wohnsitz, Telefonnummer, Bankkonto, Autokontrollschild) – deren Ganzes man dann Persönlichkeit nennt –, das Pfündchen Existenz, mit dem er sich zum Charakter hinaufwuchert.

Wie hoch ein Paß zu bewerten ist, mag man aus der Einschätzung entnehmen, die gerade der Kriminelle dem Papier entgegenbringt. Der kleine Gauner braucht kein gefälschtes Papier; er ist unter seinem richtigen Namen registriert, hofft darauf, daß er unter diesem nicht erwischt wird und damit basta. Nur professionelle Verbrecher bedienen sich des gefälschten Passes: sie versuchen damit, der amtlichen Registrierung zu entrinnen. Sie decken sich mit einer neuen Biographie ab, wenn ihr amtlicher Akt zu umfangreich wird. Allerdings entspricht diese angenommene Biographie keiner Aktenwahrheit, was macht, daß man den Paß, der an sich durchaus möglich wäre, als falsch bezeichnet. Der falsche Paß ist nicht deshalb falsch, weil die Person falsch wäre, die ihn trägt, sondern weil der «falsche» Paß (ganz im Gegensatz zur echten Person) nicht amtlich registriert ist. Im verbotenen Tragen schimmert Freiheit auf – und wird durch das Verbot zugleich wieder vernichtet: die neue Biographie, das unregistrierte Leben erscheint als Möglichkeit, seiner Verwirklichung ist durch die Strafdrohung der Riegel geschoben. Es ist deshalb nicht übertrieben zu sagen: das Leben der Person hängt vom Amt ab, das sie betreut. Das belegt die sowjetrussische Gegenwart, wo einer zur Unperson wird, wenn ihm das Amt seine Dokumente entzieht; der Person wird nichts angetan, nur ihren Papieren und die Person doch damit zugleich vernichtet.

Manchmal hat man das Gefühl, als liefen von all den verschiedenen
Ausweisen, welche die Person als ihr ständiges Alibi mit sich herumzutragen hat, Fäden in ein amtliches Zentrum, auf einen Bürotisch, wo die Person ein für allemal festgelegt wird aus der Quer-
summe ihrer Personalausweise, ergänzt um die Namen der Eltern
und Grosseltern, welche das Amt sich via Polizeirapport verschafft: Lob des Herkommens, amtlich, das Ganze ein Entwick-
lungsroman in Chiffern. Hinter dem Bürotisch die Schränke mit
den Dossiers: wer einmal Post aus Moskau bekam, eine Broschüre
aus China erhielt, sich als Zweifler öffentlich hervortat, beim Lan-
desverteidigen nicht spurte – seine personale Biographie wird er-
weitert mit Berichten und Rapporten, die sie lesenswerter machen.
Ihr enger Bezug zur Literatur erweist sich daran, daß sie, wie Ma-
nuskripte, meist in der Schublade bleiben, angelegt sind fürs jüngste Gericht sozusagen. Was bei Lebzeiten hervorgezogen wird,
wird allerdings nicht als Literatur, sondern als Rechnung präsentiert, welche die Person, dann «Delinquent», tunlichst mit Ausflüchten quittiert. Manche bringen es zu illustrierten Dossiers:
Demonstranten, die beim Aufmüpfen von Polizeifotografen
festgehalten wurden, oder Kriminelle, seitlich und von vorn, mit
beiden Ohren, damit Justitia etwas findet, woran sie sich halten
kann. Diese tragen übrigens auch eine Nummer, eine Kurzfassung
des Personalausweises. Die Gesellschaft verlangt jetzt auch für den
Polizisten die Numerierung, wohl um die Verwandtschaft von
Verbrecher und Gendarm schärfer herauszustellen.
Nun war die Erregung groß, als man nach den Zürcher Polizei-
festspielen im Sommer 1968 die Steinewerfer wohl, die schlagenden
Polizisten aber keineswegs mehr eruieren konnte. Die Erregung
hatte auch eine Folge: seit diesem Datum dürfen sich die Presse-
vertreter mit numerierten Armbinden kennzeichnen. Die Polizisten aber bleiben anonym. Das mag als Paradox erscheinen oder
auch als Schildbürgerstreich. Diese Meinung kann aber nur haben,
wer sich nicht liebevoll genug mit registrativer Logik auseinandergesetzt hat. Gehören doch die Polizisten selbst zum Amt, sind ein
Teil, der lebendig gewordene Ausdruck des Amtes. Wie könnte
aber registriert werden, was selbst registriert? Die Schicksalslenker
brauchen keinen Namen, was denn auch Max Frisch in «Biografie»
zeigte, wo Kürmann sich auf alle Arten um seine Existenz herum-
drückt (und natürlich doch nicht darüber hinwegkommen kann,
daß er nun einmal der Kürmann ist), während der Registrator kühl
kommentierend und fragend, nicht unähnlich der amtlichen Be-
hörde, die verzweifelte Anstrengung genießt.

Vor einigen Jahren habe ich einen Freund im Tessin besucht. Es war im Herbst; unvergeßlich sind die braungrünen Steilhänge über dem Lago Maggiore, auf den Gipfeln der Berge lag schon Schnee. Am frühen Vormittag fuhr ich mit dem Schiff von Locarno aus über den See, über dem ein feiner Nebel stand; das angezielte Ufer schob sich nur zögernd aus dem Dunst, erst als das Schiff anlegte, war das Dörfchen klar zu erkennen. Mit dem Wagen meines Freundes fuhren wir den Hang hoch, in steilen Kurven, schnell, die frische Luft zog durchs Auto, Geruch von Holzfeuern. W. wußte im Bergdorf eine Taverne; beim Kamin tranken wir Wein, dann süßen Liqueur. Die Musikbox spielte italienische Schlager, in denen es wieder von Nebel, aber auch von Sand und Meer tönte. Die Sonne sank früh, jetzt wurde es kalt. W. brachte mich im Auto an den Landungssteg und das Schiff mich übers dunkle Wasser nach Locarno.

Monate später wurde ich in Zürich aufs Gericht vorgeladen, als Zeuge. Es stellte sich heraus, daß W. keinen Führerschein besessen hatte; er war später erwischt worden und sollte nun abgeurteilt werden. Der Zeuge hatte zu repetieren, was an jenem Tag am Lago Maggiore geschehen war. Er erzählte getreulich, naiv, und der Vorsitzende wiederholte affirmativ. Aber das Erlebnis machte jetzt eine seltsame Wandlung durch: was das Gericht wiederholte, war ein nach den Erkenntniskriterien Zeit und Autofahren gesiebtes Substrat, das nichts mehr enthielt, was für den Zeugen an jenem Tag relevant gewesen war, sondern den Tag aufdröselte nach den Kategorien Autogefahren, wann und wohin. Das Resultat, das der Zeuge zu unterschreiben hatte, stimmte genau – und hatte doch nichts mehr zu tun mit der persönlich erlebten Wirklichkeit. Von der Lustfahrt zum automobilistischen Rechtsbruch: der Zeuge begriff, was Erzählen heißt: eine zweckgebundene Auswahl aus dem Arsenal der Wirklichkeit treffen; gut erzählen: nur das aufnehmen, was unbedingt zum Zweck gehört. Robert Musil setzt fürs Erzählen eine «perspektivische Verkürzung des Verstandes» voraus, der Erkenntnishorizont eingegrenzt auf die Allee der erzählerischen Reihung. Aufs gerichtliche Vorgehen übertragen: Einengung des Wirklichen auf das deliktmäßig Wesentliche. Umwelt kann allerdings auch amtlich später wieder beigezogen werden: im Plädoyer des Verteidigers zur Entlastung des Angeklagten, der Persönliches über das Personale hinaus beizieht, um zu beweisen, daß der Delinquent nicht nur in juristisch Sachliches, sondern in die Wirklichkeit selbst verstrickt war.

Bei all dem nicht zu vergessen, was dem Subjekt wieder Hoffnung machen kann: der Fiktionscharakter der amtlichen Biographie.

Die Summe der Amtspapiere konstruiert wohl eine Person, aber die Person kann auch darüber hinaus Mensch sein. Die Person wird dort zum Menschen, wo sie sich von ihrer kontrollierten Person emanzipiert. Das Amtspapier deckt den Menschen ab nach allen Seiten, aber es deckt nicht die Wirklichkeit ab, in der er sich bewegt. So kann er zuzeiten entrinnen; indem er sich abmeldet, ins Ausland etwa und spitzbübisch verstohlen sich doch im Inland aufhält, oder indem er dem Fiktionscharakter des Amtspapiers getreu selbst Fiktionen liefert. Bei der Einreise in die USA, die wie kaum ein anderes Land Genaues wissen wollen (McCarthy sitzt noch immer im Vorliniierten), erweist sich das mit Deutlichkeit. Als einer dort zu einer Tour einreiste und auf die Frage nach dem Wohnsitz realitätsgetreu angab: «New York – Washington – Miami», wurde er zurückgewiesen. Das sei keine Meldung. So nannte er den Namen des Hotels in New York, in dem er am ersten Abend übernachten wollte – und war willkommen.

Das alles verhältnismäßig harmlos, von der Person selbst noch zu manipulieren. Bösartiges und Widerwärtiges bringt eine Broschüre der Gemeinde ins Haus, eine «Weisung zur Gemeindeversammlung». Darin findet sich der «Antrag der Bürgerlichen Abteilung des Gemeinderates» zur Einbürgerung des Herrn X., Staatsangehöriger von Y. Dem Antrag, dem X. nebst Ehefrau und Kind das Bürgerrecht zu erteilen, geht eine «Weisung» voraus, in dem dieser der Gemeinde vorgestellt wird. Diese Weisung ist nichts anderes als eine Biographie, amtlich, des X., nach dem Prinzip bürgerlicher Ehrenhaftigkeit abgefaßt. Aus ihm läßt sich das personale Ideal des amtlichen Erzählers erkennen: seine Lieblingsfigur ist arbeitsam, gesund und völkisch angepaßt, überdies mit Heimatliebe ausgestattet. Da wird dem kritischen Gemeindebewohner nämlich kundgetan, daß X. nicht nur seit zehn Jahren ununterbrochen bei der gleichen Firma in Zürich arbeitet, sondern auch, daß er vorher vier Jahre im selben Konzern in Y. angestellt war. Es wird geschildert, wie X. als vierjährige Halbwaise wegen eines Asthmaleidens zum ersten Mal in die Schweiz kam und wie das «Klima in unserem Lande» ihm «gut tat». Ja, die Krankheit, die «nie wieder auftrat, darf als geheilt betrachtet werden» und überdies: «Der erste Eindruck, als der Knabe nach den Kriegsverwüstungen bei uns Ruhe und Erholung fand, hat sich ihm tief eingeprägt. Die Schweiz ist ihm zur Heimat geworden.» Ein amtliches Rührstück, nur leider überflüßig und peinlich. Seine Pointe macht klar, daß der Schreiber konformes Personal bevorzugt: «Die Familie hat sich unserer Lebensweise, auch in sprachlicher Hinsicht, vollständig angepaßt.» Die perspektivische Verkürzung des Verstandes kann also auch aggressiv werden: wenn sie alles ausschließt, was nicht ins Vor-Bild paßt. Denn das muß man aus dem Schriftstück doch wohl schließen: wer diesen hohen Anforderungen nicht gerecht wird, hat kein Anrecht auf ein Verfahren, das ihn zum Schweizer macht. Ganz abgesehen davon, daß es auch in einer Demokratie Dinge gibt, die nicht vors Volk gehören.

Aber wie heißt im Amtsjargon das Formular, in dem der Einbürgerungswillige über sich Auskunft zu geben hat? «Röntgenzettel». So kommt es, daß man amtlicher Biographie verhemmt sich präsentiert: ich kenne einen Maler – seit Jahren bewegen ihn Einbürgerungsgedanken –, der zitternd das Tun seines Bruders beobachtet, fürchtend, dieser könne seiner Biographie schaden. Worauf es doch wieder darauf hinausläuft, daß der Paß der edelste Teil des Menschen sei, was deutlich wird, wenn er einem fehlt. Immerhin bemerkt Brecht: «Der Paß ist die Hauptsache, Hut ab vor ihm, aber ohne dazugehörigen Menschen wäre er nicht möglich oder mindestens nicht ganz voll.» Was darauf hindeutet, daß die Person, unter Umständen, auch über ihre Biographie, amtlich, hinaus ein Mensch sein kann.

Guido Bachmann

POETEN – PREISE – POTENTATEN
Rede zur Verleihung des Kantonalbernischen Literaturpreises

Meine Damen und Herren!
Pauschalfrankiert erreicht den Schriftsteller die Nachricht, daß ihm die Ehre widerfahren sei, einen Literaturpreis erhalten zu haben. Das nimmt der betroffene Schriftsteller hin und sagt sich, daß die Juroren einen Talentierten nicht unbedingt als Makel empfinden: also ist der Geehrte beruhigt und weiß, daß er, nun preisgekrönt, abermals einen Preis erhalten muß; denn preisgekrönt wird, wer preisgekrönt ist.

Warum werden Preise verliehen? Geschieht es aus einer vornehmen Tradition heraus? Will sich der Staat ein Alibi schaffen? Oder geht es einfach darum, daß in schöner Regelmäßigkeit Geld verliehen wird, weil dieses nun mal da ist? Viele Fragen, keine Antwort.

Akzeptiert ein Schriftsteller eine solche Ehrung, verzichtet aber aufs Geld, das er womöglich dem Roten Kreuz oder, was für viele ein Kreuz ist, direkt den Roten überweisen läßt, so demonstriert er gegen die zuständigen Juroren und Behördenvertreter, die über Preisverleihungen befinden; er demonstriert nicht nur, er provoziert; aber das tut jeder Schriftsteller, der kein Diener herrschender Gesellschaft ist.

Identifiziert sich ein unabhängiger Schriftsteller mit den Behörden, die ihm einen Preis verliehen haben und ihn damit anerkennen? Oder verhält es sich umgekehrt? Da ich mein eigenes Gesamtwerk bin, nehme ich an, daß die Behörden nicht nur mein Geschriebenes, sondern auch mich anerkennen müssen. Darum nehme ich die ausgesetzte Summe entgegen und bedanke mich für die Ehrung. Indem Sie, meine Damen und Herren, mein Gesamtwerk würdigen, akzeptieren Sie auch meine im Werk aufgezeigte Erotik, die aus unerfindlichen Gründen von Amtes wegen verfolgt wird; oder meine anarchistische Einstellung; oder meine Haltung gegen das Christentum.

Gemeinhin gilt für das Publikum die Regel, Autor und Werkaussage nicht miteinander in Einklang bringen zu sollen. Auf die meisten Schriftsteller trifft dies zu und vor allem auf jene, die sich einer temporär herrschenden Ästhetik beugen. Man nennt das Mode. Ich nenn's Terror, weil die deutsche Literatur in den Spalten des Feuilletons und unter dem Strich stattfindet. Beim literarischen Geschäft, das vornehmlich als Schiebung zwischen Verlegern und Kulturpotentaten geübt wird, zieht der geprellte Autor den kürzeren. Die Literaturhändler degradieren die Werke als Ware. Wenn sich ein Autor auf diese Weise manipulieren läßt, so ist er korrupt, selbst wenn er privat anscheinend unbequeme Meinungen vertritt.

Unbequem ist man erst, wenn man ist, was man schreibt.

Ich glaube nicht mehr an Literatur der Literatur wegen, und es befremdet mich ausserordentlich, daß Bedenken gegen die Kunst ausgerechnet jene anmelden, die nach dem Diktat herrschenden Terrors Kunst produzieren, wobei sie sich in dieser unredlichen Haltung nicht entblöden, eine politische Gesinnung inner- oder ausserwerklich zu verbreiten, die doch in ihrer Harmlosigkeit, obwohl nonkonformistisch, nichts anderes vertritt als den Status des Hofnarren, der den Staat mehr oder weniger intelligent angiftet. Bei dieser Gelegenheit erwähne ich die Pardon-Finte: Unter dem fiktiven Namen Bob Hansen bot der Pardon-Verlag etlichen anderen Verlagen einen Ausschnitt aus dem Musilschen Werk «Der Mann ohne Eigenschaften» an. Jeder Verlag lehnte ab, und der damalige Lektor des Suhrkamp-Verlags schrieb an den erfundenen

Hansen (und damit eigentlich an den toten Musil): «Ich fürchte leider, daß das was Sie schreiben mit unseren Vorstellungen von Literatur nicht ganz übereinstimmt.» Dieser Satz entlarvt die Gesinnung jener, die anderen ihre «Vorstellungen von Literatur» oktroyieren. Das Nicht-Programmgemäße verdauen die Kulturhyänen nicht. Das durchaus Neue hingegen, das probat sein darf in Stoff und Form, wird nicht als gängige Ware erkannt und deshalb nicht gehandelt, so daß sich Autoren, um überhaupt etwas veröffentlichen zu können, anpassen und die Zwangsjacke anziehen.

Auch wenn in Ich-Form geschrieben wird, heißt das noch lange nicht, der Roman – ich spreche hier immer vom Roman – sei Bekenntnis. Die Ich-Form ist meistens nur Ausweichen vor der veralteten «Allwissenheit» des plaudernden Dichters. Nur Abarten des Tagebuches (in der Art Millers oder Genets etwa) haben noch Zukunft. Dazu gehört ein Wahrheitswille, der vor nichts zurückschreckt.

Meine Bücher sind Existenzmitteilungen: so schuf ich meiner Existenz eine Essenz. Ich entfernte mich aus freiem Willen von der Gesellschaft, um gesellschaftlich zum Toten zu werden. Auf diesem Weg habe ich mein Leben neu erfunden, damit es in meinem noch nicht abgeschlossenen Gesamtwerk poetischen Abglanz finde.

Ich bin kein Literat. Ich bin Handwerker, nämlich Pianist, und gehöre somit zum Musikerproletariat. Meine Werke sind keineswegs literarisch, sondern Folgen einer bürgerlicher Moral zuwiderlaufenden Agitation. Wer sich also wegen seines Privatlebens oder aus beruflichen Rücksichten hinter der bröckelnden Mauer der Moral verschanzt und mich öffentlich von der Sicherheit seiner ethisch betonierten Kasematte aus lobt, ist – immer von ihm aus gesehen – nicht mehr unschuldig. Das freut mich sehr.

Ich bin ein Tätiger. Mein einziges menschliches Ziel ist die revolutionäre Praxis. Dabei muß man weder in Armut leben noch auf Krawatten verzichten. Die Marxsche 11. These über Feuerbach lautet: «Die Philosophen haben die Welt nur verschieden interpretiert; es kömmt darauf an, sie zu verändern.»

Diese These ist mein utopisches Programm oder meine programmatische Utopie – wie Sie wollen. Und wenn ich kein Marxist bin, so nur deshalb, weil der Marxismus eine säkularisierte Heilslehre ist. Immerhin dient mir der Marxismus als Instrument einer kritischen Analyse.

Ich glaube an eine zukünftige, zwangsfreie und menschenwürdige Gesellschaft und an nichts außerdem. So bin ich ein politischer

Unpolitischer; denn ich entwickle vor meinen Lesern nicht politisches Denken, sondern ethisches: der Mittel sind viele, die politisch brisant sind und selbst von Politikern nicht als politisch erkannt werden; oder auf gut spanisch: Der Zweck heiligt die Mittel.

Meine Absichten sind zudem individualisierend. Deswegen bin ich offenbar ein Anarchist; denn es kommt mir unter allen Umständen darauf an, eine Revolution der Lage des Einzelnen in jeder möglichen Gesellschaft anzustreben.

Da ich aus diesem Grund schreibe, hat mein Werk existenzsetzende Kraft und ist aus der Ethik geschöpft, die bei mir eine Theorie der Realisation und nicht ein System von Formen, Werten und Gütern ist.

Säße ich Ihnen somit nicht nur als Dichter, sondern auch als Feind gegenüber? Ich überlasse die Entscheidung Ihnen, frage Sie aber, worauf Sie Ihre moralischen Gesetze gründen, wenn Sie einem Feind, der zugleich Dichter ist, zuhören.

Was mich betrifft: Ich werde es nie aufgeben, das Gewissen der Gesellschaft zu belästigen.

Ich danke Ihnen, meine Damen und Herren!

Albert Bächtold

STOFF FÜR EN GANZNE ROMAAN

Dat du dich nid emol a öppis Grööößers häre machscht, saat am ene Oobed de Giigebauer, wo di bäide Fründ a der Chilchgaß änne sitzed.

Öppis Grööößers?

Jo, öppis Grööößers. E ganz Buech. En Romaan.

De Räbme nickt:

Und dän häts i d Aachele glüüt, und er hät kan Sack ghaa! Wo wett ich de Stoff häärneh für en ganzne Romaan.

Er schüttlet de Chopf:

Wän s Chübili läär ischt, guete Fründ, cha s Chälbli nümme suuffe. Wä me so vil erläbt hät! Da isch no nie de schlächtscht Soome gsii, wo spoot ufgoht. Chom mer setzed grad emol e Pläänli uf.

De Hansmäärtel nimmt e Blatt Bapiir, wo uf der aante Siite Musiknoote stönd und uf der andere läär ischt. Spitzt s Bläiwiis mit em Stächbüütel. Und sitzt häre:

Also?

Aber de Räbme winkt ab.

Nid da en d Idee überrumpleti. E Gedicht mache, e Lied komponiere, e Bild moole und wa alli die schööne und ideaale Sache sind – wäm hetts nid troomt dervo. Au üüsem Peter Räbme natüürlich. Wo aber iez ann vo däne Trööme Fläisch und Bluet aanimmt und i sir ganze Gröößi vor en härestoht: Wa maanscht zom ene Hoselupf mit miir?! do verschreckt er; do chunnt im de Si draa, wan er i sim Läbe scho alls aagfange – und verpfudet hät.

S giit, macht er, scho tnueg Romään, wo de Iiband s Bescht ischt draa. Ich will mer da nid au no ufs Gwüsse lade. Zo däm, wat du doo maanscht, bruuchts d Seel vom ene Chind, d Wäishäit vom ene Salemoo, und de Glaube vom ene Häilige. Ich chääm miir vor we ann, wo wäächtigaaglaat i d Chilche wett; ase und nid anderscht chääm ich miir vor. Goge verzelle, da me si Läbe verspilt hät...! – Er stoht uf und fangt aa i der Budigg omelauffe:

Da inträssierti doch ka Mäntsch, wan ich z prichted hett. Ich has a miir sälber erfahre, wa da haaßt, e Buech vom ene uubekannte Autoor; mit wa für eme Mißtraue da mes i d Händ nimmt und grad wider ewäglaat, wäns am nid scho bi de eerschte Sätze packt. Nä-näi, Vetter, d Müüs mönd nid wele Chatze fange.

De Giigebauer lueget vo der Aarbet uf:

Inträssierti neemert! Du häscht e Ahning, e Ahning häscht du, we mänge doo si aage Läbe lääs! Da stoht neene gschribe. Und wäns no so wäär – wa huulfs im? Hälffe wüürts im viläichscht nüüt; aber s wüürt im en Trooscht sii, wän er gsiet, dan er no en Brüeder hät, ann wo au mo unnedure. We cha me sich manchmol no am ene Trooschtwort hebe und ufrichte. We villi giits, wo dä Trooscht nöötig händ. Miir au öppedie. Hirnnakrobaate, wo ghöred blitze und gsänd tundere und maaned, alli Wält häi no druf gwaartet, da sii de Moo aabällid, asig häts tnueg; aber sonig wo vom Härz ewäg schriibed, wo die eebige Töön häärchömed, sonnig häts z wänig. Schriib da Buech, wo miir zwee waarted druf!

De Räbme ergerlich:

Du machscht Plään we halb Öpfel. Wänt om Aarbet uus gsi bischt de ganz Tag vergäbe und mit em lääre Mage, do chaasch dän zoobed «trööschtlichi» Gschichte schriibe! – Maansch es jo guet aber; – i läär Schüüre ie schlüüft ka Muus. Schlooff wol Määrtel.

Er setzt s Chäppli uf und goht.

Aber er cha sich lang chaalt abwäsche und dän d Tecki über d Ohre ue zie: Soo, Schluß etz mit Romaan! we verhäxet ischt er. Ka Rue findt er. Walet vo aar Siite uf die ander. Di ganz Wält, wo i däm Buech inne sött vorchoo, stoht vor en häre. Chunnt im au de Si draa, we emol am ene Oobed im Touringklub de Redakter gsaat hät, wo sälber schriftstelleret, Büecher schriibe haaßi vom Tüüfel gritte wäärde.

Zletscht hät er dän gliich no par Stund Rue, ischt jo no jung und bi allem, wan er duremacht, no uuverbruucht. Und am Morge saat er we en Scholmäischter zom ene vertschlooffne Schüeler:

Wa ischt au mit diir, Peter Räbme? So en läbige Bueb gsii, wo sich für alls ginträssiert und zo allem Luscht und Freud gha hät! Als Studänt am Schafuuser Penaal so tapfer! Eso guraschiert, wos om d Froog ggange ischt, öb me de Sprung i di uubekannt Wält usse söl wooge oder nid! Gege alli Widerständ d Amerikaaturnee organisiert und duregfüert! Uhni fröndi Hülff e Gschäft ufpaue! Und etz mo me di no stupfe, wän der e ganz grooßi Idee über de Wäg rännt – wot scho lang sälber hettischt sölle haa! Schämisch di dän äigentlich nid? –

Io aber...

Nüüt aber. Etz isch de Momänt, wot chaascht zaage, da meh hinder der stäcket weder en Gschäftlimacher, wo näbed allem Schööne im Läbe durerännt. Leg etz emol d Manneschue aa und gang de ander Wäg!

Und nomol uf e schloofflosi Nacht abe goht er würklich derhinder. Ich bin no en Gwaggiß, saat er par Tag druf zom Giigebauer, dan ich da nid scho lang pmacht ha.

Soo chunnts der doch efange!

We imene Füli chunnts bi miir! Ich chome gaar nid noo mit schriibe. Däwäg isch miir no nie nüüt gloffe. Waascht waa:

Ich schriibe kan Romaan, ich mache e Bilderbuech; e gschribe Bilderbuech mach ich; da isch dän eersch no öppis, wos no nid giit! Wän er e Gschicht oder e ganz Kapitel hät, list ers im Giigebauer vor; er waaßt, s luut Läse isch s bescht Mittel zom d Fähler finde, do hüpfed sie we Flöh zon Ziilete uus. Und Ohre und e Nase für Gschribes hät de Hansmäärtel, sälb mo me me im loo.

Er saats au fräi usse, wän er öppis nid i der Oorning findt; und im grooße und ganze loset de Räbme uf en.

Öppenemol giits aber Füür. Wän zom Biischpel de Giigebauer statt em erwartete Loob saat:

Lueg du lieber, woos no fählt; s ander cha waarte. S hät zwoor Sache, wo me chuund halbe närrsch wäärde vor Lomiaumit; aber dän wider Waar, wo me sich mo frooge, öb da de gliich Maa gschribe häi. Graad da, wot du maanscht, wa für Poesii das säi, graad da isch nüüt – wils nid ächt ischt. Ich ha da wäichhärzig Züüg nid verbutze, die Manneträäne. Ann wo Büecher schriibt mo hert sii; we aachi Holz mon er sii!

Also grob!

De Giigebauer langet a d Stiirne:

S hät Lüüt, wo nid wüssed, das us em Hertholz di fiinschte Sache giit.

De Räbme loot en Peescht ab; er hät pmaant, wan er scho häi:

De Tolstoi häts guet ghaa; dä hät de Tag duur korigiert; znacht hät ims d Frau abgschribe und am Morge schöö suuber häreglaat.

De Hansmäärtel lupft no d Achsle:

Ich chuunds jo äimfacher mache, aamfach säge: Guud, waider, we wäiland euen «Gööde» am Schafuuser Penaal, wän er gsäh hät, da alli Müe vergäbe ischt. Und wa tääts dän spööter haaße? Dän haaßtis:

Wäge waa häsch du miir da nid gsaat!

Omschaffe; abschriibe; chömed di andere Fähler vüre!

De Räbme, aagechöpfig we no en Schlaatemer cha sii:

A chläini Hööggli mo me nid wele zvil hänke.

De Giigebauer mit eme schreege Gsicht:

Da ischt au d Mäining vom Bantoffelzapfe! –

Etz goht de Räbme i d Luft:

Galge Refiiser duu, wänt du no s Nabelzwicke überchäämischt! Do cha me sich dän om Baggetälle kümmere, wän d Iifäll chömed! Da haaßt no lang no nid, da me mäu därewäg drufloosgaloppiere, suß isch de Stoff vil z glii uusgschöpft. Für zwanzg Rappe Gedult, Mößjö; langsam prässiert ischt em beschte prässiert.

De Räbme zehmer, so tumm ischt er dän gliich nid, dan er nid iigsääch, wa für e Hülff dan er a däm guete Hansmäärtel hät:

Du häsch guet säge; da ischt, we wän de Rhiifall über am chääm. Dän mo halt ich de Damm sii. Strääze gloo wüürt nid; da loot me Schöppli für Schöppli ab we guete Wii:

We siet dä Maa uus? Wa hät er aa? Wa tuet er? Uusmoole; die Figuure mönd sii, da me maant, mi chöns aalange!

Und doo isch es dän wider, we wän d Höör drinomegscharet hettid; de räinscht Gurlimusch. Wän ann da list, tuet er s Buech zue und langets nümme aa. Nid säge und gliich säge, da isch d Kunscht; we bin ere Giige; ka Wölbing und doch e Wölbing; d Hauptsach isch da, wa nid drin stoht!

De Räbme goht nomol i d Luft:

Da isch doch nid we bim Giigeschriinere; do cha me nid aamfach abfiile.

De Hansmäärtel:

Du häsch es maan i we desälb Türgg, wo bi mim Maischter z Brüssel hät wele Giigebauer läärne; wä me däm hät wele öppis zaage, hät er si schwarzi Mähne gschüttlet:

Moi, je fais comme ça!

Aber de Räbme ischt etz verruckt. Er schloot mit de Chnödlene uf de Hobelbank:

Es bliibt wes ischt und fertig ap!

De Hansmäärtel verziet wider s Gsicht:

Ap uf d Bömm go d Neeger wiißle!

Aber s isch doch rund, tunderwätter ie!

Rund we en Ziegelstaa. E Buech, Fründ, isch ka Grawatte, wo me cha furtwörffe; e Buech bliibt we s Huus, wo me baut; und dä wos paue hät, schätzt me noch im ii, und zwoor sträng; da söttisch du wüsse! – Und e Gschicht taar au nid doostoh we Teligraafestange in ere schööne Landschaft inne, si mo sii we d Blueme im Gaarte. Und d Sätz mönd sich anenand räje we d Tanne im Wald.

Dän die Persoonevergüüding. S stiirbt jo alls i däm Buech inne.

Da isch nüüt; on ne prend pas les mouches avec le vinaigre.

Lueged Si-n aa, saat er zom Garl, wo i däm Momänt zor Türe iechunnt. Wüssed Si, wa dä macht? Lüüt ombringe tuet er; uuschuldigi nätti Lüüt bringt dä om, no wil si-m nid in Chroo passed!

De Aalt grinset:

Joo die Schriftsteller, das sin Gerle: Leute zusammensiijn, Leute ausainanderbringn, raich, arm werdn, sterbn lassn, alles genn se; das sin Gerle!

No sich sälber hälffe chöned si nid! saat de Giigebauer.

Und si nämed Satz für Satz dure. Mooled uus. Striiched. Tönd uf d Siite. Bis i alli Nacht ie hocked si draa, bis da si schier ab em Stuel ghäjed.

Aber wän dän e Kapitel doostoht we e Haseohr, händ si en Stolz, meh als d Eerschtkläßler am Exaame. Und de Räbme gspüürt, we öppis in im inne wachst, wo en glücklicher macht weder alls, wa bis iez gsi ischt.

Aber e Buech vo dräihundert und meh Siite ischt halt kan Birebutze; do häts Probleem drin. Und Widerständ. Wägchrüüz häts. Felse. Muure. Törnn. Und Löcher und Falle, da me halbe irrsch wüürt. Bis i Trööm ie verfolgts de Räbme.

Dän ischt er amed we grederet am Morge; ganz verschlage; alli Glider we Bläi.

So chunnt er emol demitte im halbe Tag inne a d Chilchgaß dure –

suß goht er no no zoobed – schmäist s Zwägschtechäppli naame
häre und hammeret mit bäide Füüschte a d Stiirne:
A de gllatte Wwände ue chuund me! Om de Schschinder bringt
mes nid häre!
De Giigebauer, wo da kännt, s isch nid s eerschmol:
Nid im Zügli hütt? Alli Fänschter zue we bim Rägewätter?
De Räbme, wo sich nid cha beruige:
We aagschwoore; verboret und vernaglet isch es!
Gege da giits e Mittel, macht de Hansmäärtel: Uusspanne; öppis
anders too. Wa häsch no tribe, sid mer enand s letschmol gsäh
händ?
Bim Stüürvogt bin i gsii.
Los dohäre. Wa hät er gsproche?
Mer händ enand omaarmet; ich änn, wil er mi so hooch schätzi;
und äär mich, wil in nid aapumpet häi. –
Und grad drufabe chunnt ann vom ene grooße vermögliche Ver-
band zue mer:
Öb ich nid a änere Generaalversammling wett öppis vorläse?
Zeerscht hämmer gsproochet mitenand, und ich ha s Gfüel ghaa,
doo sitzi en Maa, wo Verständniß häi für min Prueff; amel so hät er
gredt, aparti won er ghöört hät, wes würklich stoht.
Dän, ganz am Schluß, ganz per ägsgüsi, hät er no gfrooget, wan i
mööst haa für miini Vorläsing. Do han i gsaat, wils doo z Zürich
säi und i dän grad wider chön a d Aarbet, welis om driißg Franke
mache; s wäär am ene Nomittag gsii.
Ischt er stuucheblaach woorde; chriidewiiß isch dä diir worde, ich
ha pmaant, er ghäji grad vom Stuel abe:
Wa, driißg Franke verlanged Sii – da driißg isch choo, we wän
Milioone derhinder gstande wäär – driißg Franke! Sovil heuscht jo
nid emol de Tokter, und desälb hät möse e tüüri Lehr mache!
Ich au, han i gsaat, ich ha sovil Lehrgält möse zale we jede ander,
säis wers wel. –
Und zo gueter Letscht isch dän no ann choo mit eme Bild –
waascht jo, we da ischt, eso Tag, «wo ann Chund im andere d Tür-
falle i d Hand giit» – chunnt also mit eme Bild, en schauerliche
Helge, ich wett en nid in AB usse:
Wan i maani derzue?
Han ims halt gsaat.
Do macht er:
I der Bahnhofstrooß änne häts au so e Bild, no halbe so grooß –
und choscht aber topplet sovil! –
Und etz mon ich wider go schaffe!

Ka Stund vergoht, rännt er wider derthäär:
Stell der emol vor, üüs hät me kündt!
De Giigebauer loot de Ufzug vom Rollade fahre, er hät graad wele
zuemache:
Kündt?! Ja diir?
Üüs. Allne driißge. Im ganze Künschtlerhuus!
Cha me da? Ich ha pmaant, ihr ständid under der Obhuet vo der
Stadt.
Simmer gstande. Aber iez hät si iri mildi Hand von is zruggzoge.
Näi s ischt e mildi Hand gsii: zwanzgtuusig Franke im Johr hät d
Stadt Zürich ggee a da Wäschblenescht häre. Bis me dän gsäh hät,
das für d Chatz ischt. Si händ jo nüüt weder gstritte di ganz Ziit.
Alander Tag ischt en Fakel choo, wo me hett söle underschriibe,
da me mit der Verwaalting nid zfride säi. Mi sött maane, wil d
Künschtler vom Schicksaal so schenerÖös behandlet wäärded,
wäärid, sis sälber au; aber die sind jo enand no vergüüschtiger
weder s oordinäär Volk.
Und iez hock ich doo. Wo find ich i däm übervölkerete Zürich e
Zimer für driißg Franke? Und da isch no en Lupf für mich. Wo
find ich überhaupt e Loschii, wo me sich därewäg fräi und i siinere
Atmosfääre füelt we im Künschtlerhuus? Da giits doch neene me.
Und hät mer no so wol uusggee mit der Aarbet; de «Gäischt» ischt
i däm Huus, und dä züglet nid allethalbe häre, da ischt e häikli
Sach.
De Giigebauer lachet:
Abergläubisch, de Pjotr Ivànowitsch; läbt i son ere ufgschloßne
Stadt und glaubt no a Gäischter! –
Da hät mit Aberglaube nüüt z tönd, da isch Atmosfääre won ich
cha schaffe.
Und iez, Vetter, hilff mer e Zimer sueche!
Hä da wüürt nid allerwält sii; Zürich ischt jo nid New York.
Du häscht e Ahning. Ich, wo kan Lärmme verträge und ganz Nächt
duur uf der Schriibmaschine chläppere; manchmol am zwölfi no
gange go en Bummel mache; luut mit mer sälber schwätze! Do
mÖÖßt ich jo e ganzi Woning für mich elaa miete.
Moscht halt nid an Züribäärg tänke; tänk a d Winkelwis oder so
naame.
Säg no grad an süebete Himel. D Trittligaß, d Frankegaß, d Winkelwis, d Peterhofstatt und alli die goldige Winkel vom schÖÖne aalte
Zürich, wo me möcht tuusig Johr aalt wäärde, wä me dert chuund
läbe! Därigs giits no im Troom, wä me Peter Rebmann haaßt und
Ziitingsartikel schriibt.

Dän gang zor Stadt; die hät jo en Huuffe Ligeschafte.

Bi der Stadt isch nüüt z weled, die mo zeerscht für di füüfchöpfige Familene soorge. Und ich sött doch schaffe, s lauft mer, do sött me doch am Tiichsel bliibe und nid di ganz Ziit möse dervo ewäg und ka ruigi Minuute me haa.

Hä dän schaff halt; moscht jo nid moorn scho usse; s findt sich scho öppis. Ich wil im Blatt luege, sind jo aliwil Zimer uusgschribe.

Jo und wä me chunnt haaßts, scho vergee. Die mönds doch no vorschriftshalber uusschriibe; vermiete tönd sis amed scho lang vorhär.

Do macht de Giigebauer:

Und wänt is Chläggi usse gäängischt, bis da sich doo öppis zaaget? D Bäsi hät di jo scho tnuegmol iiglade; Blatz hett si jo, so elaa i däm grooße Huus.

Aber de Räbme schüttlet de Chopf:

Däi usse chan ich nid schaffe, do stoht d Maschine still; ha da no alimol erfahre, wän i e par Tag dusse gsi bi. Aber doo – ich mo no zom Zug uus im Hauptbahnhof uune, fangts wider aa pfuufe. Chilchdoorf ischt rächt zom Ferie mache; zom Schaffe wäärs nüüt. Und ich mo schaffe.

Er schloot mit der Fuuscht ufs Chnüü:

De Guggich söls hole; wä me maant, mi säi em schöönschte draa, mo am wider öppis de Zwäriß choo!

De Hansmäärtel lachet:

Da ischt halt de Guggich; dä mo d Lüüt plooget haa; aber er plooget no die, wo öppis sind, die andere inträssiered en nid; cha sii hät er e gueti Absicht und schickt der e ganzi Woning.

Und we wän de «Guggich» ghöört hett, da me vo äm redt, stellt er im Räbme grad moornderigs en Pott in Wäg ie, en Dienschtkameraat, en liebe guete Kärlli, si säged enand no «Bäsi».

Salü Bäsi, saat er, we läbscht?

Do hät ims de Räbme gchlagt: e Zimer sueche mäu er und findi kas i däm übervölkerete Zürich.

Scho gfunde! macht d «Bäsi», grad oms Egg ome; e ganzi Woning sogaar, vier schööni Zimer, mit Chärr und Büni und allem, wa derzue ghöört. Blooß Bad häts ekas; aber d Chläggauer badet jo nid, da lueged si für uugsund aa. Derfür isch es billig: füüfenünzg Franke im Monet!

Du gueti Bäsi, wa söl ich mit ere Vierzimerwoning aafange?

Härr Schriftsteller! Uusmiete tuesch di andere drüü, dän hockischt vergäbe und bisch nümme elaa, wän der emol naamis passierti.

Gang lieber grad, statt no lang Sprüch mache; so en Glücksfall mo me neh am Chrips.

Und wäm ghöört si?

Der Stadt. Gang no, chunnschi scho über. Mosch no im Huusmäischter noofrooge und säge, ich häi di gschickt, er kännt mich.

Wäge waa rännsch nid?

Wils en Chabiß nützti, di tönd doch e Famili ie und nid en Äinzelne. Da wäär en Naregang.

De Kameraat – Beni haaßt er – nimmt en am Schoopezipfel:

Ich gse scho, ich mo sälber mit däm Chind!

Und scho lüüt er an ere Türe.

Soo wa giits? saat en eltere Maa.

De Schlüssel vo der Woning im «Spatzepartäär» hett i gäärn, giit de Beni zor Amptert; ich möcht si miete.

Ich, hät er gsaat. –

Momänt, macht de Aalt, chome grad mit.

Und zwoo Minuute druf stoht de Räbme in ere Woning inne, s verschloot im schier de Schnuuf.

Wa saascht iez, grinset mit sim Spitzbuebegsicht de Beni; isch da e Woning oder isch es kani! Doo isch de Gäischt dihaa, wo en Dichter bruucht! Und uugstöört bischt we d Nunn im Chlooschter. Äär mietet si nämlich – da saat er zom Huusmäischter – ich ha jo scho aani, bruuche nid zwoo. Ischt en guete Kärlli; wäärded Freud haa anenand.

Und de Räbme hät si überchoo, die schöö Woning mit de vier grooße Stube und em Alkove, de aalte pmoolete Chachelöfe, de villne Fänschtere vo der Tili bis an Bode abe, der schöö pmäislete Sandstaasuul, wo 1336 i goldige Zahle uf blauem Grund stoht, und der prächtige Uussicht über aalti Tächer, verboorgni Gäärtli, Laube, Winkel und Höfli an Züribäärg ue und zom Lindehof dure.

Und hät grad e Schild mit sim Name mache loo, e schöö glänzigs, wes d Härre Tökter händ; s gsiet uus we Gold.

De Giigebauer häts au gsaat, won ers aagschruubet hät:

De Peter Räbme ischt en goldige Kärlli. Uf em Türeschild! –

Dän hät de Räbme grad aagfange zügle. Zeerscht emol ussepmischtet im Künschtlerhus obe und sich no möse wundere, wa sich doo aagsammlet hät i däne par Johre. Die Uumasse Bapiir, alls vo Hand vollgschribe. Füüf mächtig Seck voll.

Ich ha gaar nid gwüßt, da im ene Schriftsteller si Waar so schwäär ischt! hät de Lumpemaa pmacht, won er di eerscht Lading uf de Wage abetraat gha hät.

Öb er dän nüüt wel phaalte, saat de Hansmäärtel.

Phaalte? Zo waa und für wäär? Ich bi froh, wän da Glump zom Wäg us ischt.

Für wäär? Für dä aarm Tropf, wo spööter emol diini Biografii schriibt, dä isch diir tankbaar für jede Fätzli, wot im hinderlooscht.

Im Gotthälff...

Ich bin nid de Gotthälff, butzt en de Räbme ab, ich bi hööchschtefaals en «Gott hälff mer». Abgfahre mit däm Züüg; maanscht, ich wels die zeh Stäge ufchrääze i der Aaltstatt änne; es wüürt däi wider gee, für sälb soorget de Schriibtüüfel scho. Überhaupt isch da nid eso wichtig, wan ich schriibe, das doo emol chuund grooßi Untersuechinge gee; wäg em Peter Räbme wille chrääit kan Güggel lüüter.

Dän nime halt ich e par Äärvel, saat de Giigebauer und fangt aa uusschaube; lo da lige, holes dän zoobed mit em Handkoffer.

Halt, sälb bliibt doo! rüeft er, wo de Lumpemaa wott s Manuskript vo der «Bäsi-Gschicht» i sin grooße Sack ietoo; e chläi Aadänke a d Lehrbuebeziit wömmer dän gliich no phaalte.

Und er laats zo däm häre, won er scho uf d Siite to hät:

Dat mers lige looscht, bis dan i wider chome!

Guet-guet, lachet de Räbme, wäns mer no us de Auge chunnt.

Und dän isch es as Zügle ggange.

Füüfezwanzgmol isch de Räbme d «Jakobslaatere» uf i si Himelriich ue, wen er saat, jedesmol mit eme Zäntner uf em Puggel. Und noch ere Wuche häts eersch no e ganzi Wagelading grooßi Waar ggee: de Schriibtisch, dä schwäär aachi, no us de guete Ziite; de grooß Halauerchaschte; s Bett; di villne Gufere vo siine Amerikaaräise häär, au all gstooße voll. Mit Saalere händ si d Fuer möse binde, suß wäär ene d Helfti abeghäit. Und bis sis dän dobe gha händ bi däne änge Stäge; do häts mänge Peescht und mänge Fluech ggee.

Und nomol e Wuche hät de Räbme ghaa mit Irumme und Ufstelle. Hät zwoor en Plaan pmacht we en Archidäkt und alls uf de Santimeeter uuspmässe, doo chunnt da häre und däi sälb. Aber s hät halt gliich nid überaal gstimmt.

Ich ha s letschmol züglet, s nööchschmol traat me mi dän usse, saat er zom Fründ, won er äntlich grä ischt.

Und iez cha me wider hinder d Aarbet!

Aber s ischt, we wäns de Güggel pickt hett: trotz der schööne, stille Woning und der prächtige Uussicht, und trotz em wohlige Gfüel, da me wider e Tach überem Chopf hät – es wott nid. Aa Uurue isch de Räbme. Di ganz Ziit mon er ufstoh. Uf d Strooß abe und hiin- und häärlauffe. Wider ue. Wider abe. Kan vernümftige Gedanke chunnt. Ka Ziilete bringt er häre.

Ich glaube, de guet Gäischt ischt am Hirschegrabe obe plibe, saat
er zom Giigebauer, won er emol chunnt cho luege, wes stönd.
Uuhäilbaar abergläubisch! macht de Hansmäärtel.
De Räbme, wo am Fänschter stoht und zom Lindehof durelueget:
Und s goht mer nüüt ab der Ehr. Da ischt öppis vom Köscht-
lichschte gsii im aalte Rußland:
Gwaagge wo brüeled – verscheuke, uf däm sim Hag oder Boomm,
wo si sitzed, däm bringed si Uuglück!
Am dur di offe Türe dure d Hand gee – Striit!
Wä me e Liich gsäh hät, d Händ an Ofe hebe, suß – Gnaad Gott!
E ganzi «Wüsseschaft» isch es gsii; s goht mer iez no noo.
Mi merkts, saat de Fründ. Aber dadoo hät mit «Gäischt» und däri-
gem gaar nüüt z tönd; du häsch no de Schriibtisch lätz gstellt.
Trääied mern om, dat de Rugge geg em Fänschter häscht und
nümme chaascht in Lindehof dureplägge und maane, däi änne säi
Rußland.
Und händ de Schriibtisch trääit.
Und de Peter Räbme hät de Fade wider ghaa.

Peter Bichsel

ICH MAG GESCHICHTEN

Den Küchenboiler haben sie geholt. Sie haben ihn mitsamt dem
Wasser weggetragen. Er ließ sich nicht mehr entleeren, der Kalk
verschloß alle Ausläufe, und ihn zu öffnen und zu zerlegen, das hat
keinen Sinn mehr.
Auch den will der Hausmeister nach Bern bringen.
Der Installateur lachte über das Alter des Boilers und über den
Quecksilberthermostat.
Der funktioniert so: ein Röhrchen ist mit Quecksilber gefüllt,
durch die Wärme des Boilerwassers dehnt sich das Quecksilber aus,
und das Röhrchen kippt und schaltet den Boiler aus. Kühlt der
Boiler wieder ab, zieht sich das Quecksilber zusammen, und das
Röhrchen kippt in die alte Lage zurück.
Mein Großvater hatte in seiner Stube einen langhalsigen Vogel,
der kippte von Zeit zu Zeit und netzte seinen Schnabel in einem
Glas Wasser, dann richtete er sich schnell wieder auf, und langsam
bekam er wieder das Übergewicht und netzte wieder seinen
Schnabel.

Der Großvater erklärte mir alles: Im Vogel drin, in seinem langen Hals, gibt es Quecksilber; das dehnt sich in der Zimmerwärme aus, der Vogel bekommt das Übergewicht, taucht seinen Schnabel ins kalte Wasser, das Quecksilber kühlt sich ab und zieht sich zusammen, der Vogel kippt zurück. Ich dachte, mein Großvater habe den Vogel erfunden. Ich war sehr stolz auf ihn.

Und als Kieninger einen solchen Vogel mitbrachte, da habe ich ihm erklärt, wie er funktioniert. Und als er mich fragte, woher ich das wisse, sagte ich: «Mein Großvater hat den Vogel erfunden.» Auch von seinen Spaziergängen brachte er Dinge nach Hause, doch fand er sie nie zufällig und sah sich nicht gezwungen, sie mitzunehmen. Viel eher bemühte er sich, etwas zu finden, Dinge, von denen er sagte, sie seien schön: Schöne Wurzeln, ein schöner Stein, eine schöne Glasscherbe.

Er bemühte sich um Freude am Grünen.

Im Wald östlich des Verenenbaches liegen erratische Blöcke, größere Granitblöcke, in die eine kleine Messingtafel eingelassen ist, auf der «Erratischer Block» steht. Die Täfelchen sind zerkratzt. Die Pfadfinder werfen Steine nach ihnen, benutzen sie als Zielscheiben.

Der Jura ist aus Kalk. Die Gletscher haben vor Zeiten die Granitblöcke aus den Alpen hieher geschleppt, oder eher getragen, oder einfach liegen lassen, als die Eiszeit vorbei war.

Väter bringen ihren Kindern anhand dieser Steine Ehrfurcht vor der Zeit bei.

Findlinge nennt man sie.

Kieninger geht an ihnen vorbei und liest jedes Mal das Messingschild und nickt und freut sich dann, einen nächsten Stein als Erratischen Block identifizieren zu können, bevor er das Schild (Messing, zerkratzt) sieht.

Nagelfluh gibt es hier nicht, aber auch das ist eine Gesteinsart, die Wanderer kennen. Weil sie sich erinnern, wie ihr Vater zu ihnen vor dreißig Jahren sagte: «Das ist Nagelfluh», sagen sie zu ihren Kindern: «Das ist Nagelfluh.» Auch Sandstein ist leicht zu erkennen, und es gibt Wanderer, die Vogelstimmen unterscheiden können. Deshalb sagt sich Kieninger – wenn er durch den Wald geht, an den Erratischen Blöcken vorbei – «Das ist ein Pirol, das ist eine Lerche.»

Und in Scharen kommen sie zurück, Sonntagabend, gegen sechs oder sieben. Sie tragen kurze Hosen, sie tragen zufriedene Gesichter, tragen Rucksäcke und Blumen und ihre müden Kinder. Alles, was sie haben, tragen sie. Ich mag sie nicht. Sie schauen

mich so an, wie sie Leute anschauen, die nichts tragen. Sie finden
es gut und sind verantwortlich dafür, daß an Erratischen Blöcken
Schilder mit der Inschrift «Erratischer Block» angebracht werden.
Sie werden alle viel länger leben als ich.

Kieninger weggehen zu lassen, Kieninger ankommen zu lassen,
Kieninger krank werden zu lassen, das genügt nicht, führt zu
nichts.

Eine Geschichte erzählen, eine Geschichte erfinden, eine Geschichte übernehmen.

Eine wahre Geschichte: Die Frau des Hausherrn nimmt ein Bad,
im Zimmer sitzt der Hausherr mit einem Freund, sie trinken etwas,
Bier vielleicht. Nach einiger Zeit behauptet der Freund, dringend
zu müssen, und der großzügige Hausherr weist den Freund ins
Badezimmer und wartet, und der Freund kehrt nicht zurück, und
die Sache endet mit einer Schlägerei, mit Treppenstürzen, mit
einer Scheidung später. Und es kommen auch andere Sachen an
den Tag.

Mir hat die Geschichte gefallen, ich habe sie mir erzählen lassen,
und ich kenne die Personen: eine Dänin, ein Fotograf, ein Angestellter einer Fluggesellschaft.

Eine Geschichte zum Verweilen, zum so Erzählen:

Ein Zug kommt an, rattert, pustet, quietscht, knarrt. Währenddem steht einer da und denkt nach (Rückblende), und der Freund
sitzt im Zug und sieht ein Mädchen mit hellem Haar und denkt
nach (und Rückblende), und jeder erzählt seine Geschichte, und
der eine (der Wartende) hat sie später wieder getroffen, und der
andere lebt jetzt in Puerto Rico, und nun treffen sie sich.

Die Geschichte endet nicht dramatisch, sondern traurig; einer
kehrt nach Puerto Rico oder Tarragona zurück, der andere bleibt,
und die Frau...

und die Frau...

Die Geschichte gibt nichts her.

Es lohnt sich nicht, sie Kieninger anzuhängen; solange Kieninger
keine Person ist, ist die Geschichte keine Geschichte, und solange
Kieninger keine Geschichte hat, ist er keine Person.

Das hat er selbst erzählt: Er hat selbst erzählt, daß es ihn freut,
ganz ungeheuer freut, wenn einer Frau die Einkaufstasche zu
Boden fällt, daß er laut lachen muß, wenn die Orangen über die
Straße rollen, und daß er zerbrochene Ölflaschen liebt. Daß er das
alles lustig findet.

In Tarragona aber sah er einmal dasselbe, und erst viel später –
kürzlich, sagt er, also muß es hier gewesen sein – fällt ihm auf, daß

er in Tarragona nicht gelacht hat, daß er auch nachträglich nicht darüber lachen kann.

Ich mag Geschichten. Wenn ich tagsüber schlafen gehe, dann nur deshalb, weil ich tagsüber träume.

Balzacs Vater legte sich ohne jeden Grund ins Bett und stand erst nach zwanzig Jahren wieder auf. (Benn)

Das ist eine Geschichte, dieser eine Satz.

Der liegt nun wirklich eine kurze Zeile und zwanzig Jahre lang im Bett, der tut nichts anderes – viel weniger als Oblomow.

Ich bringe den Namen Marianne ins Gespräch. Jetzt ist die Gelegenheit. Marianne liebt Oblomow, so wie Annemarie den Palmweintrinker, und als ich oder Kieninger Marianne zum ersten Mal sah, dachte ich oder er an Annemarie.

Obwohl sie verschieden sind.

Marianne etwas größer, Annemarie etwas verlorener, Annemarie etwas trotziger in der Freude und Marianne etwas trotziger in der Trauer, und beide haben – Annemarie bestimmt und Marianne ziemlich sicher – dunkle Augen, beide haben ein Buch, Annemarie den Tutuola, Marianne den Gontscharow. Marianne und Annemarie sind zwei ganz verschiedene Namen durch die Umkehrung.

Marianne und Annemarie sind zwei fast verschiedene Mädchen.

Und dann sagte Kieninger einmal – um fünf, nach der Arbeit, beim Bier: «Die dort, die erinnert mich nicht an Annemarie.»

Hans Boesch

ROLAND

Wir waren noch alle beisammen, damals, bauten die Straße zum Monte Moro. Ich hatte die Equipe in Pulls weggenommen; dann, Ende 1952, standen die Männer über Tartar in den Hängen. Mühsam kroch die Straße voran. Der Waldboden war bucklig. Bergseits der Wurzelstöcke lagen kleine Pfützen, hielten sich nach dem Regen tagelang. An den Stämmen hingen Flechten. Fichtenbestände wechselten mit Erlen. Überall traten schmutzige Quellen aus.

«Jedes Mausloch rinnt», sagten die Burschen, «der Berg schwitzt wie ein Säufer.»

Der Frühsommer war trocken gewesen. Mitte Juli kam Regen. Bis tief in den Herbst hinein regnete es täglich. Eine kleine Wiese

machte uns besonders zu schaffen. Sie war flach, mit jungen Nuß-
bäumen bestanden. Ihr Heu, die Margeriten hatten mich getäuscht.
«Trocken», hatte Comolli gesagt, «hier, mitten in den Schlipfen
eine Wiese gesund und schön und trocken: die reine Erholung.
Wird was dran sein.» Wir brachten die Straße heran, hatten einen
Damm über die Wiese hinweg zu schütten. Und jetzt erst, Ende
September oder anfangs Oktober, es regnete schon seit Wochen,
die Wälder waren verfilzt und naß, erst jetzt begann auch ich unsicher zu werden. Die Wiese war mir zu brav, zu glatt. Ich ließ
sondieren. Mit kleinen Rammkatzen trieben wir Eisenstangen ein,
tasteten den Grund ab. Und wir fanden unser Mißtrauen bestätigt.
Kaum war die Sonde hüfttief eingedrungen, sank sie fast von
selbst. Erst nach sieben, acht Metern lief sie fest. Die Wiese war
nichts als eine dünne, trügerische Haut über einem klafterdicken
Pudding; das kleine Seitental war angefüllt mit einem Brei aus
Lehm und Tuffkrümelchen. Es konnte keine Rede davon sein,
hier einen Damm zu schütten. Der Grund würde unter seinem Gewicht ausquetschen, zu fließen beginnen, und früher oder später
würde er mitsamt Damm und Straße hinabrutschen gegen die
Schlucht. Wir mußten die Talmulde ausräumen und den Brei durch
ein tragfähiges Material ersetzen. Wir schälten die Grasnarbe ab,
warfen die Bäumchen weg. Es war schlimmer, als wir gedacht hatten. Das Loch, das wir ins Erdreich rissen, füllte sich fortwährend
wieder auf; unterirdische Quellen trieben den Lehm hoch, und die
Wände strömten zusammen. Nach und nach überzog sich der
ganze Hang unter uns, gegen die Schlucht hin, mit der gelben und
schmierigen Masse, die wir ausgeschöpft hatten. Die Büsche ragten
kaum mehr daraus hervor. Das Regenwasser sammelte sich, brach
plötzlich aus und schoß, vermengt mit dem Schmutz, als ein wäs-
seriges Mus talwärts, gurgelte, klatschte, und verspritzte die Baracke bis unters Dach.
Ich mußte einsehen, daß wir uns umsonst abmühten. Der Teich, der
nicht leerzulöffeln war, mußte angezapft werden. Ich ließ unten am
Hangfuß einen dreimal mannstiefen Graben ansetzen. Ich hatte
vor, ihn durch die Wiese bis zum Quelloch hochzuführen, Röhren
einzulegen und den Hang zu entwässern. Die unterirdischen
Quellen sollten gleich bei ihrem Austritt aus dem Fels abgefangen
werden. Auch mit diesem Dreck, sagten wir uns, würden wir
schließlich fertig. Wir arbeiteten uns langsam im Graben bergan.
Der Regen trommelte auf die Ölhäute, und der Schmutz, den wir
ein paar Tage vorher oben beim Trichter ausgehoben hatten,
kroch nun über die Wiese zu uns herab, er rann in den Graben,

klatschte von Sprießholz zu Sprießholz und den Männern ins Genick. Schon am frühen Morgen, kaum hatten sie die Arbeit aufgenommen, waren die Italiener naß und verdreckt bis auf die Haut. Sie wagten kaum mehr hochzublicken. Wenn Jul den Greifer zwischen den Hölzern und Wurfpritschen niedergleiten ließ, drückten sie sich gegen die Wand und warteten geduldig, bis die stählerne Tonne ihre Zähne in den Grund gestoßen hatte. Sie zogen Querhölzer ein, Verstrebungen, kratzten die Grabenwände glatt und machten mit dem Kopf ihre kleinen, kaum merklichen Zeichen zu Tschanz hinauf, der oben stand, am Grabenrand, und die Zeichen weitergab mit einem Heben des Arms, einem Fallenlassen an Jul im Bagger.

Die Wände drückten. Die Bretter bogen durch, und die Querhölzer wurden tief in die Balken gepreßt. Ununterbrochen schoben sich Lehmzungen aus den Ritzen, fielen nieder, und ihr Platschen vermischte sich mit dem Klingen von Quellen, die meterhoch über Grund austraten, wurde eins mit dem Schnarren der Stiefelschäfte. Mehlfarben tropfte der Brei. Er leckte über Holz und Hackenstiel, über Mantel und Wange, war kotig, kalt. Und dann, Ende Jahr, kam der Wind.

Die Wolken wälzten am Hang. Die Wipfel der Buchen waren schon fast ganz leer. Sie warfen das letzte Laub über den Bagger, und der Wind drehte es zu Schwänzen und riß es neben der Maschine hinab. Die Bäche nahmen das Blattwerk mit, wirbelten, quirlten es in der gelbgrau gurgelnden Brühe, trugen es mit Reisig weiter und schoben es zu Dämmen. Sie stauten sich dahinter und sprengten plötzlich die Sperre, überwarfen sie und rissen sie in Fetzen.

Über dem Hang, seiner schleimigen Haut, aus der die Spuren der Vögel längst gewaschen waren, in die auch der letzte trockene Kotkegel eingesunken war, über diese Fläche sahnig gestreifter Schlieren – Bratensauce mit Kartoffelpurée, sagten die Burschen –, über dem glattgestrichenen Hang klebten die Blätter wie Läuse, sie zitterten eine Weile im Wind, versuchten sich loszureißen und wurden langsam verdaut. Ein Moosnest, naß und frisch noch, versank. Manchmal stürzte ein Ast, ragte auf wie Geweih, und drehte sich dann still hin. Die Bäume schwankten. Ihre Wurzeln rührten die Erde um, tief unter der Oberfläche, kneteten. Die Kronen neigten sich und schlugen gegeneinander, stürzten.

An einem Montag, der Graben war nur noch wenige Meter vom Aushubtrichter entfernt und wir beschäftigten uns schon mit den Vorbereitungen, den Teich anzustechen, mußten wir feststellen, daß der Hang wanderte. Nicht nur die dünne Haut aus Schmutz, die wir ausgeworfen hatten, war in Bewegung, sondern das ganze Erdreich, so tief wie der Graben war, von der Grasnarbe bis hinab zum Fels, schob weg.

Wir selbst glitten mit dem Hang talwärts. Vorerst hofften wir allerdings, das Gleiten werde langsam bleiben und wir würden Zeit genug finden, den Graben weiterzuführen. Wir glaubten noch jetzt, wir könnten das Wasser abfangen und den Berg leerrinnen lassen. Es war auch denkbar, daß in einer Frostnacht die Wässer erstarren und die Quellen versiegen würden. Jedenfalls, hatten wir beschlossen, aufgeben kam nicht in Frage. Wir arbeiteten weiter, bissen uns fest.

Als die Querhölzer sich schief zu stellen begannen, weil die eine Seite des Grabens rascher wegrutschte als die andere, ließ ich Licht installieren und teilte die Mannschaft in zwei Schichten. Die Männer standen nun Tag und Nacht im Graben. Sie paßten Rahmen ein, neue Sprieße, einen Wirrwarr von Hölzern, der das weitere Zusammenrücken der Grabenwände und ihren Einsturz hätte verhindern sollen. Die Kerle waren erschöpft, wankten mühsam im Brei. Sie dampften unterm Regen, quälten sich durch den Dreck, beinahe blind, sie trugen auf den steif abgewinkelten Armen ihre Rundhölzer, so sorgfältig, als wären es Säuglinge, und achteten darauf, daß sie ihnen nicht entglitten und in den Graben fielen. Wie Marionetten, wie Mechanismen im Zeitlupentempo waren sie, die Bewegungen behindert von durchschwitzten, durchnäßten Pullovern, von Wäschestücken, die auf der Haut pappten, die einengten und klemmten, von Regenhäuten, die an der Schulter mit den Kitteln zu einem dicken Pelz zusammengewachsen waren. Der Schmutz rann durch die Jackenärmel und klebte an den Werkzeugen, machte sie glitschig und hinterhältig. Der Regen hatte längst durch die Hutkrempe geschlagen. Sie ließen sich das Wasser ins Haar rinnen, in die Augen. Sie hatten keine Möglichkeit, es wegzuwischen, die Hände waren mit Lehm verpappt. Das Zeug, in dem sie staken, war schon am Morgen, wenn sie sich hineinzwängten, feucht und brettig vom Dreck. Aber sie hielten aus, eingeschlossen in ihren Schmutzpanzer, ein Panzer aus Gummihaut und Müdigkeit; sie ertrugen ihn und ließen sich von ihm dumm machen, stumpf und ungefähr in den Handreichungen.

Unten, in der Baracke, kochte Tschanz Tee, stellte Bier an die Wärme. Um Mitternacht gingen sie zu ihm hinab in die Schlucht, standen im Raum, der barst vor Hitze. Sie wuschen sich bis zu den Ellbogen, schleuderten den Schmutz aus dem Gesicht. Die Pelerinen hingen hinterm Ofen. Sie stopften Brot in sich hinein, tranken aus Flaschen. Sie beeilten sich, ohne daß ich sie angetrieben hätte, legten ihre Mäntel um und stiegen zurück in den Graben. Der war schmal geworden. Der Greifer hatte kaum mehr zwischen den Hölzern Platz. Es war ein Uhr, ein Uhr nachts, als ein Sprießholz durchstempelte. Die nachdrängende Schmutzlawine schwemmte einen Italiener ein. Er versuchte hochzuklettern, hing in den Balken, fluchte und mühte sich ab. Umsonst. Die Brühe stand ihm schon an der Hüfte, war in die Stiefelschäfte gelaufen. Roland machte sich an ihm zu schaffen. Andere krochen hinzu. Sie sicherten das Brett, schöpften den Brei weg. Sie zerrten an dem Mann herum, rissen ihn fast entzwei. Schließlich gelang es, ihn zu befreien. Die Angst und das Gezerr hatten ihn verbraucht. Offenbar hatte auch das Fußgelenk gelitten. Schwerfällig kroch er durchs Sprießwerk, hielt ein Bein angewinkelt. Sie halfen ihm weiter. Roland hatte sich so hingestellt, daß der Mann auf seiner Schulter knien konnte, und schob ihn auf diese Weise langsam aus dem Graben.

Wir hatten eben die Hände des Italieners zu fassen bekommen und wuchteten ihn den letzten Meter zu uns herauf, als ein Brett kippte und auf Roland fiel. Er hatte sich wohl zwischen die Sicherungshölzer gedrückt, mußte aber trotzdem in die Knie, glitt weg. Sekundenlang noch hielt er sich an einem Kantholz; doch es war schmierig; seine Finger konnten sich nicht festkrallen, sie schoben der Kante entlang, kamen zur Fuge. Und er stürzte. Wir hörten eine Zeitlang nichts als das Klatschen des Drecks, der hinter dem Burschen nachrutschte. Jul war schon in den Sprießen, kletterte zu Roland hinab. Wir setzten den Italiener auf einen Stapel Holz, holten Leitern, und hörten Jul, der tief im Graben war, nach Licht schreien, hörten gleichzeitig die Beschwichtigungen Rolands. Es sei nicht schlimm, sagte er. Nicht halb so bös, Jul. Nein, das bringe ich nicht frei, das rechte. Und Jul schrie, das Bein sei eingeklemmt, man solle eine Hacke bringen, eine Säge.

Noch bevor wir bei ihm waren, hatte der Dreck Roland bis zum Nabel eingeschwemmt. Oh, es gehe, sagte er, es gehe wirklich.

Ich ließ zusätzlich Querhölzer einziehen, wir mußten die Einbruchstelle verdämmen. Es bestand die Gefahr, daß die ganze Wand aus der Klaffe leerlaufen und sich hinter den Brettern Hohlräume bilden würden. Alles würde nachgeben, einbrechen, und Roland – und die Burschen mit ihm – begraben.

Die Männer wußten Bescheid. Sie arbeiteten keuchend, ohne ein Wort, ohne auf die Lehmschübe, die niederklatschten, zu achten.

Jul und Tschanz schöpften die Brühe ab, die langsam stieg. Sie standen tief im Schlamm, reichten sich die Eimer durch die Querhölzer, gossen sie talwärts in den Kiesschlag aus. Über ihnen hingen die andern im Gestänge, hieben Klötze zurecht, klemmten sie hinter die Wand, hämmerten und wuchteten Bretter dazwischen. Selbst der verletzte Italiener war überm Grabenrand herangekrochen, rutschte auf den Knien, bewegte sich wie ein Verrückter oben am Rand hin im Licht der Lampen, warf sich herum auf seinen Stummelbeinen, reichte Hölzer herab, Werkzeuge, Klammern. In einer Viertelstunde hatten wir derart viel Holz vernagelt, daß kaum mehr durchzukommen war. Wir steckten in einem Kamin. Bergseits und talseits hatte sich der Graben rasch bis auf wenige Handbreit geschlossen. Ununterbrochen knackten die Hölzer, splitterten Sprieße. Die Brühe um Roland stieg.

Sie rann aus den Wänden, aus den aufgebrochenen Bretterlagen, wurde von unten, aus der Sohle hochgedrückt, sie drang von allen Seiten auf ihn ein. Die Balken schoben heran. Jul war hinaufgestiegen, baggerte. Links und rechts des Grabens wurden Löcher aufgerissen, das Material weggeworfen ins Tal. Jul versuchte, die Sprieße von außen zu entlasten. Der Bagger drehte. Die Schläge des Greifers ins Erdreich teilten sich uns dumpf mit. Bei jedem Stoß drang ein Schwall Wasser und Schlamm aus den Fugen, preßte sich hervor wie dünnflüssiger, luftdurchmischter Senf, troff nieder, klickend, saftend, schwer.

Wir hatten eine Kiste um Roland genagelt. Es würde sich machen, sagte er. Er stöhnte.

«Ganz ordentlich macht sich das.» Ich wußte, das Brett, das ihn festhielt, das auf ihn gestürzt war, drang in sein Fleisch. «Doch, doch, Chef», versuchte er zu scherzen, «es geht. Ein Denkzettel gehört jedem, eine Erinnerung an das Dreckfest in Tartar.»

«Schade», sagte er aus seiner Kiste, «noch drei Meter, vier Meter, und der verschwitzte Saukerl von einem Berg wäre trocken gewesen. Es tut mir leid um den Graben, Chef, ein schöner Graben, ein Schnitt sozusagen in den Hosenboden.»

Er begann zu singen. Drin im Käfig sang er.

«Sei still», sagten die Italiener. «Verdammt, mein Kleiner, sei still!» Sie wußten, daß er weinte unterm Gesang.

Keiner spürte den Regen. Wir hatten die Mäntel weggeworfen, in den Lehm getreten. Zuerst hatten wir noch unten, bei Roland, gearbeitet, sicherten seinen Verschlag ab, krochen dann langsam in die Höhe, hielten den Ausgang frei, so gut, so lang wie möglich. Aber es war aussichtslos. Die Wände waren auf Brustbreite zusammengedrückt. Ich mußte die Männer zwingen, aus dem Gestänge zu kriechen.

Sie trieben einander unwillig hoch, halfen sich, rissen sich durch die Engnisse. Und riefen immer wieder, während der Greifer über ihnen drehte und sie vollspritzte, riefen sie hinab zu Roland, trösteten ihn; würde gut werden, schrien sie, versuchten zu lachen, schon gut, würde seinen Sonntagsbraten haben, morgen. Morgen könne ihnen der verdammte Dreck! Mut, Kleiner! Wir haben Pumpen, ersoffen ist uns noch keiner. Sie schrien und redeten und schämten sich, daß sie ihn im Stich lassen mußten.

Oh, er würde durchhalten, bestimmt. Noch ein paar Armlängen, und Jul hat mich. Der frißt sein Loch in den Kuchen, frißt mich frei.

Er sprach es sich immer wieder vor, sang es, kreischte manchmal; ein schriller, elender Singsang. Er mußte die Stöße des Greifers spüren, sein Aufschlagen im Erdreich. Er wußte, wir könnten, sobald Jul die Krater beidseits der Sprießung bis zu ihm abgeteuft haben würde, die Bretterwand von außen durchsägen und ihn aus seinem Kasten heben. Er hätte sich nur zu gedulden. «Mut», schrien die Italiener. «Coraggio, Roland, Bursche, Coraggio!»

Die Sprießung ragte schon hoch aus dem Loch. Die Männer begannen sie oben auseinanderzureißen, bildeten sich ein, sie würden so rascher zu ihm hinkommen. Ich wagte nichts dagegen zu sagen, wagte sie kaum anzublicken. Sie arbeiteten wie wahnsinnig. Ihre Gesichter, Arme glänzten. Sie weinten vor Erschöpfung und Wut. Sie hämmerten und hackten weiter, mußten etwas tun, im Geröhre, im Klatschen, im Rauschen, irgend etwas. Gegen Morgen war der Trichter bis über Rolands Kopf vorgetrieben. Ich stieg hinab, lehnte am Holz. Ich redete mit ihm. Ich sah seine Finger, die eine Spalte gefunden hatten, sah, wie sie sich übers Holz hinbewegten, sich in den Dreck gruben. Er jammerte leise, schämte sich auch jetzt, daß er Schmerzen litt, versuchte zu erklären, es tue weh, tatsächlich; ja, in der Hüfte, quetsche ihn zusammen; ein Balken ramme sich in ihn.

Ich konnte ein Brett wegreißen, hinabgreifen; ich fand sein Gesicht. Ich spürte: der Schlamm war bis zu seinem Kinn gestiegen. Wir würden gleich so weit sein, sagte ich, in wenigen Minuten.

«Es tut wirklich weh, Jul, wirklich», sagte er. Er konnte mich nicht mehr erkennen, konnte sich nicht ausrechnen, daß dort im Gefährt, das drehte, in einem verrückten Tanz, und den Greifer schwang, ihn hineinstieß in die Grube, ihn hinüberriß ins Gehölz, in die Schlucht entleerte, daß dort Jul saß, konnte wahrscheinlich den Bagger, den Motor nicht mehr hören, das Hämmern und Sägen, die Männer nicht, die links, rechts von mir Löcher hackten ins Holz, die den Wirrwarr, den schmutzigen, auseinanderrissen. die schluchzten und ächzten und sich mit den Schultern gegen die Hölzer warfen, mit den Fäusten dagegen hieben. Das Dröhnen war ihm eins geworden. Die Schübe des Schmerzes zuckten darüber hin. Ich konnte seinen Kopf erkennen, den Mund, die aufgerissenen Nasenflügel, weit offen die Augen. Er atmete kurz. Der Kopf legte sich in den Nacken und fiel mir aus der Hand. Ich erschrak.

Es gelang, die Bretter neben seinem Kopf wegzusägen. Die Männer konnten ihn nun ebenfalls sehen. Und sie sahen, er hatte die Augen groß offen, regte sich nicht. Er hatte eine Flocke Blut auf den Lippen, eine winzige Spur Blut von der Nase über die Lippe zum Kinn, kaum sichtbar im Schmutz. Sie arbeiteten weiter, sahen nicht mehr hin, sie hielten im Hacken, Auseinanderreißen keinen Augenblick ein.

Als sich die Stämme aus dem Regengrau lösten, die geborstenen Kronen, als wir die Umrisse des Baggers, der noch immer drehte, klar erkennen konnten, um sieben Uhr etwa, bekamen wir ihn frei.

Wir legten ihn auf die Erde. Jul eilte herbei, ohne den Motor abzustellen, sprang die Trichterwände herab. Er stand einen Augenblick still, besah Roland, sein Gesicht, er kniete nieder, riß den Regenschutz von der Brust des Jungen, eine wüst verpappte, zerfetzte Ölhaut, hielt das Ohr auf die Brust, schob den Pullover hoch, öffnete das Hemd, legte nochmals sein Ohr hin, horchte.

Die Handlanger verharrten. Er sah sich um. Ich denke, er sah uns nicht, die Trichterwände nicht, nicht die zersplitterten Sprießwände mitten im Krater aufragen gegen den Himmel. Er hörte das Holz nicht, das auch jetzt knackte und sich zusammenschob. Er nahm den Jungen, trug ihn aus dem Loch. Er verlor Rolands Regenschutz. Tschanz hob ihn auf, folgte Jul. Die Handlanger, Comolli gingen ihnen nach. Langsam stiegen sie hinab gegen die Schlucht.

Es war mir schließlich gelungen, den Motor abzustellen. Als ich in die Baracke kam, hatten sie Roland auf den Tisch gelegt. Sie hatten seine Kleider heruntergerissen. Tschanz stand neben dem Eimer. Jul tauchte ein Hemd hinein und wusch den Jungen. Er hatte ihm die Augen geschlossen, hatte sein Gesicht gewaschen, den Hals, einen Teil der Brust. Die Männer standen, ohne sich zu regen, längs der Barackenwände. Jul beeilte sich nicht. Wir sahen ihm zu. Wir

hörten den Wind, der durch die Baracke zog, am Dach rüttelte,
manchmal eine Tanne umwarf oben am Rutsch, und die Schuhe
Juls hörten wir, die über die Bohlen schoben, das Klatschen des
Wassers.

Max Bolliger

Sei vorsichtig,
lerne mit deinen Augen umgehen! –
Was du anschaust, schaut zurück.
Du wirst ihm
wieder begegnen.

Es prüft dich,
und was dir zustößt,
hat dein Gesicht,
die Schönheit, die Angst,
was dich liebt und verletzt.

Überall
wartet es auf dich.
Halte ihm stand!
Du kannst nicht entfliehen.
Was du anschaust, schaut zurück.

Ich habe gewohnt
an vielen Orten,
ausgestattet mit dem,
was ich erfahren habe,
mit der Kindheit,
mit der Liebe
und mit der Hoffnung.

Ich habe gewohnt
in vielen Zimmern,
allein und allein.
Entkommen
bin ich mir nie.

Rainer Brambach

POESIE

Außer Poe und mir
war niemand im Park.
Nur jemand wie Poe
zeigt sich in der Dämmerung
unter alten Ulmen.
Ich habe Poe gesehn.
Unter den Ulmen stand er
im nassen Laub, allein
und verregnet.
Ich sah Poe.
Er trug den Mantel
mit dem Samtbesatz
und sah düster nach – ich weiß nicht.
Pfeif dir was, Brambach! Versuch
eine Melodie,
denk dir einen Vogel,
nimm Poes alten, schwarzen Vogel,
laß ihn fliegen... wahrhaftig,
ich habe Poe gesehn
und wie er allmählich eins wurde
mit den Ulmen im Regen.

WANDERUNG

Einsame Torffelder, Viehweiden, Graspfade,
ein Gehöft ohne Hofhund,
schäbige Hühner hinter Draht,
Stallmist, wie er ist –
Ein Wegweiser, zweiarmig, zeigt nach Vögelsen
und Sankt Dionys –
Über all dem liegt die Stille,
ein lautloses O –

SALZ

Wir brauchen einander. Wir sind
das Salz der Erde,
Salz, kostbarer als Gold, notwendiger,
einsilbig, weiß im Streufaß gefaßt,
verloren im Atlantik,
im Brot, in der Träne, im Schweiß
vor der Geburt oder sonstwie, sonstwo
brauchen wir uns, Salz der Erde, Salz.

PAUL
für Jürg Federspiel

Neunzehnhundertsiebzehn
an einem Tag unter Null geboren,

rannte er wild über den Kinderspielplatz,
fiel, und rannte weiter

den Ball werfend über den Schulhof,
fiel, und rannte weiter

das Gewehr im Arm über das Übungsgelände,
fiel, und rannte weiter

an einem Tag unter Null
in ein russisches Sperrfeuer

und fiel.

GLÄTTEREI

Kathrin, grauhaarig, eine ältliche
Jungfer,
doch rüstig genug, den ganzen Tag
das Bügeleisen zu führen,

o Kathrin – knochig, ohne Brust,
geachtet als Person und geschätzt
von einer besseren Kundschaft –

was für ein zärtlicher Glanz
belebt manchmal deine Augen,

wenn du ein besonders schönes
Herrenhemd
mit spitzen Fingern
auf dem Tisch vor dir ausbreitest.

HASENATHLETIK

Mein Name ist Lampe.
Man nennt mich auch Langohr,
den großen Sprinter.
Mein Hasenherz bebt,
wenn auf der Feldbahn
der Schuß kracht –
Der Startschuß ins Jenseits.

HEITERKEIT IM GARTEN

Kann ich sagen: Der Brunnen brunnt?
Schnittlauch gehört nicht in die Vase,
auch wenn er violett blüht.
Sagt mir: Warum nicht?
Ich zerreibe ein Salbeiblatt
zwischen den Fingern –
Malven und Sonnenblumen kommen hoch.
Ein Regiment von Farnkraut sieht mir entgegen.
Saufbrüderchen blühen rot,
ich blau, Kompostifolius brambachensis.

Beat Brechbühl

RECHNUNG EINES KIRCHENMALERS
(zweckentfremdetes Plagiat)

Ausbesserung der Zehn Gebote,
Verschönerung des Pontius Pilatus und
neue Bänder für seinen Hut.

Ein frischer Schwanz für den Hahn St. Peters
und Auffrischen des Kamms.

Den linken Flügel des Schutzengels mit
Federn versehen und vergoldet.

Den Diener des Hohepriesters gewaschen.

Den Himmel renoviert, die Sterne hergerichtet
und den Mond geputzt.

Die Höllenflammen leuchtender gemacht,
einen neuen Schwanz für den Teufel, sein Huf
ausgebessert
und verschiedene kleine Arbeiten für die
Verdammten.

Das Fegefeuer aufgefrischt und
die verlorenen Seelen gereinigt.

Das Hemd des verlorenen Sohnes ausgebessert.

– Macht total 52 Franken.

DAS DORF (VIII)

Wenn einer stirbt,
wissen es alle.
Niemand hindert dich
zu sterben.
Je nachdem, wie dich das Dorf ertrug,
kommen viele
oder nicht viele Leute
zur Beerdigung.
Aber alle wissen, daß du tot bist.

Es kommt noch vor, daß ein Pferd
den Leichenwagen zieht.
Die Leute gehen in Kolonnen hinter dir her;
die nächsten sehen zu Boden,
die weiter hinten reden miteinander.

Durch das Dorf zieht ein Rauch
wie ein müder Hund.

DIE BALLADE VOM SPORTTOTO

Der alte Balthasar Wenger konnte es
nicht fassen,
daß der Nationaltorhüter, für diesmal
ein Hornochs, 10 Sekunden vor
Schluß den Ball zwischen den Beinen hindurch
ins Tor fallen ließ.

Sonst hätte ich den einzigen Dreizehner
gehabt, sagte der alte Wenger, 15 Jahre lang
habe ich nun getippt, mehr als 100 000 Franken
hätte ich gekriegt, und jetzt schlägt
das Glück
so nahe an meiner Nase vorbei.

Mehr als 100 000 Franken hätten sie mir
geben müssen, sagte der alte Wenger,
immerzu, 3 ½ Stunden lang,
ich habe noch nie soviel Geld gesehn.

Das Leben besteht aus Nuancen,
sagte Herr Pfarrer,
am Donnerstag drauf, an der
Beerdigung des alten
Balthasar Wenger.

ERSTAUNLICHE FESTSTELLUNG

Meine Frau ist meine Geliebte,
mein ganzer Harem.

Und ich bin
in den besten Jahren.

ARMBRUSTZEICHEN

Noch mehr
arbeiten.

Dafür besser.

AULA

Der eine sitzt unfreiwillig
zwischen den Bänken
und denkt Ich weiß alles

Der andere sitzt freiwillig
vor seiner Lampe und weiß nach wie vor
nichts.

Später gleicht sich das aus.
Professoren bleiben alt.

Elisabeth Brock-Sulzer

THEATERKRITIK. DÜRRENMATT: DER METEOR

Am Anfang eines Stücks stehe der Einfall, hat Dürrenmatt oft
geäußert. Hier in seinem neuesten Stück wird das Wort Einfall
auch unmittelbar Bild: Als Meteor bricht ein Mensch ein in die
Alltagswelt. Dürrenmatt hat die Komödie dieses Einbruchs und
dessen tragikomische Folgen geschrieben. Ein Mensch stirbt, ein
berühmter Schriftsteller, sein Tod wird eindeutig medizinisch
festgelegt, in die Welt hinaus berichtet, das Staatsbegräbnis vorbereitet. Da erscheint dieser selbe Mensch an der Türe eines arm-
seligen Ateliers, in Schlafanzug und Pelzmantel, zwei Kerzen und
zwei Koffer schleppend. Hier war er einmal jung und arm, hier
will er sterben, nicht im Spital, wo er ausgerissen. Aber man spürt
ihn auf, der Pfarrer sieht in ihm einen Auferstandenen, der Arzt
erkennt in ihm den Ruin seiner Wissenschaft. Beide gehen an ihrer
Erkenntnis zugrunde, der eine vor Glück, der andere vor Verzweiflung. Die Frau des Totgeglaubten geht in den Tod, da sie es
nicht ertrüge, den Mann zweimal zu verlieren.

Aber dieser Todbereite wird nun nach allen Regeln der Komödie
am Sterben verhindert. Von außen her und von innen her. Denn
alles, was um ihn herum geschieht, der ganze fürchterliche Unfug,
den er durch sein gesetzwidriges Überleben stiftet, scheint ihm nur
neue Kraft zuzuführen, ihn förmlich zu mästen mit dem Leben der
anderen.

Man fürchtete, sich im Theater am Tod ruchlos verlustieren zu
müssen, man war vielleicht entschlossen, sich diesem Anspruch zu
weigern, aber man lacht, denn man lacht über einen unbesiegbar

Lebendigen, dem sein Tod nicht gewährt wird. Die Opfer dieses Amokläufers sieht man kaum als Opfer, so schnell und nebenbei werden sie erledigt.

Denn dieser Auferstandene oder – komisch gewendet – dieses Stehaufmännchen ist vogelfrei geworden. Schwitter, der Schriftsteller, hat ausgehofft, er fürchtet sich nicht mehr vor dem Sterben, er hat sein Geld verbrannt, seinem Werk abgeschworen, er hat nichts mehr zu verlieren und damit die Sprengkraft derer gewonnen, die nichts mehr zu verlieren haben. Er fährt durch die Menschenwelt hindurch wie ein tödliches Geschoß, eben als ein gefährlicher Meteor, der in der Reibung an der Atmosphäre eine einmalige Leuchtkraft gewinnt.

Diese Komödie des Sterbens ist ein Feuerwerk des Lebens. Und da Leben und Tod das durchaus Unvereinbare seien, entsteht hier jene tiefste Komik, die jeweils aus dem Unvereinbaren entsteht. Und da weiter Wiederholung eines an sich Einmaligen ebenfalls dessen Lächerlichkeit aufdecken kann, entsteht durch die wiederholte Auferstehung oder deren Anschein abermals Komik. Das Thema ist ganz eigentlich tollkühn, angesiedelt an den äußersten Möglichkeiten der Komödie, aber es trägt. Man kann, man wird es lange besprechen, sezieren, hier wird Dürrenmatt den Anatomen der Literatur nicht entgehen, aber er wird sich nicht darüber beklagen dürfen, er hat sie provoziert. Er bietet den möglichen Mißverständnissen – *sind* Mißverständnisse – breite Angriffsflächen. Verspottung der Religion? fragt man vielleicht. Nihilismus? Ruchloser Umgang mit den letzten Dingen?

Hang zur Rhetorik? In der ersten Aufführung gab es, wie schon berichtet, neben starkem Beifall auch lärmend geäußertes Nein, später schwiegen die Proteste, hingegen rutschte die Publikumsreaktion stellenweise gefährlich gegen das bloße Amusement ab. Die erste Reaktion war sicher die bessere. Sie ahnte wenigstens etwas von Dürrenmatts Sprengkraft.

Wer aber davon nicht nur etwas ahnen, sondern sehr viel wissen soll, ist das Theater. Eine Inszenierung, der man verständlicherweise vorwerfen könnte, sie mache die Heilsarmee oder den Pfarrer, der an der geglaubten Auferstehung Schwitters stirbt, lächerlich, wäre verfehlt. Wer Schwitter Dürrenmatt gleichsetzte, ginge ihm höchstens auf den Leim, nicht aber auf die Substanz. Wer aber Schwitter von der Rhetorik fast nie ganz loskommen ließe, der hätte ein wichtiges Element der Rolle erfaßt.

Diese Komödie vom verhinderten Tod ist auch die Komödie eines Selbstgerichtes. Schwitter rechnet ab mit seiner Schriftstellerei. Sie war Geschäft. Jetzt macht er Schluß mit dem Geschäft, verbrennt all sein Geld und versucht auch in seinen Worten die Literatur auszubrennen. Es gelingt ihm nicht, immer wieder erhascht ihn die Phrase, das überhöhte Wort. Sterben ist toll, sagt er einmal – da spricht der alte Jobber. Sterben ist unmenschlich – da spricht neue Erkenntnis. Dieser Kampf mit der Literatur, bis in die kleinste Silbe ausgetragen, ist einer der geistvollsten Reize dieser großen Theaterfigur, sicher einer der wirklich großen Rollen des heutigen Theaters.

Überhaupt hat Dürrenmatts Sprache hier eine stupende Zielkraft erreicht. Die Worte werden wie Projektile verwendet. Ein einzelner Satz entsteht oft erst aus dem mehrfachen Hin und Her von Rede und Antwort. Dialoge sind Kugelwechsel. Selten nur entfaltet sich die Rede breiter, und dann meistens zur Demaskierung ihrer Rhetorik. Die Sprache entspricht genau der Schocktechnik des Spielablaufs, dieser Fülle von überraschenden Begegnungen, Wendungen, dieser unerschöpflichen Theaterphantasie des Autors.

Alles will diese Kunst im Flug erhaschen, in der Explosion – sehr vieles erhascht sie auch so. Allerdings bleibt dabei die eine und andere Nebenfigur auf der Strecke. Daß außer Schwitter alle Rollen ohne Anlaufzeit sind, ist bei der Anlage des Stücks notwendig, manchmal aber ist auch die Flugbahn an sich noch zu kurz, es bedürfte dann eines Darstellers, der von vornherein schon alles mitbrachte für die darzustellende Figur. Doch wäre es falsch, neben Schwitter voll ausgeführte Menschen zu fordern; daß sie nicht voll werden können, ist ja gerade Schwitters Wirkung. Er selber aber bedarf nicht des auf einen einzigen Typus festgelegten Darstellers. Es kann viele Schwitter geben.

Leonhard Steckel ist absolut hinreißend, sein Schwitter ist ein Naturereignis, ein Ungeheuer der sich selbst verzehrenden Vitalität. Dieser Mensch sammelt in sich alle Möglichkeiten des Menschen: er ist alt und jung zugleich, hat die Verstocktheit des Greises und die Verbocktheit des Knaben und darüber hinaus eine tierhafte List. Dürfte man Steckel dämpfen, wenn das Publikum einmal ausrutschte in das falsche Lachen hinein? Man müßte es wohl, aber schade wäre es trotzdem. Denn zu Schwitter gehört die rasende Selbstherrlichkeit. Zum Meteor die Allgewalt. Wenigstens bis zu seinem Aufprall.

Prallt Dürrenmatts Meteor auf? Sein letztes Wort ist: Wann krepiere ich endlich? Er stirbt also nicht. Ein Heilsarmeekorps deckt seine Blasphemien nur zu. Doch ist da, vor dieser letzten Aufgipfelung, eine Szene, wo Schwitter seinen Meister finden muß für eine kurze Weile: seine Begegnung mit der alten Abortfrau, die die ganze Stadt kennt, da die ganze Stadt ihre sauber gekachelte, hygienisch einwandfreie Unterwelt frequentiert. Ihr macht man nichts vor, vor ihr gibt es keine Phrasen mehr. Aber auch die Abortfrau stirbt während der Begegnung mit Schwitter. Nur stirbt sie nicht an ihm und durch ihn, sie stirbt, weil sie alt ist, stirbt ihren eigenen anständigen, sachlichen Tod, wortlos, kampflos. Da fürchtet sich Schwitter endlich, da fällt ihn das Grauen an, da vergräbt er sich in seine Kissen, die er sich vorher so kunstvoll und wohlig zurechtgeknetet hatte wie ein Tier sein Nest. Sollte das Stück hier enden? Das wäre möglich, aber welche Darstellerin könnte mit ihrer Stille, ihrer ganz «abgebauten» Darstellung hier einem astronomischen Feuerwerk, wie es Schwitters meteorische Erscheinung ist, das Gegengewicht halten?

Dürrenmatt hat einen Chor herbeigeholt zum Finale, den einzigen sofort als christlich erkennbaren und theatergemäß verwendbaren Chor, die Heilsarmee, die ehrlich gläubige, ehrlich davon überzeugte, daß da ein Sünder mit ewig unverdienter Gnade beschenkt worden sei. Das ist gedanklich richtig erfunden, aber es wird nicht bezwingende Theaterrealität. Statt einer letzten Aufhöhung oder eines letzten Sturzes erleben wir ein plötzliches Aussetzen der Spannung. Ist dieser Schluß überhaupt zu gestalten? Spätere Inszenierungen werden die Frage beantworten...

STREHLERS GOLDONI

Ein neuer Strehler. Man meinte – etwa nach seinem Brecht-Spiel oder nach den *Baruffe* – sein Geheimnis in der leichtesten, durchsichtigsten Einfachheit zu kennen, jetzt, in seinem neuen *Diener zweier Herren* hat er bewiesen, daß er auch die überbordende Fülle, den unbegrenzten Reichtum auf die Bühne zaubern kann. Sein Goldoni war diesmal ein eigentliches Potpourri, ein Topf, in dem alle guten Dinge versammelt werden und sich gegenseitig zu würzen haben. Er macht das listig, er verkleinert die Bühne (dabei ist sie doch am Pfauen schon reichlich klein), setzt ein Podest darauf unter Sonnensegeln, läßt links und rechts Durchblicke auf Hausfragmente und Meer, läßt damit auch Durchblicke auf die offene Garderobe der Darsteller; man sieht, wie sie sich die Masken aufsetzen, sieht die Musikanten, die aufspielen; manchmal wird ein noch umfassenderer Blick auf das Theaterleben gestattet, indem der Vorhang zu früh geöffnet wird und die Schauspieler derart bei den Vorbereitungen überrascht werden. Auf dem engen Bühnenpodest muß sich nun in drangvoller Enge tummeln und sputen und balgen und lieben, was nur an Volk vorhanden ist. Kaum scheint Platz für ein Paar Füße und Arme, aber da gibt es Kopfstände und Duelle und langes und kurzes Gepurzel – nichts, das da nicht Platz hätte, obwohl eigentlich für fast nichts Platz ist. Goldonis Komödie hat den ganzen Wahnsinnstaumel eines entfesselten Zirkus, der Diener zweier Herren, Arlecchino, ist aus der Familie der großen Clowns und ein Großer unter ihnen, er weiß deren uralte Spässe und neue dazu, er ist ohne Unterlaß in furibunder Bewegung, alles an ihm schlenkert und tanzt, Gesten, Worte, Einfälle. Und wenn ihm etwas einfällt, ist es so zwingend, daß die anderen Figuren es schneller oder langsamer übernehmen, nichts was da nicht Leitmotiv würde. Was sage ich: die anderen Figuren – auch nach unten, ins Publikum, setzt sich die Bewegung unwiderstehlich fort. Arlecchino war der Verrückteste der Tollen, aber in ihrer Art waren die minder Spektakulären nicht weniger genau geprägt – man denke nur an die stereotype Rolle des Stotterers. Da war Stottern keine Krankheit, da war es Selbstgenuß der Sprache, Befreiung der Silbe, Rückkehr zu früher Ungebundenheit des Sprechens – im Grunde sprachliches Abbild dessen, was auf der Bühne geschah, das gleiche Getümmel, die gleiche Entfesselung, nur eben bloß aus Lauten. Totales Theater. Und dabei von letzter Genauigkeit, mathematisch genau gearbeitet, bis in die letzte Einzelheit hinein stimmig. Und dabei doch noch eine Komödie mit einer Handlung, eine Liebesgeschichte, in der einige Paare glücklich werden, ein traditionelles Motiv, oft gesehen, immer wieder erprobt, spielbar auch ohne viel Drum und Dran, warum nicht! Aber hier eingetaucht in einen wahren Hexenkessel der Lebenslust. So als gäbe es überhaupt keine Dauer, nur Augenblick, nur Hier und Jetzt, keinen Fortgang, eben keine sich entwickelnde Handlung, nur Bewegung an Ort, Bewegung als Selbstzweck, Bewegung ohne Zeit.

Und doch wurde jede Figur an sich faßbar. Die traditionellen Figuren in ihren Masken und stereotypen Gebärden, die maskenlosen individuellen Personen, sehr verschieden voneinander, sehr männlich die Liebhaber, hinreissend schön die sich als Mann verkleidende Beatrice, elegant und apart ihre Gegenspielerin, vollkommen gestimmte Instrumente in der Hand der Regie, aber eingestimmt zu persönlicher Freiheit. Was wären alle diese Darsteller ohne Strehler? Man fragt es sich immer wieder. Aber was er ihnen gibt, ist das Höchste: Persönlichkeit, ihr Ich. Das geht vom Schnitt, der Farbe der Kleider bis zum zartesten Lächeln, von der Stellung auf der Bühne bis zur leisesten Regung des Körpers. Alles ist Gesetz geworden, alles bleibt Leben...

...Strehler ist ferner ein Zielpunkt des Theaters. An ihm kann man ermessen, was Theater eigentlich sein sollte. Aber es eignet sich nicht als Rezept. Es eignet sich als Ansporn, als steter Erzeuger jener Unzufriedenheit, die den wahren Künstler wohl immer umtreibt und umtreiben soll. Angesichts der Leistung des so großen «Kleinen Theaters» darf man Lessing zitieren: «Vieles muß das Genie erst wirklich machen, wenn wir es für möglich erkennen sollen.»

Erich Brock

APHORISMEN

Brutalität und Sentimentalität sind oft und wesentlich vereinigt: eine ekelhafte Zusammenstellung.

Gut ist es, weise zu sein. Besser ist es, nicht weise sein zu müssen.

Gewisse Lebenseinsichten werden nur erworben, wenn zuvor ihr Fehlen dem Menschen unwiederbringlichen Schaden zugefügt hat.

Für den Dogmatiker sind die Verdammten nicht diejenigen, welche die (nach ihm) offenbarten Forderungen nicht befolgen, sondern die ihre Authentizität bezweifeln.

Alles Schwebende hat seine eigenste Vollkommenheit; denn was sich fest auf den Grund hinunter gesetzt hat, bleibt nicht ohne Bitternis.

Der Fromme hat es gegen Schicksalsschläge schwerer als der Glaubenslose. Dieser denkt: Nun, das ist der Welt Lauf. Für den Frommen sind jene ein tief erschütternder Vertrauensbruch Gottes.

Der Glaube ist heroisch, aber er weiß, daß er der Bestätigung durch das Schicksal bedarf. Der Moralist weiß das nicht – braucht es vielleicht auch *wirklich* nicht.

Kann die Liebe eines Liebenden vor sich selbst grundsätzlich Halt machen? Wenn der Liebende den Geliebten (oder das Geliebte) achtet, muß er auch sich selbst als Liebenden achten.

Wenn man die Menschen um ihrer *höheren* Zwecke willen notwendige Lügen lehrt, so lügen sie am Ende auch gegen einen selber um ihrer *geringeren* Zwecke willen.

Woher stammt die Schöpferkraft der Träume, woher ihre Dramatik, woher ihre Logik, ihre Stimmigkeit, die das Kleine durchziseliert und das Große dem chaotischen Unsinn überantwortet? – Das Bewußtsein leistet dies alles meistens nicht.

Man sollte lernen, sich an den eigenen Vorzügen zu freuen wie ein Tier sich seiner Schönheit freut, naturhaft und ohne Zurückkommen auf sich selbst, mit Dankbarkeit und nicht ohne leise Selbstironie. Eitelkeit ist das, was am schnellsten und sichersten diese Vorzüge tötet, dazu ihren Inhaber.

Schwache Menschen, die nicht auf sich selbst, auf ihrem Recht und ihrer Unabhängigkeit beharren können, ja das vielleicht aus Unterwerfungswillen nicht einmal *wollen* – sie rufen in den meisten andern Herrschsucht und Grausamkeit hervor und saugen sie förmlich an.

Diejenigen, welche alles unmittelbare Erleben und seine einwohnenden Werte auf Verbuchungen für das Jenseits herunterbringen, berauben damit auch andere bedenkenlos jeder gegenwärtigen Genüge.

Was ist eine vollgültige Anforderung von Altruismus? Zum Beispiel wenn ein Mann eine Frau liebt und ihr unter rückhaltlosem Einsatz von Rat und Tat behülflich sein muß, einen Dritten, den *sie* liebt, zu gewinnen und sich zu bewahren. Oder ist es nur Ausdruck der höchsten Liebe des ersten?

Jakob Bührer

AN DIE JUNGEN

I

«Das erwartest du von den Jungen?» – «Ich laß es mir träumen.
Sie werden sich klarer als wir über sich und die Welt,
in die sie – das gilt es vor allem einzuräumen –
das von Menschen, nicht Gott, verursachte Schicksal gestellt!

Wird das von ihnen als selbstverständlich empfunden,
dann ist das Schlimmste, das schändliche Ohnmachtgefühl:
‹man kann ja doch nichts machen›, gebannt, überwunden.
Und anders als wir, überlegen die Jungen nun kühl:

Wie ist das gekommen? Was hat das Übel verschuldet?» –
«Und die Antwort?» – «Nur das geschah, was die Masse geduldet!»
«Zum Beispiel?» – «Ich stelle mir vor, daß die Jugend erklärt:

Einer Mehrheit, die duldet, daß die Erde derart verschuldet,
mit Hypotheken belastet durchs Weltall fährt,
war ein mäßiges Maß von Intelligenz gewährt!» –

2

«Du scherzest! – Wer sagt dir, daß sie's nicht witzig finden,
daß es Zinsen, Dividenden, die Börse und Glücksspiele gibt?» –
«Und niemand sich mühn muß, Zins und Gewinn zu erschinden!
Sie fallen vom Himmel! Durch Zauber!» – «Sind drum so beliebt!

Doch woher denn ein tauglicher Geld?» – «Nun wohl, erfanden
Gelehrte ein Mittel, die Welt zu zerstören, gelingt
vielleicht ihnen auch eines, das uns aus den schmählichen Banden
der Macht und Gewinnsucht befreit!» – «Was freilich bedingt,

daß die Völker allüberall aufstehn, aufstehn und schreien:
‹An den Wirtschaftslehren, die Osten und Westen entzweien,
darf die Menschheit nicht scheitern, nicht untergehn!›» –

«Doch werden die Völker das tun? Auch nur die noch freien?
Von den andern zu schweigen!» – «Auch sie erkennen und sehn,
wenn auch langsam genug, wie nah wir am Abgrund stehn!»

3

«Selbst wenn dem so wär, selbst wenn die Milliarde Chinesen,
die's bald einmal gibt, wie man sagt, trotz Landnot sich scheut,
den dritten Welt-, den Atomkrieg, auszulösen,
ist dann die Gefahr gebannt? Können nicht auch heut

wer weiß welche Völker der Diktatur verfallen,
dieweil ihre Wirtschaft im Konkurrenzkampf versagt,
aus Unmut und Elend sich Kräfte zusammenballen,
die dem ‹Führer› rufen, der das Verwerflichste wagt?

Was zählte dann noch, was die Menschheit im Weltkrieg erlitten,
im ersten und zweiten, gegen das, was nunmehr im dritten
ein Hitler verbricht? Denn was stünde dem jetzt zu Gebot!

Die Losung hieße: die Welt ein Staat von Termiten
oder Ende des Menschen, sein elend verschuldeter Tod!» –
«Und du meinst, daß uns *das* auch von hier, vom Westen droht?» –

4

«Es droht von der Armut! Die gilt es zuerst zu besiegen!» –
«Denn noch gibt's Entbehrung und Not auf Erden!» –
                                                «Und wie!» –
«Und das im Maschinenzeitalter! Die Ursach von Kriegen!» –
«Das ist doch ein Unfug!» – «Ist Sünde!» – «Nicht eine.
                                                Nein, die!» –

«Weil die Wirtschaft imstand wär, uns alle reichlich zu nähren!» –
«Und allen Wohlstand zu sichern.» – «Wär das ihr Ziel,
dann gewiß.» – «Doch müßte dann freilich die Währung währen,
vom Geist der Gemeinschaft gesichert, entzogen dem Spiel

von Spekulanten, der Willkür von Bonzen und ‹Zaren›.» –
«Vom Geist der Gemeinschaft? Du glaubst…?» –
                                «Ich bin mir im klaren,
nur sie, sie allein, die Vereinigten Staaten der Welt…» –

«Der vereinigten Welt?» – «vermögen uns davor bewahren,
daß die Arbeit zur Beute wird!» – «Ihren Wert nicht behält?» –
«Erst die Weltdemokratie erlaubt ein gerechtes Geld!» –

5

«So läge denn alles am Geld?» – «Hat's nicht immer am Mittel
                                                gelegen,
das über das Werden der menschlichen Seele entschied?
Als Geld Kapital ward, da ward es vielfach zum Segen,
es schuf Industrie, die uns ‹Freiheit› und Wohlstand beschied.

Doch dann ward's zum Fluch. Es hat zur Geldjagd verleitet.
Doch muß dem so sein? Gibt's nicht eine Form für das Geld,
die hilft, ja zwingt, daß keiner mehr bangt und streitet
um Hab und Besitz, weil er weiß, daß er alles erhält,

was er reichlich bedarf, wenn er selbst voll offnem Vertrauen,
was er geben kann, gibt?» – «Das heißt doch auf Menschen bauen,
die nicht existieren.» – «Doch morgen sind! Wenn nicht…

dann soll man die Menschheit schon heute zusammenhauen!
Die Verbrechen, die sie – unfähig zum Guten – verbricht,
sind dann so, daß nichts – nichts! – für ihre Erhaltung spricht!» –

6

«Doch du meinst, unser Wissen, die Technik, die
                                    Großindustrien...» –
«...die lassen uns doch, nicht wahr, eine Zukunft sehn,
in der wir der Urzeit, in der wir noch leben, entfliehen
und überdem wird uns ein tiefer Gewissen erstehn:

der herzhafte Wille von allen, ihr Bestes zu leisten.
Dieses Gewissen, nicht Gold in den Kellern der Bank
ist das Fundament des Weltgelds und führt aus vergreisten
Geldtheorien heraus, wir erkennen, Gott Dank,

was ist denn Geld anders als Vorschuß auf guten Willen?
Einer einigen Menschheit, bereit, ihre Pflicht zu erfüllen,
kann man jeden Kredit gewähren!» – «Doch wer ist denn
                                    ‹man?›» –

«Die Weltgemeinde!» – «Und die entsteht so im stillen?» –
«Wer weiß, vielleicht ja, vielleicht nein. Es kommt darauf an,
sieht die Jugend das ein und stellt sie zur Zeit ihren Mann?» –

7

«So wäre das Ziel die einige Weltgemeinde?» –
«Die Verantwortung aller für alle.» – «Du glaubst daran?» –
«Sag, haben nicht Völker, früher erbitterte Feinde,
sich friedlich zu friedlichen Bünden zusammengetan?» –

«Nun doch.» – «Leg den Entwurf einer Weltstaatverfassung
den Völkern vor, die jedem es unverhüllt sagt:
auf dich kommt es an! Erlieg der Gefahr der Vermassung
doch nicht! Du trägst die Schuld, wenn man immer noch wagt,

mit Gewalt zu drohen, dem Vorteil nachzurennen.
Den Entwurf erwägend, wirst du begreifen, erkennen,
was der Friede bedeutet, was er verspricht und verlangt.

Wirst für ihn reifen, und mit dir reifen und brennen
Millionen Herzen, so daß dir nimmermehr bangt...» –
«Und dein Glaube doch siegt...» – «...daß der Mensch zum
                                    Frieden gelangt!»

Carl J. Burckhardt

Da sehe ich im Licht des Jahres 1908 (mir scheint, es war völlig anders als das Licht nach zwei Weltkriegen), sehe ich leibhaftig, jung, heiter, an einem Junimorgen meinen Französischlehrer auf der Fensterbank sitzen. Er trägt eine Baskenmütze, raucht eine Pfeife und liest mit braunen, wachen, vergnügten Augen in einem soeben vom Postboten gebrachten Buch. Das Papier des Paketes liegt noch am Boden zu seinen Füßen, er schlägt bisweilen mit der Fußspitze des überschlagenen Beines daran, das Rascheln stört ihn nicht. Er liest, er lächelt, sein brauner, gallischer Schnurrbart hebt und senkt sich beim Lächeln; in seinen festen, kurzen Fingern hält mein Lehrer und Freund ein schmales, langes Messer aus Elfenbein. Jetzt faßt er das Buch und schneidet mit einem leisen, vertrauten Ton, diesem Ton im Winde wetzender Schilfblätter, gespannt, nachdenklich, immer noch heiterer und unendlich behutsam: von unten nach oben, dann oben quer durch, und nochmals von unten nach oben die bis zu diesem Augenblicke nie eingesehenen Seiten auf, er eröffnet sie, legt sie auseinander und liest mit Behagen wie ein Eroberer, der von sicherm Sieg zu sicherm Sieg in ein herrlich sich erschließendes, weites Land vordringt. Er liest sein Buch, sein nur ihm gehörendes, broschiertes Buch, das so leicht und vertraut, gelb, wie alle seine Vorgänger, in seiner festen Hand ruht; eben war es noch eine verschlossene Knospe, jetzt ist es aufgeblüht, hat sich aufgetan – und schon spielt der Morgenwind mit diesen Blättern, bewegt sie, schlägt eine Seite zurück, so daß der Lesende sie wieder wenden muß –, aber nein, ein Wort ist ihm ins Auge gefallen, er hatte soeben darüber weggelesen, jetzt, bevor er wieder vordringend mit seinem dem Stoßzahn des Elefanten abgewonnenen Dolch aufs neue schneiden darf, hält er inne, und er liest die Stelle nochmals, den einen Satz, zu dem der Morgenwind ihn zurückgeführt hat, und er wird nachdenklich, sein Blick wird tiefer, das Lächeln inniger, er legt das Messer zwischen die Seiten, dorthin, wo sein bisheriger Weg ihn hingeführt hat, er schließt das Buch und beschwert es mit einem blauen, flachen Kieselstein, den er droben im Bachtal unter den Eschen, wo der Frauenschuh wächst, beim Morgenspaziergang gefunden hatte.

Vielleicht wird er das Buch lieben, dann wird er es zum Buchbinder tragen. Er wird es binden lassen, wie alle Bände, zu denen er oft zurückkehrt, so daß sie nun nebeneinander stehen und eine

warme, goldbraune Wand bilden, die mit der Zeit auf die andern
Wände übergreift und schließlich den Lesenden, der nun schon
weiße Haare hat, umschließt, während die andern, die broschierten
Bände, draußen im Hausflur, droben auf dem Boden liegen. Viele
wurden schon verworfen, ausgeschieden, aus dem Hause verwiesen, viele warten noch, werden hin und wieder plötzlich gewählt, herangezogen, nochmals gelesen, mit so völlig anderer Einstellung als das erstemal. Sie haben sich auch selbst verändert im
Laufe der vorüberziehenden Jahre. Sie waren einst zu früh gekommen. Jetzt schlägt ihre Stunde, und sie entfalten sich.

Bisher war von meinem Freund, dem Französischlehrer, die Rede.
Er saß da am Fenster als Statthalter und Stellvertreter eines ganzen
Volkes, das zu lesen weiß wie kaum ein anderes.

Wir bekommen meist die Bücher gebunden ins Haus, kartoniert,
wie es so schön heißt, mit Buchdeckeln in allen Farben, jeder
anders, so daß sie aneinandergereiht zerklüftet wirken, laut, ein
jeder Band sich selbst als einzigartig postulierend. Schwarz wie
chinesische Tinte, rot wie der Höllenbrand und schwefelgelb wie
die Fahnen der Quarantäne oder Kontumaz. Schon der Einband
scheint einem etwas Unwidersprechliches zuzurufen. Sie sind aufgeschnitten, mit Daumen und Zeigefinger lassen sich die Seiten
wenden, ungeduldig, rasch wie der mischende Kartenspieler kann
man sie über die Fingerspitze rauschen lassen, man kann sie von
der Mitte aus, man kann sie nur am Ende lesen, man kann sie auch
nur aufstellen – und nie wird jemand wissen, daß man sie nicht
gelesen hat. Da ist kein Einblick möglich in die Art, wie sie einst
behandelt wurden, da hat die Passion, das Mitgerissensein des
Lesers, nirgends den Schnitt so eilig angebracht, daß die Seiten
rissen, und die Teile, die er ungelesen ließ, sind nicht zu erkennen.

Auf meinem Bücherregal stehen zwölf Bände, sie enthalten die
Werke Barbey d'Aurevillys, ein jeder der Bände ist vom Autor mit
roter, bisweilen mit goldener Tinte dem Freunde, François Coppée, gewidmet, in einem Bande steht:

*«A François Coppée de l'Académie Française de celui qui n'en sera jamais.
Barbey d'Aurevilly.»*

In den zwölf Bänden, die etwa viertausend Seiten umfassen, waren,
als ich sie erwerben konnte, 27 Seiten aufgeschnitten. Diese Bände
erzählen ihre Geschichte selbst, aber die kartonierten, anonym
unter dem Hackbeil eröffneten, berichten nichts über ihr eigenes
Ergehen. Nie werden wir wissen, ob ihr Leser den weiten Weg von

der ersten Seite des ersten Bandes bis zur letzten des zweiten vollzogen hat, oder nur den Weg des Holzwurms von jener ersten bis zu jener letzten, der so kurz ist, daß er nur durch die beiden Kartondeckel hindurchführt, da bekanntlich in einer Bibliothek die erste Seite des einen Bandes gleich neben der letzten Seite des zweiten liegt.

Wir sind, auch wenn wir bedächtig tun, in unserm Sprachbereich ungeduldige Menschen, wir wollen sofort wissen. Wir haben aber nötig, uns das nachdenkliche Genießen anzueignen. Auch ich selbst habe Jahre gebraucht, um zu lernen, mit Freude leichte, broschierte Bände mit dem Papiermesser in der Hand zu lesen, erst die Geduld des Alters hat mich gelehrt, was mein Freund damals im Jahre 1908 schon so wunderbar beherrschte. Und nun liebe ich die broschierten, unaufgeschnittenen Bände, ich habe ihren Sinn erfaßt. Auch ich treffe jetzt eine Auswahl unter ihnen und freue mich, wenn sie zum Binden reif werden.

Hermann Burger

DIE LESER AUF DER STÖR

Die Leser kommen auf Bestellung, wie die Klavierstimmer. Sie besuchen die herrschaftlichen Häuser, in denen es ein Bibliothekszimmer gibt. Sie tragen die Uniform des Leseinstituts «Legissima», ein weißes Hemd mit offenem Kragen und ein gelbseidenes, schwarzgetupftes Halstuch. Im Köfferchen führen sie die Lesebrille mit sich. Zu den Aufgaben der Leser gehört es, die Bibliotheken zu stimmen, alte Bücher mit ihren Augen aufzufrischen und die neuen Bücher zu lesen. Sie kommen frühmorgens, wenn die Kinder noch bei der Ovomaltine sitzen. Für kleinere Büchergestelle genügt ein Leser, die Bibliotheken erfordern eine Lesermannschaft. In Filzpantoffeln schleichen sie durch den Flur ins Bücherzimmer. Der Oberleser klopft dreimal kurz an die Eßzimmertür, worauf die Mutter ihre Kinder zur Ruhe ermahnt. «Wir haben die Leser auf der Stör», flüstert sie.

Die Leser packen ihre Brillen aus und machen sich an die Arbeit. Der Oberleser stimmt nach der neusten Epocheneinteilung der Literaturgeschichten die Bibliothek. Je nachdem ob Hölderlin zu den Klassikern oder zu den Romantikern gezählt wird, reiht er ihn nach Schiller oder vor Novalis ein. Vor allem der Beginn der

Moderne ist sehr umstritten. Einmal beginnt die Moderne bei Büchner, ein andermal schon beim Sturm und Drang. Der Oberleser kontrolliert auch alle Bücher auf ihre Vollständigkeit. Die Kapitel werden nachgezählt, ihre Reihenfolge überprüft. Dann verteilt der Oberleser die Lesezeichen. Alle modischen Bücher werden mit einem Lesezeichen versehen, an beliebiger Stelle. Als Lesezeichen dienen gelbe Papierstreifen mit schwarzen Tupfen und einem großen L. Die kontrollierten Bücher werden auf der ersten Seite abgestempelt. Auf besonderen Wunsch des Hausherrn liest der Oberleser verstaubte Bücher aus allen Epochen, natürlich im Schnelleseverfahren. Für den Wilhelm Meister benötigt er drei Stunden. Die aufgefrischten Bücher erhalten einen Sonderstempel.

Eine Gruppe von Lesern liest die Neuerscheinungen durch. Die Bücher sind nach Verlagshäusern gestapelt. Jeder Leser ist auf einen Verlag spezialisiert. Viele Leute kaufen sämtliche Neuerscheinungen. In diesen Häusern bleiben die Leser tagelang, wochenlang auf der Stör. Jeweils zum schwarzen Kaffee erscheint ein Delegierter im Speisezimmer und berichtet dem Hausherrn von der Lektüre. In kurzen, prägnanten Formeln erfaßt er jedes Buch, bringt es auf einen Nenner. Der Hausherr notiert sich die Nenner in ein kleines Notizbuch, das die Frau aus dem Smoking holt und nach der Konferenz wieder in der Brusttasche verstaut. Dann kommen auch die Lücken der Bibliothek zur Sprache. Der Hausherr gewährt den Kredit, und einer der Leser sitzt am andern Morgen am Telephon, gibt die Bestellungen auf. Da die Neuerscheinungen im Bücherzimmer kaum zu bewältigen sind, werden die fehlenden Bücher «schon gelesen» bestellt. Auch die Buchhandlungen beschäftigen Berufsleser, welche an einem Stehpult im Ladenraum für jene Kunden lesen, die sich gelesene Bücher leisten können. Sie kommen deshalb teurer zu stehen, weil sie mit Nenner geliefert werden. Aber der Hausherr zeigt Verständnis für das überlastete Leserteam.

Nach diesem Tischgespräch zieht sich der Delegierte wieder zurück. Alle Leser werden im Bücherzimmer verpflegt. Die Hausfrauen haben ihre Leser-Menüs: Schinkengipfel oder Siedfleischplatte. Nach dem Essen werden Simultankontraste an die Wand projiziert zur Erfrischung der Augen. Am späten Nachmittag empfängt der Oberleser die Schüler und Studenten des Hauses und informiert sie über die Neuerscheinungen. Manchmal kommt es vor, daß ein Schüler in seinem jugendlichen Idealismus zu einem Buch greifen will. «Nicht doch», sagt dann der Oberleser wie ein

gut erzogener Kellner, der dem ungeduldigen Gast den Schöpf-
löffel sanft aus der Hand nimmt, «nicht doch!» Und er liest dem
Schüler die gewünschte Stelle vor.

Neben diesen Gruppen von Lesern, die, in Polstersessel versunken,
Neuerscheinungen aufarbeiten und sortieren, gibt es noch die
Randnotare. Sie schreiben, je nach Mentalität des Hauses, mit
Bleistift, Kugelschreiber oder Filzstift, Notizen an den Rand der
Seiten. Einige Stellen versehen sie mit Ausrufungszeichen, andere
mit Fragezeichen. Sie unterstreichen ganze oder halbe Sätze, sie
verteilen Zitate aus anderen Werken gleichmäßig auf die Kapitel.
Sind die Randnotizen gemacht, gehen die Bücher durch die Hand
des Coiffeurs, wie er in Fachkreisen genannt wird. Er bringt Esels-
ohren an, zerknittert ab und zu eine Seite und streicht sie wieder
glatt, durchkämmt die Bücher mit groben Handschlägen, damit
sie die Spuren eines durchschnittlichen Lesetempos tragen. So behandelt, kommen die Bücher wieder in die Hände des Oberlesers,
der sie nach neusten wissenschaftlichen Kriterien der Bibliothek
angliedert. Daß diese Ordnungen vorläufig sind, weiß der Hausherr so gut wie das Leseinstitut «Legissima», das sich deshalb verpflichtet, außerhalb der Renovationsphasen einen Vertreter vor-
beizuschicken, der die Bücher strömungsgemäß umgruppiert.
Diese Vertreter genießen bei den Hausfrauen, die ohnehin keine
Zeit haben, Bücher lesen zu lassen, nicht den besten Ruf, weil sie
oft ungelegen hereinschneien. Sie zeigen denn auch das unterwür-
fige Gebaren von Hausierern. Die Frauen sagen unter der Tür:
«Könnt Ihr nicht ein andermal kommen?», worauf die Vertreter
lächelnd die Achseln zucken und die weißen Handschuhe wieder
von den Fingern zupfen.

Nach beendigter Stör ziehen die Leser am Abend zum letzten Mal
die Filzpantoffeln aus. Der Hausherr schreitet mit dem Oberleser
durch die renovierte Bibliothek und hat das Gefühl, ein geistig
neuer Mensch zu sein. Während die Leser im Flur mit der Frau,
deren Jüngstes am Schürzenzipfel hängt, über den Personal-
mangel am Leseinstitut diskutieren, zeigt der Oberleser mit dem
Stolz eines Tapezierermeisters auf die renovierten Bücherwände,
auf den Wald von Lesezeichen, auf die Epochen, die sich von Regal
zu Regal neu verbunden die Hände reichen. Zwecks einer Stich-
probe, die nicht als Kontrolle gedacht ist, sondern vom Oberleser
gefordert wird, greift der Hausherr eine Neuerscheinung heraus:
das Buch zeigt keinerlei Anzeichen von Jungfräulichkeit. Rücken
um Rücken strahlen die Bände die vertrauliche Autorität gelesener
Bücher aus, keines beklagt sich über eine fremde Nachbarschaft.

Die Klassiker sehen nicht nur gebraucht, sondern geradezu miß-
braucht aus.

«Wir müssen mit der Zeit dazu kommen», sagt der Oberleser nach
dem Rundgang, «daß die Bücher einander selber lesen. Die Literatur ist es, die fortwährend neue Literatur produziert, sie soll sie
auch konsumieren. Bald können Sie sich die Handwerker ersparen!» Der Hausherr nickt gewichtig zu dieser Sentenz, verwirft
aber die Utopie mit einer freundlichen, fast kameradschaftlichen
Handbewegung, so daß die Aschenraupe seiner Zigarre abfällt. Er
schätze sich glücklich, finanziell in der Lage zu sein, seine Bücher
noch lesen zu lassen.

Beim Abschied vereinbart er mit dem Oberleser den nächsten
Termin. Der Oberleser kann nichts versprechen, hofft aber in Anbetracht der zuverlässigen Kundschaft des Hausherrn, diesen unmittelbar nach den Herbstneuerscheinungen des nächsten Jahres
berücksichtigen zu können.

Erika Burkart

DAS WORT

Bevor es dir entfällt, laß du es fallen.
Es gräbt sich ein, sich rein zu ruhn.
Es wird sich lösen, wird sich ballen.
Ihm wird getan. Du sollst nichts tun.

Es kommt zurück, um das vermehrt,
was du nicht bist, was du auch bist.
Es scheint herauf, spiegelverkehrt,
dein Alles, das dein Eines mißt.

Wer einem Wort sich anvertraut, sei scheu.
Worte sind es, die die Welt verändern.
Ein Wort ist zart an seinen Rändern,
und jeder Herzschlag mischt es neu.

EXEKUTION

Auf einmal wirst du übers Knie gebrochen,
von dir bis in den Traum entzweit.
Die letzte Sonne kommt gekrochen,
doch ihre ist nicht deine Zeit.

Auf einmal hält dich nichts als eine Mauer,
getüncht mit fahlem Aberschein,
herzeinwärts spaltet dich der schwarze Schauer,
der Ort, an dem du stehst, sinkt ein.

Was hier geschieht, wirds dort gesichtet?
Es bleibt für immer durchgeknickt.
Auf einmal weißt du, wie der Schmerz sich schichtet.
Das Stirnaug hat dich angeblickt.

ARCANUM

Die Spinne verpackt ihre Beute,
der Mensch erklärt dem Menschen den Krieg.
Alte Mächte üben Gewalt,
die Sintflut zischt ins prometheische Feuer,
von Dämonen tost die geschändete Luft.

Die Milchstraße ist eine Naht
im Mantel des Fremden.
Er wickelt noch einmal mich ein.

Mit meinen Facettenaugen blicke ich um mich.
Ich lege mein Haar in den Mond
und eine Hand in die andre.

Ich will diesen Schleier,
will diesen Helm nicht mehr anziehn.
Ja, will ich sagen, und: Nein.

Eines Hundes Haupt sucht mein Knie.
Ein Kind läßt mich ein in sein Spiel.
Ich will keine Götter bemühen.
Ich lebe.

PARTIZIPATION

Tage gibt es, an denen
ein Taschentuch, das einer verlor auf der Straße,
mir Schreck einjagt, und ich fürchte mich
vor Kartoffelsäcken und Rillen im Sand.

Jäger sind versteckt in der Luft.
Aus der hinterhältigen Bläue
zielen sie, wenn ich gehe im Feld.

Die weißen Bäuche der Schwalben
schützen nicht mehr. Die goldene Schrift
auf dem Wegkreuz trübe Legende,
denn unter der sprudelnden Sonne
rollen die Wagen der grauen Knechte,
füllt Blut die Stapfen der Kinder.

Wohin sind die Kinder
mit ihren Laternen gegangen,
wohin die Männer, die pflanzten den Wald?
Auf seinem Schatten steht aufrecht der Baum,
über alles verständigt. Vom Lachen der Kinder
glitzert das abgetragene Laub.

Gleichmütig tränkt Tau,
fährt Wasser, weißt Mond,
findet die Raupe von Blatt zu Blatt
und kennt nicht Falter und Baum.

Wem soll ich sagen, daß in der Nacht
das Funkeln der alten Sterne mich ängstigt,
und daß ich verwirrt bin, weil heute ein Tag ist,
der vor tausend Jahren verging.

DIE WAHRHEIT

Tritt ihr nicht nahe,
sie könnte dich blenden
mit einem Strahl, der im Nu
durchbrennt all
deine Sicherungen.

Erwarte kein Urteil von ihr.
Beiden Lagern steift sie die Fahne.
Bis zum Jüngsten Tag wird vertagt
der Prozeß, den sie dir anhängt.

Sie setzt sich aus Teilchen zusammen,
die zugedeckt werden von faßbaren Sachen,
Tatsachen, leicht zu beweisen.

Spurlos kommt sie, wie Luft,
erscheint und legt, einmal bewegt,
die Häuser nieder, in denen
wir ihre auswechselbaren
Abbilder horten.

Vorläufig auch
die tödliche Wahrheit.
Laut einer überlieferten Hoffnung
erweist sich, im Bunde mit ihr,
das Übel als Heilsplan.

DAZWISCHEN

Ich suche das Wort
das mich fände.

Jedes Wort
ist ein Maß für Distanzen,
die ich mit Worten
nicht überwinde.

Wortlos lerne ich lauschen.
Lauschen ist ein Gespräch mit dem Schweigen.

Gedichte sind Grade des Schweigens.

Gertrud Burkhalter

I möcht es Blatt sy lär u wyß,
du würdisch druffe schrybe;
u we mes nachär o verschryß –
I wettis nüschti blybe.

I möcht es Buech sy i dyr Hang,
du döftisch drüber sinne;
u wes vergissisch nachenang –
Es wär glych by dr inne.

I möcht es Wort sy wo du seisch,
u chönntisch's nid vergässe;
eso as du's gäng by dr treisch
für angeri dra z mässe.

ONI ÜBERSCHRIFT

De einte wirds schlächt
wiu si zviu gässe hei:
Hie umenang;
im Norden obe;
im Weschten äne.

Angerne wirds schlächt
wiu si z weni z ässe hei:
Z Afrika;
z Indie;
z Südamerika.

Bi üs,
dört obe,
dört äne
hetme dicki Büüch
wiu zviu dinnen isch.

Dört unger,
dört hinger,
dört äne
heisi großi Büüch
wiu nüt dinnen isch.

Bi üs,
dört obe,
dört äne
gorbse si vor Gnüegi.

Dört unger
heisi nüt z gorbse;
dört hinger
heisi Hunger.

Ernst Burren

LÖHT DOCH MI HONDA IN RUEI

S Mammi meint
dr Papi chömi
z Obe
gäng so närvös hei
wüu er
im Gift schaffet

drumm go n i ihm
z Obe gäng
us em Wäg
und go bis zum Ässe
no chlei
mit em Honda
go umefahre

brrrrrm
brrrrrm
brrrrrm
mängisch fahri
zwänzg Mou ume Block

sit dr Urs
uf d Wäut isch cho
geit s Mammi
ou wider go schaffe

dr Urs isch düre Tag
bi dr Frou Niffenegger
und i go z Obe
nach dr Schueu
i Hort
go Ufgabe mache

aube ha n i ou no
zu dr Frou Niffenegger
müesse go
aber sit i dr Honda ha
mues i nümme zue n ere
si hauti
das ewige
brrrm brrrm brrrm
nid us
het si am Mammi gseit

morn schtrich i
dr Honda ganz rot a
de gseht er no schöner us

s Mammi wett
dr Papi würd
e nüii Schtöu sueche
das göi doch nid däwä
uf d Lengi
seit es gäng
me chönni doch nid
es Läbe lang
im Gift schaffe

aber dr Papi het gseit
jetz wo nid so vüu Arbeit
ume sig
wöu er sich dört
wo n er sig
no chlei schtüü ha

aus Konditer
chönni me haut
i de Fabrigge
nid gäng das mache
wo me gärn miech

wo s Mammi eigentlich schaffet
weis i nid
aber wahrschinlich
mues es amene Kiosk verbi
äs bringt ömu gäng
vüu Heftli hei
dr Blick
die Bunti
s Wochenend
und s Sexy

i darf aber
nume dr Blick
und die Bunti läse
disi sige
nume für Lüt
wo nümme i d Schueu göie
het dr Papi gseit

s Sexy und s Wochenend
ha n i einisch
im Büffe gfunge
unger mim Schbarschwein
vorne uf em Sexy
isch e blutti Negere
abbüudet gsi
mit Margritli
i de Hoor
näbe dra hets gheiße
das macht Beverns
Bauern munter
Brüstchen raus
und Höschen runter

brrrrrrrmmm
i ha das Schbrüchli ufgschribe
und s de Oberschüeuer zeigt

öppe nach vierzäh Tag
het e Lehrer usegfunge
dass i
dä Blödsinn
ufgrupft heigi

zur Schtrof
ha n i drei Tag lang
uf em Pouseblatz
aui Papirli
müesse ufläse

brrrm
mit em Honda
ha n i das
schnäu gmacht gha

dr Lehrer het
ou no gseit
jetz müeß er mi
de doch no
i ne Hüufsschueu schicke
entwäder schbinni
wägem Honda
oder de chömi mer
settigs Züg i Sinn

eine wo gäng
brrrm brrrrm brrrrm
machi
sigi nid normau

i bi mers
scho lang gwöhnt
daß i de Lüt
uf e Närv gibe
mit mim brrrm
brrrrm brrrrm
aber i fahre
eifach gärn Honda

dr Papi würd
scho lieber wider
aus Konditer schaffe
aber de müeßte mer
e büuigeri Wohnig ha

s Mami und dr Papi
hei lang eini gsuecht
aber es git eifach
keini meh
und i dr Fabrigg
verdient er
haut scho meh

s isch nume schad
daß er im Gift
mues schaffe

wenn dr Papi aube z Obe
so närvös isch
schickt ne aube s Mami
is Bett
das sig s beschte für ne
seit s gäng
und mir luege Färnseh

am liebschte
luegt s Mami
xy ungelöst

das darf i mängisch
ou luege

s Mami regt sech
schampar uf
ab dene Vagante
wo dr Zimmerma zeigt
die sött me grad au
erschieße
wenn si fürechöme
het s gseit
settig Vagante sige
nit meh wärt

i dr Fabrigg
schaffet e Italiäner
wo amene Mörder glicht
wo im letschte xy
cho isch

dr Lehrer
het mi scho mängisch gfrogt
wieso daß i meini
i heigi gäng e Honda bi mer
aber i meine das jo gar nid
i weis das doch nid
i weis nume
daß ne ungfähr
sit denn ha
wo s Mammi wider
isch go schaffe

i üsem Block
hets fasch keini Ching
wo glich aut si wie n i
und die angere Buebe
vo mir Klass
wohne i de Blöck
uf dr angere Site
vom Dorf
und si säuber gnue
zum Schutte

die meischte vo dene
chöme mit em Velo
i d Schueu
i bi dr einzig
wo ne Honda het

am Morge schtöu i ne
i Veloschtänder
und bschließe ne ab
daß mer ne keine schtüut

s nöchschte Johr
mach i mit em
die erschti großi Duur
und zwar uf Rimini abe

s nöchschte Johr göi mer
nämlich wider i d Ferie
mir si scho einisch
z Rimini gsi
aber denn bi n i
noni i d Schueu

aber s nöchschte Johr
göi mer wider
de nimm i dr Urs
hinge druf
de chunnts dr Papi
nid so düür
wenn er für üs
keis Billie mues zahle

em Papi hets zwar
nid so gfaue
z Rimini
är schaffi
fasch no lieber im Gift
aus vierzäh Tag
müeße umeligge
het er gseit
...

Hans Leopold Davi

DISTEL- UND MISTELWORTE

Kleider machen Leute. Aber keine Menschen.

Im Reich der Zweiäugigen ist der Blinde oft ein Seher.

Lustschloß früher. Bordelle heute.
C'est le ton qui fait la musique!

Für Lunauten sind wir hinter dem Mond.

Gäbe es nicht auch manchen Friedensdienstverweigerer?

Ach, wie hell war noch mein Wort als Gedanke!

Wünsche dir dies: Geduld, die Ungeduld zu ertragen.

Hütet euch vor Ketten, die nicht rasseln.

Sie beginnen mit einem Volkslied
und enden mit einem Kriegsmarsch.

Gott über Wasser halten.
Selbst wenn dabei Menschen ertrinken?

Hätte ich ein Reisebüro: Ich würde nur Reisen nach Innen organisieren.

Der Gaskrieg hat schon begonnen.
Auf unsern Straßen.

Praktiker, die nicht weiterkommen, werden Theoretiker.

Im Himmel wird die Freude über einen Weißen größer sein, der Buße tut, als über neunundneunzig Schwarze, die der Buße nicht bedürfen.

Hart war sein Schädel. Weich sein Hirn.

WENN

Wenn sie dich zurechtweisen
weil du Abenddämmerung gedacht hast
statt Morgenrot

Wenn sie dich verfolgen
weil du Distel gesagt hast
statt Rose

Wenn sie dich verhaften
weil du Rabe geschrieben hast
statt Nachtigall

Wenn sie dich hinrichten
weil du eine Grube gemacht hast
statt ein Denkmal

Dann
ist etwas faul
im Staate Dänemark.

Walter Matthias Diggelmann

THOMY

Ich heiße Thomas-Daniel, aber meine Eltern und meine Freunde nennen mich Thomy oder auch nur Thom. Ich werde in drei Monaten achtzehn Jahre alt sein und bin daher also unmündig. Ich habe meine Eltern oder das, was man das Elternhaus nennt, vor sechs Monaten verlassen. Ich lebe im Augenblick, da ich diese Geschichte zu schreiben beginne, mit Freunden in einem sehr alten Haus in einem kleinen Bauerndorf in Apples in der Nähe des Lac Léman (Suisse Romande). Wir sind das, was man heutzutage Kommune bezeichnet, aber nach allem, was ich über bisherige Kommunen gelesen und gehört habe, sind wir keine solche Kommune. Zum Beispiel tauschen wir unsere Freundinnen gegenseitig nicht aus. Nicht nur wir junge Männer wollen sowas nicht, sondern auch unsere Freundinnen. Wir sind nicht alle gleich alt. Ich bin der jüngste. Wir sind nicht alle Schweizer. Gerhardt ist jetzt neunzehn Jahre alt und kommt aus Würzburg. Sein Vater ist Oberstudienrat an einem Gymnasium und hat ihm vor etwa einem Jahr gesagt, du bist nicht mehr mein Sohn, ich will nichts mehr von dir wissen. Das hat der Oberstudienrat gesagt, nehmen wir alle an, weil Gerhardt sich geweigert hat, noch länger die Schule zu besuchen, und weil er sich auch geweigert hat, eine Berufslehre zu machen. Und weil Gerhardt Hasch geraucht und mit Mädchen geschlafen hat. Aber man muß wissen, daß Gerhardts Eltern schon vor fünf Jahren geschieden worden sind, daß das Gericht die Kinder der Mutter zugesprochen hat und daß der Oberstudienrat monatlich ungefähr tausend D-Mark für die Kinder bezahlen muß. Gerhardt hat die Urteilsbegründung des Gerichtes «gestohlen» und fotokopiert, und wir haben dieses Dokument gelesen und darüber diskutiert. Die Ehe wurde geschieden wegen «seelischer Grausamkeit» und «Zerrüttung der Ehe». Gerhardt erzählte uns, daß es zwischen seinen Eltern schon nicht mehr gegangen sei, als er fünf Jahre alt war. Der Vater komme aus einer Familie, welche nach dem Zweiten Weltkrieg aus Sudetendeutschland vertrieben worden sei, und sei noch heute überzeugt davon, daß nicht Deutschland den Zweiten Weltkrieg angefangen habe, sondern die Russen und die Franzosen und die Engländer und schließlich sogar die Amerikaner. Die Mutter kommt aus einer gutbürgerlichen Familie aus Hamburg, war bis zur Verheiratung eine gute Sekretärin und wollte, als die Kinder größer waren, wieder arbeiten, aber der Vater habe immer gesagt, er verdiene genug, und die Frau gehöre ins Haus und müsse die Kinder erziehen und dem Mann ein schönes Zuhause einrichten. Gerhardts Mutter war aber auch gegen Haschisch und dafür, daß er wenigstens eine Berufslehre mache und sagte oft, wenn du nicht endlich gut tust, gebe ich dich dem Vater zurück. Da hat er es vorgezogen, abzuhauen. Er wußte nicht, wohin er sollte. Er trampte durch ganz Frankreich

und Italien, kam am Ende in die Schweiz, nur so als Tourist, aber
er hatte kein Geld, und weil es heute in der Schweiz leicht ist,
Geld zu verdienen, wenn man bereit ist, die gleiche Arbeit zu tun
wie die Fremdarbeiter, fand er schnell Arbeit. Wir arbeiten zwar
nicht immer. Wir arbeiten während zwei oder drei Monaten, zum
Beispiel bei der Kehrichtabfuhr in Lausanne, wo sie immer zu
wenig Leute haben. Dann setzen wir wieder aus und denken nach
und studieren. Ich zum Beispiel will Schriftsteller werden oder
Journalist, aber nicht einer von denen, die Gedichte machen. Als
ich sechzehn Jahre alt war, sagte ich meinem Vater, ich will
nichts werden. Er war zuerst fürchterlich entsetzt und danach
traurig. Dann ging er mit mir zu einem Psychologen, aber da
schaute auch nichts dabei heraus. Vor einem Jahr sagte ich meinen
Eltern, ich wolle Schriftsteller werden, und der Vater antwortete:
Bitte, aber nicht auf meine Kosten. Ich habe gesagt, natürlich
nicht auf deine Kosten, ich bin alt genug, mein Leben selbst zu
leben und dafür das nötige Geld zu verdienen. Darauf antwortete
er nichts mehr, und ich habe bis heute nicht herausgefunden, ob er
nun traurig ist oder enttäuscht. Er hat gesagt, ich hab's schwer
gehabt in meiner Jugend, erstens einmal war mein Vater nur
Arbeiter, zweitens kam die Weltwirtschaftskrise, dann der Zweite
Weltkrieg, und nach der Niederlage Deutschlands gab es noch
viele Jahre keine Hochkonjunktur wie heute. Er sagte, ich will
dir nichts vorjammern, und ich weiß, man darf die heutige Zeit
nicht vergleichen mit damals, aber wenn ich einen Vater gehabt
hätte wie du einen hast, aber nein, es reichte nur zu einer Lehre als
Mechaniker. Alles andere habe ich selbst aus mir gemacht. Ich habe
später in Zürich eine Abendschule gemacht, das war sehr hart, ich
habe schließlich das Abitur gemacht und bin aus eigener Kraft
Direktor einer Versicherungsgesellschaft geworden. Er sagte,
es wird der Tag kommen, an dem du es bereust, deine Chancen
in den Wind geschlagen zu haben.
Es ist wahr, ich hätte studieren können. Wieviel mein Vater verdient, weiss ich nicht genau, aber er verdient so viel, dass er sich
vor zwei Jahren in der Nähe von Lausanne ein Haus hat kaufen
können und daß die Mutter ein eigenes Auto hat, wenn auch nur
einen Occasions-VW. Aber ich werde später noch mehr über
meine Eltern erzählen. Fürs erste kann ich nur sagen, wir haben
jetzt keinen Streit miteinander. Meine Eltern kommen gelegentlich zu uns, trinken einen Kaffee bei uns, und wir reden ganz offen
miteinander. Ich weiß nur, daß mein Vater mich ganz einfach
nicht versteht, aber langsam fange ich an zu verstehen, warum er

mich nicht verstehen kann. Und ich schreibe jetzt diesen Bericht, nicht weil ich größenwahnsinnig bin und glaube, schon ein Schriftsteller zu sein, sondern weil Gay studiert hat, und zwar Psychologie, und weil er mir gesagt hat, wenn du Schriftsteller werden willst, mußt du früh damit anfangen und zuerst einmal deine eigenen Erlebnisse beschreiben und gar nicht daran denken, ob daraus auch einmal ein Buch wird. Du mußt so schreiben, wie wenn du vor einem Gericht stehen würdest und den Richtern erklären müßtest, warum du so und nicht anders lebst. Ich habe ihm zwar geantwortet, ich wüßte nicht, warum ich so und nicht anders leben wolle, denn ich habe ja keine Wut gegen meine Eltern.

Gay kommt aus Rhodesien. Seine Eltern haben dort eine große Farm und sind Engländer. Sie sind, sagt Gay, gegen die Apartheid-Politik, sie kommen mit den Schwarzen besser aus als mit den Weißen, aber der Vater sei eben ein Realist und könne es sich nicht leisten, gegen den Strom, wie man so sagt, zu schwimmen. Er aber, Gay, habe als Student an einer kleinen Verschwörung gegen die Regierung der Weißen teilgenommen und sei in letzter Minute entkommen. Ich habe nicht im Sinn, Monate oder gar Jahre lang in einem Gefängnis zu sitzen und von der Polizei schikaniert zu werden. Gay hat mir die Geschichte des deutschen Dichters Georg Büchner erzählt, der in Deutschland, genauer im Land Hessen, den «Hessischen Landboten» zusammen mit dem Pastor Weidig herausgegeben habe für die armen und unterdrückten Bauern und gegen die Fürsten. Aber erstens einmal hätten die Bauern das Flugblatt oder die Zeitung ohne zu lesen der Polizei gegeben. Diese habe die Urheber herausgefunden und Pastor Weidig und einen anderen verhaftet. Die beiden seien dann in der Folge von einem Staatsanwalt des hessischen Hofes, der ein Alkoholiker und Psychopath gewesen sei, systematisch langsam ermordet worden. Georg Büchner aber sei nach Straßburg geflüchtet zu seiner Braut und später sei er nach Zürich gekommen, wo er sogar habe Professor an der Universität werden können. Gay sagt, es hat keinen Sinn, das Leben im Gefängnis zu verbringen. Im Gefängnis ist man isoliert, und sie machen mit einem, was sie wollen. Ja, sie ermorden einen sogar. Das geschieht nicht nur in Amerika, sondern auch in Deutschland. Ob das auch in der Schweiz passiert, kann ich nicht sagen. Aber weil es so ist, hat Gay es vorgezogen, Rhodesien zu verlassen. Schließlich ist er Engländer. Hier in der Schweiz ist er Tourist und dürfte darum nicht arbeiten, um Geld zu verdienen. Aber beim Kehrichtabfuhrwesen fragen sie einen gar nicht nach solchen Dingen, sondern sind froh, daß sie Leute finden, die die Arbeit tun. Und sie bezahlen anständig. Sie übersehen auch die langen Haare. Wir haben alle lange Haare.

Um das Bild meiner Familie abzurunden, muß ich auch noch sagen, daß ich eine Schwester habe. Sie ist fünf Jahre jünger als ich, sie ist jetzt dreizehnjährig, aber man gibt ihr ohne weiteres achtzehn Jahre. Ich finde sie richtig hübsch, und wenn es nicht meine Schwester wäre, könnte ich mich ohne weiteres in sie verlieben. Sie hat einen ganz anderen Charakter als ich. Sie ist auch eine gute Schülerin und eigentlich immer Klassenerste. Wir kommen aber sehr gut miteinander aus, und meine Freunde sagen, das sei erstaunlich, denn meistens verstünden sich Brüder und Schwestern eher schlecht. Ich weiß nicht. Madeleine und ich kommen wirklich gut miteinander aus. Madeleine, ist viel ruhiger, man kann wohl sagen, sanfter, und wie sie mit unserem Papa umgeht, ist irrsinnig komisch. Sie nimmt ihn nämlich ständig hoch, aber er merkt es gar nicht. Und als ich noch daheim war, und wenn es Streit gab, ging ich immer zu Madeleine und dann ging sie zum Vater und erklärte ihm oder sagte ihm, daß ich eigentlich gar nicht böswillig sei. Ihr glaubte der Vater immer.

Man sagt immer, die Jungen seien gegen die Erwachsenen und umgekehrt. Aber es ist doch wirklich komisch. Jetzt leben wir seit Monaten in diesem kleinen Bauerndorf in einem Haus, das wir ganz allein wieder bewohnbar gemacht haben, wir sind Langhaarige und haben Motorvelos, und übers Wochenende kommen unsere Freundinnen und schlafen bei uns, und wir machen natürlich auch Liebe miteinander, doch die Leute vom Dorf sind freundlich mit uns, die Bauern schenken uns Kartoffeln und Gemüse, und sogar der Gendarme hat uns schon besucht und gesagt, wenn ihr Schwierigkeiten habt, kommt zu mir. Manchmal weiß man wirklich nicht mehr, wo einem der Kopf steht.

Eigentlich weiß ich nicht, wie das Verhältnis zwischen meiner Mutter und dem Vater ist. Manchmal habe ich den Verdacht oder hatte ich den Verdacht, daß die beiden nur zweimal in ihrem Leben Liebe gemacht haben. Das erste Mal war ich die Folge davon, das zweite Mal Madeleine. Ich habe nie gesehen, daß sie sich geküßt hätten. Ich habe nie bemerkt, daß sie zärtlich zueinander gewesen sind. Immer korrekt, das muß ich zugeben. Nie ein böses Wort. Aber schließlich, wie gesagt, war mein Vater auch fast nie daheim, und wenn er bei uns war, schlief er, oder er las. Das muß ich anerkennen, er liest viel, und er sagte oft auch, das mußt du lesen. Mein Vater ist ein Mensch voll von Widersprüchlichkeiten. Einmal schenkt er mir die gesammelten Aufsätze des längst verstorbenen

Ho Tschi Minh, dann das rote Büchlein von Mao-Tse-tung, und wenige Minuten später schimpft er über die Kommunisten, von denen er behauptet, sie wollten die ganze Welt erobern, und darum brauchten wir im freien Westen gutgerüstete Armeen. Er ließ Madeleine und mich taufen und bestand darauf, daß wir in die Unterweisung gingen und daß ich mit fünfzehn konfirmiert wurde. Auf der anderen Seite flucht er über die Kirche und sagt, die meisten Pfarrer und vor allem die Missionare in anderen Erdteilen seien Sklaventreiber, welche von den Imperialisten bezahlt würden. Dann wieder sagt er, die russische Revolution hat nur dazu geführt, daß jetzt ungebildete Proleten diktieren. Die Zaren waren immerhin gebildete Menschen. Einer von ihnen hat sogar unseren großen Pädagogen Pestalozzi besucht. Mein Vater sagte früher, und daran erinnere ich mich genau, unsere Gesellschaft sei eine Scheißgesellschaft. Er sei ein guter Rekrut und Soldat gewesen, er habe Offizier werden wollen, aber man habe ihn abgelehnt, weil er nur ein Arbeitersohn gewesen sei. Mein Vater wurde schließlich mit dem Grad eines Gefreiten ausgezeichnet. Das ist eigentlich kein Grad, sondern nur eine Ehrung für Soldaten, die nie aufmucken. Er ist sehr stolz darauf. Als ich gestern abend sagte: «Ich will jetzt nach Hause», wurde er wieder traurig, oder er spielte Trauer, griff zur Brieftasche und wollte mir hundert Franken geben. Ich war trotzig und antwortete, schick das Geld den Kindern von Jo Siffert. Meine Mutter sagte, hört jetzt endlich auf, eigentlich meint ihr ja beide dasselbe. Das stimmt natürlich nicht. Meine Mutter wünscht, es wäre so. Natürlich mag ich keine Streitereien, das heißt, ich hasse es sogar, wenn ich mit jemand streiten muß. Aber auf der anderen Seite muß man doch hin und wieder richtig Stellung nehmen und ehrlich sagen, was man meint. Meine Mutter, seit ich mich an sie erinnere, hat nie eine Meinung gehabt. Sie kommt aus einer Familie, die man bei uns die «Bessergestellten» nennt. Alle Männer aus ihrer Familie waren zum Beispiel Offiziere und hatten, wie man so sagt, höhere Posten bekleidet. Einer ihrer Brüder ist sogar Oberst, und ihre Eltern und alle Geschwister waren damals gegen ihre Heirat mit meinem Vater. Denn damals war er nur ein kleiner Angestellter der Versicherungsgesellschaft. Heute, da er einen Buick hat, ist er natürlich ein angesehener Mann. Meine Mutter ist heute eine kleine rundlich gewordene Frau. Sie war immer still und ist es heute noch. Ich kann über sie überhaupt nichts sagen. Es ist so, als ob sie gar keinen Charakter hätte. Trotzdem mag ich sie sehr gut.

Friedrich Dürrenmatt

SCHRIFTSTELLEREI ALS BERUF

Schriftstellerei: Von allen Fragen, die sich bei meiner Tätigkeit
einstellen, hat mich die, ob ich ein Schriftsteller oder ein Dichter
sei, am wenigsten interessiert. Ich habe mich von vorneherein entschieden, nur ein Schriftsteller sein zu wollen. Ein Dichter ist zwar
etwas Schönes, wer wäre nicht gern einer, doch ist der Begriff so
konfus und unbestimmt geworden, daß er sich nur noch in geschlossenen Zirkeln mit einheitlicher Meinung über gewisse Schriftsteller
anwenden läßt, nicht öffentlich, nicht sachlich, nicht als Berufsbe-
zeichnung. Die Konfusion entsteht dadurch, daß in Fachkreisen
eben zwischen Dichtern und Schriftstellern unterschieden wird,
wobei gerade diese Trennung öfters die Gefahr in sich birgt,
schlechte Schriftsteller als Dichter auszugeben, für die dann die
Definition zutrifft, daß sie zwar dichten aber nicht schreiben können, eine in der deutschsprachigen Literatur nicht allzu seltene Erscheinung. Beruf: Dieses Wort sei hier in einem praktischen Sinne
genommen zur Bezeichnung einer Tätigkeit, durch die versucht
wird, Geld zu verdienen. Amtlicherseits teilt man denn auch die
Schriftstellerei den freien Berufen zu, wobei ausgedrückt wird, daß
der Schriftsteller als freier Mann einen Beruf gewählt hat, für dessen Rentabilität er selber verantwortlich ist. Bei dieser Feststellung
wird wohl mancher Schriftsteller stutzen müssen. Probleme stellen
sich. Einen Beruf haben bedeutet innerhalb der Gesellschaft eine
gewisse Funktion ausüben, wie nun diese Funktion sei, wird er
sich fragen, sich überlegen müssen, ob überhaupt eine wirkliche
Funktion da sei und nicht nur eine fingierte, auch wird er zu untersuchen haben, ob sich noch ein Bedürfnis nach den Produkten
seines Berufs melde, oder ob er nicht besser täte, sein Unternehm-
men als sinnlos zu liquidieren. In der Öffentlichkeit jedenfalls
scheint die Überzeugung vorherrschend zu sein, daß es die Schriftstellerei als seriösen Beruf gar nicht geben könne, weil sie keine
ganz anständige Voll-, sondern höchstens eine angenehme und
leicht spleenige Nebenbeschäftigung sei. Die Künstler sind nun
einmal in der Schweiz immer noch etwas Dubioses, Lebensuntüch-
tiges und Trinkgeldbedürftiges, wohnhaft in jenem stillen Kämmerlein, das bei jeder offiziellen Dichterehrung vorkommt. Doch
gibt es bestimmte Gründe, die zu dieser Einstellung geführt haben,
so die Tatsache, daß sich Gottfried Keller in bejammernswerter
Weise gezwungen sah, zürcherischer Staatsschreiber zu werden,

um existieren zu können, und der Umstand, daß Gotthelf Früh-
aufsteher war – wohl die schweizerischste und fürchterlichste aller
Tugenden –, so daß er neben seinem Beruf als Schriftsteller unkol-
legialerweise noch den eines Pfarrers auszuüben vermochte.

Marktlage: Wer eine Ware verkaufen will, muß den Markt studieren. Auch der Schriftsteller. Der Schweizer verträgt an sich in dem,
was er treibt, keinen Spaß, alles gerät ihm leicht ins Feierliche,
Biedere, und so versteht er denn auch in der Kunst gar keinen:
Die Musen haben bei ihm nichts zu lachen, sondern seiner For-
derung nach solider Qualität zu entsprechen und ewig zu halten.
Wer im schweizerischen Alltag steckt, braucht seine Ordnung, die
Ideale nimmt er zwar im Schein der Leselampe gern zur Kenntnis,
im Amt oder im Geschäft jedoch kommen sie ihm nicht ganz zu
Unrecht deplaziert vor; Kunst und Wirklichkeit sind getrennt,
jene darf diese verschönern, doch nicht untergraben, je unethischer
es in der Realität zugeht, desto ethischer und positiver soll es in der
Kunst zugehen (nicht nur das russische Politbüro fordert positive
Helden), die Welt soll wenigstens beim Schriftsteller stimmen, der
Geist soll den Konsumenten bestätigen, rühmen, nicht beunruhi-
gen, er soll ein Genußmittel darstellen, nicht eine Schikane: Die
Literatur des Positiven, die man sich wünscht, ist nun gewiß ne-
benamtlich zu leisten, im stillen Kämmerlein eben, und so wirkt
denn auch in der Öffentlichkeit die Frage nach dem Beruf des
Schriftstellers beinahe genierlich, nur die Frage nach der Berufung
stellt sich, die natürlich *auch* möglich und wichtig ist, die ich aber
hier ausklammern möchte. Denn wer nach dem Berufe des
Schriftstellers fragt, stellt eine präzise Frage an die Wirklichkeit.

Freiheit: Da man für unsere Gesellschaftsordnung die Freiheit in
Anspruch nimmt, hat man sich auch angewöhnt, von der Freiheit
des Schriftstellers zu reden, allgemein wird erleichtert festgestellt,
der westliche Schriftsteller sei frei, der östliche dagegen ein Sklave,
der zwar gut bezahlt werde, doch nicht schreiben dürfe, was er
wolle. Die Freiheit des Geistes ist das Hauptargument gegen den
Kommunismus geworden, ein nicht unbedenkliches: Wer nur ein
geringes die Entwicklung der Dinge verfolgt, sieht leicht, daß die
Russen mehr für den Geist tun als wir, und sei es nur, daß sie sich
vorerst mehr um die Volksbildung und um die Wissenschaft bemühen, daß sie hungriger sind als wir: Sie mästen geradezu einen
Geist in Ketten, wobei sich die Frage stellt, wie lange die Ketten
halten.

Grundbedingung: Wenn wir das Problem der Schriftstellerei als
Beruf aufwerfen, haben wir zu untersuchen, wie es denn mit der

Freiheit des Schriftstellers in unserer schweizerischen Wirklichkeit bestellt sei. Soll die Schriftstellerei einen freien Beruf darstellen, so muß der Schriftsteller ehrlicherweise in der Gesellschaft einen freien Geschäftspartner erblicken, den er mit keiner Verpflichtung behaften darf, seine Werke zu akzeptieren, denn eine Verpflichtung der Gesellschaft ihm gegenüber könnte nur eintreten, wenn auch er sich der Gesellschaft gegenüber verpflichtet hätte: Die Schriftstellerei wäre jedoch in diesem Falle kein freier Beruf mehr, sondern ein Amt. Nimmt man daher unsere Freiheit ernst, so ist gerade der Schriftsteller der Freiheit zuliebe verpflichtet, der Gesellschaft gegenüber unverpflichtet, kritisch aufzutreten, während die Gesellschaft, will sie frei sein, zwar verpflichtet ist, die grundsätzlich freie Position des Schriftstellers als dessen Grundbedingung zu respektieren, doch nicht verpflichtet werden kann, die Rentabilität seiner Schriftstellerei als Beruf zu garantieren.

Der Konflikt: Als Beruf ist die Schriftstellerei eine ungemütliche Sache. Nicht nur für den Schriftsteller. Auch für die Gesellschaft. Die Freiheit, auf die man sich gerne beruft, wird von der Frage abhängig gemacht, die man gerne verschweigt, ob man sich denn auch diese Freiheit leisten könne. Der Schriftsteller ist zwar frei, aber muß um seine Freiheit kämpfen. Der Kampf spielt sich auf einer wirtschaftlichen Ebene ab. Auch der Geist kostet. Er unterliegt dem Gesetz von Angebot und Nachfrage: ein auf der Ebene des Geistes grausamer Satz.

Auf die Schweiz bezogen: In der Regel vermag es sich hier ein Schriftsteller nicht zu leisten, nur seinen Beruf auszuüben, die Nachfrage ist durch die Kleinheit und Viersprachigkeit des Landes zu gering; hat der Schriftsteller jedoch Erfolg, so lebt er zur Hauptsache vom Ausland. Dieser geschäftliche Umstand gibt zu denken, der schweizerische Schriftsteller ist mehr denn ein anderer zum Erfolg gezwungen, will er seinen Beruf frei ausüben, er ist aufs Ausland angewiesen, die Schweiz ist zwar sein Arbeitsplatz, doch nicht sein Absatzgebiet: In unserem Lande ist die Schriftstellerei als Beruf nur als Exportgeschäft möglich. Diese Tatsache erklärt das Mißtrauen, das dem Exportschriftsteller entgegengebracht wird. Der Schweizer wird durch die Exportschriftstellerei an die Weltöffentlichkeit gebracht, und gerade das möchte der Schweizer nicht, er möchte das idealisierte Wesen bleiben, in welches ihn der Heimatschriftsteller meistens verwandelt, als solches er aber für die Welt unglaubwürdig geworden ist.

Aufs Allgemeine bezogen: Die Schriftstellerei wird erst durch den Erfolg als freier Beruf möglich; der Erfolg sagt jedoch nichts über

den Wert einer Schriftstellerei aus, er deutet allein darauf hin, daß
der Schriftsteller eine Ware herstellt, die sich verkaufen läßt: Daß
dieser Umstand nicht befriedigt, sei zugegeben, doch ist er immer
noch der einzig mögliche: Die Schriftstellerei als freier Beruf bleibt
zwar ein Wagnis mit ungerechtem Ausgang für viele (und ohne
Instanz, die Klage vorzubringen). Wirklich demoralisierend ist die
Lage des Schriftstellers jedoch erst, wenn sich der Staat einmischt:
An Stelle des wirtschaftlichen tritt der Kampf um die Position innerhalb des staatlichen Schriftstellerverbandes. Doch sind für den
freien Schriftsteller Milderungen eingetreten. Nicht nur durch die
Hochkonjunktur. Auch durch neue Kunden. Der westdeutsche
Rundfunk und das westdeutsche Fernsehen etwa sind nicht zufällig für die Schriftsteller oft lebenswichtig, diese Anstalten brauchen einfach Stücke (auch hier ist die Schweiz nicht konkurrenz-
fähig). Überhaupt tut es dem Schriftsteller gut, sich nach dem
Markte zu richten. Er lernt so schreiben, listig schreiben, das Seine
unter auferlegten Bedingungen zu treiben. Geldverdienen ist ein
schriftstellerisches Stimulans.

Trost: Daß der Mensch unterhalten sein will, ist noch immer für
den Menschen der stärkste Antrieb, sich mit den Produkten der
Schriftstellerei zu beschäftigen. Indem sie den menschlichen Un-
terhaltungstrieb einkalkulieren, schreiben gerade große Schriftsteller oft amüsant, sie verstehen ihr Geschäft.

A'S STURZ VOLLZOG SICH GLEICHSAM BÜROKRATISCH

D's Stunde war gekommen. A's Sturz vollzog sich nüchtern, sachlich, mühelos, gleichsam bürokratisch. Die Wildsau befahl, die
Türen zu verschließen. Das Denkmal erhob sich schwerfällig, verschloß zuerst die Türe hinter dem Schuhputzer und dem Jüngeren
der Gin-gis-Khane und dann die hinter dem Teeheiligen und der
Ballerina. Darauf warf er die Schlüssel zwischen die Wildsau und
Lord Evergreen auf den Tisch. Das Denkmal setzte sich wieder.
Einige Mitglieder des Politischen Sekretariats, die aufgesprungen
waren – als wollten sie das Denkmal hindern, ohne es jedoch zu
wagen –, setzten sich auch wieder. Alle saßen, die Aktentaschen
vor sich auf dem Tisch. A schaute von einem zum andern, lehnte
sich zurück, zog an seiner Pfeife. Er hatte das Spiel aufgegeben.
Die Sitzung gehe weiter, sagte die Wildsau, es wäre interessant, zu
erfahren, wer nun O eigentlich habe verhaften lassen. Die Staats-

tante entgegnete, es könne sich nur um A handeln, auf der Liste
sei O nicht angeführt, und er als Chef der Geheimpolizei sähe überhaupt keinen Grund, O, der doch nur ein zerstreuter Wissenschaftler sei, zu verhaften. O sei ein Fachminister und unersetzlich, ein
moderner Staat brauche die Wissenschaftler mehr als die Ideolo-
gen. Das müsse sogar der Teeheilige langsam kapieren. Nur A
kapiere es anscheinlich nie. Der Teeheilige verzog keine Miene.
«Die Liste!», verlangte er sachlich, «sie wird uns Klarheit bringen.» Die Staatstante öffnete seine Aktentasche. Er reichte ein
Papier zuerst Lord Evergreen, der es nach kurzem Überlesen dem
Teeheiligen zuschob. Der Teeheilige erbleichte. «Ich bin auf der
Liste», murmelte er leise, «ich bin auf der Liste. Dabei bin ich
doch immer ein linientreuer Revolutionär gewesen. Ich bin auf der
Liste», und dann schrie der Teeheilige plötzlich auf: «Ich war der
Linientreuste von euch allen, und nun soll ich liquidiert werden.
Wie ein Verräter!» Die Linie sei eben krumm geworden, entgegnete D trocken. Der Teeheilige gab die Liste der Ballerina, der, da
sein Name offensichtlich nicht draufstand, sie sofort an das Denkmal weiterleitete. Das Denkmal starrte auf sie, las sie immer wieder, um endlich aufzuheulen: «Ich bin nicht darauf, ich bin nicht
darauf. Nicht einmal liquidieren will mich das Schwein, mich, den
alten Revolutionär!» N überflog die Liste. Sein Name stand nicht
darauf. Er gab sie an den Chef der Jugendgruppen weiter. Der
blasse Parteimensch stand verstört auf, als befände er sich in einem
Examen, reinigte seine Brille. «Ich bin zum Generalstaatsanwalt
ernannt worden», stotterte er. Alle brachen in ein Gelächter aus.
«Setz dich, Kleiner», meinte die Wildsau gutmütig, und der
Schuhputzer fügte bei, sie würden den braven Tugendbold der
Jugendgruppen nicht auffressen. P setzte sich wieder und reichte
das Papier, wobei seine Hand schlotterte, über den Tisch zur Parteimuse hinüber. «Ich stehe darauf», sagte sie und schob die Liste
dem älteren Gin-gis-Khan zu, der aber vor sich hindöste, so daß
sie der jüngere zu sich nahm. «Marschall H steht nicht darauf»,
sagte er, «aber ich stehe darauf» und gab das Papier dem Schuhputzer. «Ich auch», sagte dieser, und dasselbe sagte die Wildsau.
Als letzter erhielt der Eunuch die Liste. «Nicht darauf», sagte der
Außenminister und schob die Liste wieder der Staatstante zu. Der
Chef der Geheimpolizei faltete das Papier sorgfältig zusammen und
verschloß es in seiner Aktentasche. O sei tatsächlich nicht auf der
Liste, bestätigte Lord Evergreen. Warum er dann von A verhaftet
worden sei, wunderte sich die Ballerina und blickte mißtrauisch
zur Staatstante. Der entgegnete, er habe keine Ahnung; daß der

Atomminister erkrankt sei, habe er bloß angenommen, doch A
pflege nach eigenem Gutdünken vorzugehen. «Ich ließ O nicht
verhaften», sagte A. «Erzähl keine Märchen», schnauzte ihn der
jüngere Gin-gis-Khan an, «sonst wäre er hier.» Alle schwiegen, A
zog ruhig an seiner Dunhill. «Wir können nicht mehr zurück»,
meinte die Parteimuse trocken, die Liste sei eine Tatsache. Sie sei
nur für den Notfall aufgestellt worden, erklärte A, ohne sich zu
verteidigen. Er rauchte gemütlich, als gehe es nicht um sein Leben
und fügte bei, die Liste sei aufgestellt worden für den Fall, daß
sich das Politische Departement seiner Selbstauflösung widersetze.
«Der Fall ist eingetreten», entgegnete der Teeheilige trocken,
«es widersetzt sich.» Der Eunuch lachte. Der Schuhputzer kam
wieder mit einem Bauernspruch, der Blitz schlage auch beim
reichsten Bauern ein. Die Wildsau fragte, ob sich jemand freiwillig
melde. Alle schauten zum Denkmal. Das Denkmal erhob sich. «Ihr
erwartet, daß ich den Kerl umbringe», sagte er. «Du brauchst ihn
nur ans Fenster zu knüpfen», antwortete die Wildsau. «Ich bin
kein Henker wie ihr», antwortete das Denkmal, «ich bin ein ehrlicher Schmied und erledige das auf meine Weise.» Das Denkmal
nahm seinen Sessel und stellte ihn zwischen das freie Tischende
und das Fenster. «Komm, A!», befahl das Denkmal ruhig. A erhob sich. Er wirkte, wie immer, gelassen und sicher. Während er
gegen das untere Tischende zuging, wurde er vom Teeheiligen
behindert, der seinen Sessel gegen die hinter ihm befindliche Türe
gelehnt hatte. «Pardon!», sagte A, «ich glaube, ich muß hier
durch.» Der Teeheilige rückte zum Tisch, ließ A passieren, der nun
zum Denkmal gelangte. «Setz dich», sagte das Denkmal. A gehorchte. «Gib mir deinen Gürtel, Staatspräsident», befahl das
Denkmal. Gin-gis-Khan der Ältere kam dem Befehl mechanisch
nach, ohne zu begreifen, was das Denkmal im Sinne hatte. Die
andern starrten schweigend vor sich hin, schauten nicht einmal zu.
N dachte an den letzten Staatsakt, bei welchem sich das Politische
Sekretariat der Öffentlichkeit gezeigt hatte. Im tiefen Winter. Sie
beerdigten den «Unbestechlichen», einen der letzten großen Revolutionäre. Der Unbestechliche nahm nach dem Sturz des Denk-
mals das Amt des Parteichefs ein. Dann fiel er in Ungnade. Die
Wildsau verdrängte ihn. Doch machte A dem Unbestechlichen
nicht den Prozeß wie den anderen. Sein Sturz war grausamer. A
ließ ihn für geisteskrank erklären und in eine Irrenanstalt einliefern,
wo ihn die Ärzte während Jahren dahindämmern ließen, bevor er
sterben durfte. Um so feierlicher fiel denn auch das Staatsbegräbnis
aus. Das Politische Sekretariat, ausgenommen die Parteimuse, trug

den Sarg, bedeckt mit der Parteifahne, auf den Schultern durch den Staatsfriedhof an schneebedeckten, kitschigen Marmorstatuen und Grabsteinen vorbei. Die zwölf mächtigsten Männer der Partei und des Staates stapften durch den Schnee. Sogar der Teeheilige war in Stiefeln. Vorne hatte A neben dem Eunuchen die Bahre geschultert und hinten, nach all den andern, N neben dem Denkmal. Der Schnee fiel in großen Flocken aus einem weißen Himmel. Zwischen den Gräbern und um das ausgehobene Grab scharten sich dicht gedrängt die Funktionäre in langen Mänteln und warmen Pelzmützen. Als man den Sarg zu den Klängen einer durchfrorenen Militärkapelle, welche die Parteihymne spielte, ins Grab hinunterließ, flüsterte das Denkmal: «Teufel, ich werde der nächste sein.» Nun war er nicht der nächste. A war der nächste. N schaute auf. Das Denkmal schlang den Gürtel Gin-gis-Khan des Älteren um A's Hals. «Bereit?», frage das Denkmal. «Nur noch drei Züge», antwortete A, paffte dreimal ruhig vor sich hin, dann legte er die gebogene Dunhill vor sich auf den Tisch. «Bereit», sagte er. Das Denkmal zog den Gürtel zu. A gab keinen Laut von sich, sein Leib bäumte sich zwar auf, auch ruderten einige Male seine Arme unbestimmt herum, doch schon saß er unbeweglich, den Kopf vom Denkmal nach hinten gezogen, den Mund weit geöffnet: das Denkmal hatte den Gürtel mit ungeheurer Kraft zusammengezogen. A's Augen wurden starr. Der ältere Gin-gis-Kahn ließ aufs neue Wasser, niemanden störte es. «Nieder mit den Feinden im Schoße der Partei, es lebe unser großer Staatsmann A!», rief er. Das Denkmal lockerte seinen Griff erst nach fünf Minuten, legte den Gürtel Gin-gis-Khan des Älteren zur Dunhill-Pfeife auf den Tisch, ging zu seinem Platz zurück und setzte sich. A saß tot im Sessel vor dem Fenster, das Antlitz zur Decke gekehrt, mit hängenden Armen. Die andern starrten ihn schweigend an. Lord Evergreen zündete sich eine amerikanische Zigarette an, dann eine zweite, dann eine dritte. Sie warteten alle etwa eine Viertelstunde. Jemand versuchte, von außen die Türe zwischen F und H zu öffnen. D erhob sich, ging zu A, betrachtete ihn genau und betastete sein Gesicht. «Der ist tot», sagte D, «E, gib mir den Schlüssel.» Der Außenhandelsminister gehorchte schweigend, dann öffnete D die Türe. Auf der Schwelle stand der Atomminister O und entschuldigte sich für seine Verspätung. Er habe sich im Datum geirrt. Dann wollte er auf seinen Platz, ließ in der Eile seine Aktentasche fallen, und erst als er sie aufhob, bemerkte O den erdrosselten A, und erstarrte. «Ich bin der neue Vorsitzende», sagte D und rief durch die offene Türe den Oberst herein. Der Oberst salu-

tierte, verzog keine Miene. D befahl ihm, A wegzuschaffen. Der
Oberst kam mit zwei Soldaten zurück, und der Sessel war wieder
leer. D schloß die Türe ab. Alle hatten sich erhoben. «Die Sitzung
des Politischen Sekretariats geht weiter», sagte D, «bestimmen wir
die neue Sitzordnung.» Er setzte sich auf den Platz A's. Neben ihn
setzten sich B und C. Neben B F und neben C E. Neben F setzte
sich M. Dann schaute D N an und machte eine einladende Geste.
Fröstelnd setzte sich N neben E: er war der siebentmächtigste
Mann im Staate geworden. Draußen begann es zu schneien.

Ernst Eggimann

we si so tumm isch
wi si tuet
de isch si tumm
di tuet ja
tümmer aus tumm

di isch no tümmer
aus i tänkt ha
di isch schtroutumm
so tumm wi die tuet
chame ja gar nid tue
di isch scho soutumm

oder tuet si am änd
nume tumm

gäu das isch
gäbig
i gäb ders
gärn
wes nid so
gäbig wär

gäu är isch
e gäbige
i gäb der ne
gärn
wes nid so ne
gäbige wär

ja üs geits
gäbig
u
wo gäbs o
gäbigeri
aus üs gäu

los
es isch eso
los
es isch doch eso
so los doch
we n is nume chönnt säge
we n is nume chönnt gagse
we de chli gschpüri hättsch
de gschpürtisch mi scho
nei
i meines nid eso
i meines doch nid eso
o so isch es nid
nei
dir dänket aui der schpur na
aber ds gschpüri
heiter nid
los

Albert Ehrismann

JEDEM DAS SEINE

«Es ist ein prachtvoller Sieg»,
sagte Oberstleutnant Honycutt
nach dem elften verlustreichen Sturmangriff
seiner Fallschirmsoldaten
auf den Hügel Ap-Bia
(Hackbeefsteak-Hügel genannt),
«aber jeder Sieg hat seinen Preis.»
Und er ließ vielleicht rote Rosen
seiner Frau
zum Hochzeitstag schicken.
Die Witwen erhielten ihre Männer
oder deren Asche
und der Vietcong drei Wochen später
kampflos den Hügel zurück.
Denn er war strategisch wertlos.

VON WÄLDERN, QUELLEN UND FLÜSSEN

I
Wenn viele junge Rebellen
und noch mehr alte Politiker
nicht auf Holzwegen gingen,
wären unsere Wälder reicher
(Rehe wohnten geschützter,
und lieblicher sängen die Vögel),
denn der Verschleiß an gesunden Hölzern
ist ungeheuer.
Kahlschläge aber
verändern das Klima:
wir vereisen.

II
Aus den Quellen ertrogener Erde
fließt Reichtum
in die Taschen fern wohnender
Ölmillionäre.

Die Arbeiter an den Bohrtürmen
und auch die Indios in den Kupferminen
sind arm.
Landlose hungern.
Werden sie einst, wenn sie sterben,
für die letzte Ölung genug Öl haben,
oder brauchen sie dann,
ehe sie tot sind,
auch dieses Öl
nicht mehr –
hoffend auf eine schmale Grube
für ihre Knochen?

III
Wälder atmen.
Quellwasser ist klar und rein.
Der Haushalt der Natur, sagt man,
sei wunderbar eingerichtet,
und verweist auf den Gesundheits-
und Sterbedienst der Wildtiere
in Afrika oder irgendwo.
Wo denn sind die Haushalthilfen
der Flüsse und Seen,
ehe die Seen Kloaken
und die Flüsse zum Totenrhein
für Millionen Fische werden?
Wo denn sind die Haushalthilfen
der Wälder (Lungen seien sie unserer Städte),
ehe sie zu Papier und Betonverschalungen
gekocht und zerschnitten werden?

IV
Von Wäldern, Quellen und Flüssen
schreibt der Dichter
und bekennt sich mitschuldig,
weil er Papier verbraucht.
Wer bekennt sich
noch schuldiger?
Millionäre? Holzwegler?
Niemand?

V
Wir werden vereisen.

WESHALB DIE VÖGEL SINGEN

Weil sie Nester bauen
in den hohen Wipfeln,
sich nicht fürchten vor der Nacht,
dem Wind.
Weil sie niemals wissen,
daß schon Lunten brennen
und die Menschen nicht
wie Fisch und Vogel sind.

Daß wohl Wurm und Käfer
sie vor Hunger schützen –
brutzeln Reh und Lämmer
denn den Frömmsten fern?
Weil sie Meer und Erde
nicht zu Tod vergiften,
deshalb singen heute noch
die Vögel gern.

Franz Xaver Erni

ICH WERDE DIE VÖGEL FÜTTERN!

Vorgestern ist mein Nachbar gestorben. Heute wird er bestattet.
Schon sind zwei, drei Hornisten da – Tenorhornisten – und ein
Klarinettist. Ich wohne draußen auf dem Dorf. Wenn in der Stadt
einer stirbt, dann ist das ganz anders. Dann geschieht das heimlich.
Heimlich und unauffällig. Ein Auto fährt vor. Schwarz. Das ist das
einzige Zeichen. Kaum wahrnehmbar. «Jetzt ist er doch gestorben», sagt etwa ein Untermieter, zwei Treppen höher, oder eine alte
Frau, in der schwach erleuchteten Dachwohnung. Aber dann ist er
tot. Aber dann ist er fort. Ist aufgebahrt in der Halle, die keiner
kennt. Und dann wird er kremiert. Und dann wird er vergessen.
Das ist anders bei uns auf dem Dorf. Jetzt ist schon ein größeres
Grüpplein beisammen: ein Es-Kornett, zwei B-Kornette, der
große Baß, die langen Posaunen. Sie haben alle frei genommen,
diesen Nachmittag: weil mein Nachbar tot ist, weil er heute bestattet wird. Der mit der großen Trommel ist da und der Metzger-
meister, der ihm immer vom Besseren lieferte. Auch den Schuhmacher sehe ich – er steht hintenherum (ist ja auch kein beson-

derer Beruf mehr, heutzutage) – und den Herrn Bankkassierer (der Schalter bleibt offen!).

Es hat zu schneien begonnen. Wenn sie den Sarg jetzt nicht wegtragen, wird er ganz weiß vom Schnee. Aber sie lassen ihn stehen. So steht er gut, denken sie. Oder: «Ein schöner Sarg! Wirklich, ein schöner Sarg! Sie haben ihm wirklich einen schönen Sarg gemacht…» Der Sohn sagt es – oder ist es der Neffe? – und bespricht sich dann mit der Musik. Jetzt sind schon mehr als zwei Dutzend Leute versammelt: in Uniform und mit leuchtenden Instrumenten. Eigentlich sind diese Instrumente zu festlich, denke ich, oben an meinem Fenster. Aber es geht mich ja gar nichts an! Schließlich ist mein Nachbar gestorben, und da würde ich besser auch unten stehen und der kleinen, verweinten Witwe die Hände drücken. Aber jene würde wohl denken: Jetzt ist der doch erst sechs Wochen hier und kommt schon wie ein Verwandter daher oder ein Eingeseßner. Hat unseren Emil ja gar nicht richtig gekannt! Nur so vom Sehen. Was weiß der schon! – Oder sie weint vor sich hin, weint sich aus, daß die Tränen strömen, und ich stehe da und weiß nicht ein Wort, das ich sagen kann – ein letztes Wort –, da ich ja in der Tat mit dem Toten zu wenig vertraut war und sein Leiden auch nur vom Hörensagen kenne. Er habe an diesem gelitten und an jenem, hieß es heut im Gemischtwarenladen. Aber ist er an jenem gestorben oder an diesem? «Seht, wie der schon wieder über ihn redet!», würden wohl einige sagen. Lauter Verlegenheit also, lauter Verlegenheit! So ist es doch besser, ich stehe oben, am Fenster; schaue hinunter und sehe den Sarg, der jetzt schon ganz weiß ist vom vielen Schnee. Ein weißer Sarg. Weiß ist die Totenfarbe der Chinesen. Doch wenn ich das jetzt zu einem sagte, würde der mich für einen Irren halten oder für einen ungehobelten Kerl, der sich aus ernsten Dingen bloß einen Spaß macht. Aber ich sage ja nichts. Ich schaue nur zu, wie der Schnee auf die schwarze Gemeinde fällt, auf den ehedem hellbraunen Sarg, und wie die Instrumente immer noch glänzen unter dem feuchten Flockenschleier.

Jetzt tritt ein Mann in die Mitte: wohl der Herr Pfarrer. Nein, der Herr Dirigent. Er ordnet die Kameraden um sich, denn alle hier sind Kameraden. Kameraden des Toten. Das hat so in der Zeitung gestanden: «Die Kameraden besammeln sich beim Trauerhaus, ein Viertel vor ein Uhr.» Jetzt ist es schon ein Viertel nach, und es sind immer noch nicht alle da. Jetzt kommt ja keiner mehr zu spät, denken sie, und sie haben nicht unrecht. Was nützt da die Pünkt-

lichkeit, nützt da die Zeit? Was heißt überhaupt: «Ein Viertel
vor?» Spielen da Viertel noch eine Rolle? Ist das nicht zu kleinlich
gedacht? Man wird ja nachher im Wirtshaus sitzen, und da werden
Stunden verrinnen, aber jetzt soll es noch um Minuten gehen?
Ein Viertel nach ein Uhr: Um die Straßenecke biegt jetzt ein
Wagen. Zwei Pferde beugen sich unter dem schwarzen, silber-
befransten Tuch. «Jetzt kommen sie!» Und jetzt kommt Bewegung
in die Trauergemeinde. Die Frauen neigen sich vor. Ihre schwarzen, schneeversehrten Köpfe bergen sich in den weißen Tüchern.
Sie weinen. Die Männer aber drehen den Hut in der Hand oder
treten von einem Fuß auf den andern. «Der Wagen kommt. Es ist
so weit!» Eine kleine Frau lehnt am Pfosten der Gartentreppe und
sinkt immer mehr in sich zusammen. Es ist meine Nachbarin. So
also können Nachbarn sein: tot und gebrochen, und man kann
nichts weiter tun, als zur Seite sehen, weil der Schmerz nichts ist für
die Augen. Ich schaue weg. Ich höre, wie sie die Bahre wegschieben.
Ich höre die Pferde in ihrem Geschirr, das Ächzen der Naben. Der
mit der Trommel – abgewendet fühle ich es – stößt irgendwo an.
Wie kann man nur so ungeschickt sein, jetzt, in diesem Augenblick! Dann setzt sich der Zug in Bewegung. Ich höre das Knir-
schen des Schnees. Ich höre die schrillen Töne des Posaunisten.
Jetzt hebt er an, der Totenmarsch: eine Schauerorgie, unter bür-
gerlichem Himmel.

Mitten im Winter der Tod. Mitten im Weiß des Schnees das
Schwarze, Schaurige der Nacht. Der ewigen Nacht. Jetzt ist mein
Nachbar gestorben. Jetzt ist er tot, und ich sehe ihn nie mehr: wie
er die Pfeife stopft, den Hund ruft, die Zeitung aus dem Brief-
kasten holt. Wer tut diese Dinge jetzt für mich, wenn ich zu-
schauen will? Wer weiß, daß auch ich ein Nachbar bin?
Ich höre von ferne den dumpfen Klang. Der mit der großen
Trommel, denke ich – und wende den Blick zum Fenster. Unten,
neben der Mauer, dort, wo die Bahre gestanden hat, der Sarg, hebt
sich ein schmaler, schneeloser Erdenfleck ab. So schmal ist die
Erde. So wenig davon braucht der Mensch. Dieser oder jener.
Mein Nachbar.
Ich werde die Vögel füttern!

Robert Faesi

Diodor war, die Tür seines Stammhauses nachdrücklich hinter sich riegelnd, an den Vorräumen vorbei ins enge Geviert des oben offenen Innenhofes getreten, den eine Öllampe traulich erhellte. Hier war der Ursprung und, noch immer, der Ruhepunkt seines Daseins, der das Gegengewicht wahrte zu der weiten bewegten Welt der Polis, dem Andrang der Staatsgeschäfte, dem Tumult der Agora. Später als üblich hatte er heut' dem Heimverlangen nachgegeben und üblich war's, selbst nachtüber dort auf dem Posten zu bleiben, als letzter, um in der Frühe als erster sich straff zu erheben. Um so köstlicher, vom Übermaß der andrängenden Amtspflicht in der Heimlichkeit des Feierabends Atem zu schöpfen, sich zu entschirren, zur Liebsten, und vollends zu sich selber zu finden.

Kein Menschenlaut. Die paar freigelassenen anhänglichen Sklaven und Dienerinnen hatten sich schlafen gelegt – in den Hintergemächern der Schmiedewerkstatt, aus der zu Diodors Kindheit rüstiger Hammerschlag metallisch herübergeklungen. Sonst war alles wie damals, der schlichte Säulenumgang des gepflasterten Hofes, in dessen Mitte der Hausaltar; daß ihn blühende Ranken umwanden, zeugte, gleich Polstern und Kissen, Amphoren und Bechern, von der pfleglichen Hand, dem reinlichen Walten der Hausfrau. Hausherrin möchte die Bescheidne sich selbst nicht genannt wissen. Behutsam ihr Schlafgemach öffnend vernahm er die gleichmäßigen Atemzüge der schlummernden Daphne. Eh' er zu ihr aufs Lager glitte, gelüstete ihn, den Genuß des zweisamen Eros verzögernd, sich dem einsamen Frieden der Nacht zu ergeben.

Auf die Steinbank sich fallen lassend, den Nacken zurückgelehnt an eine der epheuumwachsenen Säulen, überließ Diodor sich der Schau, wie über'm engen Mauergeviert seine menschliche Heimstatt den Blick freigab an die unabsehbare Weite des Kosmos. Ein paar Zypressen einzig überragten die Kante des Daches, schon etwas höher, schien ihm, als noch im Vorjahr, und die federnde Beugung ihrer schwärzlichen Wipfel unterm Anhauch des Meerwinds, und, mitunter vernehmbar, seine Brandung küstenlang gemahnte, daß gleich jenseits der bergenden Hauswand gigantische Mächte fessellos waltend den Erdraum umtollten und alles in unaufhörlichem Fluß sich wandelnd bewegte. Aber darüber die Sterne standen in unverrückbarer Ordnung, wie die Götter der Willkür und dem Wechsel enthoben.

Also durfte der Mensch sich tröstlich versichert halten, daß das Nächste und daß das Höchste ihn schirmte, ob er auch täglich ringsum Winden und Wellen die Stirn bot. Wahrlich, solches tat not nach der wirren Drangsal des Tages.

Möchte alles so bleiben. So war es gut und gesegnet. Oder noch besser: möcht' es geblieben sein wie vor wenigen Jahren, als die Zypressen noch nicht das Dachgesims überwuchsen und das Söhnchen Sostratos noch nicht der Mutter über den Kopf wuchs, sondern Elternglück noch ungetrübt mit Kinderglück eins war.

Doch auch dem Vater drohte das Sorgenkind zu entwachsen. Zwar unverkennbar war er der Erbe von beiden Eltern, doch ihre Gaben durchdrangen sich nicht; statt ihn zu einen entzweiten sie ihn und rissen ihn unvermittelt hierhin und dorthin.

Diodors zielgerichteter Tatendrang übersteigerte sich zu enthemmter Maßlosigkeit, verschwendet ohne Richtung und Zweck, und unversehens erschöpft verfiel der Stürmische – kaum mehr zu erkennen – in müßige Trägheit, als sei er verurteilt, das gelassene pflanzliche Insichruhen der Mutter zu Schlaffheit willensschwach zu verzerren.

Diodors Sinnen verfinsterte sich. Es hatte sich aufgedrängt, den Halbwüchsigen, wie es seinen Jahren und dem Brauche der Polis entsprach, beizeiten einem Erzieher zu übergeben; mochten er und die Kameraden im Rahmen strenger Zucht und Gemeinschaft – es stand noch zu hoffen – sein widersprüchliches Wesen endlich noch straffen und raffen.

So lebten Diodor und Daphne zu zweit, wenn auch noch immer ohne eheliche Bande wie ein einträchtiges, unmerklich alterndes Paar gemäß dem Ablauf liebgewordener Gewöhnung.

Diodor schreckte auf. Am Haustor wurde mit dem Metallring, den ein Löwe im Rachen hielt, hastig, heftig geklopft. Unwillig zögerte Diodor zu öffnen, doppelt unwillig erkannte er draußen die gekrümmte Mißgestalt.

«Megakles! endlich zurück von der Fahrt. Ist es da auf einmal so dringlich, daß du mich nächtlicherweile und gerade zuhaus' überfällst? Du keuchst ja. Ich muß dich wohl hören.»

Er wies auf die Steinbank; der Unwillkommene kauerte neben ihn. «Diesmal», seufzte er, «häufe ich dir nicht Gold auf den Tisch, sondern Sorgen auf deine Schultern. Denn – es geht dir zu gut.» Und, das Paradoxon erklärend: «Du wirst den Nachbarn zu mächtig.»

«Keinen bedroh' ich.»

«Sie wähnen sich aber bedroht.»

«Ich mehrte meine Gewalt, mich zu sichern. Und nun bringt meine Gewalt mich in Gefahr?» Diodor lachte bitter.

Megakles zuckte die Achseln. «Du sagst es. Zwangshaft erweist es sich je und je als gefährlich, groß zu werden. Aber: noch gefährlicher ist es klein zu bleiben. Beklage dich nicht. Deine Nachbarn unterliegen dem selben Gesetz. Du überwächsest sie wie ein Eichbaum die andern ringsum. In deinem Schatten fürchten sie zu verkümmern.»

«So mißlang es dir, ihr Mißtrauen zu zerstreun, daß ich Waffen im Schild gegen sie führe?»

«Es braucht nicht einmal Waffengewalt. Sie wurden mit Schrecken gewahr: Deine Handelsflotte nimmt ihnen zusehends den Markt, bringt sie um Gewinn und schließlich um Wohlstand.» Und Megakles ließ sich darüber aus, wie das östlich benachbarte Königstum auf der Landzunge Asias und nicht minder die nordwärts gelegene Insel tiefer Besorgnis verfielen.

Diodor hatte die Stirn gerunzelt.

«Versetz dich in die Lage ihrer Gebieter: Was drängt sich ihnen auf? Ich brauch' es nicht auszusprechen. Ein Bündnis mit dir, oder – so sehr sie sich hassen – ein Bündnis untereinander. Und hiefür mehren die Anzeichen sich. Und zudem: was möchte den kleinen Nachbarn auf dem Archipelagos denn erwünschter sein, als daß man dich nicht über den Kopf wachsen läßt?»

«Dieser Sorge sind sie in wenigen Jahren enthoben: Weil es dann schon so weit ist.»

«Um so schlimmer», warf Megakles ein. «Sie werden so lange nicht säumen, sie wissen, jetzt ist ihr Kairos. Sage selbst, was bleibt ihnen übrig als Bündnis? und, ist es so weit, was bleibt ihre größte Chance? Krieg gegen dich.»

«Und was, meinst du, bleibe *mir*?»

«Ich meine das Gleiche wie du. Ihrem Bund zuvorkommen. So oder so. Bleibt dir noch eine Wahl, so die zwischen Gewalt und Verlockung.» Und als Diodor unwillig auffuhr: «Ja doch: mit Gewalt. Jähem Überfall auf den Oststaat...»

«Pfui! Bin ich ein Wegelagerer, ein Pirat? Gut, daß ich's nicht über mich brächte. Auch könnt' er ja schwerlich glücken, dieser tollkühne Handstreich.»

«Also Lockung. Überraschendes Bündnis. Mit welchem? Doch wohl mit dem Stärkeren, dem Königstum auf dem östlichen Festland, das unsre Polis zudem ergänzt, wogegen ja die nördliche Insel unser Konkurrent ist an Waren und Werten.»

Diodor gab seinem Unwillen Raum: «So werd' ich ins Ausland verstrickt, ich, dem es einzig um die eigne Polis zu tun ist.»

«*Sie* ist es ja doch, der du das Bündnis schuldest. – Nenn mir einen andern Ausweg.»

Diodor grübelte. Sie erwogen, verwarfen.

«Was vollends, wenn der König den Bund mit uns ablehnt? Wird er nicht gegen unsre Polis die Nordinsel ausspielen? Kann ich ihn abspenstig machen? Über welchen Köder verfüg' ich? Wenn einer, ist doch er unser Erbfeind. Auch kaum noch Hellene zu nennen. Und daß der Tyrann auf unsrer Akropolis ihn einst hinterging, wird er's, will er's vergessen? Die Vergangenheit steht der Gegenwart im Wege.»

«Kaum aber der Zukunft. Pah, was des Königs Gefühl widerstrebt, sein gewitzter alter Kopf wird es billigen. Mißtraut er uns, so nicht minder unserm Nachbarn im Norden.»

«Kann ich dem König ein Pfand bieten, und gar er uns? Wenn jeder des andern Vorgebirge besetzte, hätte jeder den andern sicher in Händen?»

«Es gibt bessere Pfänder», verriet Megakles mit listig triumphierendem Lächeln.

«Was meinst du damit», forderte Diodor ungeduldig. «Heraus mit der Sprache!»

«Ich muß wohl; wenn auch ungern genug. – Die Staaten wurden allezeit zusammengeschweißt, wenn ihre Beherrscher durch Blutmischung sich versippten. Ehe, das zarteste Band, wächst sich zum zähesten aus. Der König erwägt darum, seinen Augapfel, die einzige Tochter – ihm fehlen ja Söhne – dem Gebieter der Nordinsel zu vermählen. Vielleicht ist es ihnen zuvorzukommen noch nicht zu spät. Wie, fragst du. Durch dein eigenes Angebot.»

Diodor starrte ihn finster an. «Wär' es von Vorteil für den Vater, die Prinzessin an mich zu verschachern? Und weiß er, daß ich gebunden bin, an die Geliebte, mit der ich hause in diesen Wänden, und die mir einen Knaben geschenkt hat?»

«Er hält es gewiß für ein Leichtes, sich von einer Gefährtin schlichter Herkunft zu trennen. Und ist es nicht so, geschah es nicht schon hundertmal?»

Diodor wehrte heftig auffahrend ab. «Genug dieses widerlichen Geschäftes!»

«Deinem edeln Sinn muß es als Unsinn erscheinen. Den Gebieter der Nordinsel werden Skrupel nicht hemmen! Er greift hurtig zu, so besorg' ich.»

«Soll ich mit dem Vater um seine Thronerbin markten? Mich von
ihm erpressen lassen? Pfui, nein.»

«Ich habe besorgt, daß dein Herz sich auflehnt, Archont. Und ich
achte dich nur um so höher darum. Drum fiel es mir schwer, dich
einzuweihn. Aber... aber, ich fürchte, dir bleibt nur die Wahl,
deine Polis dem Herzen zu opfern, oder dein Herz deiner Polis.
Wahl, so oder so, zwischen Treubruch und Treubruch.»

Diodor war aufgesprungen und maß das Geviert des Hofes hin-
und herschreitend wie ein Gefängnis aus.

«Die Polis – wird sie dich nicht als selbstischen Verräter verwün-
schen, wenn du das Volk deinem eigenen Wohlergehn opferst?
Alle der einen? Ich vermesse mich nicht, dir zu raten, Archont.
Aber bedenk' die Tragweite deiner Entscheidung! Das zu sagen
eracht' ich, so schwer es mir fällt, als meine Pflicht.»

«Auch dies Opfer soll ich dir bringen, Zeus? Tat ich dir nicht schon
genug?» murmelte Diodor zu den Gestirnen hinauf. Und von
Megakles forderte er, ihm wenigstens Bedenkzeit zu lassen.

«Ach, daß ich so grausam sein muß, dir zu gestehn: Jeder Aufschub bedeutet sicheren Mißerfolg. Selbst ohne ihn steht das
Gelingen in Frage. Meine Anschicksmänner und Vertrauten, die
ich mir überall verpflichte, hielten mich auf dem laufenden. Die
Unterhandlungen, an den höchsten Stellen geführt, eilen jäh
dem Abschluß entgegen. Um nichts zu versäumen – zürne mir
nicht! – ließ ich andeuten, möglicherweise wärest du selber nicht
abgeneigt... und der Fürst horchte auf und ließ dem Vertrauten
durchblicken, auch er... du weißt, was ich meine. – Und muß
ihm denn an dir nicht mehr gelegen sein als am Bewerber? Und
gar der Prinzeßin, die er abgöttisch liebt? Dein heroisches Bild,
der Glanz seines Aufstiegs und Ruhms muß sie locken und blenden, des hab' ich Zeugen. Eros ist dir hold wie ihr selbst. Zauber
geht von ihr aus, sie ist der Inbegriff einer stolzen Prinzessin und
ihrer Köstlichkeit voll bewußt. Ihr Freier kommt nicht auf gegen dich. Sie sperrt sich gegen ihn, macht sich kostbar, bewirkt
Aufschub, er aber räumt ihrem Vater hurtig Vorteil um Vorteil
ein, drängt auf Abschluß. Eile tut not, soll sie auf dich noch
hoffen.» Megakles erhob sich. «Entscheide dich zum Wettlauf,
Archont. Beim ersten Hahnenschrei bin ich in See zu stechen bereit.»

Gegen die Gründe der Vernunft sträubte sich Diodors unwilliges
Herz. «Überrumpeln laß ich mich nicht; es wäre meiner unwürdig.
Und wie dürftest du mir zutrau'n, hinterm Rücken meiner getreu-
sten Verbündeten, die ahnungslos jenseits dieser Wand schlum-

mert, einen neuen Bund einzugehen, der den altgültigen mit ihr ablöst und aufhebt!»

Megakles, so schroff zurechtgewiesen, verwahrte sich geschmeidig und wortreich, ihm solches zuzumuten. Obwohl – nun ja! Obwohl es vielleicht weniger grausam wäre, sie jeder Mitsprache zu entheben, als ihr die Selbstaufopferung nahezulegen. Sei doch die Qual der Wahl, in die das harte Schicksal die beiden hineinstoße, für Diodor schon schwer genug! Möge ihm dieser darum erlauben, zur Erleichterung beider an seiner Statt oder doch als sein Begleiter ihm, Megakles, die schmerzliche Eröffnung zu überlassen und als Fürsprech der hohen Sache der Polis die Geliebte von der Notwendigkeit zu überzeugen, daß sie ihm den Verzicht auf den Liebesbund schuldig sei.

«Erspar' dir diese undankbare Rolle», beschied ihn Diodor mit höhnischer Schroffheit. «Ich bin Manns genug, mir ohne Anwalt zu behelfen. – Daphne und ich: Uns einzig und unserm Gott Zeus sei es anheimgestellt zu entscheiden.»

Konrad Farner

ZUR IDENTIFIKATION DES KÜNSTLERS
Frans Hals. Bildnis des Willem Croes. Alte Pinakothek München

Das im Format kleine Bild hängt in einem Seitentrakt des Museums, neben anderen Holländern wie Aelbert Cuijp, Adrean van Ostade, Salomon Ruijsdael und Jan van Goyen, also neben Meistern, die in der Kunstgeschichte ihren festen, bekannten Namen haben. Und doch beherrscht dieses Porträt von Frans Hals den Raum, obschon es kein Paradestück ist und der Porträtierte keine besonderen Sympathien erweckt, im Gegenteil. Ebenfalls ist der Dargestellte keine historische Figur, und wir wissen von ihm nichts weiter, als daß die Überlieferung berichtet, er habe Willem Croes geheißen und sei vielleicht identisch mit dem Mann gleichen Namens, der am 11. August 1666, im selben Jahr also wie Hals, in Haarlem zu Grabe getragen wurde.

Zudem trägt das Bild kein Datum, und nur links unten ist die Signatur FH angebracht; als Entstehungsjahr wird von den einen Forschern 1650, von anderen 1655 oder 1658 genannt; der Künstler hat es demnach im hohen Alter gemalt. Früher hing es als Leihgabe eines Grafen van Lynden im Mauritshuijs vom Haag, wurde dann von einem Haarlemer Sammler für 85 000 Goldmark gekauft und 1906 von Karl Voll, dem großen Kenner der niederländischen Malerei, für die Alte Pinakothek erworben.

Das sind die bekannten Fakten, nicht viele und nicht gewichtige. Und doch ist dieses kleine Bild eines der bedeutendsten Gemälde des an Meisterwerken so reichen bayerischen Staates. Nicht weniger als über ein dutzendmal ist es in der wissenschaftlichen Kunstliteratur besonders erwähnt oder beschrieben worden. Denn es bietet nicht nur die eindrückliche Menschendarstellung eines genialen Porträtisten, es ist nicht nur ein außergewöhnlich charakteristisches Zeitbild des niederländischen siebzehnten Jahrhunderts, sondern es ist erst noch grandiose Malerei an sich: virtuos und doch bis ins letzte ausgewogen, skizzenhaft und doch in sich völlig geschlossen, stark modelliert und doch voller feinster Variationen. Ja, die Nuancierung der Farbwerte reicht vom tiefen, aber offenen Schwarz, das nie nur schwarz ist, über das differenzierteste Grau bis hin zum vielfältigsten Weiß, das nie nur weiß ist; und sie ist erst noch abgestuft durch zahllose Zwischentöne, die als Lichter und als Schatten spielen. Wenn zudem das fast kalte Gelb der Handschuhe einen letztmöglichen raffinierten Akzent setzt, so stellt sich Frans Hals als das vor, was er ist: als einer der großen Maler der Weltkunst.

Aber Hals ist ebenfalls ein großer Menschendarsteller: Dieser Willem Croes, wie er dasitzt, massig und doch nicht plump, selbstbewußt und doch nicht eitel, sicher und doch spannungsgeladen, das ist der Typus einer siegreichen Bürgerlichkeit, die Personifikation einer neuen, endgültig herrschenden Klasse, leicht lächerlich noch in den Augen der Feudalität als bourgeois-gentilhomme, und doch ein Regent, dessen Handel nach Java und Surinam reicht und dessen Geld die europäischen Börsen und Banken speist. Wie dieser Willem Croes dasitzt: in der Fülle einer neuen Gewichtigkeit, penetrant diesseitig geformt und doch überzeugt, daß ihn der Gott des puritanischen Calvinismus auszeichnet, mit strähniger Mähne und etwas ungepflegtem Bart, und doch modisch im Getue, mit feistem, breitem Hals und schmalem, elegantem Handgelenk, mit Brutalität, die durch Güte gemildert scheint, Choleriker vielleicht und doch stets abwägend und prüfend. Er läßt sich nichts vormachen, denn er weiß genau Bescheid um die Realitäten der Welt; wahrscheinlich ist er Herr von Karavellen und Kontoren, wahrscheinlich ist er Offizier einer Schützengilde. Auf jeden Fall ist er gefestigter und saturierter Teil der neuen bürgerlichen Herrschaft.

Und es ist diese bürgerliche Herrschaft, die jetzt in den protestantischen, republikanischen Niederlanden ihr eigenes Jahrhundert prägt, gegensätzlich dem Absolutismus der katholischen, feudalen Welt, nüchtern und rechnend, arbeitsam und sparsam. Sie füllt ihre Schränke und Wänste, sie ist bigott und philiströs, gleichzeitig aber ausgelassen bei Gelagen der Gilden und in den Schenken des Volkes. Sie ist geizig, auch im besonderen Sinn des Ehrgeizes, sie ist von sich überzeugt und unnachsichtlich gegenüber Außenseitern: Frans Hals stirbt, wie Herkules Seghers und wie Rembrandt van Rijn, in erbärmlicher Armut.

Wie kaum ein anderer Künstler lebt er das Geschick Haarlems mit, dieser Stadt, in der er zwar nicht geboren, der er jedoch entstammt – die Eltern sind Haarlemer, die im flämischen Antwerpen wohnen: im Krieg mit Spanien von allen holländischen Städten am meisten zerstört, 1573 als verödeter Ort vom Feind in Besitz genommen, dann nochmals durch eine Feuersbrunst fast vernichtet, wird es nach dem Friedensschluß, wie wenn man möglichst rasch aufholen möchte, zur übermütigsten aller Städte der Niederlande, um dann, kaum eine Generation später, bereits in saturierter Behäbigkeit und frömmelnder Tugend zu versinken.

Und es ist dieses grelle Auf und Ab, diese intensive, vorab dem Augenblick frönende und doch möglichst alles fassende Existenz, die auch das Leben und das Werk des Frans Hals auszeichnet: Er hat viel mit den Gerichten zu tun, mit der weltlichen und kirchlichen Obrigkeit, nicht nur als Maler, sondern als Randalierer; er sitzt in Schuldhaft, er kommt mit den Gesetzen in Konflikt wegen Liederlichkeit, Trunksucht und Völlerei. Er kennt all die obskuren Stätten mit ihrem fahrenden Volk, den frechen Dirnen und den ausgelassenen Musikanten, den lärmenden Zechbrüdern und den bramarbasierenden Soldaten. Er malt sie, wie sie zuvor in der europäischen Kunst noch nie gemalt worden sind, unmittelbar, als Teil seiner selbst, in Anrempelstimmung und in Fechterlaune, in Heiterkeit, in Narretei und Hexerei.

Er malt sich selber mit schiefgerücktem Hut, keck und forsch, etwas aufgedreht, leicht sinnierend; er malt sich mit seiner zweiten Frau in einer erfundenen Parklandschaft als falschem Hintergrund, ausgelassen und unbekümmert, lachend, wie er überhaupt zu Recht als «der Klassiker des Lachens» bezeichnet wird, denn keiner so wie er hat das Lachen in allen Möglichkeiten festgehalten.

Aber er malt auch die Honoratioren, die Kaufleute und Beamten, Offiziere und Admirale, in festlicher Stimmung, in gravitätischer Haltung, in loser Pose. Er malt mit unerhörter Kühnheit die vor-

nehmen Gilden in völlig neuer Sicht: nicht mehr als eine Aneinanderreihung diverser Einzelporträts, sondern als lebendige Gesellschaft, als wirkliches Festmahl, als getätigter Aufbruch – am
Ende dieses Weges findet sich dann die «Nachtwache» des Rembrandt; Hals ist der verwegene, sieghafte Schrittmacher. Er malt
sie, diese Bürger, die ihn vor Gericht zitieren müssen, die ihn verurteilen und verdammen, die ihn jedoch als den begehrtesten Porträtisten immer wieder beauftragen, weil er der direkteste und unbestechlichste Schilderer ist, als Künstler kongenial dem Seefahrer
und Kaufmann, Teil dieser neuen siegreichen Bürgerlichkeit.

Zuletzt aber, im Alter und in Resignation, malt er als Insasse des
Armenhauses die Regenten und Regentinnen seiner letzten Heimstätte, dunkel, fast monochrom, aber in einzigartiger Tonschönheit, verdinglichte, verfremdete Wesen, unerbittlich, maskenhafte
Gespenster puritanisch korrekter Tugend, die ihr Dasein und Sosein in erschreckender Kargheit manifestieren. Geradezu als Angeklagter, Ankläger und Richter in Dreieinigkeit vollbringt Frans
Hals das Wunder, diese vorgeführte Spärlichkeit in Reichtum zu
verwandeln, ohne jede Metaphysik, wie das gehäufte und sich
mehrende Geld als gesellschaftliche Physik auch keinen Hintergrund gebraucht.

So ist alles vordergründig, unmittelbar, objektiviert gesehen, aber
zugleich ist alles ausdrucksmächtig und empfindungsreich gestaltet. Alles ist Abbild im umfänglichsten Sinne, Abbild als realistisches, sachliches Sinnbild einer neuen, extrem bürgerlichen Welt. –
Gewiß, daß Frans Hals, dieser Bahnbrecher einer neuen, extrem
bürgerlichen Kunst, wie Seghers und Rembrandt, als Antibürger
und Gegenspieler die Hölle und den Himmel der neuen bürgerlichen Gesellschaft intensiver gelebt hat als die Bürger selber, daß
er sie tiefer erfaßt und gesichtet: gleichsam als Verschworener erreicht er die künstlerische Größe, die ihn zum übergeschichtlichen
bleibenden Zeugen der Zeit werden läßt, zum genialen Porträtisten des Bürgers Willem Croes, der mit seiner Klasse schon längst
vergangene Geschichte geworden ist.

*Franz Lenbach. Bildnis des Stiftpropstes Döllinger. Neue Staatsgalerie
München*

Am 28. Februar 1799, also noch im 18. Jahrhundert, wird dem
Bamberger Professor der Medizin, Ignaz Döllinger, ein Sohn geboren, der die Vornamen Johann Joseph Ignaz erhält. Der Vater

ist ein weit über die Landesgrenzen hinaus bekannter Anatom und Physiolog, als Naturphilosoph einer der bedeutendsten Schüler des gewaltigen Schelling, des Geistesfürsten der deutschen Romantik. Der Junge soll ebenfalls Mediziner werden, aber frühzeitig schon beginnt er sich der Theologie zuzuwenden: 1822 ist er Kaplan und mit 28 Jahren bereits ordentlicher Professor der Kirchengeschichte und des Kirchenrechts in München.

Diese beiden Disziplinen sind und bleiben seine eigentlichen Domänen, einzigartig in der Intensität der Forschung und der Souveränität des Wissens. Er ist nicht Systematiker, noch weniger Dogmatiker, im Gegenteil, das, was zu Ende der Französischen Revolution und der Aufklärung in der katholischen Theologie immer noch wie ein Ferment weitergärt und mit den in der Kirchengeschichte verankerten Namen Sailer und Wessenberg sowie mit dem Josephinismus verbunden bleibt, wirkt auf doppelte Weise nach: auf der einen Seite ist die Doktrin nicht Döllingers Stärke, auf der andern Seite gelangt er aber, noch im Banne Schellings und besonders des genialischen Görres in den Kreis derer, die der Einengung und Entmachtung der Römischen Kirche mit aller Kraft entgegenzuwirken suchen.

Ja, Döllinger wird in kurzer Zeit zum geistigen Herold der römisch-katholischen Sache in Deutschland, und sein Lehrbuch der Kirchengeschichte oder die großangelegte Arbeit über die Reformation sind die umstrittenen Standardwerke dieser riesigen Auseinandersetzung, die zuletzt eine zweite Gegenreformation als Gegenrevolution bedeutet. Er wird 1838 Mitglied der Bayerischen Akademie der Wissenschaften, 1845 Mitglied der Ständekammer, 1847 Propst zu Sankt Cajetan, 1848 Mitglied der Frankfurter Nationalversammlung, 1868 Reichsrat. Er ist der überragende Antiliberale, der Antiprotestant, der Antipreuße.

Jedoch, eine Reise nach Rom, 1857, bedeutet den Beginn eines Umschwunges, der sich dann während der Zeit des ersten vatikanischen Konzils 1870 radikal verstärkt; es scheint, daß all das, was er ererbt und in seiner Jugend aufgenommen und dann verdrängt, jetzt mit Wucht zum Vorschein komme: die theologische Aufklärung des Dixhuitième verbindet sich mit dem deutschen Patriotismus der Romantik. Allmählich wird Döllinger zum ebenso gewaltigen Antirömischen und Antipäpstlichen. Er wird jetzt der große ideologische Gegner des Konzils, der gewaltige Feind der Unfehlbarkeitserklärung. Er lehnt die von ihm geforderte Unterwerfung ab, und am 17. April 1871 erfolgt die Exkommunikation. Er verliert die Führung der katholischen, ultramontanen Sache, um gleichzeitig die Führung der gegnerischen Seite abzuweisen: der national ausgerichtete, antirömische Altkatholizismus sieht die Hoffnung auf die Mitwirkung Döllingers nicht erfüllt. Der Stiftspropst zu Sankt Cajetan verläßt die alte Kirche nicht, wie sie 350 Jahre vor ihm Erasmus von Rotterdam ebenfalls nicht verlassen hatte.

Aber er bleibt eine der führenden Gestalten des Geistes; die Universitäten Marburg, Oxford, Edinburgh und Wien verleihen ihm den Ehrendoktor, München wählt ihn 1871 zum Rektor. Er verfaßt Werke, die weit über die Epoche hinausreichen und sogar bis ins jetzige zweite Vatikanum hineinragen: zur Judenfrage, zur Ökumene, zur religiösen Freiheit. Trotzdem ist er der Gefangene seiner Zeit, und gewisse nationale Gedankengänge einer «Deutschen Wissenschaft», einer deutschen Theologie stehen den Ideen nicht allzufern, die sechzig Jahre später zum gräßlichen Unheil führen. Bis zu seinem am 10. Januar 1890 erfolgenden Tod ist er die merkwürdig schillernde Gestalt, naiv und gewiegt, unduldsam und tolerant, starrköpfig und versöhnlich miteinander, voller Liebe zur katholischen Kirche und voller Haß gegen die römische Kurie, tragisch in seinen geradezu dämonischen Widersprüchen. Um die Zeit des ersten Vatikanums ist er eine der umstrittensten Gestalten Deutschlands, wenn nicht Europas, in München ist er das Zentrum der Auseinandersetzung, der Exkommunikation verfallen und zugleich Präsident der Akademie der Wissenschaften.

Selbstverständlich, daß die Gesellschaft nicht nur den Wunsch hegt, sondern das Verlangen trägt, diesen außerordentlichen Repräsentanten des Geistes durch den gefeiertsten Porträtmaler dargestellt zu wissen, durch den Maler, in dessen Atelier sich die Fürsten, Generale und Minister, die Akademiker, Bankiers und Industriellen und vor allem die Damen drängen. Der Maler heißt Franz Lenbach und ist jetzt, 1874, wo sich die beiden treffen, genau einmal jünger als Döllinger: 38 Jahre alt. Aus armen, kleinen Verhältnissen stammend, Schüler Pilotys, gefördert durch den Grafen Schack, ist er kraft seines virtuosen Talents sehr schnell zu Ruhm gekommen, und eine weitere glänzende Laufbahn steht ihm bevor – 1882 wird er in den Adelsstand erhoben. Meisterhafter Nachahmer der Venezianer des 16. und der Holländer des 17. Jahrhunderts, genialer Epigone aller repräsentativen Stile, geschult in allen malerischen Raffinements, klassisch in der Pose, romantisch im Gestus, koloristisch, ohne farbig zu sein, geistreich, ohne geistig zu sein, ist er der eigentliche Porträtist dieser Jahrzehnte und dieser Gesellschaft mit ihrem Gemisch von Feudalismus und Kapitalismus, aber auch von Schein und Sein. Er ist der Maler, der als letzter die deutschen Aristokraten und Bürger in italienische Nobili und englische Lords verwandeln kann, der, wie kaum ein anderer, mit dem Goldton Tizians, dem Helldunkel Rembrandts und der Allüre Reynolds' der gesellschaftlichen Schmeichelei zu frönen vermag. Er ist der Bildnismaler der herrschenden Klassen schlechthin, blendend im Arrangement, brillant in der Dekoration, feierlich in der Mache.

Die Begegnung Lenbach-Döllinger ist einzigartig: denn vor dem Maler sitzt jetzt kein Modell, das in das gewohnte virtuose und pathetische Atelierschema paßt, sitzt kein Poseur, kein Held, kein Potentat, sondern ein simpler Mensch, der die Schlacht bereits geschlagen und ohne Sieg geblieben ist, ein Mensch, der der Schaustellung nicht bedarf, ein Mensch, der um seine innere Tragik weiß, der die Welt trotz allen äußeren Erfolgen nicht eroberte, aber sie in sich hineingenommen. – Der Maler steht vor der schwierigsten Aufgabe, die ihm bis zu diesem Tage begegnet.

Und tatsächlich führt die Größe dieser Aufgabe eine Sternstunde der Kunst herbei: das Porträt Döllingers wird zum zwingendsten und ergreifendsten aller Bildnisse Lenbachs, zum wahrhaftigsten und wirklichsten. Keine virtuose Geste ist vorhanden, keine malerische Täuschung ist getätigt, keine Ornamentik ist sichtbar. Alles ist auf Verinnerlichung abgestimmt: die einfache Haltung in schwarzem Priesterrock, das kühle, fast eintönige Dunkel des ganzen Hintergrundes, das nur die Kopfpartie ins Blickfeld rückt. Und dieser Kopf mit der hohen Stirn, die das Denkgewölbe als umfassendes Zentrum vorstellt, mit dem großen Ohr, das allen Fragen der Welt entgegenhört, mit dem forschenden Auge, das sinnend den Betrachter mehr als nur beobachtet, sondern wissend beunruhigt, mit der festen Nase, deren sensible Flügel das Gesicht mitprägen, mit dem geschlossenen, aber nicht verkniffenen Mund, der sinnlich und unsinnlich in einem ist, dieser Kopf allein ist dem Lichte ausgesetzt und strahlt zugleich das Licht zurück. Sehr menschlich, ohne Blendwerk und Schmuck, beinahe rührend und doch sachlich ist alles gesichtet, fragend und gleichzeitig antwortend ist alles ausgesagt, subtil und sensibel ist alles erhöht: dieser dargestellte Mensch ist durch viel Unruhe und Leid hindurchgegangen, hat viel Recht und Unrecht gezeugt, aber auch viel Liebe gekannt: er hat die Welt erfahren, und die Welt hat ihn erfahren, er hat das 1. Vatikanum überwunden, aber das 2. Vatikanum wird ihn überwinden.

So hat der Theologe Ignaz Döllinger die Lösung nur halb erbracht: non liquet, es geht nicht auf. Erreicht aber hat sie, wenn

auch nur einmal und nur hier, in größter Überwindung seiner
selbst, der Maler Franz Lenbach.
Das ist die innere Dialektik dieses wundersamen Bildes als Frucht
einer beispiellos menschlichen Konfrontation.

Jürg Federspiel

HITLERS TOCHTER

Das Licht einer chinesischen Wäscherei ist grell. Wenn sie nicht
bügeln oder die Wäschepakete liebevoll und sorgfältig einschnü-
ren, sitzen die Chinesen mit verschränkten Armen da, schweigen
und starren ins Nichts. Wie saubere Wäsche. Sie sind höflich, teil-
nahmslos, ordentlich, und man ist auch für sie nicht mehr als gewaschene und gebügelte Wäsche. Sie legen das Paket hin, streichen
das Geld ein und setzen sich wieder, einer mag nicken, wenn man
hinausgeht.
Mein Halbfreund Paratuga, der kurze Zeit später ein merkwürdiges Ende nehmen sollte, begleitete mich einmal in meine chinesische Wäscherei an der 9. Strasse, West. Er betrachtete die Leute,
als wären es weiße Mäuse, und wie immer, wenn Paratuga von
etwas fasziniert war, erschienen kalte Schweißperlen auf seiner
Stirn. Einmal hab ich erlebt, wie seine Schweißperlen zu Eis er-
starrten und schließlich, als es ihm Sekunden später wieder besser
ging, wie Hagelkörner vom Kopfe fielen. Er gestand, dies passiere
ihm nur, wenn er sich die Kindheit seiner Nachkommen vorstelle,
doch als ich ihn fragte, wie alt seine Kinder wären und wie viele er
hätte, schüttelte er den Kopf.
Nun, als wir die chinesische Wäscherei verließen, erzählte er mir
die Geschichte eines Freundes, der nicht viel Geld hatte und seine
drei oder vier Hemden jeden Montagabend in die chinesische
Wäscherei brachte. Dieser Freund stellte eines Tages fest, daß er
dauernd neue und kostspielige Hemden zurückbekam, gewaschen
und gebügelt, und so erkundigte er sich bei seiner Wäscherei, doch
der Chinese lächelte und teilte ihm lakonisch mit, ein anderer
Kunde sei soviel reicher, und der würde es auch gar nicht merken,
wenn ein paar Hemden fehlten. Einen Augenblick war ich gerührt,
doch wenn ein Bursche wie Paratuga eine solche Geschichte erzählt, gilt es aufzumerken.
«Das waren wohl Sie selber, Paratuga», sagte ich.

«Nein», gab er zur Antwort, «das ist dem Freund von Hitlers
Tochter passiert. Ich war dabei.»
Ich ließ mich nicht aus der Fassung bringen, ich gab mich unin-
teressiert. Paratuga schätzt das.
«Hat Hitlers Tochter tatsächlich einen Freund?» fragte ich.
«Hatte», sagte Paratuga, «er starb vor ein paar Wochen.»
«Ist Fräulein Hitler sehr unglücklich darüber?»
«Ja. War eben ein sehr liebenswerter Mann. Nie eine Klage, ob-
wohl er schrecklich leiden mußte, bis es zu Ende war.»
«Das mußten noch ein paar andere», sagte ich.
«Was meinen Sie damit?» Er sah mich an, wie ein Kind, das die
hängenden Gärten von Semiramis gesehen hat und plötzlich erfährt, es habe eines der sieben Weltwunder erlebt.
Man müßte Paratuga gekannt haben, um meine Zweifel zu verstehen. Er war fett, aufsäßig, querulatorisch und hinterhältig. Er
war hinterhältig gegen sich selber, wenn man das verstehen kann.
Er hatte Plattfüße, litt an Fußpilz und besaß die Fähigkeit, allen
anderen durch seine bloße Anwesenheit die Fröhlichkeit und Da-
seinslust zu vermiesen. Er gehörte zu den Leuten, die so lange über
den Föhn reden, bis man Kopfschmerzen verspürt. Solange hörte
man immerhin zu. Ein Weltreisender, der seinen Freunden An-
sichtskarten schickte, obwohl er nur für Katastrophen Sinn hatte,
und zum Beispiel dabei war, als ein junger Mann vom Eiffelturm
in die Tiefe sprang. Was Paratuga dann auf der Postkarte so de-
tailliert schilderte, wie es der Schreibraum auf einer Postkarte eben
zuläßt. Später konnte er dann in meiner Wohnung auftauchen und
nach einem interessanten Bericht über Peru einen Mantelknopf
hervorholen, der jenem jungen Mann, der in die Tiefe gestürzt
war, gehört haben soll. Andererseits besaß er einen fabelhaften
Sinn für Gerüche und das Licht. Er vermochte den Geruch einer
Ananas zu schildern, bis man geil wurde. Wie gesagt, Paratuga war
ein Halbfreund, und diese Leute, die Halbfreunde, wird man am
schwersten los. Sie wollen bleiben, helfen, Schaden stiften und
alles mitgenießen, das Glück und das Pech. Von diesen Halb-
freunden war Paratuga der unvergeßlichste. Er war Nichtraucher,
Zirkusfanatiker und fuhr, wenn es nicht den Ozean zu überqueren
galt, nur mit der Eisenbahn.
Kalter, blauer Novemberhimmel. Über dem East River stand die
Sonne im rötlichen Dunst über den trikoloren Farben der Kamine
von Con Edison. Ich wußte nicht, daß Farben der Sonne und ihrer
Umgebung vom Schmutz herrührten, der in der Luft lag. Paratuga
war es, der mein Entzücken mit Tatsachen milderte.

«Immer, wenn ich in dieser Stadt bin», fügte er hinzu, «weiß ich, daß ich hier einmal ermordet wurde.»

«Sie bringen mich damit nicht von der Sache ab», sagte ich. «Wir waren in einer chinesischen Wäscherei. Sie wissen, was ich meine.»

«Ach so. Richtig!» Er bohrte in der Nase, und ich versetzte ihm einen Klaps. Paratuga murmelte eine Entschuldigung und rieb das Extrakt aus der Nase zwischen Daumen und Zeigefinger.

«Nun?»

«Ach ja.» Ein Lachen ging über sein Gesicht. «Dort machte ich eben die Bekanntschaft von Fräulein Hitlers Freund. Starb kurze Zeit später. Irgend etwas mit dem Magen. Sehr schmerzhaft.» Er blieb stehen, überlegte, doch da er gar nicht überlegte, sondern zu überlegen vorgab, nahm sein Gesicht jenen Ausdruck an, den ein Gesicht erhält, wenn sein Besitzer bloß Fußschmerzen verspürt oder sonst irgendein physisches Unbehagen. «Möchten Sie sie kennenlernen?» fragte er.

«Schon. Ich frage mich bloß wozu.»

Paratuga überhörte mich.

«Treffen wir uns morgen Abend in Max' Kansas City Bar», schlug er vor. «Lärmig. Man ißt aber gut, und wir können ja noch immer woanders hingehen.»

«Wohin?» Ich war neugierig. «Zu Ihnen?»

«Ich bin ein schlechter Wohner», antwortete er. «Vielleicht zu Ihnen? Gute Nacht.»

Er wandte sich um, ließ mich stehen, kühl und sachlich, der Erfinder des Straßenhydranten, von dem es nun Tausende gab wie mich.

Das Wetter hatte umgeschlagen. Im düsteren Hinterhof des Hotels sah ich wäßrigen Schnee fallen, stülpte gerade wetterfeste Schuhe über, als das Telefon klingelte.

Es war Paratuga.

Man mußte mehrere Male Hallo rufen, bis er endlich ein Räuspern geruhte. Politik, nichts anderes.

«Was wollen Sie, Paratuga?»

Er hüstelte: «Bevor wir uns in einer halben Stunde treffen, möchte ich noch etwas vorausschicken.»

«Schicken Sie voraus», sagte ich ungeduldig.

«Haben Sie meine Augen gesehen?»

«Natürlich hab ich Ihre Augen gesehen, wieso?»

Pause.

«Sie sind neu.»

«Ich freue mich immer über neue Augen», versetzte ich.

«Sie verstehen nicht – die anderen waren futsch.»

«Ich hoffe, es war keine zu teure Anschaffung.»

«Erinnern Sie sich an Nathan Leopold? Nein? 1924. Am 21. Mai. Zwei reiche junge Männer. Sie ermordeten den vierzehnjährigen Bobby Franks, wollten das perfekte Verbrechen beweisen und so.» Ich erinnerte mich.

«Nathan Leopold hat seine Augen testamentarisch vermacht, sie wurden unmittelbar nach seinem Tod in eine Augenbank gebracht. Es gab Schwierigkeiten, doch *ich* hab sie bekommen.»

«Bekommen?»

«Bezahlt. Nathan Leopolds Augen sind nun meine.»

Ich wurde ungeduldig: «Paratuga, wozu erzählen Sie mir dieses Zeug?»

«Sichern Sie mir bitte Ihre Diskretion zu, ja? Bitte auch Vorsicht, wenn Fräulein Hitler dabei ist, Sie verstehen!»

Paratuga hängte auf.

Ein Hotelzimmer ist denkbar ungeeignet für Gemütserregungen; Zorn ist etwas Merkwürdiges in diesen dauernd unbewohnten Behausungen, er frißt sich bald selber auf. Nathan Leopold, erinnerte ich mich, wurde als alter Mann aus dem Zuchthaus entlassen, er half den Armen und starb zufrieden. «Insgesamt hatte ich ein gutes Leben.» Ich freute mich für Paratugas Augäpfel.

Der Salat in Max' Kansas City Bar ist berühmt, auch die Saucen, und das Brot ist geradezu fabelhaft. Die hochbeinigen Mädchen dort kippen gegen Morgen die Trinkgelder in eine Schachtel und fahren im Frühling nach Europa.

«Das ist Emily», sagte Paratugas Stimme, er stand vor dem Tisch und schälte das Genick aus einer endlosen Schärpe. Er hüstelte.

«Sehr erfreut, Emily», sagte ich, «Hallo», sagte sie, und ich half ihr aus dem Mantel. Der Rauch im Lokal hatte Paratuga in einen Hustenanfall verwickelt, er trug noch immer gegen einen Meter seiner Schärpe um, und man wußte nicht, wem man helfen sollte.

Emily war braunhaarig, schmallippig und verlegen. Sie trug eine gestrickte Mütze. Die Handtasche baumelte in ihren Händen, sie lächelte mir zu, schob sich in die enge Bank. Dann nestelte sie in ihrer Handtasche, blies Wärme auf die Innenseite der Hände und guckte sich um. Dann sah sie mich an, schließlich lachte sie.

«Warum lachen Sie?» fragte ich.

«Er», sie deutete mit dem Ellbogen auf Paratuga, der sich umständlich zu setzen begann, «er hat mir erzählt, daß ich Ihnen gefiele, bevor ich nur den Mund öffne. Was soll ich nun sagen?»

«Stimmt», bemerkte ich, «Sie gefallen mir. Ich mag Ihre Stimme.»
«Bloß die Stimme? Erinnert Sie meine Stimme an jemand?»
«Eigentlich nicht.»
Sie lachte wieder.
«Emily arbeitet bei Woolworth, in der Papeterie», bemerkte Paratuga. «Doch sie nimmt Privatstunden.»
Emily nickte. «Schauspiel.» Sie lachte wiederum, sagte: «Finden Sie es vielleicht nicht Scheiße, den Leuten Papier zu verkaufen?»
«Schon.»
«Mundfaul», bemerkte sie zu Paratuga.
«Was möchten Sie essen, Liebling? Sie haben doch den ganzen Tag keinen Bissen zu sich genommen, nicht wahr?»
Paratuga deutete an, daß ein Mann seines Alters doch auf närrische Jugend Rücksicht nehmen müsse. Dann notierte ein kurzgerocktes Mädchen die Wünsche. Emily wünschte sich ein Steak, sonst nichts, auch ich. Paratuga räkelte sich in der Vorfreude des Gewichtabnehmens und bestellte ein Coca Cola.
«Was hat Emily denn heute erlebt?» fragte Paratuga onkelhaft und rutschte auf seinem Platz hin und her. Er wollte sich kratzen, soviel war klar. Vermutlich stand er eine Hölle durch und versuchte nun, sich abzulenken.
«Emily hat heute nur Ärger erlebt», antwortete sie. «Als ich nach Hause kam, hundsmüde, konnte ich den Briefkasten nicht öffnen, weil er mit Scheiße verschmiert war. Tatsache. Mit Scheiße! Die andern Briefkästen auch. Man müßte den Leuten ihre Kinder wegnehmen, jawohl.» Ihre Stimme wurde schrill. «Und dabei hatte ich, warten Sie, so gegen vier, glaub ich, eine Kundin, die wollte unbedingt Papierpulver kaufen. Papierpulver! Haben Sie schon je sowas gehört, hm? Papierpulver, was ist das? frage ich, und da beginnt die Frau zu kreischen, behauptet, sie bekäme in jedem anderen Woolworthloch Papierpulver, sie will ihr Briefpapier selber herstellen, sie hätte ihre eigene Mischung, ein Glas Wasser auf 5 Unzen oder sowas, ich rief nach dem Manager, und der Manager schob sie mit Hilfe hinaus, und draußen tobte sie noch weiter, weiter und weiter, und jedermann guckte mich an, und dann komm ich nach Hause, und was finde ich vor, was? Einen scheißebeschmierten Briefkasten, das finde ich vor.»
Paratuga brachte sich einen Selbstschuß bei, vielleicht wollte er sich auch bloß genüßlich kratzen, mit der blickableitenden Frage: «War denn überhaupt ein Brief im Briefkasten?»
«Natürlich war kein Brief im Briefkasten. Was hat denn das mit der Sache zu tun? Aber es hätte einer drin sein können und was dann?»

Paratuga kratzte sich vehement. Ich ließ ihn gewähren, indem ich auf die Oberschenkel einer Dame am Nebentisch stierte.

Emily erhob sich. Sie griff nach ihrer Handtasche, als befände sich eine Bombe darin, mit der sie die Toilette in die Luft jagen könnte. Sie war hübsch gebaut, mager und mollig und nicht in Harmonie, das war das Reizvolle. Sie bewegte sich wie ein nacktes Mädchen auf glitschigem Rasen, unsicher und doch graziös. Sie verschwand im Rauch des Lokals.

Paratuga beugte sich über den Tisch: «Wie finden Sie sie? Wie?» Er muschelte das rechte Ohr gegen mich, bevor ich überhaupt Zeit hatte, die Zähne zu öffnen.

«Nett», sagte ich.

Paratuga ließ sich wieder zurücksinken, kratzte sich noch rasch hinten und faltete dann erstaunt die Hände.

«Hitlers Tochter, nicht vergessen!» flüsterte er. «Bitte, bitte! Man darf das nicht vergessen.»

«Soll ich sie vielleicht als Fräulein Hitler ansprechen?»

«Um Gottes Willen!» Paratuga faltete wieder die Hände zum Beten und roch an den Fingern. «Gefällt sie Ihnen?» Und hastig fügte er hinzu: «Ein Freund von mir hat in München Görings Tochter kennengelernt, sehr attraktiv, die Sonnemanntochter, aber als man ihn vorstellte, und er wußte, wer das war, hatte er keine Lust mehr.»

Emily tauchte wieder auf. Sie schien fröhlich. Ich dachte nach, weshalb sie fröhlich sein konnte. Sie hatte sich die Lippen blau getönt. Es gefiel im Lokal, man guckte sich sogar um. Die Steaks wurden serviert, doch Emily machte sich wieder über den Salat her, sie stopfte sich das Grünzeug zwischen die Zahnreihen und strich Butterflocken auf Brotschnitten.

«Das Steak wird kalt.»

«Macht nichts», antwortete Emily, «bin ohnehin Vegetarier.»

Ich glaubte, Paratuga würde seine Augäpfel ausreißen und mir an den Kopf schmeißen, so hingerissen war er über diese Bemerkung.

«Ich schwitze», sagte sie, streifte die Wollmütze ab und schwang die verschwitzten Haare klatschend nach rechts und links, als plansche sie im Schwimmbecken. Paratuga duckte sich, ein wasserbedrohter Kater, er versuchte zu lachen, obwohl er verärgert war, und sein Gesicht wurde fetter.

Dann erhob er sich.

«Ist es wegen des Steaks?» fragte Emily. «Keine Angst, wenn Sie soviel Wert drauf legen, dann eß' ich's natürlich, ich bin da nicht so orthodox wie mein Vater.»

Beinahe hätte sich Paratuga wieder gesetzt. Seine Blicke bohrten sich in mich, ich solle nun endlich nach dem Vater fragen oder so, er zwinkerte mir sogar zu.

«Nun?» fragte Emily.

Paratuga murmelte etwas.

«Bitte?»

«Ich hab eine Verabredung mit dem Briefträger», sagte er, «er wird bockig, schmeißt meine Briefe weg, wenn wir uns nicht jede Woche aussprechen. Und zudem ist seine Frau krank.»

«Dann ist die Sache natürlich klar, ich verstehe,» sagte Emily, «grüßen Sie ihn von mir.»

Paratuga ging grußlos ab.

«So verschwinden die großen Leute einfach aus der Weltgeschichte. Einladen und nicht bezahlen.» Sie zuckte die Schultern.

Plötzlich stand Paratuga neben mir, zupfte mich am Ärmel und flüsterte mir etwas ins Ohr.

«Was, was soll ich fragen?» sagte ich laut.

Seine Zunge glitt in mein Ohr: «Fragen Sie Emily, ob sie Kanarienvögel mag, wenn ja, ob sie weint, wenn einer stirbt, fragen Sie!» Dann war er weg.

«Er spinnt, aber ich mag ihn trotzdem», bemerkte sie.

«Mein Vater war da humorloser, obwohl er nicht alle Tassen im Schrank hatte, weißgott.»

Es fiel schwer, Emily nicht zu mögen. Und so mochte ich sie eben.

«Wer ist Ihr Freund?» fragte ich später.

«Jedermann, den ich liebe, jeder, der mich liebt, warum fragen Sie?»

Paratuga erzählte, Sie hätten einen Freund, der in einer chinesischen Wäscherei fast neue Hemden geschenkt bekam.»

«Darf ich ein Eis haben?» fragte Emily.

Spät in der Nacht weckte mich ein Telefonanruf Paratugas.

«Haben Sie's rausgefunden? Stimmt's?» tönte er.

Ich horchte schlaftrunken ins Telefon.

«Befindet sich ein Pferd im Zimmer?» fragte ich.

«Meine Füße», erklärte er, «ich bin ungeduldig.»

Er hängte wieder auf. Ich verdammte ihn;

träumte von Chinesen, die ihre Arme zum Hitlergruß erhoben; Chinesen, die meine Wäsche zurückwiesen, weil sie zu schmutzig war; Chinesen, die mich zu ihren Tellern hinführten, weil ich mit den Daumen die Augenwinkel nach oben zog; Chinesen, weibliche, die sich auszogen und ihre Pyjamas wechselten...

Das Telefon weckte mich wieder.

«Darf ich zu Ihnen raufkommen?»
Es war Emily.

«Mein Vater ist Schädelschrumpfer, Psychiater», erzählte sie, boxte in das Kopfkissen und legte sich auf den Bauch, wippte mit den Füßen, chinesische Füße, so klein waren sie. «Meine Mutter studierte Medizin, auch in Paris. Beide jüdischer Abstammung, beide konnten in die Schweiz fliehen und sogar bleiben, sie hatten Beziehungen, mein Vater ist reich.»

«Wo lebt er heute?»

«Hier», sagte sie und schlug mit dem Fußrist dreimal auf die Matratze. «Wo könnte ein Hirnschrumpfer besser leben? Was willst Du sonst noch von meinem Erzeuger wissen?»

«Ich will Dich gewiß nicht ausfragen.»

«Tönt aber so. Ich hab meinen Vater nie gesehen, seit ich hier bin. Ich hab auch keine Lust. Er macht seine Patienten glauben, daß sie ganz große Kerle sind. Und wenn sie sich wirklich groß fühlen, dann bezeichnet er sie als Geheilte. Wie Hitler. Die Katastrophe kommt dann trotzdem.»

«Wie wer?» fragte ich, «wie Hitler?»

«*Sure*. Wie Hitler. Hitler ist schuld, daß es mich gibt. Er hat mich gezeugt.» Emily lachte.

«Warum lachst Du?»

«Über meinen Vater, Jesusseiunsergast! Wenn es Hitler nicht gegeben hätte, hätten sich auch meine Mutter und der Schädelschrumpfer nicht kennengelernt, in Zürich war's. Für meinen Teil 1945. Im Mai wurde ich geboren, alles war zu Ende. Aber was sich da in ein paar Wochen vorher abgespielt hat...»

«Hitler war bereits tot», bemerkte ich.

«Ja, und bevor Hitler tot war, war meine Mutter schwanger, nicht zu vergessen, mit mir.»

«Und?»

«Nichts weiter. Vater ließ sie in der Schweiz zurück, kümmerte sich keinen Dreck um sie oder mich und etablierte sich hier. Heute kommen die reichsten Schnecken zu ihm, er schläft neben dem Sofa, wenn sie sich die Seele ausquetschen und spielt Intermezzi auf der klingelnden Kasse, wenn eine rausgeht und die andere reinkommt, meine ich. Als ich zu studieren begann, ich hab drei Semester Medizin studiert, auch ich, da tauchte er plötzlich in der Schweiz auf und lud mich zum Essen ein, war ein ziemlicher Schock, und ich wußte zuerst gar nicht, soll ich hingehen oder nicht hingehen, ich ließ ihn im Hotel warten.»

Das Telefon schrillte. Es war Paratuga. Er klang aufgeregt, flüsterte: «Chinesen befinden sich in meiner Wohnung, hören Sie?»
Bemüht, die unheimlichen Besucher nicht mit meiner Stimme zu verraten, nickte ich nur, er wisperte wieder: «Chinesen!»
«Woher wissen Sie, daß es Chinesen sind?» flüsterte ich in die Muschel.
«Die Augen sind schlitzförmig.»
«Was sollen Chinesen denn ausgerechnet bei Ihnen?»
«Sie sind überall, überall.»
Ich hängte auf.
Sie streichelte meine Hände, dann erhob sie sich zur Reitstellung, ließ die Haare strähnig über das Gesicht fallen und gähnte.
«Sauerstoffmangel», sagte sie, «entschuldige.»
«Wie ging das zu Ende, das mit dem Vater, der im Hotel wartete?» fragte ich später.
Emily gähnte nocheinmal. «Ach Gott, er war sehr förmlich und höflich, und ich war es auch, ich erzählte sogar Kümmernisse, und als wir nach dem Dessert noch einen Kaffee bestellten, sagte er wütend: ‹Ich hab Deiner Mutter immer zu einer Abtreibung geraten, immer, ich hätte es auch bezahlt, selbstverständlich, doch sie wollte ihren Kopf durchsetzen.› Und da begann ich zu heulen. Ich war damals blöd genug. Der Pappi versuchte mich zu beruhigen, doch ich verwies ihn auf seinen Arsch und was dazugehört, na ja, mit neunzehn Jahren hört man sich von seinem Vater nicht gerne als mißglückte Abtreibung bezeichnet, die man offenbar war, und das meinte er ja. Dann schickte er sich an, mir fünfzig Dollar monatlich für mein Studium anzubieten, ich heulte natürlich noch mehr, sagte, er solle sich die Fünfzig dort reinstecken, wo er sich Papier bloß abwische. Er schickte sie nie, der Pappi, war beleidigt.»
Das Telefon klingelte wiederum.
Es war Paratuga, wie erwartet.
«Hören Sie», sprach ich, «wenn Sie heute nacht noch einmal anrufen, dreh' ich Ihnen den Hals um. Wie geht's den Chinesen?»
«Fort, alle», antwortete Paratuga. «So schnell, wie sie gekommen sind. Merkwürdig, nicht? Warum ich anrufe, bitte verstehen Sie mich recht, ich hab Ihnen gesagt, woher das Mädchen kommt.»
«Lassen Sie mich in Ruhe.»
«Genau das habe ich mir gedacht.»
«Genau was haben Sie sich gedacht?» fragte ich.
«Daß Sie Ruhe haben möchten. Ich habe Ihnen ein paar Zeilen geschrieben, bin unten in der Hotelhalle, wo die reichen grausigen

alten Weiber hocken und Todesanzeigen nachschnuppern, man wird Ihnen in den nächsten Minuten den Brief bringen. Gute Nacht.» Er hüstelte, bevor er aufhängte.

Es klopfte.

Der Brief wurde unter der Tür durchgeschoben.

«Lies!» rief Emily.

«Ich denke nicht daran.»

Sie schlang ihre Arme um mein Genick, pickte mir den Brief aus der Hand und ritzte ihn mit dem Daumennagel sorgfältig auf, las: «Lange genug habe ich Sie gewarnt vor der Person, die sich unfraglich zur Zeit bei Ihnen befindet. Diese ist, wie wir beide wissen, weiß Gott keine Landesgeborene, und Sie behandeln sie, als wäre es eine Enkelin von Kolumbus. Ich warne Sie zum letzten Mal. Die kommenden Agenten werden Sie nicht einmal warnen! Sie wissen ja, woher die Agenten kommen. In diesem Sinn, Ihr Paratuga.»

Emily biß mich sanft.

«Weißt Du, woher die Agenten kommen?»

«Es ist historisch nicht bewiesen, aber doch beglaubigt, daß der Matrose, der Land! Land! rief, jüdischer Herkunft war», bemerkte ich. «Amerikas Entdeckung war mit jüdischen konfiszierten Geldern aus der Inquisition finanziert.»

«Und heute zieren Jehovas Schnörkel Marmelade, Gurken und Apfelsaft. Koscheres Drohen in den Supermarkets», sagte Emily.

«Und hol's der Himmel, als ich schluchzend meiner Mutter erzählte, was passiert war und daß ich ihm, dem nie gesehenen Pappi gesagt hatte, er möge sich seine fünfzig Dollar in den Hintern stecken, war sie aufgebracht. Stolz muß man sich leisten können, sagte ich, und du hast dir deinen Stolz auf meine Kosten geleistet. Nicht auf deine. Ich ziehe dir genau die Summe ab von deinem Monatsgeld. Und so hab ich aufgehört zu studieren. Und hier bin ich. Wenn ich nicht in der Papierabteilung von Woolworth bin, heißt das.»

Emily erhob sich, tappte zu einem der Stühle, auf dem ihre Kleider hingen und zog sich an.

«Mein Freund ist sonst beunruhigt», sagte sie. «Es gibt soviele Unfälle, nicht zu reden von den Überfällen.»

«Nimm ein Taxi.»

«Bist Du traurig?»

«Nicht wenn Du wieder kommst.»

Emily nickte.

Eine halbe Stunde, die ich mit offenen Augen zubrachte, weckte die Lust auf eine Zigarette. Das Päckchen war leer. Auch die längeren Stummel mochte ich nicht. Ich zog mich an, flüchtig, gleich um die Ecke war ein Zigarettenlädelchen. Der Verkäufer kam aus Ungarn und träumte von europäischer Höflichkeit. Er war mager und bleich. Vielleicht Krebs.

In der Hotelhalle schmückte man bereits für Weihnacht. Tannenkränze hingen an den Wänden der ausladenden Lobby, Handwerker funkten mit uringelben Leuchtkugeln, klebten Schnee in die Gegend und auf die Vasen mit holländischen Landschaften. Ein Mann brachte zweifußhohe Kinderchen aus Plastik. Die Kinderchen hielten das Bäuchlein ausgestreckt und bliesen aus vollen Wangen auf die elektrischen Glühbirnchen. Alte Damen lauerten aus Fauteuils.

Ich wartete auf den Lift.

Als ich vor meinem Zimmer stand, hörte ich drinnen das Telefon. Es war Paratuga.

«Konnten Sie das Fräulein von ihrer Übermenschentheorie abbringen?» feixte er.

Ich war lustlos für eine Antwort, jede Antwort, antwortete bloß: «nein».

«Nein? Wissen Sie, was die Dame...»

«Emily», unterbrach ich.

«Meinetwegen, kennen Sie Emilys Übermenschentheorie?»

«Nein.»

«Sie ist überzeugt davon, hören Sie?»

«Ja», antwortete ich schläfrig, «ich höre.»

«Augenblick.»

«Hallo», es war Emilys Stimme. Sie wiederholte ihr «Hallo», lachte.

«Emily!» schrie ich in die Sprechmuschel.

«Ich bin hier», sprach Emilys Stimme. «Ich bin schwanger. Wir müssen darüber reden, aber...»

«Was soll das? Wieso müssen wir reden, natürlich müssen wir reden, aber...»

«Ich bin schwanger», sagte Emily. «Und ich werde nicht abtreiben, wenn Du das meinst. Ich will dieses Übermenschenkind, das von Dir stammt, austragen. Ich will es so.»

Ich versuchte mich zu beherrschen, stammelte.

Emilys Stimme klang sanft.

Sie sagte: «Der Orgasmus eines Mannes schleudert vierhundert Millionen Samenzellen in die Vagina.»

«Keine Frau kann in ein paar Stunden schwanger sein», brüllte ich, schmiß den Aschenbecher vom Nachttisch.

«Sei nicht dumm. In Sekunden.»

«Wie weißt Du das?»

«Ich weiß es, weil Du ein Kind willst von mir.»

«Das habe ich nie gesagt.»

«Aber Du willst es, und ich werde Dir einen Übermenschen gebären. Sei fröhlich.»

«Ich will keinen Sohn und schon gar keinen Übermenschen!» rief ich. «Keinen.»

Emily räusperte sich.

«Du läßt mich nicht ausreden!»

«Natürlich laß ich Dich ausreden!»

«Gut. Der Orgasmus, Deiner, schleudert vierhundert Millionen Samenzellen in eine Vagina, meine. Und nur eine schafft es. Nur eine... Alle andern krepieren. Millionen krepieren. Aber einer! Einer! Er wird Deinen Namen tragen.»

Ich vernahm ein Wimmern. Dann Stille. Offenbar hielt Paratuga ihren Mund geschlossen.

Stille.

«Emily!» rief ich. «Emily!»

Räuspern.

Paratuga.

«Beruhigen Sie sich», sagte er.

Ich schrie und brüllte weiter, solange bis mich das Fräulein am Hoteldesk spitz unterbrach.

Gegen Morgen schlief ich ein.

Am andern Tag überreichte mir die Schalterdame einen Brief. Ich öffnete ihn.

«Jeder, der geboren wird, ist ein Übermensch. Denk an den Rest der vierhundert Millionen. Love. Emily. P.S. Du wirst von mir hören.»

Ich hörte nichts mehr von ihr.

Schließlich vergaß ich sie.

Das erste Mal, da ich wieder an sie dachte, war, als eine Schlagzeile von einem Flugzeugabsturz in den Anden Kunde gab. Da niemand überlebte, war ich beruhigt. Man kann überhaupt nicht beunruhigt sein, wenn irgendwelche Leute in den Anden abstürzen.

Albin Fringeli

Das isch sälbmol gsi, won i bym Blueschtgwünne im Eschebrunne hinge ab me hoche Hollerstogg abegheit bi. Gly drüberabe isch dr lingg Fueß gschwulle un wo dr Vorschutz, dä starg Schnaps, nit het welle hälfe, hets gheiße: «Es mueß epper mit em uff Basel zum Doggter!»

Ei Morge het mi d Mueter ghörig gwäscht un gstrehlt un zletscht het si no i d Ohre ynegluegt, epp si suufer syge. Dr Großvatter isch mit mer uff die großi Reis cho. By jedem Schritt het mer my böse Fueß weh to. Aber wie necher ass mer zum Bahnhof uff dr Schmelzi nide cho sy, wie weniger Schmärze han i gspürt im Chnode. Wär weiß, villicht bruuch i gar nit zum Doggter, han i bi mer sälber dänggt. Jedesmol, wenn dr Zug ghaltet het, han i dr Großvatter ploggt: «Wie lang goht s jetz no, bis mer z Basel sy?»

Geduldig het er d Uhr us em Lyblitäschli zoge und gseit: No so un so lang!

Z Basel im Bahnhof in bin i blybe stoh vor eme große Bild, wo epper a d Wang ufe gmolt gha het. «Gäll Großvatter, chauf mer Farb un e Bänsel, drno mol i bi öis uff dr Laube o so ne Bild!»

Är het mi zoge a dr Hang und ummegäh: «Chausch dr ybilde, dr Vatter wurd schön uffbigähre, wenn du tetsch afoh schlirge!»

«Großvatter, hei si z Basel Fyrtig?» han i wyters gfrogt.

«Nit aß i wüßt», het er ummegäh. «Worum?»

«He gsehsch nit, aß all Lüt schöni Sunntigchleider a hei?»

«I dr Stadt hei si all Tag schöni Chleider a», het er äschbliziert.

«Hei die gheini Wärchtigchleider? Schaffe d Lüt z Basel gar nüt?»

«He fryli schaffe si o, numme nit s Glychlige wo mir. Chumm du jetz!»

Weiß dr Gugger, wo my böse Fueß anecho isch! Wie nöcher aß mer zum Doggter cho sy, wie weniger het er mer weh to.

Die schöne Hüüser! I ha mieße dr Chopf hingerabe hebe, wenn i ha welle uff d Dächer ufeluege. Un es isch si drwärt gsi, aß i uff d Dächer gluegt ha. Ungersmol han i uff ne Chilchedach zeigt un gjubelt: «Lueg emol dört, die prächtige Ziegel, roti, grieni. Wenn mir numme o settigi hätte!»

«Muesch nit allewyl mit de Finger zeige», het dr Großvatter abgwehrt. «Das isch s Basler Münschter, s Möischter säge mir. Un jetz chemme mer a Rhy.»

«Jö, wo chunnt das ville Wasser här?» han i ungersmol beeget.
D Lüt, wo duregluffe sy, hei ummegluegt un glacht. Dr Großvatter het nüt gseit, er het drglyche to, är ghör nit zu mir. Won en
nonemol guslet ha, het er lutt gäh: «Uß de Bärge chunnt s. Dr
Eschebrunne un dr Stürmebach un d Birs sy o drby.»

«Drno bin i villicht scho i däm Wasser gstange, wo jetzt unger der
große Brugg durelauft, gäll?»

«S cha sy», het dr Großvatter gmeint. I han em aber no ghei Ruehi
gloh: «Lueg emol, laufe ächt die ville Lüt im Ring umme, oder sy
das eister wider früschi Manne un Fraue?»

«He jo, das sy immer wider angeri, wie du un ig; Lüt, wo ihri
Gschäfte mache.»

«Jöh», han i gsüfzget, won i vor ne großi Muntere cho bi, «wenn d
Basler Buebe so ne Schybe kaputt mache, muess ihre Vatter ghörig
bläche!»

«Das chennt no sy», het dr Großvatter brummlet. «Lueg, das isch
jetz dr Märtplatz. Do verchaufe d Bärschbler Fraue die Himbeeri,
wo si im Wältschbärg ähne gwunne hei.»

Isch s ächt im Großvatter verleidet, für mit so me Frögli i dr Stadt
ummezstoffle? Ungersmol sy mer vor me Torboge gstange. Uff
me Platz zwüsche de Hüüser isch ne Ma uff me Soggel obe gstange.
Isaag Iseli isch uff em Stei gschribe gsi. Hinge dra isch ne Wirts-
huus gsi. Dr Großvatter het für jede ne Gaffi un ne Zibelewäihje
bstellt. Jo, die Zibelewäihje, die vergiß i myner Läbtig nit. Är het
se gärn gha, aber ig ha lang dra ummegwürgt, un won er gmergt
het, aß si nit abe will, het er mer zuegsproche: «Iß denn, Bueb, d
Zibelewäihje sy gsung!»

Es isch gspäßig gsi: Vom Bahnhof ewägg bis a Rhy un bis zu däm
schwarze Ma het mer alls meineidig guet gfalle. I ha gmeint, i syg
im Paradys; aber jetz han i gwüßt, aß es i dr Stadt no angeri Sache
git... no Zibelewäihje!

Dr Großvatter het tribeliert un zletscht isch my Täller leer gsi. Mir
sy wyters, zum Doggter. Ungerwägs bin i vor me große Huus
blybe stoh. Uß dr Höchi hei die heilige Dreikönig abegluegt.
Wunderbar! Un d Lüt sy duregwagglet, mir nüt, dir nüt – un hei
nit emol ummegluegt!

«Do isch dr Petersgrabe», het dr Großvatter vor anem anegseit,
«un jetz mieße mer s Elfi ha.»

Mir sy i eim Hau bym Doggter gsi... Nei, bym Profässer!

My Fueß het däm Heer gar nit gfalle. Es syg am beschte, het er
gseit, wenn i grad do blyb. I ha gmeint, dr Schlag tref mi. Aber dr
Heer Profässer un d Schweschtere un dr Großvatter hei uff mi

ynegredt: I chenn drno gly wider ummespringe, het s gheiße.
I ha uff d Zehn bisse un ha ne welle zeige, was ig für ne Bueb
syg.
Si hei mi i ne Stübli ufegfiehrt. Dr Großvatter het mi no einisch
lang agluegt...
Un jetz bin i elleini gsi.
Lang han i uff die nechschte Dächer üiberegluegt un uff d Stroß
abe. Un eppen emol han i s Augewasser abgwüscht...
I vier Tage het mi dr Vatter greicht. Er het großi Auge gmacht,
won er gseh het, aß mer dr Profässer dr Fueß ygjibset het. Aß er
mer mit sym Sprützli no weh to het, han i im Vatter erscht uff em
Heiwäg gseit. I ha dänggt, süscht tiei er im Profässer am Änd no
ghörig d Levyte läse.
E paar Wuche spöter han i nonemol i d Stadt miesse. Un nonemol
han i miesse i my Stübli ufe...
Föif langi Täg.
Aber noche han i wider chenne ummespringe wie ne Wiseli, un i
ha s i dr große Stadt nie chenne vergässe, was si mer sälbchehr gäh
het uff myner erschte Stadtreis: Ne gsunge Fueß, aß i wider ha
chenne goh die schöne Sache aluege, jo, die ville schöne Sache,
wo s git im Fäld uß un im Wald un i dr große schöne Stadt am
Rhy.

Max Frisch

STATIK

Eines Morgens, kurz nach acht Uhr, meldet er sich an irgendeinem Schalter. Ein Gendarm unten beim Eingang hat ihn nicht
beraten können. Als er, lange schon mit dem Hut in der Hand, endlich an die Reihe kommt und sich in den Schalter beugt, um zu
wiederholen, daß er Anzeige erstatten müsse gegen sich selbst,
blickt der Beamte ihn gar nicht an, sondern heftet Papiere zusammen, Rapporte. Er möge im Vorzimmer warten wie andere auch,
die auf einem verbotenen Platz geparkt haben und mit den üblichen
Ausreden kommen. Er setzt sich aber nicht auf die gelbe Bank, da
er ja keine Vorladung hat, keine Hoffnung, je aufgerufen zu werden. Um sein Gesicht nicht zu zeigen, blickt er zum Fenster hinaus, Hut in der Hand. Er schreit nicht.
· · ·

Es kommt schubweise. Oft dauert es nur eine Stunde, nachher begreift er sein Entsetzen nicht – der Beamte hätte gelacht oder auch nicht; man hätte nicht verstanden, was denn dabei ist, daß er eine verheiratete Schwester in Schottland hat, ferner einen Sohn, dem er regelmäßig Geld schickt.

. . .

Er trinkt keinen Alkohol.

. . .

Seine Studenten bemerken zu jener Zeit überhaupt nichts. Es belustigt sie seine kalligraphische Gewissenhaftigkeit mit der Kreide, wenn er die Tafel vollschreibt, immer den Schwamm in der andern Hand, um einen allfälligen Fehler sofort tilgen zu können. Er hat wenig Haar, von hinten eine Glatze mit kleinen verschwitzten Locken. Wenn er sich wieder zur Klasse wendet, putzt er sich jedesmal die Hände verlegen mit gesenktem Blick.

. . .

Später setzt er sich auf die gelbe Bank wie vorher die andern auch. Vermutlich ist das Stockwerk nur teilweise zuständig für seinen Fall. Unten beim Eingang hängen in vergitterten Kasten die üblichen Steckbriefe mit Fotos von der jeweiligen Mordwaffe (Messer), Belohnung 5000 Franken, später 10 000 Franken; je länger sie einen nicht finden, umso teurer wird man. Er blickt auf seine Uhr: es ist Samstag. Er fragt sich, ob in Anbetracht der Tatsache, daß das Kommissariat offensichtlich überlastet ist, seine Selbstanzeige gerade heute stattfinden muß –

. . .

Seine Frau hält es noch für Vergeßlichkeit, für Zerstreutheit. Da es den ganzen Tag geregnet hat, müßte er doch bemerkt haben, wann und wo er ohne Hut in den Regen hinaus getreten ist – dann hat er keine Ahnung, einen nassen Kopf, aber keine Ahnung.

. . .

Sein Fach: Statik für Architekten. In der Praxis werden die statischen Berechnungen ohnehin einem Ingenieur-Büro überlassen, und es genügt, daß der Architekt sozusagen ein Gefühl für Statik hat. Er zeigt immer Lichtbilder: Risse im Beton.

. . .

Sein Spitzname: Der Riß.

. . .

Der Besuch beim Kommissariat wiederholt sich nicht; hingegen sagt er zu seiner Frau einige Wochen darauf, er müsse sein Amt niederlegen. Er ist 53.

. . .

Er hat niemand umgebracht, nicht einmal im Straßenverkehr. Bei einem Bau-Unfall, der einem Arbeiter das Leben gekostet hat, war er Augenzeuge, aber nicht der verantwortliche Ingenieur, der übrigens freigesprochen worden ist. Er selber, damals Praktikant, war nur zufällig zur Stelle, weil er Meßgeräte hatte mitbringen müssen – trotzdem hat er jetzt Angst, es könnte ihm plötzlich einfallen, daß er jemand umgebracht hat.

. . .

Nicht daß er an Gericht glaubt –

. . .

Architektur in Ehren, aber Schub ist Schub. Was man nie vergessen darf: jede Last, die wir in unsrer Rechnung vergessen, rächt sich, siehe Lichtbild: Risse über dem Auflager, Schub, Torsion im Pfeiler, Einsturz. Dann sagt er jedesmal: Sehen Sie! In der Pause bleibt er im Auditorium, schreibt und zeichnet auf Vorrat. Wenn er sich, um Hilfe zu leisten, neben die Studenten auf die Bank setzt, riecht er immer nach altem Schweiß.

. . .

Das erste, was seine Nächsten bemerken, ist ein Tick – er sagt bei jeder Gelegenheit: Das weiß ich nicht! auch wenn er gar nicht befragt wird, ob er schon wisse und was er denn dazu meine. Man achtet kaum darauf oder nimmt es wie eine andere Floskel; wie wenn jemand immer sagen muß: Ach so, ach so. Oder: Genau. Es ist aber keine Floskel; es ist ihm vollkommen bewußt, wenn er sagt: Das weiß ich nicht! Meistens fällt sein Unwissen gar nicht ins Gewicht. Wozu muß er wissen, wo die größte Meerestiefe sich befindet? Natürlich ist es kaum möglich, jedes Unwissen sofort anzumelden; die andern reden schon in der Annahme weiter, man wisse ja, und erst nach einer Weile, wenn das Thema erschöpft ist, kann er zusammenfassen: Das habe ich nicht gewußt! Wie gewissenhaft er zuhört und wie wenig es eine Floskel ist, wäre daran zu erkennen, daß er zum gleichen Punkt nie zweimal sagt: Das weiß ich nicht! Einmal genügt; dann ist sein diesbezügliches Unwissen registriert, und er vergißt nichts, wovon er nichts weiß.

. . .

Er lehnt es ab, Dekan zu werden.

. . .

Sein Gedächtnis läßt nicht nach, im Gegenteil, sein Gedächtnis richtet sich gegen ihn – er erinnert sich plötzlich, daß er eigentlich seiner Schwester in Schottland noch immer ihren Anteil an der Erbschaft schuldet. Eine komplizierte Geschichte, aber was ihm einfällt: 80 000 Franken. Plus Zinsen. Oder es fällt ihm ein: ein

Fremdwort, das er im Augenblick nicht braucht; es fällt ihm nur
ein, daß er jedesmal nicht weiß, was es heißt.

· · ·

Meistens hängt dann der verlorene Hut in seinem Vorzimmer. Einmal wundert sich ein Student, der dem Professor den Mantel hält
und dann auf den Hut verweist: der Professor behauptet, es sei
nicht sein Hut. Er geht ohne.

· · ·

Die Studenten mögen ihn.

· · ·

Nicht nur liegen auf seinem Tisch die gelben Bleistifte alle gespitzt
nebeneinander, alles ist so. Er fürchtet sich vor Unordnung. Er
gehört zu den Menschen, die immer schmutzige Fingernägel haben
und nichts dagegen machen können.

· · ·

Im Kommissariat, als nach einer Stunde ein jüngerer Gendarm ihn
fragt, was er wünsche, bleibt er sitzen auf der gelben Bank: wie
jemand, der nicht weiß, wieso er an diesem Ort erwacht –

· · ·

Nur sein Gesicht ist eingestürzt.

· · ·

Seine Frau, die ihn seit 19 Jahren verehrt, leidet weniger unter
seinem Unwissen als unter seinem Tick, daß er's jedesmal meint
melden zu müssen. Manchmal legt sie schon vorher ihre Hand auf
seinen Arm, um ihn wenigstens vor Leuten abzuhalten von seinem
Satz: Das weiß ich nicht! Sie tut es ohne Erfolg; vielmehr erschrickt er schon über ihre freundliche Hand, als habe sie ihn aufmerksam machen wollen: Das weißt du nicht! und er bestätigt:
Das weiß ich nicht!

· · ·

Es sind Lappalien, die ihm einfallen vorallem gegen Morgen, wenn
es draußen noch finster ist. Dann geht er barfuß in die Küche, um
irgendetwas zu verspeisen, Käse, Kompott, notfalls kalte Spa-
ghetti. Es hilft wenig, wenn Vorkommnisse, die sein Gedächtnis
plötzlich freigibt, als komisch zu bezeichnen sind. Er erschrickt
trotzdem. Oft kommt es dadurch, daß er erschrickt, zu ganzen
Serien... Daß er dem Friedhofamt auf die Mitteilung, das Grab
seiner Mutter werde demnächst aufgehoben, nicht geantwortet
hat, ist ein Versäumnis, das ihm nicht zum ersten Mal einfällt; statt
sich aber hinzusetzen und sofort zu schreiben, daß er selbstverständlich für eine Urne aufkomme, erinnert er sich, daß er damals,
1940, eigentlich richtig gehandelt hat, einem Major gegenüber so-

gar mutig. Sein Gedächtnis gibt plötzlich (während er barfuß in
der Küche steht) den ganzen Wortwechsel heraus, und was er
diesem Major gesagt hat: lauter Schwachsinn. Manchmal fällt ihm
auch nur ein Gefühl ein, das man in seinem Lebensalter nicht mehr
hat, oder ein Geruch.

. . .

Eines Tages stellt er sein Rücktrittsgesuch –

. . .

Es fällt ihm ein: ein gestohlener Fußball. Es fällt ihm ein: das
sogenannte Doktor-Spiel im Keller, Homosexualität, die Angst
hinterher, und wie dann der Detektiv in den Keller kommt, da er's
der Mutter gesagt hat, sein Verrat an dem jungen Gärtner. Es
fällt ihm ein: daß er von dem jungen Gärtner ein Taschengeld bezogen hat. Es fällt ihm ein: daß er im Gymnasium durchgefallen
ist.

. . .

Später hört sein Tick wieder auf – er senkt nur sofort den Kopf,
wenn er etwas nicht weiß, und hört zu. Vögel haben zuweilen diese
schiefe Haltung des Kopfes, dann hat man keine Ahnung, wohin
sie blicken. Er sagt fast nie: Das weiß ich nicht! sondern schweigt
nur mit dieser schiefen Haltung des Kopfes –

. . .

Aber von alledem kann er nicht reden, oder wenn er zu reden versucht, so ist es sofort missverständlich; man kann ihm sofort belegen, daß er ein ordentlicher Professor ist, kein Schwindler, ein
Vater zumindest guten Willens, kein Antisemit, als Kollege geschätzt für seine bescheidene Art. Auch ist er (um Gotteswillen)
kein Mörder usw. Er widerspricht dann nicht und nickt auch nicht,
sondern blickt vor sich hin. Sie meinen es moralisch. Er ist trotzdem bestürzt –

. . .

Sein Rücktrittsgesuch wird nicht angenommen, da er es nicht hat
begründen können; er ist gesund; der Hochschulrat bewilligt ihm
eine Sekretärin.

. . .

Er begreift nur, daß es unaufhaltsam ist.

. . .

Seine verheiratete Schwester aus Schottland hat er am Flughafen
nicht erkannt und kehrt unverrichteter Dinge zurück; sie sitzt in
seiner Wohnung, als habe sie immer da gesessen, nur eben älter.
Dann aber geht es ordentlich, sogar herzlich, ohne Riß.

. . .

STATIK FÜR ARCHITEKTEN, ein Handbuch, das seinen jahrzehnte-
langen Unterricht zusammenfaßt, wird kurz nach Erscheinen in
drei Sprachen übersetzt, darunter Japanisch.

. . .

Eigentlich geht überhaupt alles in Ordnung –

. . .

Seine Frau findet es verrückt, als er ihr eröffnet, er habe seinen Prozeß damals zu Recht verloren... Das ist lang her, ein Fall, worüber
jedermann nur den Kopf schütteln kann. Ein Skandal. Er hatte
gegen eine Firma geklagt; man hatte eine statische Expertise, die
er, damals noch nicht Professor, auf Bestellung geliefert hatte,
zwar zum Teil honoriert, aber bei der Ausführung (Industrie-Bau
mit großen Hallen) aus Spargründen nicht beachtet. Er klagte aus
Verantwortungsbewußtsein. Die Firma hatte aber, wie sich herausstellte, Steuersitz im Fürstentum Liechtenstein, Gerichtsort
war Vaduz. Er mußte einen zweiten Anwalt nehmen, einen aus
Liechtenstein, der, wie sich vorerst nicht herausstellte, die Firma
in Steuerangelegenheit beriet. Das alles hatte er nicht gewußt. Als
dann die Hallen bereits standen und ein sogenannter Vergleich
vorgeschlagen wurde, Auszahlung des restlichen Honorars bei
Rückzug der Klage, war nicht nur sein Honorar bereits für Justiz-
Spesen verbraucht, sondern auch seine Karriere zu bedenken; die
Firma nämlich, um den Vergleich zu erzwingen, hatte sich inzwischen andere Expertisen verschafft, während er seine Habilitation
einreichte. Der Schweizerische Ingenieur- und Architekten-Verein,
der für solche Fälle ein Schiedsgericht hat, warnte ihn, auch noch
Klage zu erheben gegen Kollegen wegen ihrer Expertisen, zumal
diese Kollegen bei der Wahl eines Professors zwar keine direkte
Stimme haben, aber natürlich einen kollegialen Einfluß. War es
nun (nach seinen Begriffen damals) feige, daß er gewisse Kollegen
schonte, um seine Professur nicht zu gefährden, so lehnte er umso
entschiedener jeden Vergleich mit der Firma ab, koste es, was es
wolle, nämlich jenen Teil der Erbschaft, den er seiner Schwester
schuldig blieb... Jetzt kommt er beim Frühstück plötzlich mit der
Erkenntnis, daß er den Prozeß damals zu Recht verloren habe.
Tatsächlich stehen die fraglichen Hallen noch heute. Das aber ist
nicht seine Begründung. Er hat keine.

. . .

Dann wieder Wochen ohne Schub –

. . .

Die Lichtbilder für den Unterricht ordnet er jedesmal eigenhändig
in die Kassette, hält jedes einzelne vorher gegen das Fensterlicht,

als könnte sich eines einschleichen, das ihn zum Gespött macht. Es wurde schon einmal gelacht; es war dunkel im Auditorium, und so konnte er für das Gelächter keinen Grund sehen. Das Lichtbild (Einsturz eines Hangars mit Dreigelenkbogen, ein Beispiel dafür, was ein nicht kalkulierter Wind vermag) hat er für immer aus der Kassette genommen.

. . .

Seine Schwester ist durch Heirat vermögend; als er die Geschichte mit der Erbschaft erwähnt, legt sie lediglich Wert darauf, daß ihr Mann, ein Bankier, nie davon erfährt. Im übrigen meidet er alle Erinnerungen familiärer Art. Zum Glück ist das Grab der Mutter noch nicht aufgehoben. Übrigens bleibt sie, die Schwester aus Schottland, nur zwei Tage (im Hotel) und begreift in dieser kurzen Zeit nicht genau, warum der Bruder ihr leidtut – er hat eine Professur, eine sehr liebe Frau, einen Sohn, der gerade Leutnant wird, eine staatliche Pension usw.

. . .

Dann kommt dieser Kongreß in Brüssel, das er von früher kennt. Als das Hotel, das er ebenfalls kennt, schon bestellt ist, das Ticket usw., gesteht er plötzlich: er sei nie in Brüssel gewesen – seine Frau hat Briefe von ihm aus Brüssel, sogar Fotos, die sie ihm zeigen kann; er glaubt es sich trotzdem nicht.

. . .

Es ist jetzt nur noch die Frage, wann sie es merken, daß er nichts von Statik versteht, eine Frage der Zeit. In 9 Jahren wird er pensioniert. Sein Sohn scheint es schon zu wissen.

. . .

Wie er im Kommissariat auf der gelben Bank sitzt mit dem Hut in der Hand, weiß er nicht, was in der Nacht sein Gedächtnis freigegeben hat – er nimmt an, daß sie es wissen, hofft es fast.

. . .

Dann wieder kommt es vor, daß er denselben Hut auf den Kopf setzt. Ohne Zögern. Wenn er nachhause kommt, hat er einfach seinen Hut wieder. Das Klischee vom vergeßlichen Professor ärgert ihn; tatsächlich vergißt er immer weniger.

. . .

Einmal mitten auf der Straße nimmt er seinen Hut vom Kopf, bleibt stehen und schaut sich um, ob jemand ihn sehe, dann hängt er den Hut auf die eiserne Spitze eines Gartenzauns und geht weiter.

. . .

Manchmal wundert es ihn jetzt, wie hoch sein Kopf sich über seinen eigenen Füßen befindet, die da gehen auf dem Asphalt.
· · ·

Als er krank wird, ist er froh.
· · ·

Nach der Genesung sieht man ihn am Arm seiner Frau. Er nickt verschüchtert, wenn man ihn grüßt, erinnert sich aber an seine ehemaligen Schüler, die es weit gebracht haben, sogar an ihre Namen. Er sei genesen, sagt er höflich mit schiefer Haltung des Kopfes. Er trägt noch immer dieselbe Art von Hut, Filz, das Band verschwitzt. Sein Amt hat er nicht wieder angetreten. Seine Frau, die ihn über die Straße steuert, tut ebenfalls, als sei nichts geschehen. Die sichtbare Tatsache, daß die Bauten seiner Schüler (Siedlungen, Hallen für Kongresse, Krankenhäuser, Büro-Türme aus Stahl und Glas) allesamt nicht einstürzen, ändert nichts an seiner Selbsterkenntnis: – er verstehe nichts von Statik, habe nie verstanden, was er gelehrt habe –

Raffael Ganz

IM ZEMENTGARTEN

Auf dem Weg nach Radicofani. Camposanto: Mauern von Kirchhöfen, grau in blau, Kapellen, Beinhäuser, Pinien. In der Ferne schon der umbrische Himmel. Hier noch Wein und Olivenöl. Mädchen singen und lachen in den Weingärten. Sanft wellende Linien und zarte Farben: Simone Martini. Licht und Raum, Himmel und Madonna: Ave Gratia Plena. Dann Ankunft im Abend von Radicofani, ein nacktes Dorf, das sich an den Burghügel klammert, drei Kirchen, ein Zeitturm, Rauch über den sanftschimmernden Ziegeln. Cicale im Olivenhain, wie sanfte Brandung in kiesigen Strand. Blick von Radicofani: große Landschaft; eine der herrlichsten, sagt ein Reiseführer. Man glaubt's, jetzt, wo die Tagdünste in den Abend steigen. Hinter dem Gemäuer singen Frauen. Späte Wäsche am Dorfbrunnen auf der Piazzale. Vesperglocken lässig wie eine Siesta. Die Frauen singen lauter; oder es tönt lauter in der Abendstille. Wie Wellen in den Olivenhainen zirpen die Zikaden, cicale. Die Zikaden läuten, die Glocken zirpen, und ein Windchen bläht einen Vorhang im Fenster. «La casa della Signora Micelli?» «Sì, sì.» Das Haus, wo der Besen vor der Türe steht. Coniglios Schwester ist in der Kirche.

Vespermesse. Das dünne Gebimmel der Messeschelle hüpft gleichsam über die Stufen vor dem Eingang zur Pfarrkirche aufs Kopfsteinpflaster: Introite. Rasch einen Blick ins dunkle, von Kerzen
zwiebelbraun geräucherte Innere. Responsorien einer hellen,
näselnden Stimme. Die Bewegungen des weißen Rockes (des
Ministranten) in der Penombra vor dem Altar. Im Gang zwischen
den Bänken lehnen schwarze Markttaschen an die Bankseiten.
Wenige schwarzverhüllte Gläubige. Zumeist Frauen. Eine davon
muß Eolos Schwester sein. Einzelne Hinterköpfe alter Männer.
Kahlschlagschädel, zeitlos wie Versteinerungen auf lederfaltigen
schmalen Nacken. Eine Alte geht an mir vorbei: sie riecht nach
Weihrauch und Knoblauch.
Vito Coniglio, Eolos Vater, war Plattenleger im Winter. Ging der
Arbeit nach von Stadt zu Stadt: Viterbo, Siena, Grosseto, einen
Kriegswinter lang auch in Florenz. Signora Micelli sprach von
Florenz wie eine Nonne von Rom. Sobald jedoch der Saft in den
Reben zu treiben begann (Signora Micelli sagte nicht: «Früh-
ling»!), kehrte Vito, ihr Vater, nach Radicofani zurück und be-
stellte seinen eigenen Weinberg: tausend Stöcke Tafeltrauben an
einem Hang, den schon die Römer mit Reben bepflanzt hatten.
Er arbeitete auch als Taglöhner in einer fattoria im Val d'Elsa. Ein
Vorfahre, der Urgroßvater, soll sogar an der San Miniatokirche in
Florenz gearbeitet haben. Signora Micelli betont: Firenze. Sagt es
zweimal. Die Kirche ist berühmt für außergewöhnliche Inkrustationen. Wer an Vererbung von Talent oder an Inkarnation glaubt,
mag sagen, Eolo habe sein Genie für Inkrustationen und Mosaik
von jenem Vorfahren und seinem Vater geerbt.
Doch: auch in der Vererbung liegt die toskanische Erde, Prato
Grün, Volterra Alabaster, Travertin oder Kalktuff im Val d'Elsa.
Badie (Abteien) und Pievi (Gemeindekirchen) sind hier am Ursprung allen Handwerks. Stein und Metall. Glaswaren von Empoli,
Töpferei von Montelup, Metallhandwerkliches von Arezzo. Marmor. Holzschnitzerei in den Apuanischen Alpen. Dann: Ambro-
gio, Pietro Lorenzetti. Überall «orci», blumensprießende Terra-
cotta-Vasen, kyklopisch schwangeren Bauches. Überall Glänzendes und Glitzerndes, Funkelndes und Spiegelndes. Farbe und
Heiterkeit: Reiseschriftstellerhimmel. Warum Eolos Inkrustationen? Das facettenhaft Glitzernde, das Irisieren von Splittern,
Glasscherben, Spiegeln, Flaschenglas (grün braun weiß), Trink-
gläsern, bunten Keramikkacheln, weißen Porzellanknöpfen von
Flaschenverschlüssen, Telephonisolatoren; Tausende und Abertausende von Scherben. Farbig marmorierter Felsbruchstein und

Kiesel, mit Fett und Öl poliert, Fragmente, glastige Schlacken, Bruchstücke, all das hat Coniglio einzementiert in seine Zementgartenutopie. Unrat in neuer Umgebung, herausgerissen aus der Alltagshäßlichkeit und geordnet, erstand in Schönheit: Botticellis Geburt der Venus nicht aus dem Perlmutterglast der Muschel, sondern aus dem Auswurf von Industrien, aus dem Müll. Einundzwanzig Jahre Arbeit, Schweiß und Schwielen. Warum? Hat Coniglio etwa versucht, das Wesen toskanischer Schönheit in die Trübnis des Oberlandes zu verpflanzen? Hat er sein Heimweh in Zement eingelegt?

Das Haus der Schlader. Es steht am Hang oberhalb des Dorfkerns, im Gehren. Fährt man spät durchs Ried, blitzt es manchmal zwischen Obstbäumen und einem Stand Tannen am Hang mächtig auf. Kommt man danach in die Kehre hoch und sieht das Haus aus der Nähe, weiß man warum: die ganze Südfront ist durchlöchert von ungewöhnlich hohen, merkwürdig vielen Fenstern. Das Haus entpuppt sich als verschachtelter Bau aus dem frühen 19. Jahrhundert. Wohl von einem Fabrikherrn als Kosthaus für seine Heimarbeiter (Sticker) gebaut. Darum all die großen Fenster. Das Haus haben die Schlader von Großvater Schlader ererbt. Sein Sohn sagt: «...alte Hütte... am besten verkaufen!» Ums Haus riecht es süßlich-verwest. Der Saustall. Und seifig-dampfig. Großmutter Schlader steht in der Waschküche neben dem Hauseingang. (Eine Nachbarin: man habe sie seit Jahren nicht mehr ohne Küchenschürze gesehen.) Wenn die Großmutter mit einem redet, kreuzt sie die Arme unter dem Busen und fingert nervös an den Rockärmeln. Der alte Schlader? Der komme nicht mehr viel aus dem Haus. Die Gicht habe ihn gekrüppelt. Wir hören jetzt auch seine raspelnde Stimme von der Holzveranda an der Rückseite des Hauses. Er ruft zum Saustall hinüber: «Hermi, Telephon...» «Wer ist's?» tönt es zurück.
Hundertdreizehn Säue quietschen. In einem Gehege in der Wiese ist Hermi Schlader gerade dabei, einem Eber zu helfen, seine Pflicht zu tun. Max (Schlader junior) steht dabei und grinst, weil der Eber sein Ziel verfehlt. Erziehung zum Schwein von Vater zu Sohn, zu Großsohn. Der alte Schlader habe zwar seinerzeit nur im Nebenberuf Schweine gezüchtet. Im Hauptberuf sei er als Viehhändler den Bauern nachgegangen, in den Dorfbeizen. Hermi, sein Sohn, verlegte sich aber konjunkturgemäß ganz aufs Schwein. «Aber die Knechte laufen ihm immer wieder weg.» Das mache Hermi höllisch muff. Die Leute heutzutags wollen einfach nicht

mehr so hart arbeiten wie früher, sage Hermi immer wieder. Hermi
bezahle den Knechten dreihundertzwanzig im Monat, dazu habe
der Knecht doch noch Kost und Bett! Und einen Sonntag frei im
Monat, das habe er auch! Eine einzige Frage hat uns alle diese
Antworten eingetragen. Alte Frauen in Waschküchen reden gern.
Es mag auch sein, daß gar niemand mehr mit der Großmutter
spricht. Eine stille, verschüchterte Frau. Das war unser erster Ein-
druck.
Frau Bertha Schlader, Hermis Frau, auf der Mattscheibe von
Koblets Rolleiflex: strähniges Haar mit locker sitzenden Nadeln
zu einem unentwirrbar scheinenden Knoten zusammengesteckt;
all das über einer niedrigen Stirne und rotbekleck[s]ten Pausbacken.
Kirschenmündchen über einem fast ebenso großen Kinngrübchen.
Puddinghals. Körperlage mollig mit zunehmender Eindickung, um
Frau Schlader im Stil Groß zu beschreiben, der sich einen Sport daraus macht, Leute im Wetterberichtsjargon zu charakterisieren.
Koblet war begeistert von seinem Modell: die kommt in mein
Album. Die Frau ist ein Typ! Koblet hat Frau Schladers Porträt
aufgenommen; er hatte sie auf einen Stuhl gesetzt zwischen das
Monumentalbuffet und einen selbstgezimmerten Blumenständer,
in dem Frau Schlader ein Sortiment darbender Sukkulenten aus-
hält. Koblet: Herrgottnocheinmal, die Frau paßt in jeden Winkel
ihrer Wohnung. Er war völlig fasziniert von der Möbelausstel-
lung. Sowas habe er noch nie gesehen. Die ganze Wohnung,
einschließlich das Schlafzimmer, war ein Konjunktursymbol: nur
das Teuerste ist gut genug. Im Wohnzimmer das wuchtige Nuß-
baumbuffet, Mischung Jugendstil und Tiroler Herrgottschnitzerei.
Richtig: Hermi habe das Buffet aus Österreich heimgebracht.

Coniglio in Beschreibungen seiner Freunde: Sein Gesicht, «ein
Holzschnittgesicht» (Affeltranger). «Wie die Franzosen sagen –
la face cuite» (Lehrer Fries). Seine Hände: «...für einen Maurer
hatte er schöne Hände, lange Finger, Pianistenhände. Diese waren
noch bemerkenswert jung, als er schon weit über fünfzig war. Von
der Arbeit zwar zerschunden; zumeist Spuren von Farbe, Gips,
Mörtel, Erde. Erde auch unter den Fingernägeln. Oft verletzte er
sich. Seine Hautrisse pflegte er nie, auch Schürfungen, Quetschun-
gen und dergleichen nicht. Wenn es schlimm aussah, zu sehr
schmerzte, goß er Olivenöl darüber. «Mein Vater hat das auch
immer getan», sagte er dann. Seine Hände waren seine Instrumente,
lebendiges Werkzeug. Erstaunlich, mit welcher Fingerfertigkeit
er zum Beispiel Drähte verflocht, feinste Mosaiksplitter einlegte.

Mit seinen Händen, den wie Rebholz knotigen Fingern, drückte er sich ungehemmt, beredt aus. Er redete mit großzügigen Gebärden, wie in einem Spiel. Er warf die Hände um sich, flatterte mit ihnen wie ein Vogel, seinen ganzen Körper brachte er in Unruhe mit seinen heftigen Gebärden. Er war in stetig wechselnder Bewegung, hektisch manchmal wie eine Kasperlefigur, wenn er redete, wenn er nach Worten in der Fremdsprache, Deutsch und Schweizerdeutsch, suchte. Auf einmal fiel er aber wie in sich zusammen, oder auf sich zurück, wie erschöpft, ausgeleert. Ein Anhauch von Traurigkeit, so schien mir, breitete sich auf seinem Gesicht aus. Dann: ebenso unvermittelt, unerwartet, ein neuer Gedanke, eine Idee. Seine Augen begannen zu rollen, glänzten. Er zwinkerte, lachte still vor sich hin, als ob er soeben jemanden zum Narren gehalten hätte. Lief davon.» (Dr. Bieli).

Malaparte sagt auch: «Die Toskaner haben keine Angst vor dem Tod; sie dächten, Sterben sei ‹eine lächerliche Angelegenheit›.» Lehrer Fries meinte, Coniglio habe oft vom Tod gesprochen. Zwar tun alte Leute das oft; aber wohl die wenigsten sprechen vom Tod in Coniglios gleichmütiger Art. Im Zusammenhang mit dem Thema Tod habe er auch wiederholt eine Pergola mit Salamannatrauben hinter dem Haus seines Vaters erwähnt, als sei es sein letzter Wunsch gewesen, sie noch einmal zu sehen oder unter ihr begraben zu werden. Kristallisiertes Heimweh?

Christoph Geiser

IN DER ZELLE

schuldig

an der mauer steht
alles ist vergänglich
nur nicht
lebenslänglich
sitzt keiner
unschuldig
schuldig
sagt der verwalter
sind alle
hier

normal

die heiterkeit der langjährigen
beweist
es geht
die zeit
das sagen alle
vergeht
schnell
gewöhnt man sich an
die neue lage hinter gittern
ist verzweifelt
normal

en verité

bruchstück einer mitteilung
an der pavatexwand
lese ich
en verité
der rest ist
weggekratzt
das beschreiben beschmutzen und bekleben
der zelle ist
streng verboten jede
mitteilung an
mitgefangene

wand

jetzt
arbeite ich
in der gefängnisbibliothek
sind am beliebtesten
reisebücher
abenteuerberichte
über die besteigung
der eigernordwand
lesen die gefangenen

mit spannung
wer erfriert
wer
bezwingt
die wand

unterschied

die gefangen sind
in den kleinen zellen
mit dem kleinen fenster das
zu hoch liegt
ohne sonne
beneiden die
in den großen zellen
mit dem großen fenster
in der sonne
gefangen sind

Sergius Golowin

BEIM FREUND DER NEUEN WANDERER

In der Laube des Romani-Raj, des Hippie-Bürgers, des Gammler-Gastgebers wurde es jetzt erfrischend kühl.

Wer an solchem seine Freude hatte, der ließ jetzt sein Jointlein kreisen, den andern schenkte jetzt der Hausherr, dies mit besonders ehrfürchtigem Gebärdenspiel, von seinem offenbar allerbesten Roten ein.

Er roch, bevor er noch den ersten Schluck nahm, und hob dann die Augen voll Seligkeit zu den ersten Sternen, die da am Himmel aufleuchteten. «Man sollte vielleicht nicht immer so über die weinsaufenden Spießer lachen», flüsterte Anna-Ly in Sintbads Ohr, «ich glaube, unter ihnen, zumindest unter denen vom früheren Jahrgang, gab es schon Volk, das auch irgendwie gut war. Schau, dem Graf kommt es gar nicht auf das Trinken an, der ist schon vom bloßen Duft berauscht, ist schon sternhagelvoll-verladen, so richtig stoned und sieht schon sein Paradies – wie ein alter

Sufi, wie wir sie einmal in Isphahan antrafen, als wir einmal in ganz Iran herum nach dem Rudi Gelpke suchten.»

Zufrieden, wahrscheinlich hatte er gar keinen richtigen Schluck aus dem nun im Kerzenlicht rot funkelnden Glaskelch getan, stellte der Hippie-Graf seinen Wein wieder auf die Tafel.

Er blickte in die Runde und begann mit leiser Stimme, so leise, daß ihn wirklich nur diejenigen hörten, denen es darum war: «Ihr werdet wohl wissen, trotzdem ihr sicher alle die letzten, vielleicht auch die allerersten, echten Abenteurer unseres Abendlandes seid, daß wir in einem verdammt literarischen Zeitalter leben.

Es ist ja möglich, daß wir langsam aus der Milchstraße der Druckschwärze, also der Tintenstraße, aus der Gutenberg-Galaxis herauskommen und daß unser Schicksalsstern langsam wieder dem wie ein Regenbogen bunten Universum der Volksinger und Märchenerzähler zusteuert – für den Augenblick strömen aber aus den Druckmaschinen, auf alle Fälle für die überwältigende Menge der Zeitgenossen, nicht nur Telephonbücher und Fahrpläne ihrer Züge und Flugzeuge, sondern auch die Fahr- und Stundenpläne für ihr ganzes Dasein.

Ihr alle merkt es sicher jeden Tag, wie sehr die ganze Verhaltensweise der meisten von uns – und sogar noch immer der Großteil der Verhaltensweise der Minderheit, die etwas aus den Bahnen der Allgemeinheit ausbricht – in ganz erstaunlichen Ausmaßen von dem von ihr genossenen Lesestoff bestimmt, gesteuert, gelenkt wird. Man begeht meistens gar nicht voll Freude und Lust und Leidenschaft Taten, Heldenfahrten, Abenteuer, die dann später fahrende Barden besingen dürfen – nein, man wird erst durch das Gelesene zu seinen Handlungen angeregt.

Beispiele?

Ich möchte doch, in aller Berg- und Meerteufel Namen, um mich herum etwas anderes sehen, als nur immer lauter Beispiele, Beweise für meinen schönen Lehrsatz!

Eine gewisse Art von französischen und deutschen Zeitungen lebt zum Beispiel ausschließlich von Eheskandalen, vor allem von denen von Kaisern, Mitgliedern des Kennedy-Klans und ähnlichem Volk – aber auch die kleine Frau Schulze aus Ober-Kaffstein erhält gelegentlich einen Beitrag mit Photos, damit man ja merke, daß auch der kleine Mann aus dem niederen Volke zu vorbildlichen Hochleistungen auf dem Gebiet der zwischenmenschlichen Sauerei befähigt ist.

Andere Blätter leben von den Entlarvungen der Betrügereien von scheinbar so biedermännischen Gemeindeschreibern, die dank ihren lieben Steuerzahlern offenbar zum guten Teil befähigt sind, in Paris Luxuswohnungen mit Spiegeldecken und Maitressen mit zahmen Geparden zu halten. Andere Zeitungen bearbeiten sehr fachmännisch die Rüpeleien der Obrigkeit, teuflische Kriegsgrausamkeiten und so weiter.

Der spannende Stoff wird ihnen allen ganz sicher nicht ausgehen – schaffen doch diese Veröffentlichungen fortlaufend an den Idealen, den Leitbildern, den allmächtigen Göttern des Tages.

Man darf vielleicht mit einiger Berechtigung etwas bezweifeln, ob vor dem Druck des Kinsey-Reports und verwandter Bücher über Sexualforschung sich alle die Amerikaner wirklich schon ganz im Sinne dieser Werke in so unglaublichen Ausmaßen und hauptamtlich mit Homoerotik, Sodomie, Gruppensattlerei und ähnlichen Dingen abgaben: seit dem Erscheinen dieser Bestseller tun sie es aber ganz zweifellos...

Wo ist der Filmstar, der Industriekapitän, der, wenn er nur genug Schweinereien über seine Berufsgenossen las, nicht Tag und Nacht davon träumt, alle, alle Kollegen durch seine schonungslosen Selbstenthüllungen bei einer Pressekonferenz oder durch das glänzende Spiel der Zeugenaussagen vor dem erstaunten, beglückten, gerührten Scheidungsrichter in den Schatten zu stellen – also jedermann durch Bilder aus seinem Privatsumpf zu übertreffen?

Wo ist der Staatsmann, der stark genug ist, nicht vom giftigen Neid angefressen zu werden, wenn er fast stündlich vernehmen muß, wie großzügig die andern Inhaber seines Amts in den Nachbarländern den Frieden der Welt und das ganze Fortbestehen der Menschheit gefährden? Während eine Niete wie er es nicht einmal fertigbringt, seiner Heimat auch nur eine winzige unlösbare Rassenfrage, den geringsten Bürgerkrieg in einer abgelegenen Provinz, auch nur gelegentliche Schlagzeilen über einen malerischen Aufstand in den Slums zu bescheren?

Wo ist der stramme, von seinem harten Beruf begeisterte Offizier, der, wenn er von Spannung fiebernd, genug über ausgeklügelte Unmenschlichkeiten von Waffengefährten gegen faule, schwächliche, dazu noch langhaarige Rekruten erfuhr, nicht stündlich ruhelos daran sinnt, sein Hirn zermartert, möglichst schon bald der Öffentlichkeit einen gehaltvollen ‹Fall› in gleicher Richtung zu bescheren? Der Gammler-Graf nippte wieder an seinem roten Glase, und der Duft, der Geschmack schien ihn zu überfallen, gleich einer Erinnerung, einem Traum:

«Doch näher zu meiner eigenen Angelegenheit!

Wie man wohl weiß, begann auch nach der letzten Welle lesenswerter utopischer Romane wirklich jedermann Fliegende Teller und lieblich grüne Menschlein vom offenbar paradiesischen Venusplaneten oder auch von etwas entfernteren Sternen zu erblicken. Sofort nach den ersten einigermaßen gemeinverständlichen Aufsätzen über andere Dimensionen, begann man sich allgemein mit solchen Dingen zu beschäftigen.

Selbst die ehrwürdigsten Gelehrten, die früher gleich unberührbaren Hohepriestern in ihren Arbeitsstuben und Laboratorien den Dienst ihrer für das Volk unerreichbaren Religion Wissenschaft zelebrierten, wurden vom allgemeinen Rummel mitgerissen und stürzten sich, es nicht wenig steigernd, in das immer wildere Getümmel. Ein berühmter Physiker hat sich mir gegenüber, darauf Flasche um Flasche leerend, bitterlich beklagt, wie er, um die neuesten Ergebnisse seiner geschätzten Mitzünfter zu vernehmen, nicht mehr die gelehrten Abhandlungen der Akademien, sondern die Schlagzeilen der auflagestärksten Tageszeitungen lese: So eine schöne Pressekonferenz mit Blitzlicht und platinblonden Sekretärinnen, das sei bald für jedermann der Höhepunkt seines Erdendaseins.

Diese mißverständlichen und auch dauernd mißverstandenen Schlagzeilen heizten auch das ganze Volk endgültig in einen kosmischen Taumel: Statt wie früher sein Kartenspielchen zu klopfen, veranschaulicht heute jeder Dupont oder Meier seinem Stammtisch in der hintersten Pinte – mit Hilfe von Bierdeckeln, Zündholzschachteln und Autobusfahrscheinen – die Möglichkeit einer Antimateriewelt, von Paralleluniversen und des mehrschichtigen Gefüges unseres Kosmos.

Der wahre Wert meiner eigentlichen wahren Geschichte, meine lieben jungen Freunde, er beruht nur darin, daß sie aus den heute so gern verklärten Jahren vor dem ersten Weltkrieg stammt, also nicht etwa von heute ist. Also nicht aus unserer unruhigen Gegenwart, wo dank der Beliebtheit von irgendwelchen, in allen utopischen Romanen besungenen und nach den erwähnten Schlagzeilen sogar mathematisch und physikalisch möglichen Zeitphänomenen – bald jeder gelangweilte Normalverbraucher seinen Regenschirm schon eine geschlagene Stunde vor jenem Augenblick findet, wo er ihn besoffen verloren hat...

Also, jetzt endgültig zur Sache!

Auch mit der Mäßigkeit sollte man gelegentlich etwas Maß üben. So dachte ich damals auf einer meiner Reisen, ihr würdet heute sicher von einem Trip reden, und kehrte irgendwo im schönen

Südfrankreich in einer Wirtschaft ein, deren halbverblichene Anschrift sich die ganz großen Weinkenner nur flüsternd-ehrfürchtig gegenseitig anvertrauten.

Gar manch gutes, geradezu nie erlebt-gutes Gläslein kippte ich da in der kleinen düsteren Stube mit den von Fliegendreck und Spinnenweben überklebten Fenstern, im Kreise der dunkelgebrannten Landleute.

Man war damals noch einigermaßen unter sich: Die widerliche Sünd-Flut der fetten, Sehenswürdigkeiten photographierenden, alle Pinten in Mischungen von teurer Bar mit unfähigem Bordellbetrieb verwandelnden Reisenden aus allerlei Wirtschaftswunder-Reichen war damals, Gott Bacchus sei Lob und Dank, noch nicht erfunden. Es gab bekanntlich nur die paar rotbärtigen, wie traurige, gezähmte Bären aussehenden, russischen Großfürsten, die, wahrscheinlich weil sie das Ende ihrer Zeit aus der Zukunft herandonnern hörten, in den Spielsälen von Monte Carlo ihr Geld dem alten Automatenschwindel und der schönen Zigeunerhexe Otero opferten.

Also saß ich mit meinen Südfranzosen, die für mich kein Auge hatten, da schließlich in ihrer Welt seit undenklichen Karthager-Tagen kein anderes Wunder als der Wein der Bewunderung wert war, und verbrachte manche herrlich-endlose Trinkstunde. Und ich wäre wahrscheinlich bis in die warme Nacht hinein dagesessen – wenn nicht, ja wenn nicht, mich ein sehr verständliches und außerordentlich menschliches Bedürfnis übermannt hätte.

Nur wenig unsicher stand ich auf und begab mich, von mir nicht ganz verständlichen provenzalischen Erklärungslauten des Wirts gelenkt, zur richtigen Tür.

So weit so gut, doch dann begann eine fast unvorstellbare Irrfahrt: Ich tastete mich durch einen schier endlosen und sehr finsteren Gang; über morsche Bretter, ganze Berge halbverfaulter, vergilbter Anarchisten-Zeitungen, durch Spinnennetze und durch einen wahren, schmerzhaft klirrenden Wald von Bauchflaschen – aus irgendeinem Grunde stellte ich mir sehr lebhaft vor, daß ein paar von ihnen ganz sicher Piratenbotschaften mit Nachrichten über vergrabene Inselschätze enthielten.

Sogar gegen eine fast echt aussehende und entsprechend armlose Griechengöttin stieß ich.

Ich kratzte mich dank einer ungemütlich sargähnlich anmutenden Matrosenkiste an einem rostigen Nagel und rannte sogar um ein Haar mit dem Bauche in ein Seitengewehr, das wahrscheinlich noch ein großschnäuziger Krieger des Korsen Napoleon hier liegengelassen hatte. Ich erschreckte zusätzlich eine magere Ziege, die sich auf ganz unverständliche Art und Weise hier hineingezwängt hatte, und mehrere Sippen vermutlich verschiedenfarbiger – im Dunkel aber sprichwörtlich-einheitlich grau erscheinender – Katzen.

Eine Holztür, in die ein Fensterlein mit den ungleichmäßig geratenen Umrissen eines Herzens ausgeschnitten war, gab endlich mit einem altersschwachen Ächzen nach – ich stolperte in einen engen, von allerlei Gerät-Schuppen umstellten Innenhof. Nach dem Aufenthalt in der dämmrigen Weinstube und der seltsamen Irrfahrt durch das Reich des Gerümpels blendete mich die Helligkeit des Tages.

Die heiße Sonne des Südens neigte sich, ganz sinnvoll für die schon ziemlich vorgerückte Stunde, langsam gegen den Westen zu und badete dabei die kleine Welt der abgenutzten und überflüssigen Geräte, wahrscheinlich alle im Gebrauch für den Weinbau der Großväter-Zeit, in ein rötliches Abendlicht.

So weit so gut.

Doch ich merkte es beinahe sofort, wahrscheinlich gefühlsmäßig, fast wie ein Tier mit allen bekannten und gleichzeitig mit allen noch unerforschten Sinnen. Etwas stimmte einfach nicht mehr, stimmte überhaupt nicht! Eine solche Beleuchtung, wie sie mich jetzt umgab, hatte ich eigentlich nie wahrgenommen – nicht einmal in einem meiner wunderbarsten Träume, nicht einmal in Alpdruck-geschichten des Fiebers.

Mit langsam anwachsendem Staunen beobachtete ich nun, wie langsam aber sicher das Bild aller alltäglichen Dinge, der im Innenhof herumstehenden Fässer, Pressen, Zweiräderwagen und Bretterschuppen in immer ungewohnteren Farbenspielen verschwamm, damit immer unwirklicher wurde.

Und auf einmal, da merkte ich es, dies trotz dem reichlich genossenen Wein und meiner schon damals einigermaßen fortgeschrittenen Übung, Gewöhnung an alles im üblichen Sinne Ungewöhnliche: Ein grünlicher Halbkreis hob sich jetzt im Osten über eines der niederen und flachen Holzdächer.

Ich riß meine Augen weit auf, ich krallte mir alle Nägel in die Handrücken, daß ich vor Schmerzen aufschrie und noch nach einer Woche die Zeichen davon trug – was ich nun sah, erlebte, war keine Täuschung, war und blieb unbestreitbar! Ich schaute, dies noch während eines hellen, klaren südlichen Tages, einen zweiten Sonnenaufgang; das Erscheinen eines zweiten gleichgroßen Tagesgestirns. Noch bevor ihre halbwegs natürlich und

gewohnt aussehende Schwester in der Nacht versank, stieg, als täte
sie es schon seit etlichen Jahrmilliarden, eine saftig-grasfarbige
Sonne am Himmel empor...

Wie von allen sieben Teufeln gehetzt stürmte ich durch die täuschende Türe mit dem Herzen, stolperte halsbrecherisch durch den
gefährlichen Schrund und Rümpel und erschien im Gastraum.

Ich kann mir vorstellen, daß ich nicht viel anders aussah als der
alte Grieche Orpheus, da er nach dem mißglückten ersten Besuch
in der Unterwelt in der Hadespinte einkehrte, sich mit einem Glas
Kreterwein ein wenig wieder ins Gleichgewicht zu bringen. Ich
will euch aber nicht verhehlen, daß kein Mensch von meiner nach
meiner Auffassung ziemlich berechtigten Verwirrung viel Kenntnis nahm – nur über das Antlitz des beleibten Phönizierwirts
zuckte etwas wie ein spöttisches Lächeln. Vielleicht habe ich mir
dies auch nur eingebildet.

Möglichst rasch beglich ich meine Zechschulden und suchte die
Fortsetzung meines Weges – freilich nicht, ohne zwei Dutzend der
Fläschlein des wahrhaftig unvergleichlichen, herzerfrischenden
Trankes zu erwerben und mit viel Umsicht in meine geräumigen
Reisetaschen zu stopfen.

Die Landleute, alles bewährte Weinbauern aus der Gegend, hatten
nun alle das Lächeln des Wirts und schienen sich ob meinem über-
eiligen Aufbruch gar nicht sehr zu verwundern: Erklärten sie ihn
wohl aus meiner Trunkenheit? Waren sie vielleicht schon alle in
verwandte Abenteuer gestolpert, und empfanden sie darum eine
linde Schadenfreude? Ich wollte es gar nicht herausfinden.

Und das ist eigentlich schon ganz und gar alles, meine lieben
jungen Freunde!

Ich lasse es mir einfach nicht nehmen: Irgendwo in Südfrankreich
gibt es ein Fenster, von mir aus eine Holztüre mit einem ausge-
schnittenen Herzlein daran, durch die man spielend, mit einem
kleinen Kinderschritt über Lichtjahre, vielleicht auch durch die
Zeitschwelle der Jahrmillionen, in eine andere Welt zu gelangen
vermag.

Stellt euch nur vor, diese Zaubertür würde irgendwo in einer
mächtigen Stadt klaffen und allgemein bekannt sein! Was könnten
bloß daraus für unmenschliche Scheußlichkeiten erwachsen und
unsere ganze Erde mit zusätzlichen Ungeheuerlichkeiten über-
schwemmen! Man würde, genau wie man es gegenüber den
Azteken und Inkas tat, eine Schwestererde zu erobern suchen,
oder man würde vielleicht auch selber die gräßlichen Barbaren-
einfälle aus einer andern Dimension erleben. Schließlich auch –

wer weiß schon, was die Völker jenes andern Universums für
Waffen ihr eigen nennen: Wenn man schon bei uns vollständig
größenwahnsinnig wurde, nur weil man etliche schäbige Jahrhunderte überzeugt war, die strahlende Sonne drehe sich voller
Verehrung um uns – was mußte da vielleicht mit uns wesensver-
wandten Menschen geschehen, um die scheinbar sogar zwei der
Sonnen herumtanzten?

So ist es für uns sicher ein kaum verdientes Glück, daß der geheime Gang zwischen unserem Universum und dem des Zwil-
lings-Gestirns nur einem kleinen französischen Wirt und dessen
Spießgesellen bekannt ist; aus tiefer Weisheit genügsamen Menschen, die ihn offenbar nur dazu nutzten – es vielleicht heute noch
tun! –, um für sich und ihr ganzes Dorf einen vorzüglichen Rotwein zu schmuggeln: einen Wein, köstlich gereift unter der zwei-
fachen Bestrahlung eines sozusagen doppelten Südens.

Und nun, Gesundheit, liebe Freunde!

Was ihr heute trinkt, das ist die letzte der Flaschen, erstanden von
jenen rätselhaft lächelnden Provenzalen nach jenem unvergeßlichen Abenteuer. Ich habe sie wie mein kostbarstes Gut gehütet,
weil ich immer auf eine Jugend wartete, der ich meine Geschichte
erzählen könnte.

Ich weiß, ihr habt leider nicht viel Verständnis für den Wein, ihr
zieht andere Sachen vor, aber die hat ja wahrscheinlich auch der
gute Bacchus wachsen lassen.

Aber versteht ihr alle zusammen auch das Weintrinken nicht, so
versteht ihr doch wieder ein wenig jene großen Trinker von einst,
die ihn einst tranken: nicht wie der müde Spießer, der ihn eilig
herunterschüttet, seinen gestrengen Vorgesetzten, seine keifende
Lebensgefährtin zu vergessen – sondern die ihn tranken als Gruß
an alle Mächte von Sonne und Erde, die Rebensaft in ihrer Wun-
derküche hervorbrachten.»

Wir stießen an.

Zum erstenmal in seinem Leben ließ Sintbad den Wein genieße-
risch auf seiner Zunge zergehen.

Dann trat er an die Brüstung der Laube und blickte zum schwarz
gewordenen Himmel, auf dem gerade die ersten Gestirne aufleuchteten. Es schien ihm... Er schloß die Augen, öffnete sie
wieder – nein es war keine Täuschung mehr möglich, er sah es ganz
deutlich!

«Anna-Ly», rief er leise, um die andern nicht zu stören, «blick
doch zu jenem Gestirn über jener Eiche. Blicke genau und sage
mir dann, was du siehst.»

«Der große Stern dort?» fragte Anna-Ly, «der Stern? Wart mal, jetzt sehe ich es genau.

Das Sternlein dort, es löst sich auf, es ist, glaube ich, genau genommen doppelt. Es scheint mir, es bestehe aus zwei Lichtpunkten, zwei eng miteinander verbundenen Schwester-Sonnen. Du! Ich glaube, jetzt kann ich sogar die Farben erkennen: Vertraut gelblich-rot, genau wie die unsere, ist die eine.

Die andere – sie ist grasgrün.»

Eugen Gomringer

VISUELLE POESIE

seh-signale, seh-texte, schriftbilder in mannigfaltigen formen begleiten und bestimmen unser tägliches verhalten. sie vermitteln uns mehr oder weniger wichtige informationen, sie verführen uns, warnen uns, reizen uns und sind insgesamt aus unserer künstlichen umwelt nicht wegzudenken. die überfülle ihres vorhandenseins verursacht aber auch ermüdung, was zur nichtbeachtung und zur abstumpfung führt. nur noch wenige sind sich bewußt, daß unsere schriften aus einer bestimmten zahl von buchstaben bestehen und daß diese markante, eigenartige formen aufweisen.

anderseits wurden und werden schriftzeichen künstlerisch gepflegt, immer wieder neu durchdacht und neu entworfen. dies gilt auch für die einzelnen lettern unserer alfabetischen sprachen, und es gilt für die gestaltung größerer textmengen. es gab auch immer zeiten, wo sich dichter ganz besonders mit der sichtbaren form, mit dem bild der schrift beschäftigten, um die visuelle wirkung ihrer werke nicht dem zufall zu überlassen.

die konkrete poesie, die anfangs der fünfzigerjahre das schriftbild und seine existenz auf der fläche nicht nur als mittel sondern auch in bestimmten fällen als substanz einsetzte, ist einer der konsequentesten versuche, poesie inter- und übernational zu begründen. mehr noch als die lautkontakte, mit denen sie sich ebenfalls befaßt, sind es dabei die seh-kontakte, welche eine kommunikation verschiedenster gruppen der weltbevölkerung ermöglichen.

visuelle poesie kann grundsätzlich auf zwei wegen entstehen. erstens als visualisierte poesie, als konkretion poetischer ideen und einfälle mit den zeichenvorräten der geschriebenen sprachen. zweitens aus einer bearbeitung von textmaterial, z. b. indem einzelne

buchstaben-gestalten verwandelt, neu gesehen werden, zu neuen
ästhetischen signalen zusammengestellt werden, oder indem längere texte aus der gewohnten umgebung herausgelöst und in neuer
form wiedergegeben werden. in vielen fällen wird der dichter dadurch zum anreger, gestaltungsaufgaben von anderen gesichtspunkten her zu sehen und zu lösen.

BEWEGLICH

beweglich
weil weglos

weil weglos
leicht

leicht
weil machtlos

weil machtlos
gefährlich

gefährlich
weil beweglich

weil beweglich
weglos

weglos
weil leicht

weil leicht
machtlos

machtlos
weil gefährlich

weil gefährlich
beweglich

DER EINFACHE WEG

der einfache weg
    ist
einfach der weg
    ist
der einfache weg
    ist
einfach der weg
    ist
der einfache weg

WORLDWIDE

von airport
zu airport

von safety
zu safety

von center
zu center

von design
zu design

von relax
zu relax

von stress
zu stress

von smog
zu smog

von virus
zu virus

von knall
zu knall

von fall
zu fall

erscheint
erscheint
erscheint

scheint viel
scheint außen
scheint wechselnd

ist immer
ist innen
ist wenig

scheint viel
scheint außen
scheint wechselnd

verschwindet
verschwindet
verschwindet

Walter Gross

IM AUGUST

Zwei Wochen schon
steckt zwischen den Zeitungen
der schwarzumrandete Umschlag
im Briefkasten,
noch lebt der Freund
für die nach Riccione Verreisten.
Die Katze schläft zwischen
den Geranien,
Leute klingeln an Türen,
die irrtümlich und verschlossen sind,
stehen auf der Strasse,
reden in unverständlicher Sprache,
beladen mit Blumen und Koffern.

Nur die Italiener sind geblieben,
die abends am Straßenrande Boccia spielen,
während ich im Biergarten sitze
und eine Arbeit vergesse,
die zu tun sein wird.

AN CESARE PAVESE

Wo mag denn das armselige Zeug sein:
deine Brille, dein Tabaksbeutel,
dein Schreibzeug?
Wo blieb das in dieser verfluchten Stadt,
in der man Kilometer unter steinernen Lauben
läuft, in der Süßwarenläden wie Apotheken
und Apotheken wie Süßwarenläden aussehen?
Weshalb wolltest du nicht mehr wissen,
wie ein Schluck Wein im Munde schmeckt,
ein Stück Ziegenkäse?
Weshalb wolltest du die Fische nicht mehr sehen
in ihren Kisten, gebettet in Grünzeug
und Eis im harten Glanz der Frühe,
nicht mehr den rotzgrünen Fluß
und die Boote kieloben am Ufer,
den roten Sand der Tennisplätze
im Laub der Bäume,
die Kinder nicht mehr
mit ihrem Himmel- und Höllspiel
auf den Straßen.
Warum wurden dir die Worte übel im Mund
und ertrugst du nicht mehr den Arbeiter
mit seinem Kaffee und seiner Zeitung
vor der Theke, ehe das Tagwerk anfängt?
Noch ist nicht getan, was getan werden muß,
du fehlst uns an diesem Morgen,
fehlst uns am Mittag, am kommenden Abend
und morgen und übermorgen erst recht.

AUS DEN WÄLDERN

Aus den Wäldern,
aus verharschtem Schnee,
Tannadeln im Haar, kam ich,
im Ohr den pfeifenden Flügelschlag
der Wildente, Harzgeruch im Rock,
die Hände gebräunt von Rauch.

Mein Bruder,
kenne ich dich an deiner Stimme,
am Hutschatten im Gesicht,
an deinem Wort, geschrieen
oder verschwiegen, wenn der Wind
verhält.

Mein Bruder,
mir gegenüber am Tisch,
der du dein Brot brichst,
schweigsam die Suppe löffelst,
während mir die Ader am Halse schwillt
von zuviel noch an Unrecht und Not,
bleibe ich ruhig, wenn du sagst,
morgen, es kommt der Tag,
die Zeit ohne Angst,
schon ist der Fallwind im Tal,
von den Bäumen fällt die Last,
der Schnee.

EPISTEL

Sie sagen dir:
lege, wenn du fortgehst, den Laib
Brot in den Schrank zurück,
gieße den Rest Milch aus,
er wird verdorben sein,
kehrst du wieder,
das Stück Käse wirf auf den Platz
vor dem Haus, die Vögel
werden es finden,
schließe den Kasten und,
bist du durch den Flur geschritten,
die Tür.

Aber das wirst du tun:
lasse den Laib Brot auf dem Tisch,
den Krug mit der Milch stelle
in Schatten und Kühle, decke
das Stück Käse mit einem feuchten Tuch,
lasse den Kasten offen und, bist du
durch den Flur geschritten, offen
die Tür,
wer auch kommt nach dir,
kommt über die Schwelle,
ist dein Bruder.

Manfred Gsteiger

WESTWIND
Begegnungen mit der französischen Schweiz

Zwischen dem Dorf, wo ich aufgewachsen bin, und der Sprachgrenze lagen drei Kilometer. Eigentlich müßte es heißen: sie liegen, denn soviel sich seither auch verändert hat, die mit dem Zeichenstift auf der Landkarte fast millimetergenau zu bestimmende
Trennungslinie verläuft immer noch am selben Ort, und vermutlich wird es bis auf weiteres auch so bleiben (allerdings belehrt uns
der Blick auf Osteuropa, daß solche Grenzen über Nacht um Hunderte von Kilometern zurückfallen oder vorrücken können – eine
Warnung für alle Volkstümler, die sich an das «Bodenständige»
klammern, als sei es etwas Endgültiges). Aber was für die konkrete Geographie zutrifft, erfährt im Innern manchmal merkwürdige Korrekturen. Seit ich vom kleineren an den größeren See,
nach Neuenburg, gezogen bin, gehört für mich die Abmessung
der Distanz zwischen Twann und Schafis/Chavannes (wie es offiziell heißt) ins Präteritum. Es ist keine große Reise, die ich hinter
mich gebracht habe, aber sie dauerte etliche Jahre, und sie hat mich
in eine andere Welt geführt, deren Anderssein durch die verwandten Züge, die sie mit der ersten hat, mehr unterstrichen als
gemildert wird.
Drei Kilometer also. Das galt «gradaus» nach Westen, auf der
asphaltierten Seestraße. Ging man bergwärts, durch die Schlucht,
wo in der Tiefe der Twannbach über die Steine strömte und im
grünen Halbdunkel einzelne Sonnenflecken sich auf dem Wasser

bewegten, den engen Fußweg entlang, manchmal über Stufen, die
in den stets etwas feuchten Felsen eingehauen waren, kam man zu
den «Mühlenen», les Moulins, einer Häusergruppe am Eingang
zur Hochebene. Auch hier wurde bereits französisch gesprochen.
Aber das «Welschland» lag für uns doch viel mehr «gradaus» im
Westen, vorüber an den alten Herrenhäusern von Ligerz und der
gotischen Kirche auf halber Höhe im Rebberg, mit den Wappen
der einstigen herrschenden Familien von Bern im Gestühl, und
wenn dann die Türme von Neuenstadt vor einem waren, die
«Blanche Eglise», die «Tour de l'Horloge», die «Tour Rouge»,
dann war man schon mitten drin «im Welschen». Diese Seestraße
war zuzeiten so idyllisch ruhig, daß wir sie in der Turnstunde für
die Langlaufübungen benützten; manchmal kam dann – es war
während des Zweiten Weltkriegs – ein Auto mit einem kuriosen
Kessel am Heck gemächlich dahergefahren; wir begrüßten den
Holzvergaser mit Hohngeschrei, brüllten «Bravo die Waschküche!», und einige von uns munkelten, der da habe sicher auch
«schwarzes» Benzin in seinem Aufbau, wie der Herr Soundso, den
es neulich erwischt habe.

Das Welschland, so nah und zugleich so fern, war das «Andere»,
das Fremde auch, dann und wann sogar das Feindliche. Bei einem
Schulausflug auf den Tessenberg erlebte ich, wie ein kleines Mädchen, das uns, an einen Gartenzaun gelehnt, beim Herankommen
kritisch musterte, unversehens sagte: «Voici les boches!» Wir
wußten nicht recht, was «boches» seien, aber daß das Wort etwas
Unschönes bedeutete, das ahnten wir. Umgekehrt skandierten wir
dann: «D Franzose, mit de rote Hose, mit gälbe Finke, pfui die
schtinke», und der Lehrer hatte gegen solchen Jugendchauvinis-
mus nichts einzuwenden. Im Welschen war es so, daß man die
Wörter nicht gleich las, wie sie geschrieben wurden, das empfanden wir als barbarisch, und wir machten uns ein Vergnügen daraus, Ladeninschriften und andere Texte in alemannischer Intona-
tion herunterzubuchstabieren. Später wußte ich dann, daß die
anderen uns als Barbaren betrachteten.

Von Westen kam das Wetter, das gute und das schlechte. In der
Ferne begrenzte die blaue Kuppe der Montagne de Boudry den
Horizont. Über ihr baute sich das Gewölk auf, manchmal war sie
von grauen oder schwarzen Gewittervorhängen verdeckt. Im
Rebberg roch es nach Vitriol und sonnengewärmten Steinen. Im
Rücken hatte man den Hang, darüber den Wald, die erste Jura-
höhe. Der Blick ging nach Westen. Am Abend überzog die unter-
gehende Sonne den Himmel mit violetten, grünen und gelben

Streifen. Der Westwind brachte das Wetter, er brachte eine Ahnung von Fremde und Weite. Links lag im See die St. Petersinsel wie ein dunkler Fisch. Ich weiß nicht, wann ich den Namen von Jean-Jacques Rousseau zum erstenmal vernahm; in meiner Erinnerung gehört er von jeher zur Petersinsel. Man hatte von Rousseau keine Zeile gelesen, aber man sprach von ihm wie von einem alten Bekannten. Die wilden Kaninchen auf der sogenannten «kleinen Insel», einem Hügel im Westen der großen, hatte er ausgesetzt (später habe ich es in den «Confessions» nachlesen können); im «Kloster», dem alten Verwaltungsgebäude auf der Insel, zeigte man uns den Raum, in dem er gelebt hatte, und eine Bodenklappe, durch die er sich den Besuchern entzog. Das gab mir schon damals eine aus Hochachtung und Mißtrauen gemischte Vorstellung vom Verhalten des Schriftstellers in der Gesellschaft. Mein Vater besaß ein Stück einer alten Faßdaube mit dem eingebrannten Familienzeichen des Winzers und Küfers: Mond, Sterne, gekreuztes Handwerkszeug, ein Hirschgeweih und ein Engel; er hatte es von einem Nachfahren jenes Inselschaffners Gabriel Engel erhalten, der Rousseau in seinem Haus beherbergt hatte, und von ihm sollte es nach sicherer Überlieferung stammen. Das Brett hängt heute über meinem Schreibtisch. Auch da verspürte ich Westwind, aber mit den Franzosen mit den roten Hosen hatte das nichts mehr zu tun. Hier berührte mich etwas ganz persönlich. «Les rives du lac de Bienne sont plus sauvages et romantiques que celles du lac de Genève...» Und: «De toutes les habitations où j'ai demeuré (et j'en ai eu de charmantes), aucune ne m'a rendu si véritablement heureux et ne m'a laissé de si tendres regrets que l'île de Saint-Pierre...» Romantisch! Noch kannte man das Wort kaum. Aber am Sommerabend, wenn der letzte Dampfer die städtischen Besucher weggeführt hatte, das Boot unten im Schilf lag, die Wasservögel leise quakten und quarrten und man hinaufwanderte vom «Kloster» auf die Inselhöhe, wo im Mondschein zwischen den Stämmen der alte Pavillon stand, war die Sache da, lange vor den Worten, und was man später dann las, sei's bei Rousseau, sei's bei Eichendorff, war nicht mehr Entdeckung, nur Bestätigung.

Es kam dann die Zeit, da man in der zweisprachigen Stadt am Marmortischchen auf dem Trottoir seinen Kaffee trank, den zusammengefalteten «Figaro littéraire» so in die Tasche geschoben, daß der Titel noch zu lesen war. Im Kino sah man viermal nacheinander «Les Jeux sont faits»; der welsche Buchhändler, bei dem ich ein und aus ging, schob mir damals – ich weiß noch genau, es war 1947 – «La Peste» zu: Das und nichts anderes müssen Sie jetzt

lesen! Und in der Schule hatte man uns auf die «Fleurs du Mal»
geführt: mit diesen Gedichten lebte man, ein zweites, intensiveres
Leben öffnete sich, mit faszinierenden Abgründen, aus denen eine
Musik aufstieg, die man noch nie vernommen hatte. Nun erkannte
man in der fremden Sprache unversehens Eigenes. Man atmete und
lebte im Westwind, und hinter den Jurahöhen wußte man nun
etwas Neues, geheimnisvoll Berauschendes: Paris.
C.-F. Ramuz hat an vielen Stellen – im Roman «Aimé Pache,
peintre vaudois», in «Paris, notes d'un vaudois», in den Briefen –
davon geschrieben, was die große Stadt für die Selbstentdeckung
und Selbstwerdung eines jungen Menschen bedeuten kann. Er hat
auch von der Rückkehr in die angestammte Heimat geschrieben
und von den Schwierigkeiten dessen, der französisch denkt und
fühlt und doch kein Franzose ist. Provinz, war dies das Stichwort?
Provinz gibt es in Frankreich, la Normandie, le Poitou, la Pro-
vence, schöne, kräftige, trotz jahrhundertelangem Zentralismus
lebendige Provinz. Aber wenn man, von Westen her kommend, in
Pontarlier oder La Plaine die Grenze überschreitet, ist etwas anders. Ramuz hat es gesagt: «une province qui n'en est pas une»,
eine Provinz, die keine ist. Ich bin Deutschschweizer, nicht Wel-
scher, meine Provinz war – und ist – aus einem andern Grund
keine: weil es im deutschen Sprachgebiet überhaupt nur Provinz
gibt. In Paris fand der Student das, was er sonst nirgends gefunden
hatte: das Universum, auf engem Raum versammelt, die Welt in
der Nuß. Als mir einmal nach ein paar gewechselten Worten ein
alteingesessener Pariser sagte: «Mais vous êtes Parisien, Monsieur», glaubte ich sehr stolz sein zu dürfen. Aber über Frankreich,
über Paris habe ich einen Weg in die französische Schweiz gefunden. Ich kam, als Deutschschweizer, nun von Westen. Zwischen
«Voici les boches» und «Mais vous êtes Parisien» liegt mein Verhältnis zur französischen Schweiz.
Die Welt in der Nuß, sollte es das nur in Paris geben? Vor zehn
Jahren etwa war es. Meine Frau und ich hatten in Sitten über-
nachtet. Am Morgen fuhren wir mit der Eisenbahn das Rhonetal
hinab bis nach Chamoson, wanderten zur romanischen Kirche von
Saint-Pierre-de-Clages und von dort weiter, durch Weinberge,
ausgetrocknete Bachbette, Geröll, stachliges Gebüsch in der Mittagshitze dem Burghügel von Saillon entgegen, der sich am Horizont im Gegenlicht dunkel abzeichnete. Und schließlich betraten
wir durch ein halbverfallenes Tor die kleine Stadt, die am Hang
aufgeschichtet liegt, und stiegen durch die Gäßchen bis zum alten
Kirchhof empor. In der Ferne die Rhoneebene, Grau, Silber,

etwas Grün, die Windungen des Flusses leuchteten, in den Bäumen um uns rauschte und sauste der Wind, der das Tal hinauf streicht, unten sah man die Pappelreihen sich biegen. Und plötzlich hörten wir in der Nähe ein merkwürdiges Schlagen, ein Hämmern, rhythmisch regelmäßig, dann wieder mit Unterbrüchen. Nach einigem Umhersuchen sahen wir: da hing an der Kirchenmauer lose mit Draht befestigt ein einfaches Holzkreuz und schlug im Wind des Rhonetals, im Westwind, gegen den Stein. Auf dem Kreuz war ein Name eingeschnitzt: Farinet, und eine Jahrzahl: 1880.

«Combien êtes-vous, là-haut?» ruft bei Ramuz der verfolgte Farinet den Polizisten zu. «Moi, je suis moi...» Ich bin ich. Das Individuum und die Gesellschaft. Wie war das damals mit Rousseau: die Bodenklappe, durch die er vor den Besuchern flüchtete, aber auch der Ausweisbefehl der bernischen Regierung. Schriftsteller und Gesellschaft: das Mißtrauen ist gegenseitig. Oder hat das seither geändert, hat man sich akkommodiert im Zeichen des Wohlstands? In der französischen Schweiz nicht, oder kaum. Moi, je suis moi: das ist auch die Herausforderung, welche die «Provinz» der «großen Welt» entgegenschleudert, Rousseau, Ramuz, und Amiel, der sich in sich selber hinein verbohrt und in der Herausforderung nur noch die verzweifelte Frage sieht: Bin ich – ich? Es ist das Leben eines kleinen Landes zwischen Genfersee und Saane, zwischen Juraweiden und Alpentälern, das nach seinem Platz in der modernen Welt sucht. Wenn wir hinhören, vernehmen wir seine Stimme. Und es ist ihm nicht gleichgültig, ob wir ihm antworten, denn seine Grenzen sind eng, und Paris ist weit. Vor einiger Zeit hat mir der Walliser Dichter Maurice Chappaz geschrieben: «J'aimerais souvent, comme tous les autres écrivains, rompre le cercle. Mais peut-être bien que c'est plus facile d'aller vers la Suisse allemande que vers la France. Peut-être que nous devenons enfin *un* pays malgré les langues.» Das ist gar nicht patriotisch gemeint. Aber das «vielleicht» genügt; es ist schon sehr viel.

Es gibt in diesem Land den Geist der Widerborstigkeit, Farinet vor den Polizisten: «Moi, je suis moi.» Es gibt den Entdeckergeist und den Kosmopolitismus, Blaise Cendrars, der aus seinem Jura aufbricht, und Le Corbusier, aber auch das Bücherzimmer von Coppet, in dem das ganze Europa hereingeholt ist in den begrenzten Raum. Das Land ändert sein Gesicht. «Les rives du lac de Bienne sont plus sauvages et plus romantiques...» Heute sieht man von der Petersinsel aus im Westwind die Rauchsäule von Cressier den See heruntertreiben. Nachts fährt man dort an gewaltigen

Konstellationen von Lichtern vorüber, einer unbewohnten Stadt
der Technik. Die Straße, auf der wir Langlauf übten, ist für den
Fußgänger lebensgefährlich geworden, in den Dorfgassen bringen
die Abgase die Geranien an den Fenstern zum Absterben. Die Reb-
hänge überziehen sich mit Wohnblöcken. Die Jurahöhen freilich
sind weit wie eh und je, von den dunkelgrünen Tannen bestanden
und dem kühleren Westwind bestrichen, und die Einsamkeit reicht
noch bis an den Rand des helvetischen Wirtschaftswunders. Zwischen Beharrung und Veränderung: es ist unser Land, und es ist
doch nicht unser Land, es ist Echo und Widerspruch in einem, und
es ist uns vielleicht dann am nächsten, wenn wir es nicht als ein
Spiegelbild, sondern als ein lebendiges Gegenüber verstehen und
lieben.

Kurt Guggenheim

MIT DEM BAHNHOF HAT ES SEINE EIGENE BEWANDTNIS

Vor dem Bahnhofgebäude klappten die beiden Hälften der auto-
matischen Wagentüren auseinander, halb einladend, halb gebie-
terisch, und ich beeilte mich, der Aufforderung Folge zu leisten,
bevor sie wieder zuschnappten. Ohne zu zögern, wanderte ich in
die Bahnhofhalle hinein, als gelte es, einen Zug zu erreichen, ab-
zureisen oder jemanden, der ankam, zu erwarten. Diese Eigen-
schaft, wo immer möglich einen Menschen darzustellen, der ein
Ziel im Auge, der etwas vorhat, gewöhnt man sich in einem ge-
schäftlichen Betrieb, insbesondere in den modernen Schalter-
hallen, wo man schutzlos den Blicken des Publikums ausgesetzt
ist, unwillkürlich an. Früher hatte man, wie auch in den Post-
gebäuden, die Schutzwände aus undurchsichtigem Milchglas, und
der pensionierte Bankverwalter Anhalter erzählte noch jüngst,
früher habe es immer so kleine Kontorräume mit der Aufschrift
«Privat» gegeben, in denen man ungestört seinen Stumpen
rauchen und die Zeitung lesen konnte.

Aber mit dem Bahnhof hat es seine eigene Bewandtnis. Ich suche
ihn oft auf, bei allen möglichen Gelegenheiten, besonders jedoch,
wenn jenes Unbestimmte, leicht Unzufriedene, Mißmutige sich in
mir bemerkbar macht. So vorwitzig will ich nicht sein und behaupten, dieser Gang zum Bahnhof ähnle jener Zuflucht in die
Kirche, die den Katholiken möglich ist, weil ihre Gotteshäuser

immer offenstehen. Das käme einer Lästerung nahe. Meine Mutter hat mir einmal erzählt, wie zu ihrer Kinderzeit Nachbarsfrauen, die sich ganz unten am Boden der Verzweiflung befunden hätten, nach weniger als einer halben Stunde nochmals in den Spezereiladen ihrer Eltern gekommen seien, nicht wieder zu erkennen, heiter, guten Mutes – getröstet mit einem Wort –, und zwar nur deshalb, weil sie eine kurze Zeit in der stillen, halbdunklen Kirche geweilt hätten. Nun, der Bahnhof hat mit dem nichts gemein, als daß auch er immer geöffnet und zugänglich ist; man hat ein Dach über dem Kopf, es geht immer etwas vor, man ist nicht allein. Während jedoch in der Kirche die Gläubigen ihren Gott finden, finden die Bahnhofgänger wenigstens an diesem Ort Mitmenschen, was in gewissen Situationen immerhin etwas bedeutet.

Übrigens habe ich die Überzeugung, daß ich da mit meiner Gewohnheit, den Bahnhof aufzusuchen, nicht allein stehe, denn allzuoft begegne ich denselben Gesichtern, Leuten, die sich, wie ich, weder im Zustande der Ankunft noch in dem der Abreise befinden, sondern sozusagen auf Zwischendeck, was wohl heißen will, weder zu den einen noch zu den anderen gehörend – bestellt und nicht abgeholt, wie die Redensart lautet. Oder abgeholt von jemandem, der nicht weiß, wem das Gepäckstück zu bestellen ist.

Besonders günstig sind naturgemäß Kopfbahnhöfe. Hier fahren die Züge nicht durch, sondern entweder haben sie hier eine Endstation erreicht, oder aber sie bilden den sichtbaren Anfang einer Reise. Man kann an Orten, die einen Kopfbahnhof besitzen, nicht vorbeifahren – es sei denn mittels einer sogenannten Spitzkehre, wo dann die Leute plötzlich verkehrt in ihrem Abteil sitzen. Dieser Bahnhof hat ferner den Vorteil, daß alle Bahnzüge sich schön nebeneinander aufreihen, und darauf folgt die große Halle mit den Stehbüffets, den Zeitungskiosken und all den an Nebenkapellen einer großen Kathedrale erinnernden Installationen, wie Billettausgabe, Gepäckaufbewahrungsorten, Geldwechselstuben, Information, Gaststätten, Waschgelegenheiten, Blumengeschäften, Coiffeuren, Trinkwasserbrünnchen, Briefmarkenautomaten und dergleichen. Die Plakate mit den Ankunfts- und Abfahrtszeiten, die amtlichen Bekanntmachungen, die großen bis riesengroßen Reklamebilder helfen mit, den Eindruck, man sei ein Müßiggänger, zu verwischen. Interessiert kann man entschlossenen Schrittes sich auf diese Ankündigungen zu bewegen, sie studieren, um sich hierauf kopfschüttelnd anderen Maueranschlägen zuzuwenden, so daß der imaginäre und unsichtbare Zuschauer, den wir hinter uns herziehen, eigentlich nie richtig im Bilde darüber ist, ob wir es wirklich so meinen, wie wir tun, als ob wir ihm oder uns selbst etwas vormachten.

Da haben es eigentlich die kleinen Sizilianer, die in Trauben und in Halbkreisen beieinander stehen, leichter als unsereiner. Sie brauchen aus ihrem bewegungslosen Zeitvertreiben kein Hehl zu machen. Sie stehen da und sparen. Sie leisten sich gegenseitig Gesellschaft, reden, diskutieren, sie sind im Trockenen, sie genügen sich selbst, der Abend verstreicht. Nur um des Lebens äußerste Notdurft verringert, sammelt sich ihr Verdienst zu bedeutsamen Guthaben, die sie eines Tages ausbezahlt bekommen und mit denen sie aus unserem kleinen Amerika des Wohlstandes auf jene geheimnisvolle Insel zurückkehren, die wie ein Fußball vor der Stiefelspitze ihres Heimatlandes liegt.

Zielbewußten Schrittes, aber ziellos irrte ich in der nächtlichen Bahnhofhalle herum, schloß manchmal die Augen, um nur die Laute zu vernehmen, die mechanischen Geräusche, jene der Rollwagen, das Kreischen von Bremsen, Gesprächsfetzen, Schritte. Das war eine alte Gewohnheit von mir: zu versuchen mit geschlossenen Augen das Bild meiner Umgebung aufzubauen, und ich hatte dabei schon längst herausgebracht, daß jeder Ort seine ihm gehörenden unverwechselbaren Partituren besaß.

Zu vermerken wäre auch, daß der Bahnhof für mich etwas enthielt, was ich nur schwer bezeichnen kann. Ich müßte sagen, es sei etwas Altmodisches, Überholtes, etwas, was schon nicht mehr so ganz sicher zur modernen Zeit gehöre. Das hängt natürlich mit den Jugenderinnerungen zusammen. Wenn es nur das sogenannte Fernweh gewesen wäre, so hätte der große Flugplatz mit der kontinentalen Romantik diesem Gefühl eher entsprochen. So aber, in dieser Bahnhofhalle, kam auch etwas ins Spiel, was nichts mit den weiten Räumen der Erde, der blauen Ferne zu tun hatte, aber mit der Zeit, die hinter mir lag. Die Bahnhöfe bewahren lange, jahrzehntelang das gleiche Gesicht. Gehen um sie her Städte in Trümmer, werden ganze Straßen und Häuserzeilen niedergerissen und wieder aufgebaut – sie selbst behalten noch über ganze Betonperioden hinweg dieselben Skulpturen, dieselben Schnörkel an den Dachkanten, dieselben Gesimse, Treppen, Gitterstäbe, gußeisernen Brünnchen und die nackten verrußten Männer, die gebeugt auf ihren Nacken nutzlose Balkone tragen – Atlasse, glaube ich, nennt man sie.

Aus solchen Gedanken wurde ich herausgerissen, durch ein Signal, durch eine Form, die ich über die Köpfe von Leuten hinweg, zwischen ihnen hindurch, im opalisierenden Lichte einer Neonlampe bemerkte. Sekundenlang tauchte es jeweils auf und ging dann wieder unter, einer Boje im bewegten Wasser gleich, etwas Schwarzes, Rundes, eben ein steifer Filzhut, eine Melone, wie sie die Herrenreiter zu tragen pflegen. Mir war es auf einmal, als hätte ich diesen Gast aus der «Gartenlaube» gesucht. Der Träger der schwarzen Melone musste es sein. Ich war bis zu den Prellböcken am Ende der «Stumpengleise» vorgerückt; dort waren an Tafeln die Abfahrtszeiten der Züge zu lesen. Zwischen zwei wartenden Reihen von Eisenbahnwagen zog sich ein breiter asphaltierter Boulevard dahin, von wenig Reisenden begangen um diese nächtliche Stunde, aber auf ihm wandelte, nicht ohne eine gewisse Nonchalance, mein Mann, und mit Umsicht wählte er seinen Wagen. Ich stand still, sah ihm zu, wie er die kleine Treppe emporkletterte. Es war der Nachtzug nach Genf. Ich muß den Kopf geschüttelt haben, denn ich hörte ein leises Lachen. Neben mir stand, in blauer Kutte und der Mütze mit dem Flügelrad auf dem Kopf, ein Bähnler, ein Mitglied des Personals der Schweizerischen Bundesbahnen, und auch er schaute dem «Reitlehrer» nach. «Kennen Sie ihn?» fragte ich.

«Der ganze Bahnhof kennt den, und jeder Kondukteur der Nachtzüge», erklärte er, «Generalabonnement.»

Meiner Frage zuvorkommend, fügte er hinzu: «Nach Lugano, nach Genf fährt er jede Nacht. Er schläft im Zug.»

«Und dort...?»

«Wenn's reicht, nimmt er einen Kaffee im Bahnhofrestaurant, und dann besteigt er den nächsten Zug zurück...»

«Nacht für Nacht?»

«Das Abteil ist seine Wohnung. Es heißt, die Armenpflege zahle ihm das Generalabonnement...»

Ich schaute dem prächtigen, gesunden Bähnler in das lachende Gesicht. Er nickte mir zu. «Das ist einmalig», sagte er, «aber das gibt's.» Dann wandte er sich weg und schlug mit einem Hammer gegen die Räder des Wagens, neben dem wir standen. Der metallische Ton begleitete mich, während ich langsam den Bahnsteig zurückwanderte, meiner feststehenden Heimstätte zu.

Ernst Halter

ASTHMA

Ich kann keine Treppenstufen sehen in der Steilwand; ich kann keine Leiter ertasten an der Nordwand; die Hände schlagen auf und schlittern herunter, schlagen auf und schlittern herunter. Der Berg schwankt; ich stemme mich gegen seine tausend Meter hohe Flanke. Sie drückt mich in die Knie, zermalmt mir die Beine, den Bauch. Ich schreie und erwache.

Die aufgerissenen Augen finden die Nacht hell, die Nacht hell. Ich kann nicht atmen; die Blicke wandern. Ich liege in der Glasveranda; als wir hier oben angekommen sind, hat man mein Bett hier aufgestellt, wegen der Luft, der Luft. Zwischen die Fensterkreuze sind einige Lichtkörner verstreut. Der Bretterboden wackelt auf den Holzpfosten, die Glaswand schwankt; Glaswand für Kieselsteine, so recht Kieselsteine; ihr Frostklirren, wenn sie zersplittert! Ich ringe um Atem. Mutter, Vater und Geschwister schlafen im Haus drin. Hinter den klargeschliffenen Eistafeln ist es blitzkalt. Ein Fensterflügel steht offen, doch Atem bringt er mir keinen, nur Kälte. Oktoberferien.

Ich versuche mich aufzusetzen, um etwas mehr Luft einzustrudeln, ich schiebe mich mit einer Muskelanstrengung in den Armen höher. Ich lehne in den Kissen, stöhnend, doch die winzigen, herangehechelten Atempartikel tragen keinen Laut über die Lippen. Mutter, Vater, Geschwister schlafen alle. Wer stöhnt denn?

Die Nachtkälte krallt sich um die Finger und stempelt einzelne Partien des Oberkörpers fröstelnd; immer spreizt sie fünf Finger, fünf Krallen auf der Haut. Ich zwinge mich, die Augen zuzusperren; doch sobald ich nicht mehr sehe, meine ich zu ersticken. Ich öffne sie weiter und stemme die Fingerknöchel in die Matratze, ich muß noch steiler sitzen. Die Kälte bohrt im Fleisch. Ich beginne zu zittern. Die dünne Luft! Ich kann nicht genug kriegen, ich muß aufstehen. Langsam drehe ich mich zur Bettkante und lasse die Füße an den Unterschenkeln baumeln. Die Nachtfröste hier oben. Warum werfen sie mich nicht hintenhinaus, dort, wo der Abort ist? Ich würde schnell erfrieren. Ich falle ihnen zur Last. Sie haben mich lieb. Die Mutter...

Wohin werden wir morgen gehen? Am Tag blitzen die Bäche sich noch fast warm, und die langen Lärchennadeln an den Waldrändern bilden Gluthaufen voller Ameisen, schwarzer Ameisen. Auch die gedrehten, die Makkaronizaundrähte, zwischen denen der Weg

durch die Bergweiden läuft, sind warm anzufühlen. Das Ratter-
geknatter, wenn ich den Bergstock des Vaters über sie zu Tal
sausen lasse.

Ich schlottere; ich angle mit den Füßen nach den Sandalen. Da sind
sie; ich fahre hinein. Eiskalt. Eigentlich möchte ich mich bücken
und die Riemenschnallen einhaken. Doch will ich nicht ersticken,
will nicht sterben, noch nicht. Eine Hand fährt nach der Stuhl-
lehne aus, trifft auf gestricktes Zeug, feuchtkalt, frostdurchtränkt,
die ausgetragene Wolljacke meines Bruders. Ich ziehe sie mir über.
Das Pyjama brennt sekundenlang an Armen und Oberkörper. Ich
reisse Luft in mich; ich ruhe aus, bis sich die Haut erwärmt hat.
Ich fasse den Entschluß, mich auf die Beine zu heben. Es geht.
Möglichst lautlos, um niemanden im Haus zu wecken, schlurfe ich
über die Bretter, die knorrigen Tannenknarren zum offenen Fenster.
Die Nachtluft sticht in die Nase. Ich öffne das Maul wie ein Fisch,
ein Fisch. Sie schneidet die Bronchien stumpf. Ich beuge mich zurück, tappe quer durch die Veranda und suche an der Hinterwand
nach der Türklinke. Splittrige Holzbohlen; hier endete früher das
Haus; die Veranda ist neu, ist wacklig und wankig. Da. Das Metall fühlt sich trocken an, angenehm; ich halte es fest in der Hand,
fest. Ich muß etwas Atem holen und lehne mich mit aufgetriebener
Brust gegen die Türfüllung. Die Klinke gibt langsam nach. Ich
lasse die Tür offen. Ganz ohne Nachthelle finde ich mich nicht
zurecht in der fensterlosen Küche. Und auch für den Rückweg.
Wenn ich nur kein Geschirr von Tropfbrett und Regalen wische!
Keuchend vor Anstrengung und Vorsicht taste ich nach dem
plumpen Holzriegel an der dicken Bohlentür zum Flurschuppen.
Der Holzriegel ist viel älter als die eisernen Türklinken im Haus,
ist höher angebracht und quietscht tagsüber. Vielleicht ist er
zwanzigmal so alt wie ich, er ist wohl gezimmert worden, als mein
Großvater, der dieses Ferienhaus gekauft hat, noch nicht geboren
war, und der ist jetzt tot, mein Großvater, weißer Schnurrbart,
Suppe im Schnurrbart.

Da. Mit meinem Ballongewicht stemme ich die Tür in den Rahmen und den Riegel millimeterweise hinauf. Er ist freigekommen;
niemand hat etwas gehört; sie schlafen, alle schlafen; die Tür
schwingt lautlos aus ihrem Rahmen. Erschöpft klammere ich
mich an die Türfütterung, an die vom Gebrauch rund gescheuerte
Kehlung und schwelle die Lunge; ich versuche etwas zu flüstern,
nur das Wort «und». Wenn ich lachen könnte! Der Mund ver-
zieht sich. Ich hole Atem, weiter Atem: Den Konsonanten kann
ich hören: «d, d», für den Vokal besitze ich nicht genug Luft, und

bin doch ein Ballon, ein Ballon! Ich strenge mich an, zu sehen.
Graue Punkte und Würmchen wimmeln durch das Dunkel.

Ich lasse das Holz fahren, durchquere schwankend den Flurschuppen und gehe über die hellere, offene Nordveranda, vorbei
am vergitterten Fenster des Dienstmädchenzimmers. Während die
Finger über die weichen Wabenmaschen streichen, sehe ich Boh-
nen und Salatsetzlinge in einem Gartenbeet. Ich will ein Draht-
häubchen über die fleischigen Blätter stülpen. Jeder Finger steckt
noch in einer Masche... Auf einem Bohnenschößling krabbelt ein
Marienkäfer.

Die Laufbretter zur Aborttür knarren; ein Dienstmädchen können
sie schon lang nicht mehr aufwecken. Ich löse die Gummischlinge
vom Haken. Ein Stück angehellter Wand schwingt ins Dunkel
weg. Ein Schwall Kotgestank weht über mein Gesicht und hinaus
in die Alpennacht. Die Spülkanne zwischen Türloch und WC-
Schüssel blinkt einen dünnen Streifen Helligkeit wieder, wahrscheinlich das kollektive Sternlicht. Ich lasse mich auf den Holz-
sitz fallen und stütze die Backenknochen auf die Fäuste. Ich hasse
dieses Abortloch und fürchte, mich könnte ein Spritzer des Kot-
breis treffen oder eine borstige Tatze hinunterhäkeln. In der Finsternis brüten hier die Ohrwürmer, dann kriechen sie durch die
Böden, über die Zimmerdecken und fallen auf die Kopfkissen;
ihre langen braunen Afterzangen, diese Afterwürmer... Grauen
schüttelt mich, aber ich kann nicht atmen, ich sitze fest.

In der Morgen- und Mittagssonne reicht die Atemluft, um über
eine Berglehne zu einer Blume hinaufzurennen, nicht weit, vielleicht fünfzehn Schritt. In der Morgensonne turnen die Ameisen
auf den Kiefernprügeln im Alpweg mit zeitlupenlangsamer Unbe-
holfenheit die Froststarre aus den Gliedern. In der Mittagshitze
sind Schlücke gut an kalten Brunnen. Selbst die Murmeltiere haben
die Angst verloren; es gibt welche in den Geröllhalden der Mägis-
alp – bis ein Schatten heranschwebt.

Durch diese Geröllhalden möchte ich die tausend Meter steigen,
genau tausend Meter, auf den Glockhausberg, senkrecht, pfeil-
gerade. Warum kann ich das nicht, darf ich das nicht? Warum
wirft dort das Nachmittagslicht violette Schatten? Wenn wir ins
Dorf wandern, fallen sie fast handnah an die Steilwiesen.

Sonne belichtet noch die weißen Häubchen des Wollgrases; ein
scharfer Schatten sichelt das Lichtheu weg; die heißen Sumpf-
löcher vereisen, nicht glatt, sondern in bösen Sturmwellchen. Halb
graue, halb violette Nachtangst kriecht unter die kalten Hemdsär-
mel. Das Gras näßt die Schuhspitzen, näßt bald auch die Zehen.

Man sucht auf dem gerölligen Weg vorsichtig die Tritte abwärts. Die Schweißstellen am Körper beginnen zu frieren. Plötzlich bin ich müde in Gelenken und Augen; die Sonne ist den ganzen Tag lang wütend gewesen; endlich tauche ich in den Schatten des Hausdachs.

Mit dem Gesicht-, Fuß- und Händewaschen verfliegt die Angst. Beim Abendessen sitze ich neben der Mutter, zwölfjährig, nicht mehr, vielleicht gern kindlicher. Ich helfe das Geschirr abtrocknen; die Schwester kann das viel schneller. Ich öffne ein Buch; ich spüre ein Unbehagen hochquellen und weiß, es hat am Nachmittag schon in mir gesteckt. Ich unterdrücke es; ich habe den angstvollen Wunsch, die ganze Nacht lesen zu dürfen. Während ich mich ausziehe, die Zähne putze und ins Pyjama fahre, steht vor mir eine schwarze borstige Wand. Ich mag nicht an das Bett denken; ich werde unter sie zu liegen kommen. Während die Mutter mich zudeckt, streichelt und gute Nacht wünscht, sind die Augen größer geworden. «Vielleicht geht's heute Nacht besser», sagt sie; ich nicke nur, spare schon Stimme. Das Licht wird gelöscht. Ich ziehe die Lider über die Augäpfel und falle bald in einen gekneteten, zerbeulten, verstauchten Schlaf.

Ich lege das Zeitungspapier in das flache Holzkästchen an der Wand zurück, reiße mich am Riegel der offenstehenden Tür hoch und greife nach der Spülkanne. Mit dem Gestank springt die Atemnot hoch. Mit geflüsterten Worten suche ich mich über ihr zu halten: «Und-aber-dann-jahahahaha», besser noch an Wortschnüren: «Mutter-Vater-Schwester-Bruder», «eins-zwei-drei-vierfünf», «und-und-und-und-Ohrwurm-Ohrwurm». Ich lasse hinter mir die Aborttür offen.

Die Nacht schlitzt beim Hecheln die Lunge blutig, säbelt beim Keuchen die Lunge schartig, ätzt beim Schnappen die Lunge faul. Ich stütze mich auf das wacklige Holzgeländer der Nordveranda, des Abortlaufstegs, schlotternd, stimmlos ächzend. Ziemlich viel Sternmehl. Vom Fenster meiner Schlafveranda durch die offene Küchentür und den Flurschuppen zuckt ein eisiger Windfinger.

Unnatürlich aufgerichtet, die Hände unter der Schwellbrust tastend über vertrocknetes Holz: Ich habe heute meinen Adler gesehen, einen wirklichen Adler. Über den Geröllhalden.

Hans Rudolf Hilty

ERDBESTATTUNG

Der Regen ist nicht sehr feierlich

Die Verwandten
bringen Blumenstöcke in Tontöpfen
als ob die Haltbarkeit von Schnittblumen
nicht völlig ausreichen würde
für ein Grab

Die Tote war schon lange krank

Die Friedhofarbeiter
schlingen Stricke um den Sarg
sie erinnern verblüffend
an Henkerstricke

Die Kranke war schon lange tot

Dem Pfarrer
glückt das Kunststück
mit den zum Gebet gefalteten Händen
den Regenschirm doch noch
zu halten

Er bleibt feierlich im Trockenen

RUMÄNISCHE SEQUENZEN '70

Vexierbild

Monsieur Poincaré glaube ich war's
          und viele dachten wie er
der sagte
die Rumänen seien doch halbe Orientalen
          leichtfertig
man könne sie füglich nicht
sich selbst überlassen

Weil viele so dachten
hat man mit Vorliebe deutsche Adelssprößlinge
als Könige in den Balkan exportiert
        nach Rumänien Bulgarien Hellas
über den Rest herrschte ohnehin Habsburg

Auf die Frage
wie diese exportierten Adelssprößlinge regiert haben
        in Bukarest Sofia Athen
gibt es nur eine Antwort
        : leichtfertig

Menschenland

Die elementare diesseitige Einfalt von Brâncusi
        braucht hier keine Erklärung
Das fantastisch wuchernde Bestiarium von Ionesco
        ist kaum noch befremdlich
Und Tristan Tzara
        da dada
                buvez de l'eau lavez votre cerveau
Alles ist selbstverständlicher hier ruhiger hier
        als in den westlichen Metropolen
                wo sie schockierten

Daß es zu Zeiten Haiduks gab in den höheren Wäldern
        Outlaws
die die Handelsreisenden der Mächtigen dieser Welt überfielen
        (der Mächtigen die nicht von hier waren)
kann ich verstehn
Auch traf ich ein paar Zigeuner
        glückliche und unglückliche
wenngleich ihr Betteln schon exotisch wirkt in diesem Land
        aufgesetzt wirkt ein Flecken Folklore
                in diesem Land in dem keiner zu betteln mehr
                braucht

Doch der momentan in westlichen Metropolen
        am meisten hochgespielte angebliche Bewohner des Lands
                Graf Dracula von Transsilvanien
der (verzeiht Hans Carl Artmann Roman Polanski)
        paßt nicht in die Landschaft
                ganz und gar nicht

Denn das ist ein Land ohne Inbrunst
        ohne die Inbrunst gotischer Kathedralen
            und ohne die Inbrunst von Vampiren
Das ist ein Land da läßt sich leben
        être soi-même einfach so autogéré
fromm sein irdisch
leben vernünftig (und sozialistisch versteht sich
        weil einen das nicht ganz so kaputt macht)
Das ist ein Menschenland

Ludwig Hohl

VON EINER LÖWIN

Die Vorführende, offenbar Tierbändigerin, mit einem Löwen auf
der Straße (der Löwe aufrecht, nicht größer als sie); ich stelle die
Frage an mich, nachdem ich längere Zeit die Sache erwogen (denn
der Löwe war wunderbar, wenn auch alle Leute ihm ängstlich aus-
wichen): Kann nicht auch ich näher mit ihm zu tun haben, ihn
liebkosen? Was könnte er denn mir tun, wenn ich ohne die geringste Ängstlichkeit, in reiner Absicht, mit voller Freundlichkeit
mich an ihn heranmache? Sie sagte mir einfach, ich solle ihn auf
die Arme nehmen. Dies tat ich, ich streichelte ihn, und schon folgte
er mir wunderbar.
Wie nun die Beziehung sich entwickelte und was wir zusammen
redeten, ist mir schon nicht mehr genügend deutlich; nur die Fragen, die Überlegungen, die daraus hervorgingen: dies ist aber
offenbar, neben der Tatsache, daß die Beziehung sich festigte, das
Wichtige, der eigentliche Inhalt des Traumes selbst:
Obgleich du eine Löwin bist (es war nämlich eine Löwin), warum
solltest du nicht, wenn du unter Menschen findest, was dich liebt
und was du liebst, diesen Menschen als Partner nehmen? Wenn ich
auch ein Mensch bin, unter Menschen aber offenbar eine Partnerin
nicht finden kann, wohl aber eine Löwin finde, die ich liebe und die
mich liebt, warum soll ich nicht sie als Partnerin nehmen?
Wird nicht die Liebe über alles hinwegtragen, was trennen oder
stören könnte? (Ist sie nicht mächtiger als alles und wird daher
einen Weg bahnen?) Wenn ich einmal, allmählich vielleicht, mich
doch nach der Glattheit der Schenkel sehnen könnte, nach einem
menschlichen Mund, und wenn du einmal, allmählich vielleicht,

doch vergessen könntest, daß du Pranken mit Krallen hast und ich kein hartes Fell, sondern eine verletzbare Haut; wenn du einmal vergessen könntest, die Krallen einzuziehen und die Pranken völlig weich werden zu lassen – ist nicht die Liebe mächtiger als...

Und da kam es ganz schnell – dies war es doch, dies mußte es doch sein –: Uneinschränkbar groß ist in all unserem Dasein nur eins: die Liebe, die sich als mächtiger erweist als der Tod.

«Als der Tod»: das heißt auch, als alle Bedingungen des Lebens. – Und da kam es (immer im Traum): *Du* bist es doch, der Traum meint nur dich! Und was wir einmal erwogen haben, was du zuerst ausgesprochen hast, dies als Lösung zu erfassen, ist der Weg ins neue Leben. Da doch die Bedingungen etwas anderes nicht erlauben, da sie ein chaotischer Wirrwarr sind, in dem immer wieder alles versinken muß unter grausiger Angst, warum nicht *wieder jenes?*

Daran schlossen sich allerlei Überlegungen an (wie über Revolver und Pistolen): «Als ob wir» (Nebelmeer im Hochgebirge) «hinüberschreiten könnten über den Abgrund zu den andern monderglänzenden Bergen.»

BILD UND WIRKLICHKEIT

Der «einfache Mann» sieht die Differenz zwischen den beiden nicht, *ahnt* sie nicht. (Obgleich ich das «ahnt» hervorgehoben habe, bin ich doch nicht sicher, ob er sie nicht bisweilen *ahnt*.) Diese Differenz wird wahrscheinlich immer größer mit höherer und höherer Geistesstufe. – In Holland erzählte der Kaminfeger bei jedem Besuch, er habe zu Hause ein «großes Buch vom Schweizerland»: *alles sei drin* (ob er es bringen solle?); Zürich sei drin abgebildet, die Berge, die Seen, alles sei drin. So pflegen auch die Bauern zu reden. Eine «Redeweise»? Sehr wenig oder gar nicht. Nein, hier handelt es sich nicht um sprachliche Impotenz, sondern der einfache Mann meint wirklich, es sei *alles* im Buch; die Augen sind ihm nicht aufgegangen dafür, daß nur ein unsäglich geringer Teil von den Dingen eines Landes in einem Buch abgebildet sein kann und daß wiederum die Art des Abbildens nur *eine* ist von unendlich vielen möglichen. Auch erzählen solche Menschen, wenn ihnen einmal die Zunge gelöst ist, nicht etwa «aus ihrem Leben», sondern *ihr Leben* – alles, von der Geburt bis jetzt. (Daß etwa einer sein vierbändiges autobiographisches Werk «Aus meinem Leben» betiteln konnte, muß ihnen wie Ziererei erscheinen. Sie mögen nicht einmal «Fragment» hören, wie viel weniger «Fragment der Fragmente» – als was Goethe die Literatur bezeichnet hat.) Was überliefert dem einfachen Mann die *Geschichte?* Alles; wenn auch nicht die kleinsten Dinge, so doch alles Wichtige; von den Anfängen bis zur Gegenwart...

Franz Hohler

GRUESS VOM HORAZ

> *Odi profanum volgus et arceo.*
> *Favete linguis: carmina non prius*
> *Audita Musarum sacerdos*
> *Virginibus puerisque canto.*
> Carmina III, 1

D Lüt simer zwider und s Volk schißt mi a.
Sit rueig, jetz säg ech e Grueß vo eim,
wo scho lang nüt meh gseit het,
und zwar vom Horaz.

Zallererscht sell ech öppis verzelle vom Juppiter,
daß er der gröscht isch
und alles regiert mit em chlyne Finger,
dasch noni so schpannend.

Denn mues ech säge,
der eint heig meh Gäld als der ander,
es paar heige zimli vill Land
und eine sig schtolz uf sis Imitsch.

Das sig aber alles zäme n egal, wenns ums Schicksal gieng,
das miechi kei Unterschid zwüsche n Arme n und Ryche
und griffi sech d Mönsche n use
wie Lottozahle, seit der Horaz.

S git Lüt, die chönne vor Angscht nümm ässe
und chönne n am Obe nid schlofe
und bschließe n am Tag no d Huustür,
so hei si Angscht.

Richtig pfuse, seit der Horaz, chönn me nur uf em Land,
weme n au nid meh will als me het,
und s Huus müeßi erscht no schitter sy,
dasch Bedingig.

Zwar darf me ke Buur sy,
süsch macht eim s Wätter närvös,
und d Hagelrageete dunke n eim
nume no halb so luschtig.

Weni im Uetiker Ligeschtuel under de Birke ligge,
denn dänki e chli a die arme Sieche
wo Bouunternähmer si oder süsch öppis Gruusigs
und zwee Site Todesazeige hei, wenn sie schtärbe.

Denn chömemer Wörter i Sinn wie Verwaltigsrotssitzig
und Härzinfarkt, und i nime mi Chlampf
und schpile n es Liedli für d Frau
wo s Zibelebeetli jättet.

S einzige, wo der Horaz noni gwüßt het, isch,
daß sones Idüll uf em Land hütt
mindeschtens 800 Franke n im Monet
choschtet.

DURCH DAS FENSTER

Zuerst die Zweige des Aprikosenspaliers.
Dann Tropfen vom Dach.
Dann drei Büsche, Tamariske, Holder, Forsythie.
Dann Schnee mit Regen vermischt.
Dann eine unsaftige Februarwiese.
Darauf stehen Apfel- und Birnbäume.
Was ein Baum für ein Baum ist, kann man an seiner Form sehen,
Apfelbäume sehen aus wie Äpfel, Birnbäume wie Birnen, Kirsch-
bäume wie Kirschen usw. Bei den Kirschbäumen bin ich nicht
ganz sicher. Dann kommen Häuser mit Mansardenfenstern und
Fernsehantennen.
In der linken untern Ecke meines Fensters befindet sich ein
Bauernhaus, von dem ich nur die Tenne sehe.
Knapp über dem Sims verläuft eine Straße, auf der die Kinder zur
Schule gehen. Manchmal fährt auch ein Auto vorbei.

Den untern Viertel meines Fensters beschließt die Seestraße, dort fahren dauernd Autos durch, öfters hupen sie, weil es eine Überholstrecke ist.

Dann kommt der Zürichsee, der links von einer ganz hohen Antenne fast durchschnitten wird.

Soeben fährt ein Zug durchs Fenster, auch er hält sich an die untere Bildhälfte.

Ein Freund aus Deutschland, der diesen See zum erstenmal sah, fragte mich kürzlich, was denn dieses langgestreckte Ding sei.

Ab und zu passiert ein Ledischiff das Fenster, im Winter kleine Kursschiffe und im Sommer die großen Ausflugsschiffe. Fast immer liegen ein paar Boote im Fenster, in denen Fischer stehen, besonders wenn es regnet.

Dann kommt das andere Ufer, man sieht die Brauerei Wädenswil und die neuen Wohnblockquartiere.

Der Horizont geht ungefähr durch die Mitte, er heißt Gottschalkenberg.

Den oberen Teil des Fensters nimmt der Himmel ein.

Rolf Hörler

ICH FRAGE MICH

Ich frage mich,
wie alt der ewige Schnee
auf dem Weißhorn
im kommenden Sommer wird –
auch:
wer von beiden älter ist,
der ewige Schnee
auf dem Kilimandscharo
oder
der ewige Schnee
auf der Spitze des Weißhorns.

Ich frage mich,
ob wirklich kein Sperling
vom Dach fällt

ohne den Willen des Vaters,
wenn ich sehe,
wie sich die Spatzenschwärme
über die Roßäpfel hermachen –
auch:
wen Gott nun eigentlich
mehr liebt,
die Sperlinge
oder
die Roßäpfel.

KARTENGRUSS AUS JÜTLAND

Das Sandkorn im Augenwinkel,
den Stein im eigenen Brett,
einseitig geworden wie der Goldbutt,
mit einem verlorengegangenen Auge
auf der Bauchseite,
die weiß und leer ist
wie mein unbeschriebenes Blatt,
kehre ich dir den Rücken,
um dir zuzublinzeln.

Rudolf Jakob Humm

VOM SCHREIBEN UND LESEN

Geht es anderen Schriftstellern auch so? Nie befriedigt mich ein von mir geschriebenes Wort; nie drückt es das Gesehene oder Gedachte genau aus; stets wirkt es schwächer, farbloser, klangärmer als das innerlich Vorgestellte. Aus vielen Bezügen fällt es nüchtern auf das Papier, liegt da wie gerupft, und das macht mich jedesmal traurig.

Dann aber, Jahre später, aufersteht dieses gleiche Wort, springt mir aus dem Papier lebendig entgegen, reich an Klängen und Assoziationen, die vielleicht die ursprünglichen, vielleicht neue sind, die mir aber insgesamt den Eindruck geben, daß es richtig gewählt war. Seine Frische überrascht mich jedesmal.

Entlasse ich ein Manuskript, erscheint es mir ohne Glanz. Die Wörter matt, die Bilder blaß, die Gedanken müde. Ein mit Staub überzogenes Mosaik. Dann aber wischt die Zeit den Staub weg. Nach Jahren leuchtet es wieder. Wieder? Ja. Wie in dem Augenblick, der dem Niederschreiben unmittelbar voranging.

Das gilt eigentlich für jede Tätigkeit. Das Tun verkleinert die Dimension. Das Tun ist ein Töten – ohne Todesfolge. Was bei seinem Hinsetzen auf das Papier ein Wort entzaubert, sind der Zweifel an seiner Treffsicherheit, das Abwägen zwischen ihm und einem Sinnverwandten. Diese den Wörtern angetane Kränkung ist der Staub auf dem Mosaik. Später haben die Wörter diese Kränkung vergessen, und der Autor auch.

Es kommt vor, daß einer mir sagt: «Jene Stelle in Ihrem Buch ist besonders schön.» Oder: «Ihre Geschichte von neulich in der Zeitung hat mir gut gefallen.» Ich zucke jedesmal zusammen, nicke nachsichtig, denke bei mir: Du gibst dich aber mit wenig zufrieden! Denn Buch und Geschichte liegen in mir noch in einem Schattental, wo alles kleindimensioniert und unlebendig ist; liegen da bis zu zwanzig, dreißig Jahre – solche Zeiträume übersehe ich heute. Das erste meiner Bücher las ich nach vierzig Jahren erstmals wieder, und solange dachte ich mit Unbehagen daran. Als ich es dann las, ging die Sonne über ihm auf, und seitdem liegt es in der Sonne. Vierzig Jahre lang hätte ich es nicht vertreten können. Heute sage ich mir unbedenklich: «Es ist gut.» Unbedenklich und beglückt. Es hat Fehler da und dort, doch sind es einzelne kleine Schatten, die ich leicht beseitigen kann. Im Ganzen liegt das Buch im Licht. Es ist auferstanden.

Ein Schriftsteller ist wie der Küster einer Westminsterabtei. In seiner Kirche sind lauter Gräber. Und eines Tages kommt die Auferstehung. Es waren Scheintote.

Dies der Vorgang innerhalb des Schriftstellers. Eines Schriftstellers von meinem Typus. Der Vorgang innerhalb des Lesers ist anders. Hier wird nicht ein Scheintoter, sondern ein Ganztoter zum Leben erweckt. Vor Jahren las ich das Buch eines längst verstorbenen und auch sehr unerheblichen Autors. Ein zu Recht vergessenes Buch. Und doch lebt es seitdem in mir. Niemand kennt es. Aber in mir liegt es nicht in einem Grab. Es steht im Licht. Weil ich es gelesen habe. Der Autor hat diese Genugtuung.

Gräber sind mir alle Bücher, die ich nicht gelesen habe. Also die meisten. Ein riesengroßer Friedhof. Habe ich aber ein Buch gelesen, so mag ich seinen Inhalt auch vollkommen vergessen haben, deswegen liegt es doch nicht in einem Grab. Nehmen wir Balzac. Eines Tages las ich seine Novelle «Das Mädchen mit den Goldaugen». Das mag fünfzehn Jahre her sein, und ihr Inhalt ist mir wieder ganz entschwunden, bis auf einige Anhauche, die aber so dunstig sind, so trübe, daß ich sie gar nicht in Worte fassen kann. Und doch lebt das Buch in mir, bleibt auferstanden, liegt nicht in einem Grab wie die Ungelesenen. Diese Anhauche kann ich nicht beschreiben, aber ich kann über sie etwas angeben. Die Geschichten, die ich lese, gehen fast immer in mir bekannten Gegenden vor sich; meist sind es Gegenden in der Stadt, in der ich meine Kindheit verbrachte.

(Es ist die Stadt Modena, in der Po-Ebene, gerade bei Bologna, geographisch nicht sehr weit von Zürich entfernt, ungefähr wie Baltimore von New York, philologisch jedoch am anderen Ende der Welt; es wird nämlich dort italienisch gesprochen.)

Und nun steht es so mit den Anhauchen, die mir von der Goldaugennovelle verblieben sind: Die eine Episode spielt bei der Kirche San Domenico, wieder eine beim Eingang der Via Cavour, und das Istituto Tecnico, das da steht, und dessen Schüler ich war, ist das Haus, in dem das Goldaugenmädchen wohnt. Mehr weiß ich nicht. Der Inhalt der Episoden ist verflogen. Nur deren Stimmung wird durch die Begleitvorstellungen festgehalten. Diese Stimmungen habe ich in meinem Buch «Die Inseln» wiedergegeben, lange bevor ich die Novelle las. San Domenico ist die Kirche, in der der Katafalk steht. Die auf jenen Seiten beschriebene Gegend der Stadt Modena ist die gleiche, in der «La fille aux yeux d'or» in mir vor sich geht. Jene Strasse, jene Kirche, jene Schule sind mir das geisterhafte Baugerüst der Novelle. Diese private Lokalisierung genügt, um mich des Besitzes der Novelle zu versichern. Ich kenne sie. Ich habe sie gelesen. Ihr Körper (das Gebäude im Gerüst) ging mir verloren, aber ihre Seele lebt. Die Novelle liegt nicht im großen Friedhof.

(Ist das übrigens nicht ein sonderbarer Sachverhalt? Balzac schrieb seine Novelle in Paris, ich lebe in Zürich, und die Reminiszenzen, die ich von ihr habe, spielen in Modena. Es gibt Leute, die das unheimlich finden. Besonders in der Deutschen Bundesrepublik. Auch schon mein Buch «Die Inseln» haben bisher nur zwei Deutsche zu lesen sich getraut. Vier deutsche Verlage versicherten mir, es liege zu weit außerhalb des heutigen deutschen Bundeshorizontes, sie könnten eine deutsche Neuauflage davon nicht drucken. Dies nebenbei.)

Hingegen liegt für mich im Grab, um bei Balzac zu bleiben (Balzac
war ein französischer Schriftsteller, Genaueres über ihn finden
Bundesdeutsche im Lexikon), der Roman «César Birotteau».
Dieses Buch habe ich nie gelesen. Den Titel entnahm ich vorhin
einem Kompendium. César Birotteau! Ein Name wie irgendeiner
auf der Grabplatte eines Unbekannten: Ci-gît César Birotteau.
Wehmut ergreift mich, Andacht, recueillement. So verlassen! Die
Zauberkraft hätte ich, Dich zum Leben zu erwecken, braver Birotteau, aber ich glaube nicht, daß ich das Buch, das Dich erzählt, je
lesen werde. In einer anderen Ecke «L'Adultera» von Fontane.
Auch nicht gelesen. «Die Fährnisse des Persiles und der Sigis-
munde» – wer waren wohl die beiden? Ihre Geschichte soll Cer-
vantes erzählt haben. Dorrit, Dombey, Chuzzlewit: Dickens erfand eure lustigen Namen für mich vergebens. Sämtliche Romanfiguren der George Sand, Lélia, die Gräfin von Rudolstadt, in
einer Reihe liegen sie da, für mich ohne Atem. Und was an den
Hosen des Herrn von Bredow so Denkwürdiges war, daß sie um
1848 in einen Roman eingingen, werde ich wahrscheinlich nie erfahren. Die Zwillinge von Klinger, die Gesira des Moravia, der
«Held unserer Zeit» des weinerlichen Lermontow liegen bei mir
alle unter Trauerweiden. Unzählige Autoren kenne ich nicht einmal dem Namen nach: Gomulicki, Dunn, Bosco, Paulding, Ajal-
bert Akretagawa, Straparola. Ich finde sie beim Durchblättern
eines Dichterlexikons. Straparola? Nie gehört. Es gab unter dem
Faschismus in Italien zwei literarische Richtungen: Strapaese und
Stracittà. «Stra» bedeutet «noch und noch». Jene wollten, daß die
Literatur sich noch und noch mit dem Land, diese, daß sie sich
noch und noch mit der Stadt beschäftige. Straparola bedeutet:
Wort, noch und noch. Ein Omen von einem Nomen für einen
Schriftsteller! Er soll wirklich so geheißen haben. Aber: «Über sein
Leben ist nichts bekannt», meldet mein Lexikon. Armer Straparola!
Kaum entdeckt und schon um die Ecke. Er hat zwischen 1500 und
1550 gelebt und einen Band orientalischer Novellen hinterlassen:
«Die vergnüglichen Nächte». In diesem Grab geht es anscheinend
so unterhaltsam zu wie im Odaliskenbild von Ingres. Nun, mag es
das. Vergnügt euch unter euch, in eurem Gewölbe, Novellen!
Lauter Gräber. Ein Riesenfriedhof. Vor dem Tor stehen und gehen
die Lebenden, die Bücher, die ich gelesen habe, ein ganzes Volk.
Wandeln da wie in einem Elysischen Gefilde, die Autoren und ihre
Figuren. Diese nicht alle gleich deutlich. Der Don Quijote ganz
deutlich. Eher nebelhaft der Raskolnikow. Aber alle in der Sonne,
in der Welt der lebenden Figuren.

Figuren. Lese ich ein Buch, so lese ich nicht Wörter, ich lese Geschichten, Geschichten von Figuren. Die heutige Philologie verpönt meine Art zu lesen. Sie kennt keine Figuren mehr. Sie kennt auch kaum noch Geschichten.

Unsere Neuzeit hat ein schlimmes Wort erfunden: Text. Es setzen sich Autoren auf ein Podium und lesen «Texte» vor. Ich bedaure diese Kollegen. «Text» ist ein Wort von Oberlehrern. Sie entnehmen der «Ilias» eine Stelle und tun sie in ein Lesebuch, in diesem wird sie ein «Text», und den müssen die armen Schulbuben auswendig lernen. Daraus wurde eine Verpflichtung für die Schriftsteller. Man sitzt auf einem Podium und versorgt die Lehrerschaft mit einem Stück Prosa für ihr Lesebuch. Tief ernst. Manche dieser Autoren sind jung und haben lange Haare, aber wenn sie einen «Text» vorlesen, kommen sie mir immer vor, als trügen sie einen Bratenrock. Keiner ihrer Texte hat Humor; sie sind feierlich, altmodisch und auch meist steif und ungelenk. Oder es hat einer mehr Schwung, dann bleibt er doch im Getragenen, Repräsentativen, wie die Oberlehrlichkeit es wünscht. Manche Bücher neuerer Autoren reizen mich deswegen da und dort zum Lachen: Aha, hier hat er wieder einen «Text» gemacht. Er legte etwas besonders Schönes hin, meist eine Beschreibung; er weiß, später kommt das ins Lesebuch. Den Rezensenten bereitet eine solche Stelle immer große Freude. Sie fällt ihnen sofort auf, sie rühmen sie, sie heben sie hervor. Hier hat sich wieder einer um die Gunst jener Hierarchie bemüht, die von den Literaturprofessoren bis zu den Deutschlehrern geht.

Ich bin ein Gegner dieser Hierarchie.

Keiner der Autoren, die ich liebe, hat je einen «Text» geschrieben. Sondern er hat geschrieben: Gedichte, Novellen, Romane, Dramen, neuerdings auch Hörspiele. Und die habe ich dann gelesen, gesehen oder gehört, und der Autor hat mich an keiner Stelle mit dem Ellbogen gestupft: «Sie, ist das nicht wunderschön?» Fontane, Proust, Tolstoi, Sterne, Poe – keiner hat als ein Virtuose eine Stelle besonders kunstvoll gearbeitet. Texte lassen sich ihren Werken wohl entnehmen, aber sie wurden nicht vorpräpariert für den Gebrauch spezieller Konsumenten. Hebt sich in ihren Werken wie auf einer Woge eine Stelle besonders empor (bei Shakespeare, Calderon und anderen Dichtern des Barocks finden wir das oft), so erfolgt das aus den Gegebenheiten des Geschehens, in Gedichten aus jenen der Inspiration; nie jedoch aus Dienstfertigkeit gegenüber Raritätensammlern. Solche Beflissenheit ist den Großen fremd. Sie behandeln den Leser immer gleichmäßig, ohne Seitenblick und Ellbogenstupfen. Und so lesen wir sie auch, ungestört und ganz vertieft.

Auch Goethe hat solche Proben seiner Kunst nie vorgetragen. Ich kann mich nicht erinnern, daß er auch nur eines seiner Gedichte je vorgelesen hätte, weder bei sich zu Hause noch bei anderen auf Besuch, geschweige denn auf einem Podium. Er las seine Sachen einer Freundin vor, ohne Zeugen, und nachher bei Hof. Seine Zuhörer waren Fürsten und ihre Damen. Sie erwarteten von ihm, daß er im blauen Frack vor ihnen auftrete; er dafür von ihnen, daß sie die Geduld aufbrächten, den ganzen «Tasso» oder die ganze «Iphigenie» von ihm zu hören. Man schrieb damals für die Gesellschaft, nicht für das Lesebuch. Die Gesellschaft ist verschwunden, an ihre Stelle traten die Oberlehrer. Sie sind unsere geistige Aristokratie. Man hört oft sagen, wir hätten eine bürgerliche, eine «bourgeoise» Kultur. Nein, wir haben eine Oberlehrerkultur. Ihre Bediener ahnen es nicht; sie halten sich für nonkonformistisch, progressiv. Ich will versuchen, ihnen den Star zu stechen.

Das «Texte»-Lesen und das «Ein-Stück-Prosa»-Schreiben hängt mit dem Unfug zusammen, den in unseren Tagen die Philologen mit dem pompösen Gebrauch des Begriffes «Sprache» treiben. «Un beau morceau de prose», sagten die Franzosen schon vor fünfzig Jahren und kamen mir schon vor fünfzig Jahren vor wie Fleischer, die mit der Stechgabel ein Filet aus der Platte heben. Bei diesem Goutieren von Filets geht aber das ganze Kalb verloren. Und so haben wir überall heute eine gestückelte Literatur, die soziologisch der Zusammenhangslosigkeit all dieser Oberlehrer entspricht, die unter sich keine Gesellschaft bilden. Die weichen Lyriker unterliegen ihrem Einfluß besonders. Angeregt durch ihre Sprachbombastik wird ihnen schon jedes Wort zur Sprachbombe, darum setzen sie manchmal nur noch Wörter hintereinander: bum – bum – bum.

Um auf das Kalb zurückzukommen. Ein Roman von Tolstoi ist kein Gemengsel von delikaten Nieren, Lebern und Filets. Er ist nicht ein Zusammensetzspiel von Prosastücken. Tolstoi ist kein Texter, ihm kommt es auf das ganze Kalb an, er selber war nämlich keines. Eines seiner Kälber war die Anna Karenina. Nicht schöne Prosa hat er seinen Lesern angeboten, sondern die Anna Karenina. Die Ganze. Eine Romanfigur. In einem Buch, in dem viele andere Romanfiguren vorkommen. Leben hat er ihnen angeboten. Schicksale. Geschichten.

Aber Oberlehrer verstehen nichts vom Leben. Als Stubenhocker ohne Schicksal kapieren sie nur die «Sprache», oder, wie meine

Göttinger Wirtin sagte, die «Spröche». Es sind Spröcheschmecker. Schicksale, Figuren, Geschichten? Gehen sie nichts an. Was sagte Hilbert, der Mathematiker, ebenfalls in Göttingen? «Es gibt Leute, die haben einen Gesichtskreis vom Radius Null, und den nennen sie ihren Standpunkt.» Gut, der Oberlehrer hat einen Gesichtskreis vom Radius Null, das weiß er sogar selber, aber dafür hat er daran einen Standpunkt, einen Filetstandpunkt, einen Spröchstandpunkt. Und siehst du wohl? Die Dichter teilen diesen seinen Standpunkt. Sie schreiben «Texte». Bei einem Gesichtskreis vom Radius Null. Schon nur zwei Wörter sind ihnen manchmal ein Gedicht. Beispiel:

Baum heute

Ein Gedicht? Ja, ein Gedicht. Jedes Wort sinngeladen, bedeutungssatt, vollgestrichen mit Gehalt wie eine Granate mit Pikrin. Liest man das richtig, so verjagt es einen schier. Einem prosaischen Menschen muß man sagen, es sei so zu lesen: «Bum! Baum – Bum! heute». Beim drittenmal erlebt er die gehörige Verdonnerung, und woher sie kommt, das macht man ihm klar, indem man ihm etwa die folgende Zusammenstellung vorlegt: «Kuchen – heute». Das wird nie ein Gedicht werden. «Kuchen» ist zu wenig geladen, zu wenig betäubend. Man muß baumstarke Wörter wählen, dann erfolgt bei deren Zusammenprall die gewünschte Schockwirkung. Alles ist heute auf den Zusammenstoß von Wörtern aus, bim bam bom, wie beim Frère Jacques.
In diesem Kindergarten ohne Schicksal läßt sich ein Gedicht auch mit einem Wort für sich allein machen:

Popocatépetl

Nicht? Eine Symphonie! Jeder Wortbestandteil eine Welt, ein Kosmos. Das glaubt ein Laie nicht, aber ich kann es ihm beweisen. Also, mit erhobenem Zeigefinger: Da haben wir zunächst in «petl» das tief Vergurpste der Verachtung, mit zuunterst einem verschluckten Seufzer der Verzweiflung. Das fühlt nicht jeder, aber ein Oberlehrer schon. Das ist nämlich Lettrismus, reinster, der Triumph des grammatikfreien Spröchstandpunkts, seine letzte Abstraktion, die dazu führt, nur noch das Bummsen aus der Spröche zu hören, zur Freude aller, die bald wieder auf allen Vieren federnd durch die Wälder traben werden. Es folgt «caté». Sieht nach nichts aus und ist enorm; dahinter steckt der kategorische Imperativ, nientemeno, läßt sich aber auch assoziieren mit Katharsis, Katalepsis, Katastrophe, Katakombe, Katapulte, Katalane, Katilina, Katalyse, Katalog, jubelt doch! und auch ganz brav mit

Kater und Kattun. Caté! Ein Reichtum ohnegleichen. Und «popo»!
Nicht sehr gehaltvoll, nicht tief, aber gewichtig, strahlend, festlich
einladend, und von der Kallipygos bis zu Picasso 31.5.70.VII. unzählige Male gemeißelt, gezeichnet und gemalt. Eine Welt! Drei
bumsvolle Welten: «Popo-caté-ptl»! In «Akzente» würde das gedruckt werden.
Und so, vor lauter Wortbomben und Sprachbombastik, kam die
Dichtung vor die Hunde. Vor die Spröchhunde. Goethe soll einmal gesagt haben: «Wer viel von der Sprache redet, hat keine.»
Das schrieb mir Jonas Fränkel, der Vielgeschmähte. Ich war einer
der wenigen, die von ihm mit einem Briefwechsel beehrt wurden.
Diese Sprachstückelung findet Entsprechungen auf anderen Gebieten unserer heutigen «Kultur». Sie entspringt der gleichen «im
höchsten Grade desintegrierten, subjektiven Haltung» (Theo
Kneubühler über Urs Lüthy, im Bulletin Nr. 1, Januar 1972, des
Schweizerischen Kunstvereins), die zu den Schöpfungen unserer
Popisten führte. Die Wortkonstellationen unserer modernen Lyriker und die Sachaggregate unserer modernen Plastiker sind beide
Erzeugnisse einer Gesellschaft, die keine «Gesellschaft» mehr
kennt, und die in ihrer Desintegriertheit unter die Diktatur der
Oberlehrer kam, die durch ihr stückweises Lehren die Welt ge-
stückelt sehen, und damit vollkommen richtig, weshalb sie auch
berufen waren, in ihr die Führung zu übernehmen. Eine anonyme,
aber mächtige.
Daß wir von einer Aristokratie des Wandtafelstabes, mit dem
etwas aufgezeigt, auf etwas hingewiesen wird, beherrscht werden,
geht auch daraus hervor, daß alle Konstellatoren und Popisten
sich von der Werbung ableiten, von der Plakattafel und der Schau-
fensterdekoration. Sie versichern es selber. Sie alle wollen uns
etwas aufzeigen, uns über etwas belehren, uns zu einer schnelleren
Auffassung aufmuntern, uns wachrütteln, erhellen, erziehen, Ver-
kehrsregeln beibringen, die Intelligenz testen, zurechtbügeln, fix
machen, schlagfertig machen, wecken, wecken, wecken, bis wir
schon in zwei Wörtchen (oder in zwei Koffern) eine Welt erblicken.
Lauter semaphorische Persönlichkeiten. Ich sage dem eine Welt
von Oberlehrern. Und für die soll ich Texte machen?
Ich habe nie einen «Text» geschrieben. Ich war von Anfang an
emanzipiert. Ich habe immer nur versucht, gut zu schreiben, klar,
einprägsam, zuvorkommend. Fand ich im Entwurf einen krum-
men Satz, so bog ich ihn gerade; war mir einer kraus geraten, so
glättete ich ihn; jede undeutliche Stelle bemühte ich mich, oft in
vielen Anläufen, verständlich zu machen. Meist war mir an solcher

Stelle das Vorkommnis noch nicht klar, der Handlungsverlauf, die
Haltung, die Reaktion einer Figur. Ich gab nicht nach, bis ich das
fest in der Hand hatte. Das nannte ich manchmal «Schienenlegen»;
der Leser oben in seinem Wagen sollte schön glatt dahinfahren.
Ich war auf den Leser eingestellt, nicht auf das Wort. Auf Geschichten, nicht auf Sprache. Auf Figuren. In meinen Büchern
wimmelt es von Figuren. Die Oberlehrer haben es nicht gemerkt.
Sie merken nur die Sprüche.

Ich sagte eingangs, ich hätte oft das Empfinden, meine Worte
säßen nicht und meine Sätze wackelten. Das kommt mir davon,
daß ich einfach richtig schreiben will, und das heißt, verständlich.
Und das Richtige treffe ich nicht immer gleich; auch wenn ich
glaube, es sitzt, verbleibt mir ein Zweifel. Denn die Wörter sind
wie jene Reifen, die man mit zwei Stecken einander zuwirft. Solch
ein Reif läßt sich um den Finger drehen. So sind die Wörter. Sie
haben verschiedenerlei Bedeutung. Schreibst du «Rot», so bist du
noch keineswegs sicher, daß der Leser die gleiche Farbe sieht; dein
Rot ist vielleicht eines, das ins Orange übergeht, während das
seine, von dir aus gesehen, ins Violette spielt. Also schreibst du
«Orangerot». Da gibt es aber wieder viele Varianten. Oder du
schreibst «Tochter»; «Frau Müller hat eine Tochter». Das scheint
eindeutig, genügt aber nicht. Die Tochter kann einen Buckel haben: «Frau Müller hat eine Tochter mit einem Buckel.» Der Leser
ist zufrieden, du aber nicht, du weißt mehr, du weißt das Schreck-
lichste: Der Buckel ist grasgrün. Das darfst du aber nicht sagen.
Den Buckel sieht jeder, aber nicht, daß er grasgrün ist. «Grasgrün» mußt du unterschlagen. «Frau Müller hat eine Tochter mit
einem Buckel.» Die Aussage ist richtig, kommt dir aber farblos
vor. Auf deiner Palette ist mehr. Tragisch für die Tochter, daß sie
einen Buckel hat, die eigentliche Tragik liegt aber darin, daß er
grasgrün ist. Das hat ihr die Mutter einmal gesagt. Mit Hilfe
zweier Spiegel hat sie es selber festgestellt. Das Grasgrüne muß
unbedingt in die Geschichte hinein. Das Wort «Buckel» sagt
nicht genügend aus, läßt zu viele Möglichkeiten zu. Der Buckel
könnte auch braun sein oder blau. An irgendeiner Stelle deiner
Geschichte mußt du dem Leser verraten, der Buckel sei grün. Das
mußt du aber sehr vorsichtig tun, so daß er vor Erbarmen über-
fließt: «Da hat er uns zwanzig Seiten lang von diesem Buckel erzählt, und nun ist er noch von schweinfurthergrüner Farbe, nein,
der Graus, das arme Mädchen!» Gut, sie empfinden Mitleid, das
hast du erreicht, aber erstens sehen sie das Grün zu bläulich, und
zweitens haben sie teilweise recht, denn wie du genauer hinsiehst,

ist es kein einheitliches Grün, sondern ein Gewölke von Chloro-
phyllgrün und bläulichem Kupfersulfatgrün. Das Grün ist also
marmoriert. Das mußt du ihnen jetzt auch erklären. Und die Marmorierung hat gelbe Ränder. Nicht genau gelbe. Es ist kein Ka-
narienvogel- und auch kein Zitronengelb. Es ist ein düsteres Gelb,
ein erschreckend dunkles Randgelb. Grasgrünbläulich das Innere
der Marmorierung, finster gelb die Ränder. Und dort, wo diese
Ränder in die normalrosa Haut übergehen, gibt es wieder etwas
Kompliziertes, das du gar nicht mehr beschreiben kannst. Du
kommst an kein Ende. Weil es kein Wort gibt, das den ganzen
traurigen Sachverhalt mit einem Schlag vor die Augen des Lesers
bringt. Das ist auch ein Grund, warum man Geschichten schreiben muß. Weil man keinem Bekannten sagen kann: «Sie, Frau
Müller hat eine Tochter mit einem grüngesprenkelten Buckel.»
Das ist viel zu überstürzt. Erst muß der Buckel in das Bewußtsein
des Bekannten und dann, nach und nach, daß er grün und daß
dieses Grüne marmoriert ist. Die Mitteilung muß eine gewisse
Entwicklung haben, und schon das ergibt eine Geschichte.
Mit den Worten steht es überhaupt verteufelt. Du schreibst: «Frau
Müller hat eine schöne Tochter.» Gut, daraus kann sich etwas er-
geben. Aber streich du «schöne» und ersetz es durch «lustige».
Die Geschichte nimmt einen ganz anderen Verlauf. Schreibst du
«gescheite», «elegante», «dumme», «bleiche, magere», «kern-
gesunde, rotbäckige», gibt es jedesmal eine andere Geschichte.
Oder du schreibst «seriöse». Du stehst auf der Schwelle einer Tra-
gödie. Warum mußtest du schon im ersten Satz hervorheben, die
Tochter sei seriös? Ist es die Mutter nicht? Schon hast du einen
Knoten geschürzt. Mit einem einzigen Wort! Eine ganze Geschichte hast du in das Wort hineingedrückt, nun muß sie heraus.
Mit jedem Wort gibt es eine andere Geschichte. Bevor du aber eine
Geschichte erfunden hast, weißt du selber nicht, was für eine es
gibt. Mit «dumm», «schön», «seriös» wird jedesmal eine andere.
Du mußt dich entscheiden, du mußt wählen. Und da merkst du,
was für ein unseriöser Mann du bist. Nur als Phantast kannst du
dich aus der Sache ziehen. Du triffst die Wahl mit einer gewissen
Wurstigkeit, diese Leichtfertigkeit hilft dir weiter. Du springst
unbefangen, frech, leichtsinnig von Wort zu Wort, von Satz zu
Satz, und das Erstaunliche ist, daß sich aus diesem unsoliden Tun
zuletzt eine Geschichte ergibt. Du darfst nie lange grübeln.
Ein bißchen natürlich schon. Du mußt dich bemühen. Also, nicht
wahr: «Aschenbach Venedig schöner Bub bums tot» ist noch keine
Geschichte, nur eine hingeworfene Notiz. Ein heutiger Konstella-

tor ordnet diese sechs Wörter graphisch, als Treppe oder in einem
Viereck, daran hat er eine Art Plakat, und damit ist er zufrieden.
Seine Kunden sind auch keine Leser sondern Schauer, optisch eingestellte Menschen. «Aschenbach Venedig schöner Bub bums tot»,
das schauen sie sich an und gehen erschüttert weiter, haben es ja
ohnedies so eilig. Die Wortfolge «schöner Bub bums tot» ist auch
nur als Information gemeint. Alles ist heute Information. Was ist
schließlich der Mensch? Eine chemische Information. In der Welt
der Polypeptiden ordnet sich eine bestimmte Konstellation, und
daraus steigt empor: Herr Meier. Als Information über die Konstellation in der chemischen Unterwelt. Verändert sich in der Unterwelt im Code ein «Buchstabe», hat Herr Meier eine schiefe
Nase. Als Information über den Buchstabenwechsel unten. Alles
Information! Chemische Konstellationen unten, persönliche Informationen oben. Und eigenartig wird es immer bleiben, daß die
chemischen Konstellationen unter sich keine Genüge finden. Nein,
sie müssen Milliarden von Lebewesen in die Oberwelt hinauftrei-
ben, darunter Menschen, die in dieser oberen Welt Bericht über
die Vorgänge in der unteren erstatten. Jeder Bericht ist wie eine
Entfaltung der jeweiligen Konstellation. Das ist wie bei den Schul-
aufsätzen: Der Lehrer gibt ein Thema, und die Schüler müssen es
entwickeln. Oder wie bei den Schlagzeilen in den Zeitungen. In
einer Wiener Zeitung stand einmal der Titel: «Entmenschte Mutter brät Kind auf Sparherd» – bums! Merkwürdigerweise genügte
dieses «Bums!» den Abonnenten nicht. Sie wollten einen ausführ-
lichen Bericht darüber haben. Und den gab ihnen die Zeitung auch.
Und so hält es auch die Natur: Sie stellt in der Unterwelt eine chemische Mischung her, und daraus baut sie in der Oberwelt den
Herrn Meier auf. Und der Herr Meier erlebt allerhand, etwa:
«schöner Bub bums tot». Optisch eingestellten Menschen genügt
das, wie «Desoxyribonuklein XYZ» den Molekulargenetikern genügt. Aber die Natur will mehr. Sie will den Herrn Meier, und der
soll nicht Plakate, der soll Geschichten erleben. Und sie will nicht
nur optisch eingestellte Menschen, sie will auch leserlich Eingestellte, die Geschichten schön ausführlich erfahren sollen, von
einem Menschen, der sie ihnen schön ausführlich hingeschrieben
hat. Die Konstellatoren sind ein Stück Chemie, die Erzähler ein
Stück Natur.
Und Erzähler dürfen nie zu lange grübeln. Sondern sie müssen
auch frech sein können.
Bei mir liegt beides vor. Frechheit und Grübeln. Erst schreibe ich
frech drauflos, wie vorhin die Stelle mit dem grünen Buckel oder

noch früher jene über die Oberlehrer. Und nachher grüble ich lang
über das Frechdrauflosgeschriebene nach. Nicht wahr, diese Behauptung, wir hätten eine Oberlehrerkultur – die ist sehr, sehr
frech? Nicht, daß sie falsch wäre. Aber weil es so viele Oberlehrer
gibt, die sie übernehmen könnten. Zwar mit ihrer Gesamtheit
nähme ich es auf. Aber ich kenne auch einige persönlich, soll ich
die betrüben? Also, was mache ich? Wäre ich ein Konstellator, ich
würde mich mit drei Worten aus der Affäre ziehen: «Oberlehrer
bums Fürst». Wenn ich nämlich behaupte, wir hätten eine Oberlehrerkultur, so meine ich eigentlich nur, daß die Oberlehrer heute
unsere Fürsten sind. Und das ist doch schmeichelhaft für die Oberlehrer. Ich sehe in ihnen die Zepterträger unserer Kultur. Ich ver-
gleiche sie mit Fürsten. Gut. Aber Fürsten müssen es auch ertragen, daß es Verschwörer und Aufwiegler gegen sie gibt. Sie sind
als Klasse gemeint, als Obrigkeit. Auch die Aufklärer behaupteten
ja nicht, jeder Fürst sei schlecht, nur weil er ein Fürst ist. Sondern
sie hatten die Gesamtheit der Fürsten auf der Latte, die abstrakte
«Fürstheit». Auch die Marxisten versichern immer, sie hätten es
nicht gegen den einzelnen Kapitalisten, sondern gegen die gesamte
Kapitalisterei als Klasse. Und so habe auch ich es gegen die Oberlehrlichkeit – ganz abstrakt. Das ist gar nicht persönlich gemeint.
Und daß die Oberlehrer die geistige Führerschaft über unsere Kultur haben, ist zwar eine Behauptung, die ich nicht beweisen kann,
aber eine, die ihnen Ehre antut. Sie müssen den Begriff «Oberlehrer» nur nicht negativ verstehen, einfach qualitativ. Ein Oberlehrer kann von bester Qualität sein. Auch ein Kapitalist. Auch
ein Fürst. Aber er hat seine generischen Eigentümlichkeiten, der
Oberlehrer zum Beispiel die, daß er den Zeigefinger gern in die
Luft streckt. «Merke!» sagt der Oberlehrer. Und weil er meist ge-
bildeter ist als der Durchschnitt seiner Zeitgenossen, merkt alles
auf und hält es für ein Kultursignal. Andere Signale bekommen
die armen Leute ja nicht. Von wem denn? Von den Fußballern?
Von den Atomforschern? Von unseren Bankiers, Beamten, Kauf-
hausbesitzern? Nur von den Oberlehrern. Sie sind die Exponenten
unserer Kultur. Im alten Rom waren es die Patrizier, unterm Feudalismus die Fürsten, in unserer bürgerlichen Welt sind es die
Oberlehrer. Nach ihnen bestimmt sich der Stil der Zeit. Es ist
ihnen nicht bewußt, und sie haben es nicht gewollt. Weder einzeln
noch insgesamt können sie etwas dafür, daß sie Exponenten wurden, und daß unter ihnen sich eine Kultur der Straparola, der
Wörterei, des Plakats, des Popismus eingerichtet hat. Eine der
Information.

Denn sie sind eine Exponenz in einem Vakuum. Als einziges Kultursignal ragt aus diesem ihr Wandtafelstab hervor.
Ich bin dagegen.

Meinrad Inglin

NACHTS BEI DEN BRÜDERN SCHOECK

Föhn ist für das Quartettspiel kein guter Wind. Während der Wiederholung eines Streichquartetts von Mozart, das wir schon ordentlich bewältigt hatten, begann uns das Rauschen der Bäume vor den Fenstern zu stören, wir legten die Instrumente beiseite und gingen auf die Dachterrasse des Hotels Eden hinaus. Der See schimmerte gegen den Pilatus hin dunkel, gegen Uri hinein unruhig grünlich, und die Lichter auf dem Seelisberg, uns gegenüber, glänzten näher als sonst durch die bewegte Frühsommernacht. Aus dem Kurort herauf drang Tanzmusik, die Saison hatte begonnen. Walter, unser Cellist, der das Hotel führte, aber mit seinen Talenten kein Hotelier war, wurde zu Gästen in die Halle hinab gerufen. Unsere Freundin vom Ägerisee, die Bratschistin, erwog die Heimkehr und wollte mit ihrem Wagen die erste und zweite Geige, meine Frau und mich, nach Hause fahren.
Wir kehrten in den merkwürdigen hohen Raum zurück, wo wir gespielt hatten, ins «Atelier», in dem alles zu finden war, was man als Knabe selber gern erbeutet, gesammelt und aufbewahrt hätte, Mineralien, Muscheln, Vogeleier, Schmetterlinge, präparierte Vögel, Gehörne und andere Naturalien. Es war aber ein Mann gewesen, der das alles zusammengetragen und hinterlassen hatte, ein Jäger, Wanderer, Sammler, vor allem ein Maler, der Vater Alfred Schoeck. An den Wänden gewährten da und dort Bilder von ihm einen Blick in kanadische, ungarische und norwegische Urlandschaften, wo er gemalt hatte, und ein breites Format zeigte in einer prachtvollen Komposition auf den Lofoten die Mitternachtssonne mit einem ruhenden Geier im Vordergrund. Jagdwaffen hingen da, in einem Schrank gab es auch Bücher, Ausgaben deutscher Klassiker, und auf einer Staffelei stand hinter Glas eine schöne italienische Madonna aus dem 17. Jahrhundert. Es war die Erbschaft eines Künstlers und großen Naturfreundes, die von seinen vier Söhnen in Ehren gehalten wurde und einem gemeinsamen Zug ihrer eigenen Anlagen entsprach.

Während wir hier noch zögerten und auf unseren verhinderten Cellisten warteten, um uns zu verabschieden, drang ein Streitgespräch rauher Männerstimmen durch die offene Tür herein. Zwei Männer näherten sich durch den Hausgang der Treppe zum Atelier; der eine, Paul, großgewachsen, mit einem kräftig geprägten Gesicht und dem Ansatz einer Künstlermähne, widersprach dem anderen heftig und winkte mit der Rechten wiederholt ab, der andere, Othmar, etwas kleiner, rundlicher, redete sprühenden Blickes beschwörend auf ihn ein. Eine tiefgehende Meinungsverschiedenheit schien die beiden Brüder zu entzweien, aber als sie zu uns stießen, trat in ihren Mienen eine rasche Aufheiterung ein, die auch zwischen ihnen selber kein Gewölk mehr übrig ließ.

Mitten im Gespräch hob Othmar aufhorchend den Kopf, zog die Brauen empor und deutete mit einer Bewegung auf etwas hin, das draußen vor sich ging. Ein langgezogenes Stöhnen fuhr vom nahen Wald herab über das Dach der Villa hin, unter dem wir standen. Paul nickte grimmig bestätigend. «Är chund», sagte er. Sie hörten ihn wie einen unheimlichen alten Bekannten, einen Elementargeist, und wir verstummten einen Augenblick, aber dann wollten wir aufbrechen.

«Laßt euch durch uns nicht stören, spielt ruhig weiter!» bat Othmar und warf einen Blick auf die Pulte.

Walter kehrte zurück und wollte weiterspielen, aber wir fühlten uns nicht mehr in der richtigen Stimmung und meinten auch, daß man bei Föhn doch besser nicht ausgerechnet Mozart spiele. Dies wurde anerkannt, aber nur bedingt, und Walter entgegnete, von Othmar unterstützt, daß auch bei diesem abgeklärten göttlichen Meister das Untergründige, Dunklere wirksamer sei als üblicherweise angenommen werde. Don Giovanni wurde angeführt, die G-moll-Sinfonie, das G-moll-Quintett.

Indessen brachen wir auf. Othmar ging neben mir die Treppe hinab, packte plötzlich meinen Arm und bat unwirsch: «Bleib da!»

Ich war nicht gleich einverstanden, aber auch nicht abgeneigt. Wenn ich blieb, stand mir bei Schnäpsen, Wein und Stumpenrauch eine äußerst angeregte Unterhaltung mit den Brüdern bevor, aber auch ein einsamer Heimmarsch im Föhnsturm lang nach Mitternacht.

Walter, der meine Bedenken kannte, erinnerte mich daran, daß ich doch ohne weiteres auch hier übernachten könne. Das wußte ich, aber ich wußte auch, daß der folgende Tag für mich kein guter Arbeitstag würde, wenn ich am späten Morgen in einem fremden Haus und Bett erwachte. Ich entschloß mich zu bleiben und begleitete die Freundin und meine Frau zum Auto hinab an den Quai. Der Urnersee brandete schon über die Uferstufen hinaus, und die wenigen letzten Wagen wurden weggefahren.

Ich stieg auf Hintergäßchen und Treppen wieder bergauf über das Hotel hinaus ins Atelier, aber die Brüder hatten sich in einem etwas tiefer gelegenen Eßzimmer versammelt, im «Stubli», und warfen mir eine Streitfrage an den Kopf, noch eh ich mich gesetzt hatte. In gewissen Offizierskreisen habe zeitweise eine von Norden importierte, bedenklich unschweizerische Gesinnung und überspannte Haltung geherrscht, das werde ich bestätigen müssen, wurde gerufen. Ralph könne ein Lied davon singen, und ich habe als Offizier ja mit Ralph zusammen noch im selben Bataillon gedient.

Ralph, der zweitälteste, war nicht da, er war Professor am Technikum in Winterthur und kam nur in den Ferien für längere Zeit heim. Seine geachtete Stellung und gesicherte Existenz verschafften ihm ein Ansehen, das die labileren Brüder freute, aber er hatte seinen Anteil an der väterlichen Erbschaft, durchwanderte mit Vorliebe das wildeste Bergland und schien den Tieren oft mehr zugetan als den Menschen. Als junger Offizier war er von einem ungeschickten Vorgesetzten falsch behandelt worden, aber als ich ihn näher kennen lernte, war er der denkbar zuverlässigste Bataillonsadjutant. Er war großgewachsen, hager, zäh, ein grundgütiger, gerader, lauterer Mann, der alle seine Brüder überleben sollte, bis ins hohe Alter starke schwarze Toscanelli rauchte und den Vögeln vor dem Fenster täglich den Futtertisch deckte.

«Militärdienst ist auch bei uns weder bequem noch beliebt», sagte ich, «aber die Armee hat ihre Aufgabe jedenfalls erfüllt.»

«Das hat man nicht dem Schneid und den überspannten Anforderungen gewisser Herren zu verdanken, sondern dem gesunden Geist und der inneren Tüchtigkeit der Truppe», entgegnete Paul.

«Zugegeben», sagte ich, und dabei blieb es vorläufig, da ein neuer Mann zu uns stieß und das Gespräch auf ein anderes Thema brachte, unser gemeinsamer Freund Hermann Stieger, der hier mitreden konnte, ein bewährter Mittler und Anreger, der zwischen diesem unbürgerlichen Kreise und der vielgescholtenen bürgerlichen Welt in Wort und Tat Verbindungen herzustellen wußte. Er berichtete von unerwarteten Schwierigkeiten, die eine von ihm vorbereitete neue Aufführung des «Tell» von Paul in Frage stellen konnten.

Paul, von Beruf Architekt, besaß nicht die Gelassenheit Ralphs. Was er baute, eine herrschaftliche Villa, Wohnhäuser, eine Bankfiliale, ein Zeughaus, befriedigte ihn selber nur wenig, es war ein Kompromiß zwischen seinen kühneren Plänen und den beschränkten Mitteln, die ihm seine Auftraggeber zur Verfügung stellen konnten. Im Grunde genommen aber wollte er nicht architektonische, er wollte dramatische Pläne verwirklichen, und sein ganz aus Mundart und Landschaft herausgewachsener «Tell» beglaubigte ihn. Auf Stiegers schonend vorgebrachten Bericht erwiderte er jetzt gereizt, dann solle man die Aufführung halt bleiben lassen, und begann angewidert auf alles zu schimpfen, was die Schwierigkeiten verursachte.

Stieger entgegnete, man brauche die Flinte deswegen noch nicht ins Korn zu werfen, und Othmar stellte ruhig fest, ein Meisterstück wie der «Tell» sei auf eine Aufführung mehr oder weniger nicht angewiesen.

«Ja, ja, du hast gut reden», erwiderte Paul bitter und traf damit seinerseits beim Bruder unbedacht eine wunde Stelle.

Othmar knurrte, man irre sich mit der Behauptung, er habe gut reden.

Die entstehende Spannung wurde durch Walter gemildert, der für Imbiß und Tranksame gesorgt hatte und jetzt, einläßlich nach weiteren Wünschen fragend, Nachschub herbeizuschaffen begann. Er begnügte sich, wie schon oft, mit der Rolle des Gastgebers, obwohl er aus seiner Welterfahrung und musikalischen Bildung heraus an solchen Sitzungen jeweilen sein eigenes Wort zu sagen gehabt hätte. Er konnte als Hotelier aber nicht den Morgen verschlafen und zog sich auch in dieser Nacht als erster unauffällig zurück.

«Erfolg und Mißerfolg beim Publikum», bemerkte ich, «sagen noch nichts über den wahren Wert eines Kunstwerkes aus, dafür gibt es in der Geschichte aller Künste Beispiele genug.»

«Gut, aber was tut ein berufener Künstler, wenn sein Werk nicht durchdringt?» rief Othmar. «Er kann vielleicht nicht warten, bis ihn ein Kenner und Gönner entdeckt. Und auch dann noch... er braucht ein breiteres Echo. Aber er wird keine Konzessionen an den Publikumsgeschmack machen. Das Publikum fällt auf jeden Mist herein, wenn er ihm nur von den tonangebenden Herren tiefsinnig genug angepriesen wird. Routinierte Könner nützen das aus; was sie gelegentlich vorlegen, ist oft mit den unredlichsten Mitteln auf bloße Wirkung hin arrangiert, es besticht, blendet und tritt zu alledem mit Ansprüchen auf, die das ganze verlogene Zeug erst recht kennzeichnen...»

Othmar begleitete seine Worte mit dem unwillkürlichen lebhaften Mienenspiel, das seinen Äußerungen einen starken Nachdruck verlieh und sich jedem seiner Freunde unvergeßlich einprägte; den Bildhauer, der an seinem Porträt arbeitete, stellte es vor eine fast unlösbare Aufgabe. Was er sagte, dachte, empfand, alles kam in seiner Miene zum Ausdruck, seine Brauen hoben und senkten sich über forschenden, zürnenden, bewundernden Blicken, auf seiner Stirn wechselten Lichter mit Schatten, und oft geriet der ganze Mann in Bewegung. Wenn er mit Paul vierhändig spielte oder, am Klavier begleitend, von Walter irgendeine führende Stimme auf dem Cello hören wollte, immer wieder wandte er dem Bruder ermunternd, auffordernd sein ruheloses Gesicht zu. Ob er ein Orchester dirigierte, mit einer schönen Frau tanzte, von Kriegsgreueln erzählte, eine überwältigende Landschaft schilderte, immer drückte sein ganzes Wesen sichtbar aus, was ihn bewegte. –

Er spricht weiter verächtlich vom bloß Gemachten, Erklügelten, das dem Empfundenen, Inspirierten nicht standhalten werde. –

Er nennt international anerkannte Zeitgenossen, die ihm verdächtig sind, und Werke, die er für eine vornehmlich zerebrale Angelegenheit hält.

Alles Gespreizte ist ihm ein Greuel, alles Unechte verabscheuenswert.

Ich bemerke, daß mit mehr oder weniger Intelligenz, mit mehr oder weniger Geschmack komponiert, gedichtet, gemalt werde, und daß es Werke gebe, die nur schwer als echt oder unecht zu erkennen seien...

«Das fühlt man», unterbricht er mich.

«Und mancher Berufene ist vielleicht erst auf dem Weg und hat noch viel zu lernen.»

«Das Entscheidende in jeder Kunst läßt sich nicht erlernen.»

Paul hält gewisse moderne Dramen, die jetzt grad Mode sind und von allen Bühnen aufgeführt werden, für üble Machenschaften.

Über Gedichte. Von Rilke und George will Othmar nichts wissen, auch Paul nicht. Hesse läßt man dagegen gelten.

Paul hat als Dramatiker immerhin von Hofmannsthal bedeutende Eindrücke empfangen, bewundert aber vor allem Gerhart Hauptmann. –

Unsere gemeinsame Liebe zu Mörike. Wir zitieren Gedichtanfänge, nennen Titel. «O flaumenleichte Zeit der dunkeln Frühe...» Ein Stündlein wohl vor Tag. Besuch in Urach. Peregrina. «Gelassen stieg die Nacht ans Land...» Othmar glüht, er ist ganz außer sich und scheint für das, was ihn bewegt, keine Worte mehr zu finden. Nie habe ich einen Menschen kennen gelernt, der von Gedichten derart gepackt, ja besessen war wie Othmar. Ich begreife plötzlich, daß er es in Musik umsetzen muß und behalte meine unausgesprochene Frage, warum man zu solchen Gedichten denn überhaupt noch Musik mache, endgültig für mich. Mir ist auch bewußt, daß mindestens in der «Elegie» nicht das einzelne Gedicht, sondern das Bekenntnishafte den Ausschlag gegeben und sich der Gedichte nur bedient hat. –

Sein Gefühlsüberschwang, der auf eine nüchterne Natur wie mich nicht immer ansteckend wirkt, auch wenn er Musik wird.

Er berichtet, wie schwierig es sei, für Lieder jeweilen den richtigen Sänger zu finden.

«Und wie wichtig», ergänze ich. «Wenn ein Sopran zweiten oder dritten Ranges Lieder von dir inbrünstig in den Saal hinaus-kräht...»

«...kann man sagen», unterbricht er mich lachend, «die Lieder wären schön, wenn sie nur nicht gesungen werden müßten.»

Das Sprunghafte der Unterhaltung. –

Wir kommen unversehens auf Ralph zurück. Sein Mutterwitz. Aussprüche von ihm werden zitiert. –

Die humane Gesinnung der vier Brüder. Ihr Haß auf alles Überhebliche, Anmaßende, das zum Krieg bereit ist oder gar zum Krieg hetzt. –

Anekdoten, Witze, Kalauer fehlen auch in dieser Nacht nicht, und auf dem Gesicht Othmars zeichnen sich vom Schmunzeln bis zum dröhnenden Gelächter alle Grade der Heiterkeit ab. –

Es wird geraucht, getrunken, gestritten. –

Draußen wimmert, braust und heult es. Der Föhn ist zum vollen Sturm angewachsen.

Stiegers Frau ruft an und bittet Hermann, heimzukommen, auf dem Hausdach sei etwas los.

Wir begleiten ihn hinaus und hinab. Hoch aufschäumende Brandung am Quai, die Wellen fluten über die Straße bis zu den Hotels hin. Othmar ist hingerissen. Paul scheint sich mit Absicht dem tobenden Element auszusetzen, er geht langsam dicht am Ufer hin, wird von der Brandung durchnäßt und hört nicht auf unsere Rufe.

Erwin Jaeckle

Die sieben Wochen, die mein Vater darniederlag – der weißhaarige Gärtner schnitt lautlos die späten schwarzen Trauben, die der Geschwächte nicht mehr heimzuholen vermocht hatte, Äste hingen mit der Last ihres Segens von langen weißen Wunden am Stamme, goldenes Gewölk der Wespen fiel im struppigen Bungert über das gärende Obst, das einzubringen die Hände nicht reichten –, diese sieben Wochen waren von einer verschwiegenen, aber innigen Gebärde. Lange hatte der Kranke das Bett gemieden, hatte sich mit Willen wie zuvor freudig der Sonne dargeboten, während der schlaflosen Nächte aber und an den letzten Tagen, als er sich entkräftet hinlegte, klemmte er in seltsamem Einfall die silberne Kette an den Pfulmen, so daß die Uhr zwischen die Kissen unter sein Ohr zu liegen kam. Er konnte nicht sterben, ohne in uraltem Vertrauen durch den steten Gang der Zeit hindurch zu lauschen, um sich des diesseits und jenseits Verbürgten zu versichern. Er wußte nicht, in welch erarbeiteten Bräuchen seiner Herkunft er späte Einkehr hielt.

Nach seinem Tode erfuhr ich, wie sinnig die bedächtige Handlung gewesen. Wohl hatte mein Vater in seiner frühen Jugend, schmal wie er war, mit Mühe die Lehre in der Andelfinger Turmuhrenfabrik hinter sich gebracht und alle Zeit nichts lieber gesehen als Räder, die mit gewuchtetem Schwung geräuschlos liefen. Dies konnte aber, das Geheimnis zu ergründen, nicht genügen. In ihm hatte jenseits aller Einsicht das erinnerungsvolle Blut gesprochen. Ich, der Erbe, vernahm daher mit aufmerkendem Verständnis, daß am Neckarursprung der Großvater Johannes Jäckle meiner zweiten Urgroßmutter Maria Jäckle als erster, der Großvater Jakob Vosseler meines Urgroßvaters Jakob Jäckle als zweiter Patriarch der württembergischen Uhrenindustrie verehrt wird und daß ein weiterer Vorfahr jener Tage den Zwang seines bäuerlichen Lebens wandersüchtig als Uhrenhändler zu lockern verstand. Er und die beiden Gründer lebten zur Goethezeit.

Die erste Wanduhr, die man 1770 in der wenig hablichen Gemeinde bewunderte, stammte aus dem Schwarzwald. Sie war noch zur Gänze aus Holz gefertigt. Die ersten Versuche der Uhrmacherei auf dem «Waald» werden um das Jahr 1665 angesetzt. Der eine der Chronisten berichtet, daß der Spürzener Schreiner Lorenz Frey in den achtziger Jahren des 17. Jahrhunderts nach dem Muster,

das ein Glasträger, der böhmische Gläser handelte, mitgebracht
hatte, die erste Wäldler Uhr gezimmert habe. Die andere Kunde
will schon um die sechziger Jahre von Anfängen in der Vogtei
Waldau wissen. Erst 1720 jedoch wurde die Uhrmacherei an verschiedenen Orten nahezu gleichzeitig aufgenommen. Der Antrieb
der Uhren erfolgte zumeist durch Gewichte. Ein waagrechter Balken regelte den Gang gleichförmig.
Es ist wenig wahrscheinlich, daß die schwäbischen Patriarchen ihr
Handwerk im Schwarzwald erlernt haben. Ihr Heimatdorf gehörte
zu jenen altwürttemberger Gebieten, die eine protestantische Enklave bilden. Der Schwarzwald jenseits der Grenzpfähle aber war
katholisch, das Gewerbe eifersüchtig gehütet und eine Hausge-
meinschaft mit einem zugelaufenen Lehrling angefochtenen Glaubens wenig glaubhaft. Vermutlich haben es die Schwenninger so
gehalten wie die Wäldler vor ihnen. Die Uhrenträger des badi-
schen Schwarzwaldes nahmen ihre Wege nach Rottweil, Tübingen,
Bayern und die Donauländer über den Neckarbrunn. Johannes
Jäckle war Dreher und vermutlich auch Drechsler. Das Elternhaus
Vosselers stand an der Landstraße. So haben die geschickten Köpfe
und Bastler wohl die Uhr, die sie von einem durchreisenden Träger
erworben, nachgebaut. Johannes Jäckle wird 1774, Jakob Vosseler
1787 und sie beide zusammen 1789 in den Steuerbüchern als Uhrmacher genannt. Noch 1800 gab es nur diese am Ort. Dagegen
übten 1783 schon zwei Dutzend Uhrenhändler neben ihrem bäuerlichen Beruf die Feilträgerei aus. Jäckle wird im Schwenninger
Eheregister bereits 1765 als Uhrmacher und Dreher bezeichnet. Er
war damals vierundzwanzig Jahre alt. Der Eintrag Vosselers erfolgte zwei Jahre später ohne Berufsangabe. Jäckle und Vosseler
gingen zu einer Zeit, als man im Schwarzwald immer noch Waag-
uhren baute, zum Entwurf von Pendeluhren unter Ankergang
über. Sie versuchten also ihre Vorbilder mit Erfolg auszustechen.
War die Ernte eingebracht und das Feld bestellt, so zogen winter-
über die Uhrenhändler mit der Krätze ins Land. Sie kehrten wie
alle Zugvögel im Frühjahr wieder. Dann beglichen sie ihre Schulden. Ihnen stand das ganze Heilige Römische Reich Deutscher
Nation, aber auch Frankreich, Italien, Ungarn, Polen, Rußland
offen. In der Folge führten ihre Wege gar über Meer nach England,
Schottland, Irland, Schweden, Norwegen und zu guter Letzt nach
Amerika. Die Erzählungen der Hinausziehenden wurden zum
Traum der Zurückgebliebenen. In Kienspan und Brennampel lo-
derte das Flämmchen der Sehnsucht. So nahmen meine Ahnen auf
dem kargen Völkersteig der Baar auf ihre bescheidene Weise an

den barocken Visionen teil, die Philipp Matthäus Hahn als Pfarrer in Kornwestheim großartig in seine astronomischen Wunder bannte. Etwas von all dem muß in meinem Vater gelebt haben, pochend, verlockend, unverstanden.

Dieses handwerkliche Erbe gelangt in mir, der ich aller Griffe unkundig, ja sie zu erlernen ungeschickt bin, erst durch meine mütterlichen Gaben zu eigenständigem Anzeichen. Ich freue mich darüber, daß unter den Ahnen meiner Mutter Barbara Bollinger von ursprünglicher Neubrunner Herkunft jener Schaffhauser Uhrmacher und Zytrichter Joachim Habrecht zu finden ist, der in Ulm und Solothurn seine Turmuhren baute und der sich auf Berechnung und Geschmiede astronomischer Werke verstand. Es waren nämlich seine Söhne Isaak und Josias, die im Frühjahr 1571 aus der väterlichen Werkstatt jeder ein kunstvolles Uhrwerk, jener ein Astrolabium, dieser eine Armillarsphäre, zum Zeugnis ihrer Fähigkeit nach Straßburg brachten und die zusammen mit dem Professor der Mathematik Conrad Dasypodius und ihrem Freunde Tobias Stimmer in drei Jahren die weltberühmte astronomische Uhr des Elsässer Münsters bauten. Horologen ihres Vermögens waren von erfinderischer Begabung und bester Schule. Geometrie, Physik, Astronomie und Mathematik adelten das strenge Handwerk zur Kunst.

Das Sternbild solcher Herkunft im Scheitel will mich meine Wegspur sinnvoll bedünken. Viele meiner Gedichte kreisen um die «herbstzeitlose Zeit», und wo das *Himmlische Gelächter* erklingt, geschieht es unter dem Gericht, das im Winkelmaße der Viertelstunden die Überheblichen, die übertrafen, beugt. Dort knarrt auch die Uhr in den Hölzern. Sie öffnet dem Irdischen zu Häupten einer Verheißung das Tor, die versunken und künftig zugleich ist. In den *Silser Einsamkeiten* hat die Uhr in der Arvenstube die Jagd nach der Zeit aufgenommen, die ihr davongeflogen ist. Da und dort habe ich, was zuckt, im Bernstein der Ewigkeit versargt, und was im Offenbaren flüchtig blieb, wurde als *Glück in Glas* der Parze geweiht. So rinnt der Sand aus den oberen Händen in die Pause der Uhr. Die Wesen gar, die elbisch in den Elementen weilen, schmeicheln uns, wie sie uns fliehn. Mit ihnen gehört alles Tauschende und Täuschende dem Zwischenreich an. In der *Goldenen Flaute* wird gelehrt, daß wir auf dem Wasser jung bleiben und am Strand Gealterte grüßen. Aus der *Kleinen Schule des Redens und des Schweigens* erfährt man, daß wir nicht leben, solange wir auf die Uhr blicken. Daß ich darüber hinaus eine Untersuchung über den Raum geschrieben habe, die sich müht, die geometrischen Figuren zu erzeugen, in sichtbarer Verwandlung zu bewegen und ineinander überzuführen, ringt der Gegenwart der Augenwelt jenes Geheimnis von Gewinn und Verlust, Ablauf und Wiederkehr ab, dem die Väter gedankenvoll nachhingen und das sie dem Fleische anheimgaben. In zwei Abhandlungen über die Zeit wollte ich dem reißenden Strome entkommen und mich jenseits des Augenblickes in der ewigen Gegenwart ansiedeln. An diesen Texten müssen die Väter über der Uhr, die sie bauten und die sie abrief, mitgesonnen haben.

GEDICHTE

ich halt mich am ärmel
so kann ich
im leeren raum stehn

ich weiß weder haß
noch sorge
unsichtbar wie ich bin

unsichtbar
bin ich gegenwärtig
gegenwärtig dir eigen

im leeren raum
zu stehn
nimm mich beim ärmel

auf der schwelle
kauernd
blas ich die flöte

geht der blick
über die tanzenden
finger hinweg

nirgendwohin

wächst
das gras
hinter dem haus
mannhoch
und dauert

die fliesen
kommen nur
mit dem fuß
ins gespräch

dann aber
ächzen sie
vor behagen

der tisch
ohne muntere zecher
ist stumm

die kerze flackert
von gespräch

so blinzeln sich
die lichter zu

wie uns die spuren
im schnee
hartnäckig
folgen

wir können nicht
auskneifen

sie holen uns ein
schlüpfen unter den schuh

es schmerzt
daß wir sie in den nacken
treten müssen

Urs Jaeggi

HAUSORDNUNGEN

Wenn ich heute schreibe, ist es mir sehr viel klarer als früher, daß ich mit meinem Kugelschreiber oder meiner Schreibmaschine auf ein weißes Blatt schreibe. Nicht nur spüre ich den Tisch, auf dem ich schreibe, und nicht nur beobachte ich intensiver als früher die

Gegenstände, die ich auf und über meinen Schreibtisch hinweg sehe. Viel stärker als früher thematisiere ich das Schreiben selbst. Ich weiß jetzt, daß ich schreibend stumm bin. Ich weiß aber auch genauer als früher, daß ich das schreiben kann, was ich sagen möchte. Daß ich schreibe, weil ich mein Handeln oder meinen Wunsch zu handeln nicht unmittelbar ausdrücken kann. Merleau-Ponty hat das klar ausgedrückt: In dem Maße, in dem einer durch Sprache sich ausdrücken kann, vergißt er sich. Die literarische und die wissenschaftliche Sprache fragmentieren die Wirklichkeit, schränken sie ein. Gleichzeitig hat man dennoch das Gefühl, gerade durch den Akt des Schreibens diese Begrenzung auch wieder aufheben zu können.

Wie?

Wer schreibt, ist immer auch einäugig. Es sieht einen Punkt, hat einen Einfall, lebt mit ihm, lebt davon. Er möchte diesen Einfall anderen vermitteln. Er fragt selten: wie? Er glaubt an seine Wahrheit, hält sich an sie. Er hält sich an das, was er kann. Der Schriftsteller ist in diesem Punkt vom Wissenschaftler nicht allzu verschieden: Beide verstehen das Komponieren und das Organisieren. Sie tragen zusammen, deuten aus, deuten an. Setzen Regeln. Sie leben von Entwürfen. Normalerweise ist der Wissenschaftler sich seiner Sache sicherer. Er ist in einer besser organisierten Gruppe zu Hause, deshalb unangreifbarer, aber auch angreifbarer durch jene, die sich der Konvention nicht beugen. Der Schriftsteller auf der anderen Seite lebt davon, etwas sagen zu können, das ein anderer nicht sagen kann; oder anders. Lebt der Wissenschaftler in einem Rahmen, den er aufbaut und ausbaut (oft auch bloß übermittelt): Beim Schriftsteller ist es nicht viel anders. Bei beiden ist es so: Nur wer die konventionelle Sprache, den Code beherrscht *und* durchbricht, ist Neuem auf der Spur. In der Kunst liegt die Wahrheit heute dabei weniger in der Technik als im Experiment. Ähnliches läßt sich, wenn auch eingeschränkter, vom Wissenschaftler sagen. Weniger die reine Methodologie als das Herantasten an neue Erklärungen sind wichtig; wichtig sind Differenzierungen und Nuancen. Die Unterschiede zwischen beiden Erfahrungen sind dennoch beträchtlich und in gewisser Weise unüberbrückbar. Wissenschaft ist stärker an die ritualisierte Tradition gebunden. Im offiziellen Wissenschaftsbetrieb hat sich das, sieht man von Ausnahmen ab, schon immer gezeigt. Daß heute, auch von Neomarxisten, weit öfters von einer dogmengeschichtlichen Rekonstruktion (von der man sich, nicht ganz zu Unrecht, eine Weiterentwicklung verspricht) ausgegangen wird, bestätigt diese These.

Der Schriftsteller steht ebenfalls in einer Tradition; in einer rhetorischen. Aber er kann diese leichter durchbrechen. Und er muß sie durchbrechen. Hier, besonders hier, können wir von jungen Schriftstellern lernen. Ich meine etwa Peter Schneider, der in seinem Bändchen «Reden an die deutschen Leser und ihre Schriftsteller» schrieb: «Überhaupt können wir noch zehn Jahre fortfahren, jeder einzeln an seinem Arbeitsplatz, in seiner Familie, in seiner Ehe aus immer denselben Gründen zugrunde zu gehen, können uns darüber wundern, daß die Arbeit immer drückender wird, weil sie immer überflüssiger wird, daß, je mehr sich unsere Wünsche objektiv erfüllen lassen, wir uns ihr Erfüllen desto mehr wünschen müssen, und wir können diese ganze Misere noch zehn Jahre lang jeder für sich beschreiben und lesen, als würde es sich jedesmal wieder um ein unverwechselbares Schicksal handeln, in das man sich immer neu einfühlen kann. Dabei hätte es uns doch auffallen müssen, daß einige uns bekannte Boxer und Rocker die einzigen sind, an denen wir eine gewisse nichtneurotische Zärtlichkeit festgestellt haben: Das kommt, weil sie jeden Tag in ausreichendem Maße zurückschlagen.»

Ne toucher à rien; das ist gewiß keine Alternative. Agitation andererseits, die nicht an jene Gruppen herankommt, die man ansprechen möchte, setzt ebenfalls keinen Kontrapunkt. Wer schreibt, muß schreiben können. Und er muß fähig sein, sich auszurechnen, wie das, was er schreibt, von denen, für die er schreibt, verstanden wird. Noch dann: Dadurch, daß er schreiben kann, ist er zugleich ein Mitglied jener Gruppe, die diese Art der Verständigung nicht nur dauernd übt, sondern produziert. Die Revolte, falls es überhaupt eine ist, ist zugleich und zunächst eine Revolte im Rahmen dieser Gruppe. Fortschritte in einer Disziplin (oder in einer Schreibweise) gibt es nur, wenn man den Widersprüchen nicht vorzeitig oder unredlich ausweicht. Offensichtlich kann man dabei nicht mit einem Mal mit seiner eigenen Vergangenheit brechen. Man braucht dazu Worte und Begriffe. Subjektiv mag man die Umorientierung als Schock oder als Sprung erleben. Aber Alfred Schütz hat eben recht: «Unsere Tätigkeiten haben selbst eine Geschichte; sie sind das Sediment von früheren Erfahrungen und Ereignissen. Sie sind deswegen selbst konstituiert und miteinander zu einem Erfahrungsgerüst verbunden.» Zugleich gilt es zu unterscheiden zwischen der Frage nach dem Verhältnis von Thema und Horizont innerhalb unseres Bewußtseinsfeldes und den Motiven, durch die diese überhaupt entstanden sind. Schreibend steht man dann vor der Peinlichkeit, diese inneren Beziehungen darzustellen.

Als ich, relativ spät, nach einem bedrückenden Leben als kaufmännischer Angestellter mit dem Studium anfing, war ich in verschiedener Weise abgestempelt. Ich hatte «gearbeitet», war ein Spezialist. Meine Erwerbstätigkeit hatte mich mit vielen praktischen Details vertraut gemacht. Als Bankbuchhalter waren mir zum Beispiel «Geld» oder «Ware» sowohl etwas Abstraktes als auch etwas sehr Konkretes. Was Marx im zweiten Kapitel seiner «Kritik der politischen Ökonomie» geschrieben hatte, konnte ich in einem sozialdemokratischen Jungsozialistenzirkel, zumindest in den Umrissen, meinen Freunden erklären. Ich hatte auch etwas anderes gelernt. Ich hatte gelernt, an meinem Arbeitsplatz auf die Uhr zu schauen, die Minuten bis zum «Feierabend» zu zählen. Ich hatte gelernt, was es heißt, wenn Vorgesetzte oder Eltern versuchen, einen auf die Bahn eines erfolgreichen Aufsteigers zu bringen. Ich wurde durch die Erfahrung und durch meine Lektüre das, was man damals einen «Existentialisten» nannte. Immer an der Frage herumbohrend, wie man sich selbst «erfahren» kann, wie man sich und andere «ertragen» kann, die Außenwelt als feindliche Umgebung betrachtend. Objekte und Menschen zunächst als Objekte sehend, die Angst einflößen; oder Gleichgültigkeit. Ich nahm die damals von Jean-Paul Sartre vertretene Philosophie der Freiheit, die Freiheit des engagierten «Für sich», ernst. Diese Philosophie mündete in dem Argument, daß der Mensch in jedem Augenblick frei ist und unter allen Umständen frei sein kann.
Unser Ernst war ergreifend; wir haben wenig gelacht. Aufgewachsen war ich freilich in einer ganz anderen Tradition. Mein Vater – aktives Mitglied der sozialdemokratischen Partei – erzog uns politisch. Er las uns Geschichten vor und ging mit uns in Museen; aber er besprach mit uns auch, schon in den ersten Primarschulklassen, die unterschiedlichen politischen Meinungen, die wir in der freisinnigen «Solothurner Zeitung» und im sozialdemokratischen «Volk» lasen. Er vertrat einen humanitären, moralischen Sozialismus. Marx/Engels standen nicht im Bücherschrank, auch keine Anarchisten, wohl aber die «Geschichte der Arbeiterbewegung», die «Soziale Frage» und viele Bücher, geschrieben von religiösen und utopischen Sozialisten. Ins Museum gingen wir Sonntagvormittag. Am Nachmittag, nach dem obligatorischen Spaziergang, nahm unser Vater uns regelmäßig in ein Lokal mit, das damals noch «Volkshaus» hieß und eine Arbeiterwirtschaft war:

Treffpunkt der Sozialdemokraten in Solothurn. Aus den Gesprächen, die ich auffing, lernte ich zumindest vage kennen, was es heißt, ein Eisenwerker, ein Postbeamter, ein Hilfsarbeiter, ein Maurer zu sein. Als Zehnjähriger trug ich an Wahlterminen Flugblätter aus, und, knapp fünfzehnjährig, ging ich an den Abstimmungssonntagen von Haus zu Haus, um säumige oder unsichere Wähler zur Wahlurne zu bringen. Etwas später gründeten wir einen «theoretischen» Diskussionszirkel. Wir trieben intensive Marxlektüre. Dennoch waren damals für mich die großen Vorbilder die englische Arbeiterpartei (insbesondere die Fabian Society) und das Schwedische Experiment.

Wir hofften auf ein neues Europa. Wir hofften auf eine neue Schweiz. Erst später, als ich mich am «politischen» Sartre und an Merleau-Ponty zu orientieren begann, thematisierten sich mir zum ersten Mal die Begriffe: «bürgerliche Gesellschaft», «Sozialismus» und «Kommunismus».

Als Student verlegte ich den Schwerpunkt meines Studiums rasch von der Ökonomie – meinen Lehrern war schon *Keynes* ein Greuel – zur Soziologie. Dennoch verflüchtigte oder verwässerte sich mein unmittelbar politisches Interesse. Es war, wie es damals war, und wie es später Peter Schneider richtig beschrieb: «Wir sind, als wir unsere Professoren in langen Talaren und schwarzen Käppis erblickten, nicht in ein nicht enden wollendes Gelächter ausgebrochen. Wir haben uns wieder hingesetzt, als wir uns wieder hinsetzen durften. Wir haben die Ansprache des Rektors gehört, wir haben die Ansprache des Dekans gehört, wir haben die Ansprache des Studentenvertreters gehört. Wir haben die Worte der Redner in uns aufgenommen, wir haben ab und zu die Augen geschlossen, wir haben uns jedesmal entschließen müssen, bevor wir gehustet haben, wir sind nicht weiter aufgefallen, wir sind liebe Kommilitoninnen und Kommilitonen gewesen.»

Wir waren nicht unkritisch. Aber wir respektierten die Grenzen, die man unserer Kritik setzte. Jetzt, im Nachhinein, ist es leicht zu sagen: Wir konnten uns damals nicht richtig artikulieren. Wir trennten, wie man es uns lernte, Wissenschaft fein säuberlich von Politik.

Jeder lebt in seiner Welt. Ein Weißer ist kein Schwarzer. Ein Chinese kein Russe. Ein Mann keine Frau. Wir konstruieren uns *unsere* Wirklichkeit. Schritt für Schritt, teils bewußt, teils einfach so. Jeder baut sich sein Nest, stellt sich ein. Jeder weiß, was er zu erwarten hat; erwartet. Erwartet, daß die anderen das tun, was *er* erwartet. Ohne diese Sinngebung, ohne diese Konstruktion ist Kommunikation nicht möglich. Dies macht uns auch blind. Sie raubt uns nicht nur die Spontaneität; sie raubt uns die Möglichkeit, plötzlich etwas ganz anders zu sehen. Verstellt wird dadurch die bessere Einsicht. Der Versuch, als Weißer sich in einen Schwarzen zu verwandeln, ist unmöglich. Und doch: Wer nicht bereit ist, die Sperren, die er sich selbst errichtet, immer auch einzureißen, über seine eigene Mauer hinauszuschauen, kann, ohne dabei einen Rappen ausgeben zu müssen, bloß gute Ratschläge geben. Toleranz als Allesverstehenwollen bleibt passiv. Notwendig ist: als Mann sich zum Beispiel nicht bloß vorzustellen, was in einer Frau vorgeht, was sie fühlt und empfindet, sondern, eine Minute lang zu vergessen, welche Rolle man spielt, was man *ist;* und dann weiterdenken und handeln. (Und das heißt das genaue Gegenteil vom existentialistischen Ansatz, der zum Subjekt immer nur über die Objektivierung der anderen führte.)

Jeder lebt in seiner Welt. Martin Walser schrieb den Satz: «Wenn es sich um Heimat handelt, wird man leicht bedenkenlos.» Und er setzt rasch hinzu: «Man versucht natürlich wegzukommen. Ernsthaft.»

Die Begründung ist plausibel. Wenn man sich irgendwo aufhält, wo man nicht hingehört, weiß man meist, warum man sich dort aufhält.

Geht man indes doch nicht, dann drängt sich eine andere Frage auf: «Meinen wir die Heimat oder das Vaterland? Ich meine eher die Heimat, die Leute und die Landschaft. Vaterland ist bei mir etwas, das beim Zeughaus beginnt und aufhört auf einem Soldatenfriedhof» (Max Frisch). Was für Max Frisch nicht zutrifft, aber für viele dann doch, ist dies: Je kälter das Wetter draußen, je eher lockt die eigene Stube.

Einigen freilich ist es am Ofen ungemütlich. Die Anstrengung, die eigenen Pantoffeln, die auch die Pantoffeln der Zufriedenheit sind, abzustreifen, bleibt eine Anstrengung. Randgenossen sind noch immer Eidgenossen. Am Schluß des Spiegelreports über die Schweiz steht der Satz: «Eine Freiheit, die vergessen hat, daß Kritik sie nicht bedroht, sondern ehrt, ist nur noch eine behauptete Freiheit» (Adolf Muschg). Das setzt voraus, daß es diese Freiheit schon gegeben hat; daß es nur um eine Restauration geht. Es geht, würde ich meinen, um mehr.

Es liest sich das Kritisierte auch naiver:

«Ich lebe in diesem Land.

Es läßt sich in diesem Land leben.

Ich bin hier geboren. Ich bin hier aufgewachsen. Ich verstehe die Sprache dieser Gegend. Ich weiß, was ein Männerchor ist, was eine Dorfmusik ist, ein Familienabend einer Partei» (Peter Bichsel). Des Schweizers Schweiz!

So etwas schreibt man bei uns mit gutem Gewissen, es ist nicht ganz falsch. Bei aller Kritik: Wir fühlen uns zuhause zu Hause. Hochmut?

Samuel Beckett hat die Mülltonnen nicht erfunden; er hat sie gesehen, mit ihnen gelebt. Bei uns sind sie standardisiert, Einheitskübel. Im zitierten «Spiegel»-Artikel steht auch der Satz eines Studentenfunktionärs, den ich für falsch halte: «Jede Aufklärung gefährdet das ganze System.»

Ich halte das System für sehr viel stabiler. Aber die Angst ist gewiß da: «Wenn die Bürger das Vertrauen verlieren, dann nähert sich der Staat dem Abgrund» (Bundesrat Celio).

Provinzialität ist heute nicht der Haupteinwurf, der von außen gegen uns kommt. Kaum jemand sagt zum Beispiel, die Literatur in der Schweiz sei provinziell. Wir sind Zeitgenossen; als solche akzeptiert. Die meisten schreiben sehr einfache Sätze, sehr verständliche, eindringliche und doppelbödig. So sind sie gemeint. Nichts dagegen. Aber hätte Kafka je geschrieben: «Ich lebe in diesem Land. Es läßt sich in diesem Land leben»?

Bertolt Brecht hätte, als junger Dichter, solche Sätze vielleicht geschrieben. Er hatte in seinem Land, Deutschland, dafür keine Zeit. Er konnte lediglich schreiben: «Die Vaterstadt, wie find ich sie doch?/ Folgend den Bomberschwärmen/Komm ich nach Haus».

Wir hatten es besser.

Wir haben es besser.

Wenn etwas nicht dort steht, wo es hingehört, können wir kritisieren. Wir können überhaupt kritisieren und kritisch sein. Man liest auch bei uns George Jackson, Karl Marx und Mao. Über die Widersprüche.

Man votiert für Leary und Angela Davis.

Man liest alles, und Schweizer Kapital steckt in ausländischen Verlagen (nicht nur dort, aber dort auch).

Wenn ich auf Besuch komme, sagen meine Freunde: «Wir haben es schwer. Wer auch nur eine Spur links vom liberalen Credo sich bewegt, wird beschimpft. Unsere Kinder werden beschimpft, unsere Eltern.»

Aber meine Freunde schreiben auch: «Was mich freut und was mich ärgert, was mir Mühe und was mir Spaß macht, was mich beschäftigt, hat fast ausschließlich mit der Schweiz und mit Schweizern zu tun. Das meine ich, wenn ich sage: ‹Ich bin Schweizer›.»

P. B. sagt heute: «Was ich damals geschrieben habe, des Schweizers Schweiz, schenken jetzt Freisinnige den Freisinnigen.» Er möchte es jetzt anders, und er versucht es. Er schrieb damals: «Wir haben Angst, untypisch zu werden.»

Wir sind es.

Noch schreibt freilich keiner eine *social-fiction* mit folgendem Thema: Touristen oder Anthropologen kommen für ein paar Tage oder für ein paar Monate in unser Land, um in einem kapitalistischen Staat zu leben; sie zeigen ihren Kindern: Das ist ein Bankier, wie es ihn früher gab. Das ist ein Unternehmer. Das ist ein Bauer, wie es ihn früher gab, ein Handwerker. Ein Arbeiter. Das ist eine Familie. So hat man einst gelebt.»

Ein schweizerischer Kurt Vonnegut könnte einen Super-Dürrenmatt abgeben; noch schreibt er nicht.

Wozu auch?

Uns fällt die innere, aber auch die äußere Emigration verhältnismäßig leicht. Wenn wir weggehen, gehen wir heute nicht weg aus materieller Not. Wir sind, auch im Ausland, keine wirklichen Fremdarbeiter. Unsere Wirtschaft ist international. Auch wir sind international, wie unser Geld. Je nach politischem Temperament oder aus Gründen der Karriere oder aus Gründen der Neugier wandern wir aus. Es fällt uns leicht. Auf einem deutschen Arbeitsamt die Arbeitsbewilligung einholend, spielt sich folgende Szene ab: Die Ausländer (Griechen, Türken, Araber, Italiener, Inder) müssen warten; wir werden kulant abgefertigt. Wo nicht zuletzt durch die «grüne» und die Springerpresse das Steuer- und Wohnparadies der Schweiz als Eldorado des guten Lebens propagiert wird, wirkt diese Reaktion verständlich: ein Bedauern und Verwundern darüber, daß man so etwas aufgibt. Als Schweizer nicht in der Schweiz zu leben.

Sieht man von dieser subalternen Einschätzung der Lage ab, so ist der von Max Frisch geprägte Satz freilich richtiger: «Das sehr hohe Ansehen der Schweiz in der Welt kennen wir aus unseren eigenen Zeitungen.» Und Enzensberger trifft den Kern, weshalb wir trotzdem immer wieder, und sei's sehr gelegentlich, über unsere Herkunft reden: «Ein Deutscher zu sein, das scheint mir kein schwierigeres oder leichteres Los als irgendein anderes. Es ist keine Kondition *à part,* sondern eine Herkunft unter vielen. Ich sehe keinen Anlaß, sie zu beklagen oder zu verleugnen, und keinen, etwas Hervorragendes in ihr zu sehen. Es liegt im Begriff jeder Herkunft, daß man sich nie ganz von ihr trennt; aber ebenso liegt es in ihrem Begriff, daß man sich jeden Tag von ihr entfernt.»

1. Zum Waschen ist die Waschküche nach der aufgestellten Ordnung zu benützen.

2. Die Waschküche ist so zu verlassen, wie man sie vorgefunden hat.

3. Keine Frauen (Männer)-Besuche nach zehn Uhr abends.

4. Schrauben und Haken dürfen nur angebracht werden mit Genehmigung des Vermieters.

5. Die Türen sind bei Abwesenheit und in der Nacht verschlossen zu halten.

6. Radio und Fernsehen dürfen nur auf Zimmerlautstärke aufgedreht werden.

7. Das Halten von Haustieren ist durch den Vermieter zu genehmigen.

Schreiben bewegt sich auf dem Feld der möglichen Wahrnehmung, des möglichen Dialogs. Und das Gespräch, der Dialog, ist, wie die Psychoanalyse uns gezeigt hat, nicht bloß das, was sich in den manifesten oder verdrängten Wünschen artikuliert; es zeigen sich im Dialog auch nicht bloß die Widersprüche, die das Gesellschaftssystem hervorbringt. Es zeigt sich darin auch das, wofür man sich einsetzt, was man realisieren möchte. Wir suchen «Sinn». Im Alltagsverhalten auf einer eingegrenzten Ebene, weil wir weiter nicht gehen können. Theoretisch und literarisch gerät es anspruchsvoller: im Großformat. Aber auch dieses Großformat lebt vom Kleinen, vom Detail und von der Ungewißheit. Zunächst freilich von der Gewißheit. Gerade die wissenschaftliche Sprache zeichnet sich dadurch aus, daß sie sich an Deutungen hält, an Erklärungen und Rechtfertigungen. Eine bestimmte und dadurch limitierte Anzahl von Zeichen und Beziehungen werden transparent; sie beinhalten das, was man über Absprachen festgemacht hat. Jürgen Habermas stellt neuerdings die «ideale Sprachsituation» unter die folgenden Anforderungen: Wir *müssen,* sofern wir uns überhaupt ihm gegenüber als einem Subjekt einstellen *wollen,* davon ausgehen, daß unser Gegenüber uns sagen *könnte,* warum er in einer gegebenen Situation sich so und nicht anders verhält. Wir nehmen eine Idealisierung vor, und zwar eine, die uns selber auch betrifft, denn wir sehen das andere Subjekt mit den Augen, mit denen wir uns selbst betrachten. Wir nehmen auch an, daß der andere, falls wir ihn fragen, für sein Handeln in der gleichen Weise Gründe nennen kann.

Tun wir dies nicht, wird der andere zum Objekt.

Jürgen Habermas sagt: «Mündigkeit ist die einzige Idee, derer wir im Sinne der philosophischen Tradition mächtig sind.» Und: «Das Interesse an Mündigkeit schwebt nicht bloß vor, es kann a priori eingesehen werden.» Zu fragen ist freilich: Was half es? Was hilft es?

Mündigkeit, die nicht konkret an Unmündigkeit gemessen, und das heißt halt noch immer: aus den ökonomischen Grundbedingungen hergeleitet und von dort her interpretiert wird, gerät leicht ins Abstrakte. Gesellschaftskritik, auf die bloß ideale Vorbedingung des Dialogs gestützt, fällt leicht in die Kontemplation zurück, die in der Tat in der philosophischen Tradition liegt.

Angesichts der gesellschaftlichen Entwicklungstendenzen reicht das Beharren auf dem Endziel «Herrschaftslosigkeit» oder das Insistieren auf dem herrschaftsfreien Dialog (Habermas) nicht aus. Geräumt wird, verliert sich die Diskussion erneut in diesem Rahmen, das Feld jener Kräfte, die, realpolitisch, nicht nur die Chance haben, ihre Vorstellungen durchzusetzen, sondern diese Chance auch nutzen. Die staatliche Bevormundung, die ökonomische Macht und die bewußtseinsmäßige Manipulation ist weder durch die Studentenrevolte, noch durch die Infiltration der Institutionen, noch durch philosophisch-anthropologisch fundierte Grundeinsichten wirklich erschüttert worden. Das mag zurückführen zu einem Neo-Pessimismus, was allerdings lediglich bedeuten würde: Ohnmacht und Hysterie kämen erneut zum Zug. Folge wäre ein neuer Leerlauf des oppositionellen Denkens. Oder, hoffend auf die Änderung von außen, auf ein Verschieben nicht bloß der Hoffnungen, sondern auch der Reformen auf einen Sankt-Nimmerleinstag. Theoretisches Seiltanzen, theoretische Inzucht, politische Folgenlosigkeit.

Es mag lästig sein, immer wieder die möglichen Schritte als mögliche Schritte darzustellen: Mitbestimmung, Selbstverwaltung, Demokratie, Hausbesetzungen, Obdachlose, Kranke usw. Es mag lästig sein. Wir brauchen kleine Schritte. Vermittelnde Redensarten allein reichen nicht aus. Unvermitteltes Denken, direkte Praxis reichen allein ebenfalls nicht aus, weil sie zu kurze Beine haben.

Direkte Konfrontationen gehen aus, zugunsten der bestehenden Institutionen. Sachdebatten, konkrete Vorstöße (Bürgerinitiativen, außerparlamentarische Opposition) verfangen sich leicht im System.

Als Revisionist will kein Progressiver gelten. Revisionisten sind wir alle, auch die strengen Exegetiker. Was täten wir sonst, außer eine Liturgie nachzubeten?

Das soll über Differenzen nicht hinwegtäuschen.

Einige sehen in der abstrakten, praxisabstinent geführten Argumentation die einzige Möglichkeit.

Einige sprechen vom ganz «neuen Typ der Organisation», von Spontaneität und unmittelbarem Ausagieren (und verfallen der publicity, die sich über das anfallende Futter freut). Einige arbeiten sehr konsequent, praktisch und theoretisch, innerhalb der Institutionen und in der Konfrontation mit diesen. Auf sie wird es ankommen.

Soziologie oder: «Darstellung von Sätzen einer neuen Enzyklopädie». Nachzulesen bei Bertolt Brecht:

1. Wem nützt der Satz?
2. Wem zu nützen gibt er vor?
3. Zu was fordert er auf?
4. Welche Praxis entspricht ihm?
5. Was für Sätze hat er zur Folge? Was für Sätze stützen ihn?
6. In welcher Lage wird er gesprochen? Von wem?

Das ist mehr als wehleidige Arroganz und mehr als blinder Aktionismus. Gedanken dringen zur Wirklichkeit, nicht ohne uns. Wir müssen mehr riskieren, mehr aufs Spiel setzen. Wir müssen genau wissen, für wen wir sprechen. Dann erst können wir für die schreiben, für die wir schreiben möchten.

Arnold Kübler

UN MOT EN FRANÇAIS

An Kiosk, da chömeds tifig häre
vor de Zug abfahrt, die bessere Herre,
gschäftlech sinds präoccupiert,
hässig oder suscht prässiert,
chaufed, mängsmal wüsseds nanig
was, e Zitigszüg mit Schpannig:

Finanzi – Sensationells,
Krimin – Sexu – Aktuells.
De Quick, de Schlick, de Hick,
de Schtrick, de Knick, de Flick – für Tröpf!
Für underentwickleti Schwiizerchöpf!
Die Anna-Lina-Mariebelle,
en Illuschtrierti, Fräulein, schnell!

Ja doch au! Z'erscht müend Sie da sii,
zerscht cho sii, uf sii, dra sii!

Möglich, daß auch ihr gegangen,
dahin kommt mit Lesestoffverlangen.
«Mademoiselle», in diesem Kreuz und Quer
sagt ihr vielleicht: «Le Figaro Littéraire?»
«Monsieur», haucht sie hinterm Ladenbrette,
«pas encore arrivé, je regrette!»
«Paris Soir?» «Epuisé, herrje!»
«Le Monde?» «De la semaine passée.»
«Art, Spectacles?»
          «Voilà, un franc suisse.»
«Je vous remercie, Mademoiselle.»
          «A votre service.
Au revoir, Monsieur.»
          Sie schtaht mit eim Schlag
ganz anderscht hinder däm Zitigshag.
Sie schtrahlet, sie lächlet, en anderi Frau,
en anderi Luegi – die hät sie au!

Un mot en français, un tout petit mot,
et tout change:
E suuri Jumpfer ufs mal,
espèce d'un ange.
Une parole, une remarque, une phrase:
Wie das schupft,
wies eim lupft,
an eim rupft!

Tu prends ta casquette,
ja da mach ich 's gröscht Gwett,
et tu prends ton bâton,
et tu changes de façon!
Soudain, ufs Mal,
bimene ganz gwönliche Ma

isch es da,
jenes –
je ne sais quoi!

Hungerländer, ja das gits
alliwil na! I der Schwiiz,
halbe mit Vorsicht, halbe mit Gnuß
läbed mir im Überfluß.
Läbesmittel hämmer, äbe,
Mittel meh als gnueg zum Läbe.
Vili bruchtid ehnder Mittel
gäges z'Vill a Läbesmittel.
Auf, in bunten Inseraten
auf, zu größern Essenstaten
ruft der Handel:
Ihr müend ässe, ässe, ässe,
's lit in eusem Gschäftsinträsse.
Ässe us der suubere Tube,
nümme choche, nu na schruube
müend er; mit em Öffnerschpick
schtäched ihr i d'Büchsegnick,
holed neugebore, gnackig,
us der Cellophanverpackig
's Gmües und andrs, der Appitit
rodt si det, wos Märggli git;
früehner ab em frische Schtock,
hüte ab em gfrorne Block
holt mes, da was d'Chöchin zahlt,
will sie chalt und chälter chalt.
Trotzdäm oder äbe wäge
gits Verschtimmige i de Mäge,
hocket mänge ziitewis
suur bi sinere Mittagsschpiis,
läschteret bi der Serviertochter über de Fraß und 's Bier.
Lueget Sie, seit die biziite,
au na uf der hindere Siite
vo der Charte, dete namal
Plättli häts für eu zur Wahl.
Voilà! Hämers! dieses ist,
seit de Bünzli, c'est la liste.
's heiteret uf, er isch versöhnt,

eifach wills da anderscht tönt!
Un civet de lièvre, de veau une blanquette,
das isch es, das cha mers, ischt grad was i wett!
Da hine, da chunnt ihm le pied de porc
ganz anders als vorne 's Söifüeßli vor.
E zächs Schtückli Fleisch, wies gschribe da schtaht,
wies ihm uf der Zunge wie Anke vergaht,
gschpürt er scho bim Läse! Und vom rote Bordeaux
macht ihn ja das O da zum voruus scho froh!
Au 's Gritli im Saal isch tifig, macht mit,
elle change, très gentil, en Marguerite.
Bei allem, erfreut auch der eigene Ton
scho bim Bschtelle la propre prononciation!

Un mot en français, un tout petit mot,
et tout change,
en suure Fruchtsaft ufs Mal:
un jus d'orange!

Une remarque, une commande, sur rien
un entretien:
wie das tönt,
ein verschönt!
Tu prends ta casquette,
t'embrasse ta blonde,
tu prends ton bâton,
t'es un homme du monde.
Mit eim Chlapf, ha ha,
isch es da, jenes – je ne sais quoi!

Nach em Nächschte, fröge, wies em göngi,
wies der Frau, wies mit de Gsundheit schtöngi,
's isch e Gwohnet, gaht is vo der Zunge
gölet! Seit der ander: ghupft wie gschprunge!
meh schlächt als guet, me suuft si, schlaht si durre,
z'grochse hämer, hä mer wänd nid murre!

Und wie gahts Ihne?
Guet bi 's besser chunnt!
Uf zwei Beine wie-n-eme halbe Hund!
Me chunnt devo, soso, lala,
O la la, la la…
Jetzt lueg, wo chunnscht du här?
Oh, allons! Quelle surprise! Comment vas-tu mon cher?

Ah, de te voir, vraiment ça m'amuse,
bavardons de Berthe, de Louise.
Prenons un verre, viens, car je t'assure,
il n'y a que le provisoire qui dure.

Un mot en français, un tout petit mot:
En Chnorzi? – Vorbii! – En Sürmel?
Très ennobli!

Une remarque, une parole, une phrase:
wie das triebt,
wie das chidt,
was 's eim git!

T'embrasses ta Louise,
après ton Elise,
en dansant en rond,
t'es un joli garçon!

Uf eimal ischs da, jenes –
je ne sais quoi.

Wänt i der Schwiiz en Schriiber bischt,
en Schriftschteller, en Prichti, en Journalischt,
en Mänsch, wo mit sir Fäderen-
arbet wott obsi chlädere,
im Glaube läbscht, daß d'Schriftschtellerei
en allgemein agsehs Metier sei,
der Meinig bischt, eme guet b'baute Satz,
guet tänkt, dem ghöri en Ehreplatz
im Land. Sägs, daß dir e grates Gedicht
meh als e tolls Auto i d'Auge schticht;
sägs, daß du die schönsten Trompeten
gern bliesest zum Lob der Poeten,
sägs eme-n-erfolgriiche Landesschproß,
eme-n-usgwachsne Qualitätseidgenoß,
gib dänn, wänns duß ischt, uf der ander guet acht,
was dä für e Zwänzg-ab-achti-Schnörre macht,
wie-n-e Muetter, daß d's ghörscht, ihrem Chind,
dim Chrabi, verkündt, tumm sei si und blind,
en Kärli go gärn ha, wo im erwachsene Alter
nüt z'chäue dra hei als sin Fäderehalter.

Au sixième étage, c'était à Paris,
de garçon ischt det bim Bettschüttle gsi,

im Hotel, dänn bin ich vo duß e chli früeh
wieder z'rugg cho und z'rugg i mis Zimmer ie,
zu mine Entwürfe, mim Gschribsel, mim Gmisch,
dem Blätterverlag uf em gwaggli Tisch:
Sagt der garçon, im Tone très respectueux:
«Monsieur, je n'ai pas touché vos papiers!»

Un mot en français, un tout petit mot,
et soudain
en Wörtlichlüber
un écrivain.

Une parole, une remarque, une phrase:
Corneille, Racine, Molière
t'en es le confrère!
Tu prends ton porte-plume
et tu cherches tes rimes
t'es un poète, un maître,
un homme de lettres.

Ufs Mal isch es da
jenes – je ne sais quoi!

Markus Kutter

NICHT GEHALTENE 1.-MAI-REDE

Leider ist der 1. Mai auf einen Samstag gefallen, und der ist sowieso frei. Nur einkaufen kann man zum Teil und je nach Gegend nicht, dafür – je nach Gegend – am Freitag nachmittag etwas früher Arbeitsschluß machen.

Hätte ich zum 1. Mai reden müssen, hätte ich am liebsten nur zu Lehrlingen, zu Schülern und Studenten geredet, aber ich muß ja nicht, und vermutlich hätten die auch nicht zugehört.

Ich habe einen Vorschlag: Nehmt die Erwachsenen beim Wort. Das heißt ganz praktisch, daß Ihr nachfragen solltet, wenn Ihr hört oder lest, daß die legitimen Interessen der jungen Generation berücksichtigt werden müßten. Das ist sofort zu kontrollieren. Und wenn man sagt, es komme eben auf die Jungen außerhalb des Arbeitsprozesses an – auch das bitte kontrollieren. Lernen sei auch Arbeit – desgleichen. Es müsse dafür gesorgt werden, daß die Jugend etc. und von ihr hänge die Zukunft des Landes etc. – wenn ein solcher Wortschatz auftaucht, wenn in einer solchen Grammatik geredet wird, bitte sich sogleich, höflich und hartnäckig, für den Wahrheitsgehalt interessieren. Nicht weil ich meine, daß das eventuell nicht so gemeint sei, sondern weil ich meine, daß das zwar so gemeint ist, aber selten so gehandhabt wird. Die Erwachsenen (so von 40 an aufwärts) sind nämlich ziemlich überlastet. Mehr überlastet als böswillig. Es kommt also darauf an, die Problemverteilung in diesen überlasteten Köpfen und Terminkalendern etwas umzustellen, für eine andere Reihenfolge in der Wichtigkeit zu sorgen. Das kann man meistens mit freundlich bestimmter Nachfrage. Die nützt auch mehr als eine klassenkämpferische Terminologie.

Ein Beispiel: Ich kenne eine Schulkommission, in der drei Viertel der Mitglieder sich noch nie eine Stunde lang mit ihren Schülern unterhalten haben, noch nie an einem halben Tag die Schulstunden besuchten, geschweige denn selber eine Lektion gegeben hätten. Dazu wären sie auch gar nicht in der Lage. Aber jetzt sitzen sie und schwitzen an Reglementen, mit denen mehr Ordnung und Übersicht in die Sache zu bringen wäre. Fühlen sich wie *Pestalozzis* und wissen nicht, daß bei Pestalozzi Unordnung in der Schulstube herrschte. Was für eine Pointe, wenn jetzt ein paar Schüler auf den Einfall kämen, die Ausdrücke guten Willens und väterlichen Wohlwollens, die sicher auch diese Kommission irgendwo geäußert hat, auf die Goldwaage der Erprobung in Tat und Wahrheit zu legen. Das gäbe nicht so sehr ein ganz anderes Gespräch, als daß es überhaupt einmal ein Gespräch gäbe.

Ich denke auch an das sogenannte Lausanner Modell, einen Vorschlag zur Regelung des Stipendienwesens. Es ist ein solcher Versuch, die Welt der Erwachsenen, diejenige der Institutionen und Kommissionen, beim Wort zu nehmen: daß Bildung ein Recht für die Jungen sei. Recht heißt Anspruch, und der Anspruch geht auf Geld. Der Verband Schweizerischer Studentenschaften hat es sich ausgedacht, daß jeder höhere Schüler, unabhängig von der materiellen Situation seiner Eltern, diesen Anspruch erheben kann; zugleich hat er das Prinzip der Rückzahlbarkeit je nach den späteren materiellen Umständen postuliert: Was will man mehr an realistischer Weisheit? Ihr könnt meinetwegen vom System reden; das System bei seinen Deklarationen und Deklamationen zu behaften, bringt mehr Leben und mehr Klarheit in die Debatte (auch mehr Politik!), als wenn es mit theoretischen Antisystemen konfrontiert wird. Davon halte ich wenig, weil nämlich, je schärfer eine solche Konfrontation erzwungen werden soll, desto weniger Leute am

Schluss der Konfrontation auf der einen wie auf der anderen Seite noch zu finden sind. Die Verteidiger des Systems und die Protagonisten des Antisystems sind mittlerweile Kaffee trinken gegangen. Und noch ein Beispiel ist das Lehrlingswesen. Und zwar ein Beispiel dafür, was eine präzise Nachfrage von Seiten der Betroffenen alles in Bewegung setzt. Schon seit Jahren wußte man ja, daß in der Lehrlingsausbildung etwas nicht mehr stimmt, auch National- und Regierungsräten war es unwohl beim Gedanken an diese Kindsleiche im Keller, es brauchte den Mut weniger, um offenkundig zu machen, wie nötig, pädagogisch und technologisch angebracht hier Reformen sind. Man mußte ja nur einmal Ausbildungszeiten und -ziele, vor allem im gewerblichen Bereich, nüchtern nebeneinander legen, sie mit ihren Deklarationen vergleichen und auf ihre Praxis hin kontrollieren. Das zwang – und zwingt – zu einem Gespräch nicht nur mit den Arbeitgebern, sondern ebensosehr mit den Gewerkschaften.

Ein Generationenkonflikt anstelle eines Arbeitskonfliktes, eines Klassenkampfes – der Gedanke lockt. Ein Generationenkonflikt läßt sich nur mildern (nicht beheben), indem man ihn austrägt. Läßt sich der 1. Mai auch dafür beanspruchen? *Stephan Portmann* hat einmal gesagt, daß bis in die Anfänge unseres Jahrhunderts immer nur zwei Generationen miteinander im Konflikt standen, die Jungen und die Alten; jetzt seien es drei: die Jungen, die nicht wüßten, wie und wo sie mitmachen könnten, die Mittleren, die zwar könnten, aber noch nicht dürften, und die Älteren, die nicht daran dächten, aus ihren Positionen abzuziehen. Die in der Mitte müßten dann eben sehen, wohin und wie sie ausweichen könnten. Aber vielleicht verlaufen auch sonst die Fronten anders. Vielleicht steht uns ein Konflikt zwischen der Gesellschaft einerseits und den Institutionen sowie Unternehmungen andererseits bevor, der noch ganz andere Formen als die Wut über die Pollution oder die Hilflosigkeit vor einer Verwaltung annehmen kann. Es könnte das Mitbestimmungs- und Mitspracherecht aus Management und Mitarbeitern (und nicht mehr so sehr aus Kapital und Arbeit) erst recht jenen Unternehmensblock schaffen, gegen den man dann auf Mittel zur Verteidigung, zur Selbstbehauptung sinnen muß. Und sowieso war der 1. Mai noch nie die Feier der Armen gegen die Reichen, sonst müßten die größten Maifeiern in den kleinsten Kantonen stattfinden und die Gastarbeiter die längsten Züge anführen.

Ich merke, warum ich keine 1.-Mai-Rede halten könnte: Weil mir diese Polarisierung von Kapital und Arbeit nicht mehr plausibel scheint. Und weil das System, in dem man den Gegensatz funktionsfähig sieht, bei näherem Zusehen nicht mehr intakt ist. Der Direktor, der auf die Offerte der Konkurrenzfirma wartet, der Polizist, der lieber beim industriellen Werkschutz wäre, der Lehrer, der in die Industrie abhaut, der Angestellte, der auf die Chance zur Verselbständigung lauert, der Handwerker, der davon träumt, im Fabriklokal Meister zu sein, der Selbständige, der die ganze Plackerei am liebsten los wäre – wie soll ich sie in ein 1.-Mai-Schema einbringen? Noch nie waren in unserer ganzen Geschichte die Wahlmöglichkeiten für jeden einzelnen so groß – wenn einem noch Englisch fehlt und er es wirklich lernen möchte, so muß er eben ans Telekolleg sitzen. Die Frage an die Gesellschaft lautet nicht, welche Möglichkeiten der Selbstverwirklichung noch geschaffen werden müssen, sondern jedem einzelnen ist die Frage gestellt, wie er diese Möglichkeiten verwirklichen soll – und ob er es kann. (Daß, nachdem ein jeder Karriere macht oder machen könnte, die Inflation mit noch größeren Stiefeln die Mehrzahl wieder einholt, gehört zur List der Epoche.) Bildungsgleichheit, die Chance also für alle, gleich gut ausgerüstet zu werden, ist damit das gesamtschweizerische Traktandum. Es sprengt gewerkschaftliche Kriterien, da die Gewerkschaften eigentlich immer nur den aktivsten Teil der Bevölkerung unter ihre Fittiche nehmen. Und wenn die Gesellschaft von der Armut, die auch in unserem Land mehr versteckt als überwunden ist, befreit werden soll, so ist die menschenwürdige Altersfürsorge nur die eine Backe der Operationszange, die andere ist die Demokratie in der Ausbildung.

In Basel hat ein Abend mit sechs jungen Autoren unter dem Titel «Biertischgespräche» stattgefunden. Die Offenheit, mit der junge Schweizer auf der Bühne sich gesellschaftskritisch äußern konnten, war erfreulich; die clichierten Vorstellungen, mit denen dieser Nachwuchs an die Bewältigung gesellschaftlicher Wirklichkeiten herantrat, haben enttäuscht. Den helvetischen Kleinstbürger, dem die Alternativen und die Modelle fehlen, wie er anders leben und was er sich anderes vornehmen könnte, tel quel auf die Bühne zu stellen – zum Gaudi der Pharisäer im Parkett (die Autoren inbegriffen), die sich alle so beschränkt nicht fühlen müssen, war gerade *keine* Gesellschaftskritik, da dieser Dokumentation, die von 1920 zu stammen schien, die Dimension eines möglichen Handelns fehlte. Wie ganz anders der zeitgenössische Katalog des eidgenössischen Arbeitnehmers aussieht, zeigte (vielleicht ungebührlich vergröbert) die Untersuchung des Schweizer Fernsehens: für 24 Prozent sind der soziale Wohnungsbau, für 22 Prozent die

Gleichheit von Männer- und Frauenlöhnen, für 18 Prozent das
Mitspracherecht, für 17 Prozent bessere Sozialleistungen, für 11
Prozent mehr Lohn das dringendste Problem. Und über 50 Prozent der schweizerischen Arbeitnehmer halten den Streik unter
Umständen für ein geeignetes Mittel!
Daß Literatur und Demoskopie so weit auseinandergeraten sind,
beweist, wie sehr das System, das auf der Bühne beschworen und
dann entlarvt werden sollte, als solches gar nicht mehr empfunden
wird. Wenn es überhaupt noch eines ist, so funktioniert es doch
ziemlich anders. Es geht um seine Verwandlung, und damit das
jeder begreift, wird uns die Unruhe der Jugend geschenkt. Daß
diese Unruhe sich oft nicht an die klassischen Formen hält, ist dort,
wo das Gespräch verunmöglicht wird, bedauerlich, aber es ist
handkehrum auch wieder ein Indiz dafür, wie grundsätzlich sich
die Situation gewandelt hat.
Vielleicht ist der 1. Mai gar kein so schlechtes Datum, einer neuen
Generation für diesen Hinweis zu danken.

Cécile Lauber

PIEN-PIENS EDELSTEIN
Eine chinesische Episode

Pien-Pien spricht: «Ich bin Besitzerin eines Edelsteins.
Es ist ein Diamant von vollkommener Gestalt, blauweiß, erbsen-
groß, schadenrein, ein Einzelgänger, ein Einsamer. Er ist gefaßt in
einen Streifen weißen Goldes.
Er wurde mir in unserm zehnten Liebesjahr von Han Tse-Ku,
meinem Geliebten, an meinen Finger gestreift, am Tage des Later-
nenfestes, zur Zeit des Mondaufgangs.
Und die hundert und aberhundert schwankenden Kerzenlichter,
die in bunten Papierlaternen in den Zweigen der Pfirsichbäumchen
schaukelten, flammten auf aus meinem Stein. Es sah aus, als habe
er alles Feuer der Welt gesammelt in seinem kleinen harten Kern.
Ich blickte auf – und sah den Abglanz seines Feuers verinnerlicht
und verklärt im Auge meines Geliebten.
Von nun an werde ich Dich nicht mehr anders als Hsien-Yu-Yü
nennen! sagte ich zu ihm. Das ist: mein Edelstein-Gesicht.
In meinem ganzen Leben habe ich mich nie um Steine gekümmert.
Sie waren tote Stücke für mich. Ach, ich wußte wohl, daß Edel-

steine ein Geheimnis in sich verschlossen halten, aber es lockte mich nicht, daran zu tasten. Natur in anderer Erscheinung fesselte mich mehr. Blumen waren meine Lieblinge; der Mond mein Freund. Die weißen Birken nannte ich Schwestern. Ich liebkoste gerne meine silbergraue Kuh, flocht und zöpfte ihre weiche Stirnlocke, schaute in ihre ergebenen Augen. Ich liebe es, gezähmte Vögel frei auf meiner Schulter herumzutragen.

Auch Musik ist mir mehr als bloßer Zeitvertreib. Ich spiele mit Kunst das Kin. Ich wiederhole heimlich die Lieder der Dorfmädchen und jene der Wäscherinnen, die sie während ihrer Arbeit am Flußufer vor sich hinsummen. Aber ich kenne auch den Pfiff der Diebe und die geheime Flüstersprache jener Männer, die uns Mädchen zu verlocken suchen.

Natürlich trage ich mit Vorliebe glänzende Nephritstücke an Gürtel und Knöcheln; aber ich liebe diesen Stein nur, weil er Künstler dazu treibt, die Gestalten der Gottheiten aus ihm zu schneiden, oder die Fratzen der Marktgaukler und Schauspieler. Und weil er beim Schreiten der Füßchen so hübsch klingelt. Darum liebe ich ihn. Und um mehr nicht! Um mehr nicht!

Ich teile nicht die Begierde der Mädchen nach glitzerndem Schmuck. Ich halte sie für beschämend, erniedrigend. Ich verabscheue sie. Ich teile auch nicht ihre Furcht vor einer Tat. Und ebensowenig ihre Scheu vor Gerede. Ich bekenne gern, daß ich oft in freier Laune mich als Jüngling zu verkleiden pflege, um ungehindert Streifzüge unternehmen zu können in die Gegend der Teeblüte, der Reisfelder oder Fischerdörfer.

Aber jetzt hat alles einen andern Wert für mich bekommen. Mit einemmal hat die Bedeutung der Dinge sich für mich verändert: Denn ich habe das mit nichts zu vergleichende, geheime, starke, kraftverströmende Leben der Steine kennengelernt.

An meinem Finger ruht nun dieser große, edle Diamant, ganz kühl und weiß im ersten Tageslicht, einer Blüte vergleichbar, einer Lotosblume, die halbgeschlossen unter vielen Blättern träumend ruht. Obwohl er nichts mit einer Blume zu tun hat. Denn er ist hart in seinem Kern, in seinem Wesen unerbittlich, duftlos und wie erstorben. Meine Hand erblaßt an ihm.

Doch so wie das Zittern einer leisesten Erregung heftigeren Pulsschlag durch die Adern treibt, erregt er sich ebenfalls, zuckt schmerzlich. Ja selbst die leiseste Schattierung eines Gedankens weiß er aufzuspüren; als habe er die Gabe, sich in mein Blut einzufühlen, zarter als das zarteste Instrument, das Kin, dessen bebende Saite der Hauch des Windes zu Seufzern bringt.

Und manchmal – wenn meine Hand vergessen in meinem Schoße ruht, hat der Stein an ihr ein geheimes, eigenes Leben angefangen mit dunkelrubinrotem Flämmchen, das wie ein flüsterndes Geheimnis auf der Spitze seiner Blätterkrone steht. Wenn ich im gelben Pavillon damit beschäftigt bin, Ornamente und Tiergebilde mit Silberfäden in die Seide des Mantels zu sticken, der für meinen Geliebten, für Hsien Yu-Yü, bestimmt ist, scherzt mein Stein und steigt mit kleinen schillernden Lichtern an meiner Nadel auf und nieder, wie der erregte Täuberich tut, wenn er wohl tausendmal mit gesträubtem Gefieder das Stäbchen wechselt, im Spiel um seine schillernde Taube.

Einmal – als ich Hsien Yu-Yü auf einem seiner raschen Jagdzüge begleitete, auf dem falben Hengste reitend wie ein Knabe, kam mir ein Fuchs vor den Pfeil.

Jedermann weiß, daß Füchse dämonische Wesen sind, die man nicht verletzen soll, und ich habe es aus Versehen getan. Ich sprang vom Pferd und legte ohne Scheu den Kopf des Fuchses in meine Hand. Da sah ich denn, wie aus seinem brechenden Auge der Dämon zornig entfloh mit grünen, zuckenden Lichtern, und am Ring an meinem Finger hing als bebender Tropfen dasselbe zorniggrüne Licht.

Aber niemals werde ich vergessen, daß mein Stein es war, der mich vor Herrn Wangs Nachstellungen bewahrte. Er wurde von Hsien Yu-Yü selbst zu mir geführt, denn er hatte längst den Wunsch ausgesprochen, mich näher kennenzulernen.

Mein Geliebter fragte mich, ob es mir angenehm sein würde, Herrn Wangs Aufwartungen anzunehmen.

Ich blickte nieder auf den Stein. Er lag ganz unbewegt an meiner Hand und fühlte sich hart an wie ein runder Kiesel. Und nur mir allein sichtbar, lauerte in einer seiner Falten ein fremdes, listiggelbes Funkeln, das mir Furcht einflößte.

Ich blickte auf. In Wangs Auge, das dem meinen auszuweichen suchte, verriet sich dasselbe böse Funkeln.

«Nein», sagte ich hart, «es würde mir nicht angenehm sein.»

So wie der Edelstein das Pochen meines Herzens auffängt, wenn etwa die Schritte meines Geliebten rascheln im trockenen Laub der Parkwege, flammt er auf in ungezügelter Freude. Er überbietet sich, ruft ihm entgegen, jauchzt wie ein Mensch, schmilzt hin wie eine überreife Frucht.

Mein Stein hat zuckende, bewegte, brechende Stimmen der Leidenschaft, berauschte Stimmen des Glücks. Er kennt das Schmeicheln sehnsüchtiger Liebe, die Seufzer der Bangigkeit, das Bluten des Schmerzes; denn er war ein heißes Geschenk aus einem brennenden Herzen.

Und dann – um nichts erschrocken, erblaßt er, verstimmt, löscht aus wie Licht, über das ein Wolkenfetzen flog, erstarrt an mir in kalter Pein, und ich fühle ein Gewicht, eine Bangnis über meiner Seele, die sich nicht erklären läßt – als hätte ich ein Herz aus Stein.

Das ist – wenn mein Geliebter sein Gesicht beschattet hat; wenn ein Geheimnis es verschließt vor mir; wenn ich unbekannte Gedanken, fremde, mir feindliche Gedanken nur ahnen kann, nicht weiß. Oder wenn zuckende Lippe mir von Dingen spricht, die anzuhören ich schwer ertragen kann.

Was will das Mondlicht, der bange, blaue Mondlichtstreifen, der meinen Stein umspielt, aus ihm selber aufgeglüht?

Hsien Yu-Yü ist an meiner Seite eingeschlummert. Träumt er von mir? Träumt er von einer fernen, blauen Blume, deren Duft seine Stirne verwirrt hat?

Edelstein birgt geheimes Wissen, geheime Kraft, geheime Dämonie. Die Hand, die ihn für mich ausgesucht hat in dieser edlen Aufmachung, mit langer Geduld, mit auserlesenem Geschmack, mit wählerischer Zartheit, zitterte dabei.

Sie hat ihn mir an meinen Finger gestreift in einem Augenblick, wo kalte Gefahr unsrer Liebe drohte, wo die Einsamkeit, die die Sterne der Liebenden umhüllt, durchsichtig zu werden begann, wo von meinem Herzen Opfer gefordert wurden, die es schmerzlich verwundeten. Aus den verwirrenden Abgründen der Gefahr stieg dieser Stein funkelnd empor, kristallisierte Empfindung, Stütze in der Bewegtheit, Inselchen im Meer. Er ist:

Kraft, an die ich mich lehne, wenn mir schaudert –
Hartgeprägtes Symbol bewährter Treue –
Geschenk deiner Liebe, Hsien Yu-Yü, mein Geliebter!»

Maria Lauber

DER CHLI CHÜNIG

Si hii es Spiel ufgfüert. Es Chrippespiel. Meä wa-n e Wucha lang hii si va nüt anderem gredt wäder van dem Spiel. In der Buebeschuel hii si es Chrippli gnaglet un eniewis Stalls zimmeret, in der Neäischuel het's numen eso gfläderet va wyßem, liechtem Tuech für d'Fäcke, u der rot Herodesmantel het uber menga lenga Namittag ewägzüntet. Si hii gsungen u Sprücheni gleärt.

Un entlig ischt där Abe cho. E stili Nacht het angfange. Der Himel
ischt uberzogna gsi, un es ischt gsi, wi's ischt, we's angens wolt
gan afaa schnyje.

Da ga chlini Liechteni dür ds Dörfi dür. Es ganzes Züügli. Z'vor-
drischt schint im Cherzeliecht e silberiga Stärne. Mit goldig falbem
Haar chunnt e liepligi Maria. Ds blau Tuech, wa ra uber ds Huut
un uber d'Agsli giit, teckt ds Jesuschindi warm zue. Si hüetet's mit
stilen Augne. Dernach chunnt es Gflader va schneäwyße Fäcken u
va groletem Haar. Goldigi Bender, wa's zämehii, schinen im
Liecht. Zwo chli dick Füüscht tüe sig zämen um ne wyßa Cherze-
stumpen u hii ne wie-n öppis uber di Maße Wichtigs u Wärts mitts
vur em Gsicht. Jitz glitzeren dri goldig Chroni – d'Chüniga us em
Morgeland. Där z'mitts: di gälbi, zaggeti Chronen us gwäletem
Charten ischt feschti, wes daß (wie wenn) si us schwerem Gold
weä, uf ganz schwarzem Haar, un em blaua Mantel – es Pfeäsch-
terumhengi – hanget bist fascht uf em Bode. Zwo roserot Hend
tragen es Sigarechischtli mit emne wyße Naselumpen druff – wes
daß's (wie wenn) es Chäschti weä schwersch va Silber u Gold. Es
grües Chriiseschti lit druff, u d'Cherza, wa drand angmachti ischt,
brünnt eso grediuf un ischt eso still trage worde, das net en iiniga
Tropf ds Eschti verfärbt. Zwü großi schwarzi Auge guggen dru-
berus i d'Nacht. Di zwää andere Chüniga links u rächts lächle dann
ud wann uf de Stockzenden u blinzen enandere, aber disa het nüt
wa-n Andacht uf em Gsicht.

Hindernaha chunnt ds Hirtevolch: di roten u blaue Tüeher möge
ds Haar schier net benige, chlini, herti Trötscheni gusle links u
rächts, u gschliffni Müleni gän enandere Bschiid. – Aber jitz giit ds
Züügli schon änetnahi uber ds Gäßli ahi. Tütlig gseät ma nug
d'Mantla, u d'Chroni van de Chünige schine im Cherzeliecht. A jitz
feä si a singe, lut u fescht im Takt:

«Wir kommen daher ohn' allen Spott,
ein' schön' guten Abend geb Euch Gott!»

Drus usa ging umhi e riini, suferi Stimm: das mues der chli Chünig
si, der schwarz, in der Mitti.

Derna hii si in der Schuelstuben das Spiel ufgfüert. Der Josef het di
müedi Maria bir Hand gnun un ischt mit ra va Hus zu Hus ga
gugge für Platz. Va Hus zu Hus – si hii numen es paar Tüeher
gspannti ghabe vur der iinte Wand, ud da wa zwü si zämechon u 's
e Chlack het gä, ischt der Würt fürha chon u het di arme Lüteni
ghiißen-ga. U derna het d'Maria froh u still uf ds chli Chindi aha-
gugget, d'Hirte si chon u si vur ma gschnöwet, di wyßen Engeni

mit zämetane Hendene si cho z'täppenen u hii näb em Chrippli
gsunge.

Aber zlescht giit d'Tür uf, u gsatzlig u mit feschte Schritte chöme
d'Chüniga dür d'Stuba u dür di Lüt ali dür uf ds Chrippli dar. Si
miine sig ordelig, wa ne d'Lüt wi-n-große Heren ol wes daß's rächt
Chüniga weä, links u rächts der Wäg fry gä. Schier stolz chömen di
zweä Großen u tüen dann ud wann em Blick uf d'Lüt, aber där im
blaue Mantel – der Pfarer, wa-n og da ischt gsi, het di Frou, wa
näbe ma ischt gsäße, gfragt, was jitz das für nes Büebi sigi – «das
ischt ds Hansi», het si nume gsiit u sig derna bi-n dem Spiel vergässe – där im blaue Mantel, ds Hansi, ischt og grediuf chon u mit
sichere Schritte, aber eso wi-n äs ds Huut het ghabe, das ischt öppis
Deämüetigs un Andächtigs gsi. Jitz chnöwet er nider vur em
Chrippli, langsam afe mit iim Chnöw, derna mit em andere, jitz
bückt er schig tüüf, jitz nimmt er das grüe Chriiseschti mit em
Cherzi eso hübschelig mit beäde Hende, wes daß's Gold u Silber
weä, u liit's vur em Chrippli nider. Jitz liit er d'Hend zämen u
het ds Huut vornider. – Der Schin vam Cherzi giit uber di goldigi
Chronen un uber ds schwarz Haar un uber di schmalen Agsli un-
der em Chünigsmantel, hindernahi wi silbrig Chnöpf ol fürnäm
Stiina glitzeren am beäde Schuesole d'Nagla. Mi gseät nüt va ds
Hansis Gsicht, aber mi merkt's der ganze riine Gstalt a: der chli
Chünig bättet jitz.

Vlicht nu nie i sim Läben ischt er eso glücklig gsi wi-n-grad jitz –
glück-seälig. Das er jitz hie vur dem Chrippli tarf chnöwe, das er
tarf e Chünig si mit emnem blaue Mantel u mit enren-goldige
Chrone – wi lang – wi lang het er dadruf planget! All Abe het er,
wi ging, sis Bättli gsiit, wa ne nug d'Mueter het gleärt, das vam
himmlische Stäg u vam Liechtel iu het, wen er Ame gsiit ghabe het,
nug d'Mueter bhüetet «Guet Nacht, mi Mueter im Himel.» Aber
jitz het er schier alimal nug obendruf bättet: «Liebgott, la mig e
Chünig la wärde.»

Er het drum gwüsse, daß's viel brucht, bis das er sövel wit ischt.

Er ischt es Dingbüebi gsi. Für das oppa og es Chind twäga sigi,
wa ma hurtig an es Ort hii chöni schicken u für das ma an-gens
(bald) em biligi Hülf hiigi, hii ne ds Schlattis gnu. Si hii ma z'ässe
gä, wi se sig het ghöert un ordeligs Gwand – meä, hii si gsinet, sige
si net schuldig.

Ds Hansi het's gwüsse, daß si ma net meä schuldig si, u het's mengischt ghöert, wi-n är söli Gott daahe, das är eso nes guets Platzli
hiigi ubercho, wa-n doch mengs arms Chind müeßi Hunger liden
u bir bittere Chelti in düne Hüdene (Kleidlein) gangi. Ds Hansi het

gwüsse, daß's soll leäre wärhe bi ds Schlattis u das iigetlig de
nieme schuldig weä, söligi wi-n inis uf- un anz'näh.

O wi hübschelig het's gmacht, wa's ds Schlattis Mueter het gsiit, si
füeren in der Schuel es Spiel uf un es törfi og e Chünig si, we's
en-goldigi Chronen uberchömi.

Was jitz afen das söli si, in der Schuel öppis eso Chintligs ga z'tribe,
anstatt ds Jismaliis z'leären un öppis schribe, siit d'Mueter u gugget ne stächig a. Es ischt dem Chind völig dür u dür gange. Diz u
das het si der Bueb witer gfragt. Es het ne wäger fascht gschüttet,
wa-n er het Bschiid gä.

«Uebet er moren og umhi am Namittag?»

«Ja, van de Zweien etwägg.»

«De fragscht du mer hiim u giischt dem Atten-ga hälfe Holz
tischsche. Das mangti a Schärme.»

Ds Hansi het gschlückt u gschlückt.

Der glich Abe het er, oni das nen öpper het ghiiße, Holz tischschet
bist in ali Nacht y. Siner chline Hend hiin-ganz gchläbt va Harz u
hii meä wa-n an iim Ort blüetet. Ds Holz ischt fascht alzen uf der
Tischsche (Beige) gsi.

Ob er jitz glich müeßi hiim frage. U ds Härz het ma gchlopfet
öppis schüüchtersch.

Wa d'Schlattimueter in di schwarzen Auge het gugget – si hetti o
müessen e Stiin im Lyb han anstatt es Härz, un en Uhund isch-si
de nadischt nie gsi, bhüetis nii! – het si gsiit: «Su blib mira in der
Schuel u hilf ne gänggele. Z'wärhe bigärt ja van de junge Lüte
jitzmale nieme meä.»

Am Aben druf het er umhi Holz tischschet bist nachts. Mit Bluet
an de Hende van de ruhe, tanigen Eschte.

E Chrone het er due og ubercho. Bim tusig het ma ds Hanesse
Mädeli iini an-gmässen us gwäletem Charte, het sa mit Gold-
brongsen angstrichen u gwüni zunderischt nug es Port gmacht va
menem bitzi schinigen Engelhaar.

U jitz der Mantel. O wi mengischt het er das Umhengi gschouet
am Stüblispfeäschter – das – das geäbi grad e Mantel. Un esmal,
wan er gmiint het, d'Mueter sigi grad im Süwstyjli (Schweinestall),
nimmt er hinder em Schaft fürha di goldigi Chronen u liit sa a.
Derna räblet er uf ene Stuel, macht das blau Umhengli los u
nimmt's uber ne. Däwäg gseät ne d'Mueter, wa-n under der
Stüblistür stiit. Der Chünig schüttet's in de Chnöwne. Er weä bin
iim Haar van der Stabälen ahaghit.

Min Troscht, wi het di Mueter chöne tue! Es hiigi u hiigi eghin-
Gattig, was di Pursch hütigstags jitz afe frächi wärde. Es sigi nüt

meä derbi z'si. Uf de Chnöwne söllte's iim daahe – söligi – das ma ne z'frässen u d'Hudla (Kleider) gäbi – ud de –»

Aber wi gsiit, en Uhund ischt nieme gsi va ds Schlattis – wa si das chli Chünigli da eso grings u schittersch het gseä stah – di schwarzen Augen in dem bliihe Gsichti under der Chrone – da het si uf ds Mal nume nug eniewis brummlet u het sig umgheärt un ischt umhi zum Für.

«Chumm gi'mer ds Chatzemblättli fürha», rüeft si uf ds Mal. Numen daß si öppis chöni chifle. Ds Chatzemblättli ischt ja grad näb ra under em Chuchischaft gsi.

«Tarf ig ds Umhengi ha?» fragt ds Hansi u het vur Angscht schier d'Zunga gschlückt. Ds Chatzemblättli i sine Hende het zitteret. Das Büebi ischt fascht at ma sälber erchlüpft. Daß's nume het törfe frage!

«Wennd spilet er?»

«Moore z'Nacht.»

«Aber su gwüni u gwüni, daß d' mer net sofort hiim chunnscht, daß d' mer nug chascht hälfe d'Schafleni treähe, we d'dig nug versumscht wi-n iismal, wa d' mit der Chronen u mit dem Gfotz bi ds Hanesse bischt ghocket bist in ali Nacht y – su gwüni u gwüni vernimmt's dr' Att un er brüglet dig ani Feälen denn doch esmal, der Züber ischt vola.»

In der Schuelstube het d'Lehreri am Abe na dem Spiel nug e Winachtsgschicht zelt – em bitz e lengi. Ds iint un andera von den Engene het sis Hüüti mit dem gälbe grolete Haar uf e Tisch gliit, un im hinderschtem Bank het di chlinschti Hirtefrou der Atem tüüf u glücklig zogen u het gschlafe.

Wan alz ischt fertig gsi, hii d'Chind nug es iedersch sis Cherzi am Liechtli bim Chrippli etbrennt, un an-gens (bald) druf het ma Liechteni gseän-gah gäg all Siti us: uber d'Halti embruf, gäge ds Giiswäldi un uber em Bach. Dann ud wann si zwü old drü nug zämegstande, roseroti Müleni hii sig büschschelet mengsmal u hii si usplase, dicki Hendeni hii si umhi etbrennt, hie u da ischt iis zringetsum tribe worde für z'gugge, ob's net erlöschi – aber zlescht het doch es jedes sis Liechteli hiimtrage.

E tola Schutz na däm Feschti ischt der Pfarer dür ds Dörfi dür u het gäge hiim wele. Er ischt nug zum ne Chranke gsi. Wan er bi ds Schlattis Hus verby wolt, gseät er us em Holzschärm es Liechteli zünte. Er gugget inhi, wär da sövel spat nug am Wärhe sigi – due, was gseät er? Da gruppet öppis näb em Schidstock (Spaltklotz) nider. Ischt das net – wohl, das ischt ja es Chünigli, das ischt ja der chli Chünig, där mit der sufere Stimm u dem andächtige Gsicht.

Er het ds Huut uf ds Ärmli gliits uf em Schidstock, di goldigi
Chronen ischt uf d'Sita grutscht, u ds dick, brandschwarz Haar
chunnt fürha. E chlini Fuscht het fescht, aber schreäg es Cherze-
stümpi, ds Wags tropfet uf ne roti, gfroreni Hand. Di schmalen
Agsli under em blaue Chünigsmantel schüttet's un erhudlet's. Der
chli Chünig ischt am Briegge. –
Da giit der Pfarer inhi. Hübschelig liit er dem Hüüfi Mentsch si
Hand uf d'Agsla. Da trohlet es goldigs Chröeni dür em Boden us
u zwü grüselig großi, brandschwarzi Auge guggen i schröckeliger
Angscht zu-n däm Ma uf – sie si z'gseäh wi d'Auge vam ne junge
Vogel, wa mit prochne Fäcken uf der Ärde lit.
Was er da machi, fragt der Pfarer der Bueb.
«I wiis drum net, wahi das g soll.»
«Teäch woloppa i d'Stuba un i ds Bett, es toocht mig, es weän afe
Zit.»
Da feät das Büebi uf ds frische a rääre; chrugelrund, schinig Tropfe
rugelen uber d'Wange.
«Was isch de? Chumm, wir wii-n i d'Stuba.»
Er nimmt das Chünigli bi'r Hand, aber es zieht sa dezidiert em-
zrugg. Es schnützt u rääret: «I – i – ch – cha drum net – i tarf
net – –»
«Westwäge net?»
«Si – hi – hii mig drum usbschlosse.»
«Westwäge –?» fragt der Pfarer reäz – «i där Chelti», siit er zue ma
sälber.
«Wil ig drum e Chünig bi.»
«Was – was siischt –?»
«Wil ig drum – wil ig z'spat hiim cho bi.»
Der Pfarer stellt das Cherzestümpi uf e Schdstock. Er nimmt ds
chline Chünigs rot erfrore Hend u wärmet si in iira va sinen-große.
Mit der andere gryft er dem Chind under ds Chini. Zweä Augs-
techla tüe sig uber großi Auge, lengi, schwarzi Augehaar wärfe
Schätten uber di bliihi Hut, un iisderdar zwüß den Augehaare
fürha chömen di hiiße, schinige Tropfe. «Hansi», siit der Pfarer.
Da tüe sig di Augen uf, un in der schwarze Tüüffi suecht u findt
der Pfarer, was er gsuecht un erwartet het: e Seäl oni Fläcken un es
Vertruwe, wi ma's numen in den Augestärne vam ene Chind cha
gseä.
«Wil ig drum e Chünig bi...» sinet der Pfarer. Er nimmt das Chind
u giit zu ds Schlattis ga chlopfe – –.
Es paar Tag speäter züglet ds Hansi i ds Pfarrhus. Im ne rot-
bluemete Naselumpe het er sis Gwendi trage.

Der Pfarer het sig net verrächnet. Us dem chline Hansi ischt e gfreuta Bueb worde. Er het ne bschuelet u het ne la studiere. U jitz ischt er en-große Ma un äben der Pfarer im Oberluub, wa-n er va ma ghöeret säge, es hiigi eghina es Wort wi-n där, u was er de Lüte mit dem Wort net chöni dartue, das sägi'r mit sir wunderbare Stimm, wen er hälfi Psalme singen in der Chilhe. Un er laji net lugg, im mindschte va sine Schäfene, im gringste Verdinger un im verlumpete Suuffer, in der ermschte Seäl der Chünig z'suehe.

Das het der alt Schuelmiischter albe zelt. D'vili ischt sis Wort gsi, wen er an iim va sine Schuelchinden öppis erfahre het, wa ne het gfröwt u verwunderet oder was er net ganz het verstande: «Wil ig drum e Chünig bi.» We ma ne de het gfragt, wahar das er das Wort hiigi, su het er den äbe disi Gschicht van dem verstoßene Chünigli zelt.

Mary Lavater-Sloman

AUS «HEINRICH VON KLEIST UND BRUDER TOD»

...Er lag wie vernichtet am Boden, hingestreckt auf das Gesicht, ein Geschlagener. Von der Arbeit mehrerer Jahre lag in seinem Kamin nur noch die Asche. Die Welt war leer. Da schlug eines Tages die Stille in Kleist zu tobender Wut um. Dem Wahnsinn nahe beschimpfte er sich selber, dann wieder feierte er sich als das größte Genie, fiel über seinen Freund Pfuel her, der ihn auf diese sinnlose Reise nach Paris geschleppt. Jetzt sei das Ende gekommen: der Tod. Er reißt seine Pistole aus dem Halfter und schreit, er wolle Pfuel mitnehmen in die Verdammnis des Selbstmordes.

Da barst Pfuels Geduld, er riß Kleist die Waffe aus der Hand und steckte sie ein, er trommelte mit den Fäusten auf den Tisch und brüllte Kleist an, er donnerte auf ihn hernieder, nun selber in höchster Wut, daß die Fensterscheiben klirrten.

Kleist stand wie versteinert unter diesem Ausbruch der Verachtung. Dann wandte er sich, grau im Gesicht, von Pfuels tobendem Zorn ab, erreichte die Türe tappend wie ein Blinder, öffnete sie langsam, überschritt die Schwelle, die Füße hochhebend, als fühle er den Boden nicht mehr, und schloß sie leise hinter sich zu.

Totenstille auch im Zimmer. Es wurde dunkel, die Nacht kam; Kleist blieb aus. Er kam auch am nächsten Tage nicht. Pfuel war sehr beunruhigt, er eilte zur Polizei, zur Preußischen Gesandtschaft und – in die Morgue. Tag für Tag ging Pfuel in die Morgue, schaute in die stillen Gesichter von Männern und Frauen, von Getöteten, von Verunglückten und von Selbstmördern, der Freund lag nicht in dieser Gesellschaft Unbeerdigter.

Kleist war schon lange nicht mehr in Paris. Er suchte den Tod, aber er wollte ihm aufrecht entgegengehen, wie so viele seiner kriegerischen Vorfahren ihm entgegengegangen waren, kämpfend, einer Sache dienend, ob sie nun gut oder schlecht war. Im Norden Frankreichs bereitete Napoleon die Invasion Englands vor. Er, Heinrich von Kleist, würde sich anwerben lassen und sich als Mutigster der Mutigen dem Tod entgegenwerfen. Ein Aufschrei an Ulrike aus St-Omer:

«Der Himmel versagt mir den Ruhm, das größte der Güter der Erde; ich werfe ihm wie ein eigensinniges Kind alle übrigen hin... ich stürze mich in den Tod. Sei ruhig, Du Erhabene, ich werde den schönen Tod der Schlachten sterben... ich frohlocke bei der Aussicht auf das unendlich prächtige Grab...»

Kleist wanderte nach Boulogne, sah hier Scharen von Soldaten, die an der Küste zusammengezogen wurden. Oft lief er neben den Kolonnen her, bot diesem und jenem Ausgehobenen an, für ihn in den Kampf zu ziehen, der Befreite könne nun nach Hause gehen. Die Soldaten lachten den Verrückten aus und stießen ihn fort; jeder Offizier hätte in ihm einen Spion gesehen.

Hungernd ohne Geld, verloren über die Landstraße wankend, führte der Himmel dem Ratlosen einen französischen Bekannten in den Weg, der nahm den völlig Erschöpften als seinen «Bedienten» mit sich, damit er der Polizei nicht in die Hände fiel. Er schrieb auch an den preußischen Gesandten Lucchesini in Paris, Herr von Kleist habe sich in Gefahr begeben, als Spion erschossen zu werden, man möge ihm doch umgehend einen Paß schicken.

In kürzester Frist war der Paß in Kleists Händen, begleitet vom Befehl des Gesandten, sich augenblicklich auf die Heimkehr nach Potsdam zu begeben. Heimkehren! Ohne die hundertmal versprochenen Erfolge, ohne den Ruhm, auf einem Schlachtfeld gekämpft zu haben, aber er gehorchte. Wie ein Traumwandler gelangte Kleist nach Paris, raffte seine begonnenen Werke an sich und fuhr heim: in welche Zukunft?

Um Ostern 1807 erschien in Dresden Kleists Lustspiel «Amphitryon», in dem Zeus die Gestalt des Feldherrn Amphitryon annimmt, um seine Liebessehnsucht zu einem Menschenwesen in Alkmenes Armen erfüllt zu sehen. Wie gern hätte auch Kleist selber nur einmal die Rolle mit einem gesund liebenden Mann getauscht! Wieviel verborgenes Leid verbirgt sich in diesem «Lust-spiel»!

Kleist hatte schon vom Ruhm gekostet, und ohne daß er es in Joux wußte, schrieb «Das Morgenblatt für gebildete Stände» nach dem Erscheinen des «Amphitryon»: «Willkommen, wer so den gött-lichen Beruf des Dichters beurkunden kann!» Er *war* ein «gött-licher Dichter», aber im «Amphitryon» ertönt der schmerzliche Ruf:

«Ach Alkmene!
Auch der Olymp ist öde ohne Liebe.
Was gibt der Erdenvölker Anbetung,
Gestürzt in Staub, der Brust, der lechzenden?
Er will geliebt sein, nicht der Wahn von ihm.
In ewge Schleier eingehüllt,
Möcht er sich selbst in einer Seele spiegeln,
Sich aus der Träne des Entzückens widerstrahlen.»

Kleist, dieser Mann, der Worte und Bilder zu einem ewigen Quell der Schönheit aus dem leblosen Fels seines Schicksals schlug, die-ser Mann wandelte arm und verkannt umher. Er schloß sich Adam Müller an, einem der führenden Männer unter der Schar der deut-schen Schriftsteller, die sich in Dresden gesammelt hatten. Auch Pfuel und Rühle standen plötzlich da; Tieck, Körner, Varnhagen von Ense erschienen und «erfreuten sich der Gegenwart eines der vorzüglichsten jetzt lebenden Dichter, des Herrn von Kleist, der den Altar des Vaterlandes mit einem so frischen Kranz wie dem Lustspiel ‹Amphitryon› geschmückt hat.»

So stand es in der Zeitung zu lesen am Jahresende 1807, gerade als Kleist die Wahnsinnsszene schrieb, in der Penthesilea, die Ama-zonenkönigin, in der Liebesraserei zu Achill, den sie lebend nie besitzen würde, inmitten der Meute ihrer Hunde, mit ihren Zäh-nen zerfleischt.

«Sie schlägt, die Rüstung ihm vom Leibe reißend,
Den Zahn schlägt sie in seine weiße Brust.
Sie und die Hunde, die wetteifernden...
...Als ich erschien,
Troff Blut von Mund und Händen ihr herab.»

Was hat ein Mensch gelitten, der solche Bilder der Unnatur aus sich heraus erschaffen konnte? Was war das für ein Mann, der aus dem Götterhelden Achilles eine unmännliche Gestalt macht, die sich in einem verliebten Betrug gefällt, am Ende zur Flucht ge-

neigt ist und sich zu verbergen sucht? Aus welchem Wissen heraus
onnte Kleist ein Mannweib erschaffen, das hin und wider
schwankt zwischen dem Durst nach Hingabe und dem Befehl ihrer
besonderen Art, die Liebe nur mit einem im Kampf besiegten
Manne zu teilen?

Die Gewalt des Werkes in Wort und Bild und Rhythmus gehört
keiner Zeit an, es ist der gigantische Ausbruch einer eigenen Verwirrung, einer schuldlosen Verdammnis, die sich nicht in schwäch-
licher Demut dem Schicksal gegenüber beugt, sondern sich in
mörderischem Zorn gegen eine Ungerechtigkeit der Natur auf-
bäumt.

An Marie von Kleist schrieb er von der Penthesilea: «Es ist wahr,
mein innerstes Wesen liegt darin, und Sie haben es wie eine Seherin
aufgefaßt: der ganze Schmerz zugleich und Glanz meiner Seele.»
Er selber war Achilles, und er war Penthesilea, beider Sucht nach
Erfüllung trug er wie zwei wilde Ströme in sich, die aber niemals
Glück und Leben schaffen konnten, nur Tod und Verderben.

Doch war Kleist, der Dichter, so groß, daß er das Trauerspiel seines
eigenen Ich völlig von sich selber hatte ablösen können; er hatte
ein Drama geschaffen, das, wie Wieland es vorausgesagt hatte, den
Dramen Shakespeares an die Seite zu stellen ist. Im Frühling 1810
erschien Kleist in Berlin in einer Euphorie, die seine Freunde mit
Besorgnis erfüllte. Adam Müller, resigniert, einmal zornig und
dann wieder voll guten Willens, führte den Genesenen mit den
jungen Romantikern zusammen, aber Kleist war kein «Romantiker». Auch Achim von Arnim wußte den neuen Freund nicht zu
deuten, er nannte ihn «eine eigentümliche, verdrehte Natur».

In den adligen und in den aufblühenden jüdischen Salons wäre
manche der Damen einer nahen Verbindung, wie sie bedenkenlos
kreuz und quer geschlungen wurden, mit diesem eigenartig faszinierenden Mann nicht abgeneigt gewesen, aber Kleist überschritt
das Gebiet einer kameradschaftlichen Herzlichkeit nie. Nur Henriette Vogel, die von Kleist nicht sonderlich geliebte, unschöne
junge Frau, wußte ihn einzufangen. War es ihre wunderbare
Stimme, mit der sie tragische geistliche Lieder vorzutragen liebte,
oder ihr Heißhunger, mit dem sie alle literarischen Erzeugnisse
verschlang und kommentierte, also auch die Werke Kleists?

Heinrich hing jedoch mit ganzem Herzen nur an seiner Base, Marie.
Obwohl sie nun keine junge Frau mehr war, fühlte er sich ihr so
rätselhaft verbunden, daß er auch sie zu überreden versuchte, mit
ihm zu sterben. Ein Lächeln, eine Handbewegung, und Marie ging
zu praktischeren Dingen über.

Nämlich zur Vorlesung seines Huldigungsgedichtes an die Königin Luise vor dem gesamten Hof. Der große Moment kam, und die Königin quittierte mit Tränen in den Augen, die dem gänzlich mittellosen Kleist aber nicht halfen, seine Schulden zu bezahlen.

Nun bemühte sich Marie von Kleist, eine Vorlesung des «Prinzen von Homburg» bei Hofe zu erreichen. Der wahre Prinz von Homburg war eine berühmte historische Persönlichkeit gewesen; durch Klarheit und rasche Entschlossenheit zeichnete er sich 1675 in der Schlacht bei Fehrbellin aus, die der Große Kurfürst gegen die Schweden unter Wrangel gewann. Würde der König von Heinrichs Drama entzückt sein? Seine Auffassung des Kriegshelden war – milde ausgedrückt – neuartig! Und doch hoffte Frau von Kleist so sehr, daß eine Vorlesung bei Hofe ihrem jungen Vetter eine gutbezahlte Hofcharge eintragen würde.

Marie erreichte ihr Ziel. Die Vorlesung sollte im Salon der Fürstin Radziwill, einer Schwester des Königs, stattfinden. Kleist war sehr erregt, auch Marie zitterte und war nicht siegesgewiß, wenn der junge Dichter nur gut und überzeugend vortrug!

Heinrich las gut, aber von Akt zu Akt spürte er, wie die Atmosphäre um ihn her immer eisiger wurde. Man ließ ihn zum Schluß kommen, doch dann brach, anstatt Applaus, der ganze Zorn Friedrich Wilhelms über ihn herein. Wie durfte Herr von Kleist einen brandenburgischen Offizier, er, der selber zur preußischen Offizierselite gehörte, als krankhafte, schwächliche Träumergestalt darstellen! Einem brandenburgischen General hatte er Schauder vor dem eigenen offnen Grabe nachgesagt! Was war das überhaupt für ein General, der wie ein Schlafwandelnder und Phantast handelte und schließlich aus Erleichterung über seine Begnadigung in Ohnmacht fiel? Von den tiefpsychologischen Hintergründen hatten der gute König und seine Umgebung nichts verstanden. «Der Prinz von Homburg» wurde fortgewischt! Erledigt.

Von einer Aufführung in Ifflands Nationaltheater war jetzt keine Rede mehr, und auch «Das Käthchen von Heilbronn», das in Wien keine gute Aufnahme gefunden hatte und von Cotta zurückgesandt war, wurde von Iffland abgelehnt. Zudem starb die Königin Luise, und damit wurde der Ehrensold, den Kleist als letzten Rettungsanker angesehen hatte, aufgehoben.

Er fühlte einen neuen Zusammenbruch nahen. Seine Schwester Ulrike, die seinetwegen gezwungen war, von der Gnade ihrer Freunde zu leben, hatte einen flehenden und allerlei Berliner Gesellschaftsfreuden versprechenden Brief von ihm erhalten; sie solle

doch zu ihm kommen. Ulrike antwortete nicht, mit keinem Wort.
Auch nicht auf einen zweiten Brief. Neue Bitten um Anstellung im
Zivildienst wurden vom König nicht beachtet, nur *die* Gnade vermochte Marie von Kleist zu erwirken, daß ihr Vetter sich im
Kriegsfall für das Vaterland dürfe totschießen lassen. Danach verließ die geliebte Frau Berlin, um unerreichbar in Mecklenburg auf
dem Land zu leben.

Nun war Kleist ohne eine einzige schützende Hand. Henriette
Vogel, die schwer krebskrank war, sang ihm weiterhin geistliche
Lieder, sie steigerte sich und ihn in eine ideale Zärtlichkeit hinein.
Aber was nützte ihnen dieser Gefühlsaufschwung? Sie ersehnten
beide ein Vergehen im Tode.

In besseren Augenblicken fragte sich Kleist, ob sein Leben denn
wirklich an einem ausweglosen Ende angekommen sei; er besaß
doch eine Familie in Frankfurt. Nur noch einmal sein Vaterhaus
sehen, noch einmal am Nonnenwinkel an der Türe läuten! Vom
Posthause ging er mit großen Schritten, und dann laufend, zum
Nonnenwinkel. Er stieg die äußeren Stufen hinauf, er zog mit
zitternder Hand an der Klingel; er hört Schritte, die Türe öffnet
sich: ein Schrei! Ein böser, feindlicher Schrei. Ulrike steht vor
ihm, erschrocken, angewidert. Fielen Worte zwischen den Ge-
schwistern? Niemand weiß es, nur daß die Tür vor dem scheu
lächelnden Bruder ins Schloß fiel, das erfuhr die Nachwelt.

Kleist stolperte davon, die Tränen liefen ihm über das Gesicht.
Wohin? Er versteckte sich in einem Café, und hier versuchte er zu
begreifen, was geschehen war. Er faßte es nicht, er wollte nicht
glauben, daß Ulrike, seine Ulrike, ihm die Türe gewiesen hatte!
Nein, nein, es war alles ein Irrtum. Ein rascher Brief an die Schwester, er würde zum Essen kommen, sie würden reden, und alles
könne noch wieder gut werden.

Als Heinrich zum zweiten Male läutete, wurde er aufgenommen,
aber es wurde nicht wieder gut. Die ganze Familie fiel über ihn her,
den Schreiber schamloser Stücke und empörender Novellen, den
Ausbeuter seiner Schwester! Ein Nichtstuer, ein Nichtskönner sei
er, eine Schande für den Namen Kleist! Der Beschimpfte hatte
nichts zu erwidern; es war alles wahr und doch nicht richtig. Was
sollte er sagen? Die Kehle war ihm wie zugeschnürt. Er ging aus
dem Hause, so als ginge er aus dem Leben; nun hatte er nichts und
niemanden mehr. Doch, eines besaß er noch: die Pistole mit den
Kugeln und eine Hand, die nicht zittern würde.

«Ach, es ist leer und öde, später zu sterben als das Herz.» Das sind
Worte aus dieser letzten Zeit. Was hatten die Schwestern verbro-

chen! Einen blütenbeladenen Baum geknickt, diesen Mann von zweiunddreißig Jahren dem Tode entgegentreibend. Sie schnitten ihm die Reifezeit des Alters ab, in der wohl erst die ganz großen Werke entstanden wären.

Henriette Vogel, schon am Ende ihrer Krankheit, tagelang nicht mehr zu lindernde Schmerzen ertragend, war bereit, dem Manne, der nicht ihr Geliebter war, aber das Sinnbild einer letzten Erfüllung, in den Tod zu folgen.

Am 19. November 1811, «mitten in dem Triumphgesang, den seine Seele im Augenblick des Todes anstimmte», schrieb er Marie von Kleist, «daß es seine einzige, jauchzende Sorge sei, mit Henriette einen Abgrund zu finden, tief genug, um mit ihr hinabzustürzen».

Als die beiden Todessüchtigen schon in einem Gasthaus am Wannsee weilten – es war der 22. November –, waren sie die einzigen Gäste. Kleist schrieb «am Morgen seines Todes» einen Dankesbrief an Ulrike, die so viel für ihn getan; kein Zorn war in seiner Seele. Henriette war gerade so heiter wie er.

Am jenseitigen Ufer des «Kleinen Wannsees», auf einem heidebewachsenen Hügel, jagten die beiden Todgeweihten einander fröhlich hinauf und hinunter, als wollten sie nicht wissen, was hier über kurzem geschehen sollte; sie hatten sogar eine Kaffeemahlzeit auf den Hügel bestellt und einen Tisch und Stühle verlangt, alles mußte vom Wirtshaus über die Brücke getragen werden; in der Novemberkälte, bei nahendem Abendnebel! Waren die beiden Fremden von Sinnen?

Als die alte Bedienerin den Hügel hinunter zur Brücke ging, war ihr gebeugter Rücken das letzte Lebendige, worauf die Augen Kleists und seiner Gefährtin ruhten. Das Leben hatte sich von ihnen gewandt; sie standen neben einer flachen Erdmulde oder saßen auf ihrem Rande. Dann fiel ein Schuß und nach wenigen Augenblicken ein zweiter.

Hatten die Fremden zum Scherz geschossen? Die Wirtsleute wollten nichts anderes glauben, aber es war drüben so still. Nach einer Weile eilten sie durch den steigenden Nebel über die Brücke und den kleinen Hügel aufwärts... sie starrten hernieder auf die Erdmulde, starrten mit dem Grauen, das Lebende angesichts des gewaltsamen Todes packt, in die offnen Augen der im Tode noch lächelnden Frau und in das selig befriedigte Antlitz des Mannes. Ein unendlich reiches Leben, das ein anderes mitgerissen, lag hier zu Boden gestürzt, eine Eiche an Geisteskraft, die noch in vollem Wachsen war, vom Sturm vernichtet.

«Sie sank, weil sie zu stolz und kräftig blühte!
Die abgestorbene Eiche steht im Sturm,
Doch die gesunde stürzt er schmetternd nieder,
Weil er in ihre Krone greifen kann.»

Hugo Leber

RANDNOTIZEN ZUR JÜNGEREN LITERATUR IN DER SCHWEIZ

Schweizerisch: Dieser Begriff, auch wenn man ihn nur geographisch verstanden wissen will, ist dennoch mit Geschichte und
Pathos belastet. Umgehen kann man diesen Begriff nicht; und ihn
verneinen wäre gleichfalls dumm. Aber mit ihm ist immer auch,
unbewußt, ein Vorurteil verbunden. Der Kritiker ist seinerseits
Schweizer; man kommt, auch als Kritiker, von der eigenen Geschichte, von der eigenen Welt nicht los. Der Autor hat ein be-
stimmtes Verhältnis zum Land, in dem er schreibt; und er will von
seinen nächsten Nachbarn akzeptiert werden. Das Echo aus New
York oder London oder Moskau ist weniger wichtig als jenes aus
Zürich oder Basel. Da wir noch immer die Selbstbestätigung strenger betreiben als die Kritik, unterläuft uns mit dem Begriff
«schweizerisch» oft ein positives Vorurteil; in neuerer Zeit ist
allerdings auch ein negativ getöntes Vorurteil festzustellen. Dergleichen zu untersuchen, gehört in den Arbeitsbereich der Soziologie: sie soll die Gründe analysieren, warum, wie und wo sich
Vorurteile manifestieren. Man ertappt sich als Kritiker immer
wieder beim Vorurteil. Man ist nicht gefeit gegen das «Schweizerische». Man unterliegt ihm wie der Marschmusik; auch wer sie
nicht mag, geht dennoch ans Fenster, wenn auf der Straße laute
Märsche vorbeitönen.

Die Schweiz als Thema: Max Frisch vermißt es im Werk der jüngeren Autoren. Otto F. Walter hat ihm darauf geantwortet: «Ich
glaube tatsächlich, hier, im Bereich der Literatur und ihrer Kriterien, entscheidet sich jede Frage nach der politischen Bezogenheit
der Literatur. Vorausgesetzt, daß wir die Begriffe Politik und
Literatur weit genug fassen – so weit, daß sie sich in ihrem Subjekt
und Objekt treffen: im Menschen, der als zoon politikon im Zentrum jeder politischen und jeder literarischen Bemühung steht. Je
höher der künstlerische Rang der Literatur – dieser Kunst des In-

direkten –, desto größer die gesellschaftliche Relevanz. Was bestimmt ihren Rang? Das Maß, in welchem Sinn und Form durch Sprache zur Einheit werden; es ist auch das Maß, das jedes literarische Werk in sich trägt und an dem es gemessen sein will. Der großartigste Sinn, das heisseste politische Engagement, die bestgemeinte Moral sind, im Bereich der Literatur, sinnlos ohne diese Einheit.» Und weiter sagt Walter: «Ich stamme aus dem Kanton Solothurn, aus dem Bezirk Thal, aus der sehr kleinen Gemeinde Rickenbach, ich wohne im Umkreis von Olten und Aarau. Da liegt mein Erfahrungsbereich, da und in den großen Städten, die ich besonders mag. Auf das Risiko hin, als provinziell zu erscheinen: Schweizer bin ich etwa in dritter Linie.»

Auffallend ist im Werk der jüngeren Autoren, daß die Schweiz als Thema nicht in den Vordergrund drängt. Flüchtig diese Situation betrachtend, müßte man sagen: Die Schweiz hat keine engagierten Schriftsteller. Nur, mit dem Wort Engagement verhält es sich wie mit anderen Wörtern, die schnell im Kulturvokabular verbraucht werden, mißverständlich oft und ideologisch überfordert. Die Schweiz hat Themen, so wie jedes andere Land sie hat. Aber das Engagement auf einen Staat hin strapazieren, auf eine vielschichtige, kaum überblickbare Gesellschaft, kann nur zu Verallgemeinerungen und Simplifizierungen führen. Zum falschen Pathos. Zur Fahnengebärde. Zur ideologischen Marschmusik. Die jüngeren Autoren schreiben in einer veränderten Situation. Sie leiden nicht mehr an der Schweiz, wie jene Schriftsteller, die in der Zeit des Zweiten Weltkrieges zu schreiben begannen, begrenzt von der Geschichte, verwiesen auf dieses Land, dem keine andere Wahl blieb, als fortwährend den Eigenwillen zur Selbständigkeit und zur Eigenart zu verteidigen. Der einzige Fluchtweg war der Traum. Mit gerollten Plänen unter dem Arm floh man beispielsweise in ein Traumreich von Peking – so wie Max Frisch seine «Reise nach Peking» unternahm. Die Enge forderte Versöhnlichkeit – aber in jener Zeit schrieb Ludwig Hohl auch seine «unversöhnlichen» Notizen.

Unversöhnlicher sind sie geworden, die jüngeren Autoren. Auch genauer. Sie können sich nicht mehr auf schöne Bilder hinausreden, die nicht stimmen. Die neuen Kommunikationsmittel, Fernsehen, Radio, die Zeitungen voll Bilder: Die Information schränkt das Flunkern ein, sie überspielt die Phantasie nach wünschbaren Fluchtwegen. Die Welt wird gleichsam austapeziert mit Bildern,

die jedem, gegen kleine Bezahlung, ins Haus geliefert werden. Zu
untersuchen wäre, wie das Bild die Sprache verändert hat. In der
Prosa sind geschilderte Vergleichsbilder, diese erhabenen lyri-
schen Krücken, beinahe ganz verschwunden. Wenn das «wie» sich
einnistet, wird das Bild verdächtig. Das Bild der Information
zwingt die Sprache zu einem Gegenbild: Sie kann es nur zeichnen
in der Genauigkeit. Der Schriftsteller findet die Genauigkeit in der
Provinz, in seiner unmittelbaren Umwelt, in der Konfrontation
gleichsam mit der nächsten Hausmauer. Und wenn er sie beschreibt, diese Mauer, so hilft ihm die Floskel «bröckelnder Ver-
putz» nicht für ein Bild. Er hat Genaueres darüber auszusagen,
wenn er die Mauer durchdringen oder als Metapher einsetzen will
in den Lauf seiner Geschichte. Wo geschieht das in der Literatur
unseres Landes? Bei Peter Bichsel, glaube ich, bei Jörg Steiner.

Peter Bichsel sagt in einem Interview: «Schreiben hat mit Ärgernis zu tun, mit Sorgen, mit Qualen. Wenn ein politischer Gegenstand von einem Mann der Gedichte schreibt behandelt werden
muß, wird er ihn gleich wie seinen literarischen Gegenstand handhaben und ihn neu überdenken. Einen Gegenstand überdenken
heißt bereits Opposition.» Diese Form der Opposition kann im
literarischen Bereich im Sprachlichen faßbar werden, zum Beispiel in Bichsels Roman «Die Jahreszeiten». Sprachliche Wider-
stände entlarven den eingefahrenen, alltäglichen Sprachgebrauch.
In der Polarität von Tag und Werk äußert sich die Existenz des
Zeitgenossen. Die subjektive Erfahrung zeigt sich nicht nur im
literarischen Werk – sie prägt den Widerstand im politischen Alltag: in Artikeln, Aufsätzen, Essays. Die jüngere Generation ist
nicht nur unversöhnlicher, sie ist auch militanter geworden.

Vergangenes aufarbeiten: Berichte über die Zeit des Ersten Weltkriegs, Zimmerwald- und Kienthalkonferenz, Generalstreik, Bon-
jour-Bericht, Fronten vor dem Zweiten Weltkrieg, die Aktionen
der 200. Aufarbeiten der Geschichte zum Beispiel im Roman
«Schauplätze» von Heinrich Wiesner. Seine Chronik, bestehend
aus Begebenheiten, Ereignissen, ist unprätentiöse Aneignung
unserer eigenen Geschichte, die nicht zum vornherein als Vorurteil der Selbstbestätigung gemeint ist, sondern als Frage. Die
Frage führt zu den Prüfungen unseres Verhaltens in einer bestimmten Zeit. Aufarbeiten der Vergangenheit als Möglichkeit, an
unsere Gegenwart heranzukommen: genauer, sachlicher, distan-
zierter. Die Schweiz ohne Themen?

Die Rückwendung, auch in der Literatur, legt erzählerische Landschaften frei, die in einer vordringlich erschienenen Anpassung an
die Internationalität verschüttet blieben, unbeachtet, ver-achtet
vielleicht. Die politische Vergangenheit hat ihre literarischen Entsprechungen: Pulver, Schaffner, Marti, Morgenthaler, Glauser.
Einmal nur diese Autoren in die Beziehung zu unserer Gegenwart
gebracht, entdeckt man übersehene Bezüge. Man hat jedenfalls die
Vergangenheit neu zu ordnen.

Sich einkreisen mit Geschichten: Das ist ein anderer Weg, den
Ort, in dem man stehen kann, zu finden. Und in solcher Methode
zeigt sich auch Skepsis, Mißtrauen gegenüber den Erscheinungen.
Jürg Federspiel schreibt in seinem Roman «Massaker im Mond»:
«Dies ist die Geschichte Anjas, so wie ich sie heute sehe und überblicke; vermutlich sähe ich sie in drei oder fünf oder zehn Jahren
wieder anders, mit mehr Verständnis für sie, Anja, oder auch mit
weniger. Ich weiß nicht. Für viele Leser ist es von Bedeutung, ob
der Held oder die Heldin sehr anziehende oder abstoßende Cha-
raktereigenschaften besitzen. Im Falle Anjas, so will ich gestehen,
berühren mich diese Dinge nicht. Wer einen Dachdecker vom
Gerüst stürzen sieht, beschäftigt sich – um einen lauen Ausdruck
zu gebrauchen – vorerst mit dem Verletzten. Später fällt ihm, dem
Beobachter des Unglücks, vielleicht ein, daß sich mehrere Um-
stehende so oder so verhielten, diese oder jene Bemerkung machten, und er wird sich – aus der Erinnerung – mehr mit dem Charakter dieser Umstehenden beschäftigen als mit demjenigen des
Opfers...»
Diese Haltung des Erzählens, sich langsam in die Mitte hineinzu-
bewegen, all das prüfend vorerst, was im Umkreis vorgeht, um die
Mitte auch zu treffen: Diese Erzählweise läßt sich bei verschiedenen Autoren feststellen. Es können Geschichten sein, wie in Adolf
Muschgs erstem Roman «Im Sommer des Hasen», wie in Walter
M. Diggelmanns Buch «Freispruch für Isidor Ruge». Die Haltung
ist feststellbar im Bereich einer einzelnen Erzählung oder in
einem Roman. Was dabei entscheidend bleibt: auch wenn die
Fluchtpunkte (wie bei Muschg) sich nach Japan ausdehnen, in der
Brennmitte bleibt der Ort, den man so genau wie möglich bezeichnen will. Paul Nizon in seinem Roman «Canto»: Auch er
versucht, mit dem Material seiner Sprache, sie steigernd zur Melodie, zum sinnlich wahrnehmbaren Rhythmus, die «matière
schreibend zu befestigen, damit etwas stehe, auf dem ich stehen
kann».

«Wie schreibt man in einer Welt», fragt Hugo Loetscher, «in der es kaum einen Begriff gibt, der ehrlich auftritt, und in der es gerade die besten Begriffe sind, die am meisten korrumpiert sind?» Und Hugo Loetscher meint auf seine Frage, daß es für den Schriftsteller nur noch ein ironisches Verhältnis zur Sprache geben kann. «Damit meine ich nicht eine Ironie, die sich lustig macht aus Besserwissen. Sondern Ironie ist die Erkenntnis, daß jedes Wort mehr enthält, als es meint, daß es mehr als einen Sinn und gewöhnlich mehr als zwei hat, und all das muß präsent sein, in den Worten müssen auch alle andern Sinnmöglichkeiten in irgendeiner Weise mitgegeben werden. Deswegen ist es eine traurige Ironie, eine Demut des Intellekts, der auflacht. Das Thema ist die Korruption, die Darstellung ist die Ironie, das Ziel ist die Klarheit. Ob dies möglich ist, weiß ich nicht, aber ich weiß, daß es möglich ist, auf diese Weise behaftbar zu werden.» Behaftbar aus der bewußten Erfahrung der Welt. Die mit Information, mit Bildern austapezierte Welt fordert das Wissen; eine Prosa des wissenschaftlichen Denkens, wenn sie das reine Faktum überwindet, gelangt nur über die Ironie zum Sinnbild.

Behaftbar aus der subjektiven Erfahrung: das ist ein Motiv in der jüngeren Literatur der Schweiz. Es sind einzelne Erfahrungen. Jeder Autor ist nur seiner eigenen Thematik mächtig. Es ist die Einsicht in diese Erfahrungen, daß der Schriftsteller gleichsam aus der Provinz schreibt. In diesem Mikrokosmos kann er sich zur Genauigkeit und Klarheit tasten; New York oder Paris sind schnell erreichbar. Die Fremde hat nur noch einen beschränkten Fluchtwert. Auf sich selbst verwiesen, will man der eigenen Fremdheit entfliehen.

Begriff der Enge: Paul Nizon ist nicht der erste, der ihn strapaziert im Erklärungswillen schweizerischer kultureller Eigenart. Sein «Diskurs in der Enge» mit der Entdeckung, «die moderne erzählende Literatur unseres Landes leidet eindeutig an Stoffschwierigkeiten», kann zum gefährlichen Alibi einer vorschnellen Interpretation werden. Der nicht entdeckte Stoff kann in jenen Ecken liegen, wo man nicht hinsieht, ausgestattet mit dem geographisch zu belegenden Vorurteil der Enge. Die Enge trifft zu für bestimmte Zeiten, zum Beispiel für den Zweiten Weltkrieg. Wo sie dennoch auszumachen ist, hat man Provinzielles zu vermuten. Den Vorwurf, aus der Enge, unter Stoffmangel zu schreiben, würde Nizon bestimmt nicht gelten lassen mit dem Hinweis auf sein Buch «Im

Hause enden die Geschichten», mit nichts weiterem als Haus-
Straßen-Menschen- und Ortbeschreibung, lokalisierbar zudem:
punktuelle Literatur, wenn man will.

Kurt Marti gab seiner Untersuchung über die Literatur in der
Schweiz den Titel: «Die Schweiz und ihre Schriftsteller – die
Schriftsteller und ihre Schweiz». Für die Situation, in der heute in
der Schweiz geschrieben wird, treffen seine Sätze zu: «Die Annahme, das Nationale und das Humane seien widerspruchslos ver-
bindbar oder sogar identisch, ist – nach allem was in diesem Jahrhundert geschah – schwer, für manche Autoren gar nicht mehr
vollziehbar geworden. Wenn sich bei ihnen überhaupt eine auf gemeinsamen Nenner zu bringende Haltung feststellen läßt, so
bestenfalls diejenige von ‹Patrioten einer humanen Kultur› (Ernst
Bloch), dies aber nicht im Sinne eines Menschheitspathos, wie es
zuweilen nach dem Ersten Weltkrieg sich äußerte, eher sotto voce,
jetzt untertreibend, skeptisch – ebenso skeptisch gegen internationale wie gegen nationale Ideologien.»

Zu zählen und zu betrachten haben wir eine Literatur aus Zuch-
wil, Olten, Solothurn, Bern oder Zürich; so vielleicht bewegen
wir uns weg aus dem Bereich des schweizerischen Vorurteils.

Peter Lehner

Schafherden, sagt man
jagen dem Leithammel nach
in den Abgrund
stupid vom Instinkt getrieben.
Edel dagegen sei es
sagt man
fest vertrauend auf Gott
in den Tod zu rennen
den Führern vorab
die vom Bunker aus
den Sturm kommandieren per Funk

Kreuzigt den Querulanten!
riefen die Hohepriester und meinten
Christus.
Verbrennt den Querulanten!
riefen die Kardinäle und meinten
Luther.
Schlagt sie tot, die Querulanten!
rief Luther und meinte die
Bauern.
Stopft ihm das Maul, dem Querulanten!
riefen die Bauern und meinten
Gotthelf.
Stellt sie kalt, die Querulanten!
ruft wer, wen meint er?

Hugo Loetscher

DER IMMUNE

Er hatte diesen Mann schon einmal begraben, also verhielt er sich beim zweiten Begräbnis anders. Er hatte ihn ohne Schaufel und Sarg beerdigt, allein, er erinnerte sich noch, daß er den Mann kaum hatte schleppen können. Aber während nun die andern sich anschickten, den Mann zu beerdigen, holte ihn der Immune aus seinem Sarg hervor.

Sie waren sich gleichgültig gewesen, der Immune wußte, daß es andere Arten von Gleichgültigkeiten geben mußte, die nicht verletzten, aber auch die Gleichgültigkeit, die sie gelebt hatten, hatte als Voraussetzung schon viele Freiheiten enthalten. So suchte der Immune etwas, das nicht nur von gleicher Gültigkeit sondern von gleichem Wert für beide war.

Dieser Vater war auch nur ein Sohn gewesen, der Erzeuger war auch nur gezeugt worden, man hatte ihm das Leben gegeben, das man ihm ebenso ungefragt und fraglos hätte verhindern können.

Und dem Immunen war es fraglos und ungefragt gleich ergangen. Und da ihn niemand gefragt hatte, tat er es selber, wie er sich selber die Antwort geben mußte.

Aber damit er die Frage an sich richten und sich selber eine Antwort geben konnte, hatte es mindest einen Mann gebraucht, einen,

der nun tot im Sarg lag. So mußte der Immune um seinetwillen
diesem Toten das Leben gewähren.

Aber er konnte dem Manne nicht ein Leben schenken, das noch
vor einem lag, sondern nur jenes, das der Mann bereits hinter sich
hatte.

Er hatte diesen Mann bis anhin als einen Fall betrachtet:

Ein Innerschweizer, der in die Stadt Zürich gekommen war und
sich dort nicht assimilierte. Der Alkoholismus fand in dieser Ent-
fremdung ein neues Motiv. Ein Handwerker, der in Fabriken arbeitete, und den die Arbeitslosigkeit zur Sekurität zwang. Ein
Bauer der Vitalität nach, aber der Situation nach ein Proletarier,
unbekümmert ob seiner Verhältnisse. Den Vorstellungen nach
kleinbürgerlich, auch wenn er von Vorstellungen nichts hielt. Das
galt auch für die katholische Kirche, mit deren Wasser er getauft
worden war.

Der Immune konnte diesem Manne nur das Leben schenken, indem er aus einem Fall eine Figur machte:

Er war von den Voralpen in die Stadt gekommen und hatte aus
den Feldern, auf denen er in seiner Jugend geholfen hatte, Heu zu
führen, vorübergehend einen Schrebergarten gemacht. Er richtete
sich am Rande der Stadt ein, auch wenn er zwischendurch in einem
zentraleren Quartier wohnte und dort mehrfach umgezogen war.
Aber er zog wieder an den Rand und wanderte mit ihm in die Nähe
neuer Gruben und Weiher, im Rücken die Stangen der Baugerüste; sie verdrängten den Rand und traten nach dem Zweiten
Weltkrieg hektischer und scharenweise auf. Der Mann siedelte
in Gemeinden über, wohin die Baugerüste nachkamen, und der
Boden wurde sprunghaft teuer. Er verdiente an dieser Teuerung
und richtete sich weiter draußen ein. Er war mit dem Rand der
Vorstädte so lange gewandert, bis er wieder in einer Gegend war,
die mit ihren Hügeln jener glich, aus der er einst ausgezogen war.

Er war aus einer Gegend gekommen, wo die Frauen eine Kuh-
temperatur im Leib haben und gewohnt sind, im Stall die Jung-
fernschaft zu verlieren; sie lassen dabei die Futtergabel kaum aus
der Hand und machen sich nachher gleich an die Arbeit. Aber sie
gehen auch zur Beichte, und bald binden sie sich ein Kissen um den
Bauch, wenn sie am Sonntag vor der Kirche unter dem Portal
warten. Als er seine Geliebte sah, griff er ihr noch einmal unter den
Rock, aber diesmal vor allen Leuten, langte das Kissen hervor und
riß es mit den Zähnen auf und schüttete die Gänsefedern seiner un-
geborenen Kinder auf der Kirchentreppe aus.

Er suchte seinen Lehrer auf und bat ihn, er möge ihm helfen. Sie
setzten ein Inserat auf. Er wünschte eine Frau von woanders. Aber
sie sollte ein Bild beilegen. Es kam ein Brief, nur einer, aber als er
das Papier anfaßte, war er schon geil und legte seine Hand ans
Glied. Im Brief lag ein Photo, und er streichelte über den Hoch-
glanz: Eine Frau ordnete vor einem Peddigrohrtischchen Blumen
in einem Photoatelier. Er nahm seinem größeren Bruder den Koffer vom Schrank, packte ihn und tat, was er beinahe vergessen
hätte, in eine Kartonschachtel. Als ihn die Schwestern fragten, wo
er hingehe, da sagte er, in die Stadt, und als sie wissen wollten, in
was für eine, da zeigte er das Lichtbild.

Die Mutter begleitete ihn bis auf den Bahnhof. Sie redete noch am
Schalter auf ihn ein, dazubleiben. Die Brüste waren für dieses Kind
seit zwanzig Jahren trocken, er aber hielt immer noch den Mund
hin. So gab sie ihm eine Flasche Bätziwasser, die Hälfte zum Trinken, die andere Hälfte zum Einreiben. Er nahm den ersten Schnaps,
ehe er umstieg. Er nahm dann kleinere Schlücke, aber mehr, als es
Stationen gab. Dann hörten die Dörfer nicht mehr auf und gingen
ineinander über. Als er ankam, wußte er nicht, welchen Ausgang
nehmen, der Bahnhof hatte mehr als einen. Er fragte sich durch,
die Photo in der äußeren Rocktasche und den Brief in der Hand.
Als er im Miethaus die Treppe hochgestiegen war und geläutet
hatte, erschrak er, als sich die Türe öffnete; aber es war die Mutter.
Er wurde in die Stube gebeten, dort zog er die Jacke aus und
sagte: «Ich bleibe», ehe er die Frau gesehen hatte, deretwegen er
aufgebrochen war, und schlief ein auf dem Sofa, neben sich eine
leere Flasche, nichts mehr zum Trinken und nichts mehr zum Einreiben.

Und er machte aus der Unbekannten seine Geliebte, ehe diese am
andern Morgen die Koffer wegstellte und erfuhr, was im Papp-
karton drin war, ein Paar Stiefel und Leibwäsche und kein Geschenk. Und er machte aus der Geliebten eine Verlobte, darauf
drängte schon die Schwiegermutter, die wissen wollte, ob er immer
die Socken im Bett anbehalte. Aus der Verlobten machte er eine
Braut in Weiß mit Schleier. Er sagte denen zu Hause nichts, sondern schickte hinterher ein Photo, er und die Braut vor einem
Peddigrohrtischchen. Dann machte er aus seiner Frau eine Mutter,
hatte ein schlechtes Gewissen, als er sie verunstaltet hatte, genierte
sich, als er zum ersten Mal einen Kinderwagen stieß und wunderte
sich, wie einer den Rücken hob und «Vater» sagte. Dann machte er
aus seiner Frau eine Betrogene und schimpfte die Serviertöchter,
zu denen er in die Mansarde stieg, «Huren». Darauf machte er die

Mutter seines Sohnes nochmals zur Mutter, gleich zweimal kurz
hintereinander, und die beiden Töchter waren so sanft, daß er sich
vornahm, es jedem zu zeigen, der sich ihnen nähern sollte. Dann
machte er immer weniger, und als er bis auf die Knochen aufge-
braucht war, machte er aus seinem Lichtbild eine Witwe.

Es hockte überall in ihm, zwischen den Schenkeln und in den Beinen. Und manchmal in der Nase, er konnte niesen, daß die Haare
seines Schnurrbartes aufstanden. Es hockte ihm in den Ohren, und
es war kein Ohrenwurm, solange er auch bohrte; er füllte die
Ohren mit einer Mundharmonika, die er mitgebracht hatte und die
er schlecht spielte. Er vergrub sich ihm unter den Fingernägeln
wie Maschinenöl, das man nicht wegschrubben konnte. Es
würgte in der Kehle, und er fluchte und schimpfte, tobte und sagte
es allen, den Idioten und Trotteln, den Wixern und pomadisierten
Fotzen. Es verstopfte ihm den Darm, und er ließ einen Wind fahren
und steckte ein Terrain ab, in das sich keine fremde Nase wagte.
Es hockte ihm aber vor allem in den Händen, er brauchte für sie
etwas zum Langen und Greifen und nicht nur eine Frau oder ein
Glas, sondern er brauchte Arbeit.

Er war ein Arbeiter und konnte nichts anderes als arbeiten, er
konnte schuften, und wenn es sein mußte, sich abrackern. Aber er
war in jungen Jahren stempeln gegangen, dabei hätte er Werkzeuge für seine Hände gebraucht. Aber er stellte sich in einer
Schlange an, statt des Werkzeuges hielt er ein Büchlein in der
Hand, das er auf ein Pult legte, sie drückten einen Stempel hinein,
mit diesem Stempel stellte er sich in einer andern Schlange an und
erhielt an einer Kasse eine Unterstützung ausbezahlt. Dann stellte
er sich woanders an, in Reih und Glied, seine Hände faßten immer
noch kein Werkzeug, sondern diesmal eine Stange, an die ein
Transparent genagelt war, er ging demonstrierend durch die
Straßen, was auch keine Arbeit brachte.

Jedoch ertrug er keinen Meister. Er unterschrieb Arbeitsverträge,
als es wieder Arbeit gab, aber er achtete nicht auf die Unterschrift,
er hielt nicht viel vom Schreiben, schon einen Einzahlungsschein
auszufüllen widerstand ihm, er gab lieber den Lohn ab. Er hatte in
einer Schmiede die Lehre gemacht, dann hatte er in einer Fabrik
gearbeitet; dort rauchte er auf der Toilette, und am Eingang gab es
eine Stechuhr. Er wurde vorübergehend Nachtwächter, er führte
seinen Hund vor, wie der auf Befehl aufstand und sich aufs Wort
niederlegte. Er wollte selbständig werden und begab sich zunächst
auf Montage. Da war man freier und reiste an Orte sogar, wo man
französisch sprach. Aber man durfte nicht die Stunden, die man im

Wirtshaus saß, auf dem Arbeitsrapport eintragen. Er wollte sein eigner Herr und Meister sein und wurde zwischendurch ein Hauswart, doch er vertrug sich nicht mit dem Schulvorstand. Er tat eines Tages eine eigne Bude auf, in einem Kellerlokal, und später hatte er eine Werkstätte, konnte zwei Arbeiter einstellen und einen Lehrling halten. Aber er durfte keine Rechnung anstehen lassen, aber gerade diese häuften sich, bis die ganze Werkstatt unter dem Berg einstürzte. Er ging wieder in fremde Buden arbeiten, in ein Abbruchgeschäft diesmal. Er dachte immer noch daran, selbständig zu werden. Aber er ertrug keinen Meister, als Meister auch nicht sich selber.

Er war ein ausgebildeter Hufschmied. Zu seiner Arbeit gehörten Hämmer, die er nach dem schweren Schlag auf dem Amboß austanzen ließ. Es hatten zu diesem Hufschmied auch Pferde gehört, aber die traf er in der Stadt nur noch gelegentlich, vor einem Bierwagen oder einem Spritzenwagen. Es hatte aber vor allem das Feuer zu seiner Arbeit gehört. Daher war er belustigt und zufrieden, als er zwischendurch als Heizer und Hausmeister arbeitete, da war er wieder zu seinem Feuer gekommen, nicht zu einem offenen, sondern zu einem geschlossenen, und er sah ihm durch die Luke zu: Es war das Feuer, das er kannte, jede Flamme, wenn auch jede nur einmal. Er stocherte in dem Feuer, als könne er durch die Glut hindurch bis auf den Nerv der Erde kitzeln, er lockte das Feuer und erstickte es mit Kohle, dann hörte er zu, wie die Kohle von erwürgten Erdschichten und menschenleeren Jahrhunderten erzählte, und alle Märchen und jeder Quatsch dieses Feuers stieg ins Kamin. Sein Gesicht glühte, er hätte am liebsten den Kessel selber verheizt und am Ende die Bimmelglocken der Feuerwehr geschmolzen und dabei einen Durst gekriegt, der bis zum Nordpol reichte.

Gegen diesen Durst trat er an und trank er. Er wollte schließlich auch etwas vom Leben haben. Er war als Bursche viel auf den Tanz gegangen, aber in der Stadt gab es dafür Lokale und kein Holzpodium. Er tanzte noch einmal, als seine älteste Tochter heiratete; er tanzte nur mit ihr, als wäre er der Bräutigam, und er tanzte so lange, bis ihm der Schweiß herunterlief und der Durst wieder kam. Er las in den illustrierten Blättchen am Feierabend, er las da drin auch mal eine Geschichte, und er hatte einen Bericht über die Zulukaffer im Gedächtnis behalten. Sie hatten diese Heftchen abonniert, da sie mit einer Versicherung verbunden waren. Aber er, er wollte etwas vom Leben haben, und er jaßte; wenn er Trumpf ausspielte, kriegten die Tischbeine Angst, so dröhnte die

Platte, es gab kaum etwas, das sich den Schwielen an den Händen so gut anpaßte wie Spielkarten, er stach und heimste ein, er spielte nicht einfach gegen seine Gegner oder mit seinem Partner, er spielte gegen die Karten selbst, die einen im Stich lassen konnten. Als junger Ehemann hatte er ein Motorrad besessen, aber nach dem Unfall starb sein Beifahrer vor der Amputation im Spital, und das erste Motorrad ging auf den Schrott. Viel später kaufte er dann noch einmal ein Motorrad, eine Okkasion, er kaufte ein billiges Motorrad, ein zweites, wegen des Tanks, er legte ein neues Kabel, aber das Motorrad blieb nach zwei Häuserzeilen stehen, und er schob es heim, er flickte von neuem, er hatte ein Motorrad, das nie ging, er besaß ein Motorrad, das aus lauter Bestandteilen bestand.

Er war ein Schaffer, der nicht still sitzen konnte, und der auch den Feierabend kaum ertrug, selbst in der Wirtschaft konnte er nicht ruhig sitzen, da mußte er die Serviertochter tätscheln, oder noch eins bestellen oder das Maul aufreißen und alle zwischen den Zähnen knacken, mit denen er sich nicht verstand. Er mußte was tun, er reparierte und flickte, er liebte den Radio nicht wegen der Musik, sondern weil man ihn auseinandernehmen konnte, und eine Zeitlang hat er auch Radios repariert nach dem Grundsatz, daß sie so lange laufen mußten, bis sie der Kunde zu Hause ansteckte. Er langte nach jedem Schalter, ob er locker war, er schmierte die Türangel, wenn es sein mußte, mit Salatöl. Er leimte, wo die Fugen nicht fest waren. Er war in der Wohnung und im Haus mit seinem Metermaß und dem Schraubenzieher unterwegs, stets auf der Suche nach jener Schraube, die los war. Dabei verwunderte er sich, daß er selber so oft das Wort «kaputtmachen» brauchte.

Es wäre alles so leicht gewesen. Aber was wollten sie eigentlich von ihm, sollten sie ihn doch lassen, er wollte ja auch nichts von ihnen. Er schlief mit seiner Frau, das wußte sie selber, und sie hatte Freude daran, also gut. Es wäre alles so leicht gewesen, er ging ja arbeiten. Wenn es nicht ausreichte, dann war das nicht seine Schuld. Was sollte es, als sein Sohn ihm Fragen stellte, soll er doch selber schauen, wenn er heranwächst, wird er schon sehen. Er selber hatte ja auch niemanden zum Fragen. Und dann weinten und plärrten sie, die lieben Angehörigen, und er warf sie hinaus, er mochte das Gejammer nicht. Es wäre alles so leicht gewesen, aber er fragte sich, wer ihm all das Gewicht anhängte, die Säcke an die Beine und die Steine an die Arme; aber wenn er sich umdrehte, dann sah er nichts, was er nachschleppte, er fragte sich, wo all die Zentner hin verschwunden waren. Und der Kopf konnte schwer sein, wie ein Faß, das rann und das er nachfüllte. Aber dann wurde einmal doch alles sehr leicht, der Körper verlor seine Kilos, und der Krebs fraß sein Gewicht. Als seine Hände so abgemagert und dünn waren wie die studierten Hände seines Sohnes, nahm er dies als Zeichen, daß es zu Ende war.

Er ging in das Spital. Zu Fuß, er dachte nicht daran, hineingetragen zu werden. Er sagte dem Arzt, er wolle etwas haben, er könne nicht mehr schlucken, nicht einmal mehr Flüssiges. Er wehrte sich, als sie ihm einen Schlauch in den Magen legten. Aber er gab nach, als er all die Katheter und das andere Werkzeug des Doktors sah. Als er sich wegschleichen wollte, da hatte er sich bereits damit abgefunden, daß er auf einer Gummiunterlage schlief. Er staunte stumm und still, als ihm eine junge Krankenschwester die Schenkel wusch, als wären diese ein Stück Fußboden. Dann stachen sie ihm kleinere Schläuche in die Arme, über ihm hing an einem Gestell eine Flasche, er soff zum letzten Mal, Tropfen um Tropfen, in sich hinein, dann schloß er die Augen. Als sie ihm das Totenhemd vorknöpften, ließ er es geschehen, und als sie ihn in einen Sarg taten, verhielt er sich ruhig. Erst als die Erdbrocken auf das Holzdach seines Sarges fielen, nahm er die Hände, die man ihm mit Gewalt gefaltet hatte, auseinander und hielt die Sargnägel von innen fest.

Werner Lutz

ER

Dieser Mann
die Fingerspitzen voll Teer
hat weite Tabakfelder abgeraucht
halb Maryland
und weiß doch nichts
von Maryland
er
an seinem Tisch.

WENN DIE SCHNECKEN KOMMEN

Tage, die bewegen sich nicht.
Da wachsen die Treppen
um einige Stufen.
Da hört man den Fluß
durch den Hausflur fließen.
Da wagen die Schnecken
zu kommen
und was in den Wänden
das Licht scheut, erscheint.

WEINSTUBE

Stromboli, Weininsel, Tisch
auf Männerstimmen treibend
in Rauch gehüllt
Gespräche, Lavabäche in den Aschehängen.

Hier will ich anlegen
Postschiff, einmal die Woche
nicht länger ankern
als es Zeit braucht
einen Brief zu lesen, ein Glas zu laden.
Dann will ich weiterziehen
Neapel zu.

GEBETCHEN

Herr. Laß wachsen
ein einziges grünes Haar
auf meinem Haupt

dann werden Karl
und seine Kollegen sagen:
Wir haben ihn unterschätzt
diesen Kerl.

ÜBERGÄNGE

Ameisenstraßen.
Übergänge in den Schlaf.
Die Barrieren
kommen nicht wieder hoch.
Eigentlich
mag ich die Langeweile
die immer gleiche Böschung
bewachsen mit dürren Halmen
und verblühter Salbei.

Umkehren
läßt sich jederzeit.

Christoph Mangold

ANRUFUNG DER ROSACIGE

Solange ich Nachrichten höre, Daten sammle und Formeln, solange ich formuliere, bin ich, fahr ich fort und werde ich bestätigt,
geduldet, wissenschaftlich bewiesen. Auf Gemeinplätzen, in Fa-
milien- und anderen chemischen Gesellschaften zum Leben auferstanden, endlich, steh ich am Morgen vor meiner Rosacige, das
heißt Roche-Sandoz-Ciba-Geigy.
«Zukunft mit Rosacige!»
Eine Belegschaft von fünfzigtausend, jährlicher Umsatz vierzehn
Milliarden, und ich sage mir: Das ist der Trost.
«Der Mensch ist eine Fabrik», Rosacige, ein poetischer Name. Ruf
ich dich an, Rosacige, ich, der ich tatsächlich vorkomme, pflanz-
lich, tierisch, und doch nicht so schnell verweslich: «ich entfalte
mich in dir wie eine Blüte». Ich, ich bin gleichsam, ich bin gewissermaßen, ich bin eins mit dir, Rosacige. Wer zählt die Nummern,
nennt die Namen, die hier gastlich Zellen bilden? Und weißt du,
wieviel Sternlein, und weißt du aus wieviel ich so, allein, und einzig? Dennoch, ja manchmal, von sichtbaren, «es ist eine Frage der
Zeit», von Nachbarsternen wohl in brauner Nacht, der Duft der
großen weiten Welt, Televisionen, Signale von Leben, Fruchtbar-
keit, Erdaufgängen, himmelweit, sternweit, aber auf Erden, aber
hienieden, Posters, im Warenhaus Knopf zwölf Franken, Bilder
von großer Reinheit, nichts ist verschwommen. Bilder von euch

auch, Armstrong, Aldrin und Collins. Noch heut entsinne ich mich
eurer Namen wohl, denn «Die Götter waren Astronauten». Vater
unser, betest du, und «im Weltall schlagen die Türen zu»; und
nicht gesehen habest du: Gagarin unser, der du bist im Himmel,
und gestorben, einen andern Gott, der du aufgefahren und her-
untergekommen bist vom Himmel hoch. Yeah Yeah Yeah, da
kommst du her, und «die Erde hat mich wieder», der du hangest
über meinem Bette Fallada, Phallada, Poster, gesichtslos, denn du
sollst dir kein Bild machen. Denn wo dein Gesicht sein sollte, in
deinem Auge steht Aldrin, Einäugiger, Behelmter, dir aus dem
Gesicht geschnitten, steh nicht ich, nein, gespiegelt aber ist in
deinem Auge «die Wüste des Himmels». Ich denke an die guten
alten Zeiten, und es kommen wieder die guten alten Zeiten, Erde
von unserer Erde, Staub von meinem Staub, vom guten alten Guten Abend. Wie geht's, Herr Nachbar Mond, bringst wohl auf Bild-
schirm, verewigt, den Duft der großen weiten Welt, 110 auf 90,
zur blockierten Karawane, he, Raumschiff, Wüstenschiff, bringst
uns vom Himmel hoch die frohe Mär «it's great», o happy days,
«wie das Gesetz es befahl». He? betest du, für mich ein kleiner
Schritt, für die Menschheit ein großer? Amen, und «Heimweh
hast du» und «ach wie schön, wieder auf der guten alten Erde
zu sein», außer mir, außer sich. Und nun ade du mein irdisches
Vergnügen in g, und nicht mehr, ach so schwer, hängt sich die
Erde an die Hosenträger, wie die Alten sungen. Oh, oho und ah,
ob-lah-di und ob-lah-da, und krümmer hängt die Melde hier. Ja-
woll!

Bald hört man wieder Unken und Kröten, Geburtshelferkröten in
der Lache, und die ist, wie es sich für eine gesunde Lache ziemt,
reich an was da kreucht und fleucht und spiegelt Tiefe (vor).

Welche, so frag ich dich, Rosacige, und du hast die Antwort bereit,
wissenschaftlich, welche Himmel spiegeln sich drinnen und wieviel?

Nein, wir bleiben dabei hier und jetzt und jetzt im Jahre des Herrn,
denn «gewaltig endet so das Jahr» und wird, so glaube mir, «in
die Geschichte eingehen» unweigerlich. Nein, Lichtjahre sind das,
Lichtblicke, eilig eilig, auf auf, Ewigkeit Geschwindigkeit, Licht-
meß, und mathematisch, «wie gesagt», «Es ist bewiesen!»

. . .

Einmal noch Landfriede, Gehöfte und Ödeneien mit unfreund-
lichem Gebell, großer Tisch jedoch, falls man durch das Gebell
kommt, einfach, aber genug zu essen für alle, auch wenn einer
mehr is(s)t. Man darf essen und muß doch nicht so zeitig sterben,

und der Abend, und in der Nacht leibreich, Umschwung, Einfalt, nicht nur auswendig gelernte Liebe. Und der Wasserhahn schreit oder tropft gelassen. Uhren. Takte. Sich lang und breit machende Weile, Moment mal, hier bin ich, und der ausdauernde Duft, Tändeln mit den Möglichkeiten.

Rosacige gesteht mir ihre Liebe ausführlich, klingend. Ja, ja, mitleidig, mitblutend; es ist herrlich zu bluten, sich entleeren und nachher so leer sein, so befreit. Die Liebe ist Mode. Jemand weint doch tatsächlich Tränen. Endlich wieder schallt ein Liedchen durchs rein räumlich Weite. Auch geträumt wird wieder. Die Vögel pfeifen es wie wild von den Dächern und erwarten noch Beifall, klatsch klatsch.

Ein Abendspaziergang zum sentimentalen Kastanienbaum, den ich als Knabe doch immerhin pflanzte, und der mir nun viel voraushat.

Die Häuser, die ich baute, die Räume, um die ich mich erweitern wollte. Jetzt nehmen sie mich auf. Die Planeten, die ich großzügig wegwarf ins All, in den Eimer. Jetzt geben sie nicht einmal mehr eine Grube her, damit ich verschwinde, «überwuchert von meinem Gebärdenflieder und meinen Rosenbüschen» der Liebe, «wie man so sagt». Besamt die Erde, hopp, hopp, hoppla. Tut's was? Verzeihung. Selbst als Photographie nehmen wir zuviel Lebensraum weg. Lebtage bilde ich mir ein, im Wald, auf den Bergen, im runzligen Bett, und greif mir an den Kopf, das war ich einmal. Vergrabe mich in Scheiden und jage gelassen in einer Sekunde Paris–New York, Moment mal, ums ganze All, hinstöhnend mich düsig, hiesig, fortrasender Unfall.

Ausdauernd lege ich mich dar und komme an den Tag. Oder gemütlich in Rosaciges alleinigem Bauch zusammengedrückt, prädisponiert, gewissermaßen; ein wenig geduldiger, womöglich, kleingeworden. Und dann ausgestoßen, vom winzigen Raum in die kleine Umwelt, kleinliche Gewichtigkeit, «unbehaust», aber prächtig kochend im Erdinnern.

Ich möchte in Sagen leben. Ich möchte Kußhände um mich werfen in diesem ordentlichen, in diesem verordneten Himmel, auf meinem Punkt-Plätzchen im frei erfundenen All, in gebrandmarkten Bezirken, in meinem Exo-Skelett toben. Kapituliert vor mir selbst, Heiligenschein-ab vor mir. Aber die spielerischen Rechenaufgaben! Das geht vor sich freilich wirklich in Sternbahnen, Straßenbahnen auf eigentlich surrealem Kopfsteinpflaster, aus der Vergangenheit, auf willkürlicher Ebene und Herrgott nun einmal akzeptiertem Wegbündel. Da und dort ist die Straße aufgerissen,

«mit wegvernichtendem Gang», von Sternchen zu Steinchen hüpfend und manchmal ins Vergessen plumpsend und in Kreisen verschwimmend, vor sich und so für sich hin. Maschinentoll, mannstoll, bubentoll. Ausschweifen und umfahren und verfahren in Verfahren und im Kreis herum gewirbelt feststehend in zähen Ausflüchten. Mein, in Televisionen schwungvoll, im gepolsterten Raketenstuhl, und nicht einmal festgeschnallt, ablaufender Lebtag. Im Leben vom Leben träumend. Das Programm von verschiedenen Stationen. Gemütliche Heimatlosigkeit. Eine feste Burg aber. Gelenkt von Apparaten, die einer erfunden hat, was für einer, und warum eigentlich, warum auch nicht, einer, der längst tot ist, auch so einer. Jetzt beten sie ihn an, ihren Menschen. Nirgends ist er erhalten, noch überliefert. Im abgezirkelten All. Sternschnuppen, poetisch ist das. Menschen wie du und ich. Gebräunte Knochen, in paar wenigen Jahrtausenden. Die Ewigkeiten zusammengestaucht, Parsec zu Ångström, verworfen, lächelnd. Götterjahre sind das, «wie die Zeit vergeht», und das Gräßliche: ich kann es mir heute vorstellen, «Professor Becker untersucht am Plattenmikroskop einen Spiralnebel», das Höhlendasein ist beendet, im All, im Raum, in der Raumkapsel, im Raumanzug, im Anzug, im Unterhemd, in der Haut, im Leib, in den Gedanken, eng. Der Raum in der Glaskugel, mit Inhalt, aus dem Spielwarengeschäft, ein Geburtstagsgeschenk von dir, Rosacige, und dann zerschlagen, weggeworfen, du kaufst mir eine neue Kugel.
Erlebnisse vergessen.
Kein selbständiges Denken, dafür ein verständiges.
Eintagsfliegerei in alle Ewigkeit.
«Unter Hülltüchern in Existenzminimen.»
Am Arm geführt vom winzigen Wind.
Höher aus Sprunghaftigkeit und weiter aus Zerfahrenheit.
Noch scheint der Himmel irgendwie mit Sternen bewachsen, obgleich die Sterne im Bilderbuche stehen.
«Es ist fast wie damals.» Noch bauscht manchmal der Wind die Bäume auf. Und weht die Äste der Trauerweiden empor. Noch drängen sich ein paar Sonnenstrahlen durch die Vorhänge und kitzeln mich in der Nase.
Rattere ich also, oldtimer, up and away, und «rumms wie die Fliegen», «extrasubjektiv projiziert manifest und damit quasi-materialisiert», wie schon Fleckenstein, Joachim, sagte, weißt du, der mit dem Loch im Strumpf.
Nein, wir sind nicht allein, schon im 15. Jahrhundert nach Christus «sind viel schwarze Kugeln am Himmel gesehen worden».

Also, Rosacige, bäuerlich, bürgerlich, einfach, konventionell, beschlaf ich dich einmal noch und noch in den Leibreichen, Liebreichen, streiche mit Vaseline die Ränder der Wirklichkeit ein (Manganelli und Dante haben darüber schon mehr geschrieben), obschon mein Lehrer für alte Sprachen eben lamentiert: «Wir haben gefressen, wir haben gevögelt, wir haben über das Fressen geschrieben, wir haben über das Vögeln geschrieben. Es ist alles gesagt!
Was nun?»
Der Morgen danach.
Und so weiter.

Kurt Marti

ICH HABE GELERNT

ich habe gelernt (in der kirche):
wer dich auf den rechten backen schlägt
dem biete auch den andern dar

ich habe gelernt (in nahkampfkursen):
ein tritt in die hoden des feindes
legt diesen am sichersten um

was gilt nun?

GOTTESDIENST

der herr
den wir
duzen

gepredigt

vom herrn
den wir
siezen

DAS LEERE GRAB

ein grab greift
tiefer
als die gräber
gruben

denn ungeheuer
ist der vorsprung tod

am tiefsten
greift
das grab das selbst
den tod begrub

denn ungeheurer
ist der vorsprung leben

WUNDER

überdrüssig der alten
haben wir neue wunder erfunden

die größten der wunder aber
die wir erfanden
sind größer als wir die erfinder

und dies ist ein wunder
nicht von uns selber erfunden

SCHPIEGEL

für alles z'begryfe
müeßt me
dür schpiegel
i ds bild i ds eigete
schlüüfe

so aber
hinder dr muur
blybt üsen ängel
i dr klausur

und dr körper
hilflos und wild
zabblet
im netz
vom eigete bild

ANTONIONISCHI SITUATION

är boxet schatt
sie ringlet löck
d'partie isch patt
bym aabehöck

äs git nüt nöis
was wett es o
und jedes weis
äs isch halt so

WO CHIEMTE MER HI?

wo chiemte mer hi
wenn alli seite
wo chiemte mer hi
und niemer giengti
für einisch z'luege
wohi daß me chiem
we me gieng

22 LÄBE

ungfähr
zwöiezwänzig läbe
müeßt i läbe
wett i läbe
daß ig einisch
wirde gläbt ha

doch bevor i
numen einisch
wien i müeßti
so cha läbe
daß i gläbt ha
läb i nümme

LÖCHERBECKI

zyt isch nid zahl nid schtrecki
zyt isch es löcherbecki
wo scho nach churzem ufenthalt
dr mönsch z'dürab i d'unzyt fallt

Mani Matter

IR YSEBAHN

ir ysebahn sitze die einten eso
daß si alles was chunnt scho zum vorus gseh cho
und dr rügge zuechehre dr richtig vo wo
      der zug chunnt

die andre die sitzen im bank vis-à-vis
daß si lang no chöi gseh wo dr zug scho isch gsy
und dr rügge zuechehre dr richtig wohi
      dr zug fahrt

jitz stellet nech vor, jede bhouptet eifach
so win är's gseht syg's richtig, und scho hei si krach
si gäben enander mit schirmen uf ds dach
      dr zug fahrt

und o wenn dr kondüktör jitze no chunnt
so geit er däm sachverhalt nid uf e grund
är seit nume, was für nen ortschaft jitz chunnt
      s'isch rohrschach

FARBFOTO

uf dere farbfoto gseht men e ggutsche
       wo fahrt am nen aben am meer
drinn sitzt es bildhübsches mannequin, drnäbe
       dr arm um ins gschlungen e heer
d'stärne schyne vom tiefblaue himel
       drufaben und undedra steit
ds glück sygi das und es glas vom ne liqueur
       i weis nümme wi men ihm seit

i bi bis jitz nume sälten am abe
       i ggutsche ga fahren am meer
bi mit kem mannequin befründet, und liqueur
       das schetzen i nid eso sehr
aber sitdäm i die foto ha gseh und
       ha gläse was undedra steit
weis i was mir i mym truurige läbe
       doch eigentlech alles entgeit

mietet drum dir wo mit mannequin bekannt syt
       e ggutsche am beschte no hütt
fahret a ds meer wenn es abe wird, nämet
       dä liqueur und ds liqueurglas mit
denn üses mönschleche läben uf ärde,
       das müeßt dir doch zuegä, isch mys
und we me weis, wo me ds glück cha ga finde
       de fragt me doch nid nach em prys

BALLAD (LIED ZUM FILM «DÄLLEBACH KARI»)

s'isch einisch eine gsy, dä het vo früech a drunder glitte
dass ihn die andre geng usglachet hei
am afang het er grännet, het sech mit den andre gstritte
s'nützt nüt, das isch ja nume was si wei

wenn's mänge truurig macht, wo d'lüt sech luschtig drüber mache
s'het sälten eine luschtig gmacht wi dä
är het sech gseit: nu guet, wenn dir so gärn ab mir tüet lache
i will nech jitze grund zum lache gä

und är isch häreggangen und het afa witze ryße
daß d'lüt sech jitz he d'büüch vor lache gha

het witze gmacht wo chutzele und witze gmacht wo byße
und het ke antwort ohni antwort gla

und i däm große glächter wo's het ggä ab syne witze
isch ihn uszlache keim i sinn meh cho
da het er all die lacher i däm glächter inn la sitze
und het sech himeltruurig ds läbe gno

Gerhard Meier

DER ANDERE TAG

Wo der Sturm dem Wald zusetzte, grünt kräftiger Jungwuchs. Die
mit den Klumpfüßen fand man nackt am Ufer der Emme. Wo zu
Ostern der Himmel seltsame Fahnen schwang, hängt blankes Blau.
Man sagt, daß sich der Feuervogel unversehrt aus der Asche auf-
schwinge, sagt man. Wie gefleckt das Land daliegen kann, wenn
der Schnee weicht. Was die Müdigkeit nicht alles zustande bringt.
Wie sich die Liegenschaft vorschiebt, frisch renoviert, in engli-
schem Stil: die Methodistenkapelle. Wind schiebt sich durch, zwischen den Liegenschaften, durchsetzt mit alten Gerüchen. «Als das
Abbild dem Ebenbild sehr ähnlich wurde – das Standbild dem
Menschen –, hieß man es klassisch. Das Klassische wurde zum
Leitbild dem Ebenbild», sagte Mark. «Haben sie Hunger, dann
essen sie, es tut ihnen gut. Haben sie Durst, dann trinken sie, es tut
ihnen wohl. Manchmal freilich gibt's Schluckweh oder gar Magen-
weh, womöglich beides zusammen. Durst und – kein Wasser,
soll's auch geben», sagte er auch. «Kreiertes ein Kredo, beinahe»,
sagte Hans. «Kellner – bezahlen!» sagte Mark. Das Kopfsteinpflaster ist feucht. Leute gehen gegen den Wind, andere mit dem
Wind, Seitenwind verzeichnen die übrigen. Zwei, drei Sterne sind
auszumachen, bei längerem Aufschauen. Fassaden bemühen sich,
Städtebilder zu bilden. Antoinette verspürt Kopfschmerzen.
Andere fanden Heilung in Arlesheim. Hans streift den Pullover
über. Frieda begibt sich ins Freie. Mark stellt ein Gedränge im Gedärme fest. «Moment bitte, die Weltlage verändert sich!» sagte
der andere. Embryos – in den meisten Fällen entwickeln sich Embryos normal. Schmeißfliegen summen sommers. Friedrich wischt
sich die Nase. In der Vorstadt blüht eine Hundeblume, an der
selben Stelle immer. Über Hügel führen Fußstapfen der Ausflüg-

ler. In den Fußstapfen der Ausflügler sprießen Maßliebchen.
Klemperer dirigiert Mahlers «Auferstehung». Adalbert Stifter ist
mit dabei, wenn der erste Schnee bei trockenem Wetter als waagrechter Strich auf der Waldenalp und, weiter links, auf der Buch-
matt, am Südhang des Juras, durch Nächte schimmert, lichte
Nächte. Hochnebel und Billionen von Buchenknospen beein-
flussen farblich diese trockenen Nächte. In diesen Nächten zerfällt
das Dorf nicht in die Bezirke der Dorfhunde, punktweise markiert
mit Urin. In diesen Nächten zerfällt das Dorf (nur für Einhei-
mische, natürlich), zerfällt das Dorf in den Bezirk des toten Vize-
gemeindepräsidenten, Bauern und Grubenbesitzers; in den Bezirk
des Kistenmachers und Oberhaupts einer großen Familie; in den
Bezirk des Sägereibesitzers, Jägers und Ornithologen, des toten;
in den Bezirk des Fabrikschmieds, des tabakkauenden, branntwein-
süchtigen, toten Fabrikschmieds; in den Bezirk des Bauern, Vieh-
händlers und Schlächtereibesitzers; in den Bezirk des Installateurs
und Schlossers, des toten; in den Bezirk des toten Drogisten und
Freimaurers; in den Bezirk des Großrats und Gutsbesitzers, selig.
Durch Unfall verlor der Sägereibesitzer drei seiner Söhne, durch
Krebs seine Stimme der Kistenmacher. Mit Kiesel belegte der
Grubenbesitzer jeweils die Straßen. Mit Bürgschaften belegte der
Schlächtereibesitzer seine Liegenschaften. Der Drogist hinterließ
ein großes Vermögen. Der Gutsbesitzer mehrte sein Gut. Der
Installateur starb auf unnatürliche Weise. Der Fabrikschmied – in
Muße wurde er alt und starb auch. Südöstlich des Dorfs dehnten
sich Eisfelder aus. Blechmusik, Geruch heisser Würste. In weiser
Verschlossenheit harren die Häuser. Häuser nehmen Klematis hin,
an Westwänden, oder Glyzinien. Häuser nehmen Schatten der Ka-
stanien hin, Schatten anderer Häuser. Häuser verbrennen gelegentlich, es ist die Ausnahme. Häuser werden abgerissen. Häuser werden umgebaut. Aus einem Bauernhaus wird eine Garage. Aus einem
Malergeschäft wird ein Baugeschäft. Aus einem offenen Dorfbach
wird ein gedeckter Dorfbach, beraubt alter Gewohnheit, Betrun-
kene zu ertränken. Um die Telegraphenstange wippen einige Grä-
ser, im Garten drei Mohnblüten. Das Radio gab eine Passage aus
Beethovens «Fidelio» her, bei wechselhaftem Wetter. Am Spinn-
webfaden schwang eine Holunderblüte. Da ward aus Abend und
Morgen der andere Tag. (Die Frau mit den Klumpfüßen ist tot.)

DAS GRAS GRÜNT

Betont feierlich verläßt
der Güterzug das
Dorf

Nach den Windeln zu schließen
weht mäßiger
Westwind

Das Gras grünt

Das Land hat seine
Eigentümer vergessen
und hat es satt
nur Umgebung
zu sein

Umgebung
vieler Versuche
tapfer zu sein

ICH SAH

Ich sah
wie die Häuser
die Farbe
verloren

Und sah
wie der Himmel
die Farbe
behielt

Und sah
wie man stirbt
und wie man
geboren

Wie sommers
die Ströme ihr
Wasser
verloren

Und wie
man gläserne
Marmeln
verspielt

Herbert Meier

NIEMAND BLICKT SICH UM

Die Stadt ist zu klein.

Den wenigsten kann ich den Namen geben; das scheint sie zu ver-
wirren. Jemand erwidert ihren Gruß und gibt ihnen den Namen
nicht. Sie blicken sich um, alle blicken sich um. Sie wollen sich vergewissern, ob es am Ende nicht jemand anders war: einer, den sie
anscheinend doch nicht kennen.

Wer war das eben? Den Mantel kenne ich.
Der Mantel hing schon irgendwann neben meinem Mantel, bei
abendlichen Anlässen, wenn es kühl geworden ist und man zum
Schutz einen Mantel mitnimmt. Auch der Hut erinnert mich an
einen schon gesehenen Hut. Es könnte der Hut eines Rechtsanwaltes sein, eines Richters.
Nein, die Richter kenne ich alle, es sind nicht viele, der Ober-
richter, der Amtsrichter, der Friedensrichter.
Aber von Rechtsanwälten wimmelt es in dieser Stadt.

Der Rechtsanwalt hat einen leichten Gang, nach einem guten Frühstück, die Ledertasche voll mit frischen Geschäften. Er wirft im
Vorübergehen einen Blick auf den Steinlöwen und Wasserspeier;
von einem Löwen dürfte man nicht reden, es ist nur die Fratze
eines Löwenkopfes, aber ich schwöre: jedermann nennt den Wasserspeier einen Löwen.
PARS PRO TOTO.
Die uralte Sache.

Auch der Rechtsanwalt hat sich umgeblickt, wahrscheinlich nicht
nach mir allein. Hinter mir werden noch andere Leute gehen. Immer vergesse ich, daß man um die Zeit nicht der einzige in dieser
Gasse sein kann.

Die Stadt wacht zu früh auf.
Um sieben ist sie schon auf den Beinen.

Da folgt man mir und geht an mir vorbei, kommt mir entgegen und auf mich zu, überquert die Gasse irgendwo und irgendwann. Die Gasse ist zu eng. Das Trottoir ist zu schmal, ein mittelalterlicher Gehsteig, eine Mauer entlang, die alte Innenhöfe einfaßt. Der Brunnen steht in der Mauernische, aber der Trog reicht auf den Gehsteig hinaus. Viele weichen auf die Seite, treten mit einem Fuß in die Rinne. Alles geht zu Fuß. Den Wagen ist die Durchfahrt verboten.

Sein nobler Mantel hat einen weißen Fleck, Steinstaub vom Brunnentrog vielleicht. Mit dem Ellbogen hat er die Steinmuschel berührt, ohne es zu wollen.

Nach mir hat er sich nicht umgesehen; eher um sich zu vergewissern; bevor einer die Straße überquert, schaut er sich nach allem um, was kommen könnte. Auch dort, wo er weiß: Hier ist die Durchfahrt verboten. Auch dort vergewissert man sich, ob nicht doch ein Wagen kommt, einer, der die Tafel übersehen hat.

Und das Leben eines Rechtsanwaltes ist teuer. Er muß sich vorsehen, bevor er eine Straße überquert. Das ist verständlich, das ist notwendig.

Wer sich nicht selber schützt, kommt um, manchmal auf offener Straße.

Beim Überqueren der Straße wurde er von einem Lieferwagen angefahren, stürzte, erlitt einen Schädelbruch sowie innere Wunden. Verletzungen, würde es heißen, innere Verletzungen, denen er am andern Tag erlegen ist. Es handelt sich um den bekannten Fürsprech Sager.

Ja. Sager. Endlich ist mir sein Name eingefallen. Das eben war Sager.

Sein Kinn springt vor, und sein Mund ist verbissen. Ein Mund, der eine Waffe ist. Die Fürsprechwaffe zum Verteidigen schwieriger Fälle. Bei ihm müßte man anfragen, wenn es je so weit kommt.

Er kennt mich. Er hat mich mit Namen gegrüßt.

Guten Morgen, Herr Doktor Staal.

Die meisten grüßen nur mit dem Titel und lassen den Staal.

Er nicht, Sager nicht. Ihm muß an meinem Namen etwas liegen.

Da hocken wieder die Ringeltauben auf der Mauer und ruken.

In der Stadt weiß man:

Dieser Staal hat seine Gassen, seine Straßen, die er begeht, die er befährt. Man könnte sie aufzählen und die Zeiten notieren, wann er sie benutzt. Man wäre in der Lage, weitere Auskünfte zu ertei-

len. Zum Beispiel: Er parkt seinen alten Citroën vor der Festung
des Sébastien Le Prestre, Marquis de Vauban, täglich um fünf vor
sieben. Er geht dann, mit Büchern unter dem Arm, durch das Tor
die Schmiedengasse hinunter über den kleinen Platz zum Café
Greiben, wo er zu Morgen ißt, als hätte er kein Zuhause; als könnte
seine Mutter ihrem fünfunddreißigjährigen Sohn nicht eine Tasse
Kaffee einschenken, eine Scheibe Weißbrot abschneiden, Butter
auftischen, Konfitüre, ein Ei, wenn er das mag.

Das Kopfsteinpflaster, über das er jetzt geht, zwingt ihn, auf die
Füße zu blicken. Denn er glaubt dann und wann wirklich über
Köpfe zu gehen, nicht über Steine: porphyrische Köpfe, würde
Zwygart, der Geologe, sagen.
Ein unsicheres Gehen ist es allemal.

Da geh ich nun täglich über diesen Platz, und immer gehe ich wie
über Köpfe. Ich dürfte es niemandem sagen, man hat so kindische
Vorstellungen: Du gehst über Köpfe,
über zahllose Köpfe wie über Schülerköpfe, wenn sie unter dir
schreiben und sich in schwierige Sätze verbeißen oder vor Nachdenken ins Leere blicken. Dabei finde ich die Stelle nicht mehr, wo
die Ausgrabungen stattfanden, vor ein, zwei Jahren. Man hat die
alten Kopfsteine wieder eingesetzt, jetzt sind die Spuren verwischt.

Immerhin. Die Stadt schätzt die archäologischen Verdienste Staals.
Nicht jeder entdeckt den verschütteten Architrav eines alten Tempels. Man hat Gußrohre verlegt, Staal war vorübergegangen und
hatte den Graben gemustert, einem seitlich vorragenden Stein
mißtraut und einen Arbeiter vom Aushub gebeten, den Stein
sachte zu lösen.
Da entdeckten sie den Rand einer größeren Steintafel. Die Steintafel wurde freigelegt, ausgehoben; und sie trug die Inschrift

NOREM · DOMUS · IVINAE ·

I O M

VICANI · SALODURENSIS · PUBL ·

Das war leicht zu entziffern.
Die Einwohner des Dorfes Salodurum hatten, zu Ehren des kaiser-
lichen Hauses, dem Besten, Höchsten, dem Gott Jupiter einen
Tempel geweiht.
Staal identifizierte die Tafel und weitere Fundstücke, schrieb einen
Bericht und war fortan mehr als ein Lateinlehrer: ein Entdecker.
Die Steintafel ist jetzt im Museum ausgestellt.

Es kommen im Jahr nur wenige Besucher, der Abwart kann sie an den Fingern abzählen.

Die Stadt sprach ein, zwei Tage über den Jupiterfund. Die meisten wußten mit dem Namen weiter nichts anzufangen und redeten schlicht von dem römischen Zeug, das man wieder einmal beim Lochen und Graben entdeckt habe. Was hat man nicht alles schon ausgegraben, in den letzten Jahrzehnten. Das vergißt man doch gleich, kaum ist es am Tageslicht. Für die Schüler ist der Name Jupiter eine Vokabel, die in den Texten vorkommt. Die Tempelentdeckung hat dem Lehrer nichts als den Übernamen eingetragen. Sie nennen ihn seitdem JUPI.

Opfertiere sind hier geschlachtet worden.

Unter dem Kopfsteinpflaster müssen noch Gebeine liegen, tief unten. Ich sehe die blitzenden Opfermesser, mit verzierten Griffen. Ich höre das Gebrüll der Tiere.

Das ist keine aus meinen Klassen. Aber ich glaube, sie heißt Helen. Wo kommt denn die her? Wo ist die in der Nacht gewesen, gelegen? Sie hat wenig geschlafen, man sieht es ihrer Haut an.

Jetzt grüßt sie.

«Guten Morgen, Helen», sage ich.

Sie wirft mir einen Blick zu und scheint mich zu belächeln.

Es war offenbar nicht ihr Name.

Sie blickt sich um, flüchtig.

Sie wird es den andern erzählen: er hat gegrüßt und mir den falschen Namen gegeben.

In einem kurzen Rock kommt sie daher, die Schenkel halb entblößt, wie viele jetzt; in einem zündroten Rock.

Man sollte ein Messer haben, eines, das scharf schneidet; oder eine Schere. Man müßte sie aufschneiden, mittendurch; sie aufscheren, wie eine Languste.

Im Café Greiben setzt sich Staal ans Fenster neben der Standuhr, das weiß man. Der Tisch ist gedeckt, ein rotes Schildchen steht da, mit der Aufschrift «Réservé». Surbeck bereitet ihm selbst den Kaffee, denn Surbecks Tochter ist Staals Schülerin. Und einige denken, er wolle sich gastfreundlich die Gunst des Lehrers erkaufen.

Sie war Staals Schülerin, müßte man sagen.

Sie ist es nicht mehr. Gestern hat man sie beerdigt.

Ein neuer Gast ist da, als Staal eintritt.

Die ergraute Mähne des Zeichners Hudibras, wer kennt sie nicht.
Hudibras heißt Hugi, ehemals Zeichenlehrer. Karikaturist noch
immer, mit seinen achtzig Jahren.
Ein Riese mit den Augen eines Kaninchens.
Die Augen blinzeln immer, gemäß seiner stadtbekannten Lehre:
Nur mit blinzelnden Augen erkennt man die richtigen Farben.

Da sitzt Hugi und wartet.
Immer wartet er irgendwo. Er wartet auf Motive. Seine Motive
sind Gesichter, Leute.
Heute bin ich das Opfer, sonst säße er nicht im Greiben. Ich bin
ein schwieriges Objekt, es wird sich zeigen.

Hugi jagt noch immer bestimmten städtischen Köpfen nach. Aber
seine Karikaturen und Porträts erscheinen nicht mehr wie früher.
Er sammelt sie nur noch und bewahrt sie in großen schwarzen
Mappen auf.
Die halbe Stadt habe ich unter Verschluß, sagt er. Früher hatte er
eine Zeitung herausgegeben, die zur Fasnachtszeit erschien. Die
Zeitung hieß HUDIBRAS. Von daher ist Hugi der Hudibras geworden. Und die wenigsten wissen mehr, daß Hudibras eigentlich
Hugi wäre. Mit der Fasnacht ist es bekanntlich bergab gegangen,
in den letzten Jahren. Mit der Zeitung auch. Zuerst erschien sie auf
zwei Bogen, dann auf einem Bogen zum alten Preis; zuletzt auf
einem einzigen Blatt, zum gleichen Preis; und jetzt nicht mehr.
Was Hudibras nicht hindert, weiter nach Köpfen zu jagen, in aller
Hundsfrühe, wenn es sein muß. Er ist der alte Kopfjäger geblieben.

Aus der herunterhängenden Rocktasche hat er den weißen Block
gezückt. Mit dem Sackmesser spitzt er den Bleistift und blinzelt
immer zu Staal hinüber.
«Ich gebe doch nichts her», sagt Staal.
«Das werden wir sehen», sagt Hudibras.
Die Standuhr tickt. Standuhren haben etwas von aufrechten Mu-
mien.

Gesund und tot.
Surbeck scheint eine Geschichte zu erzählen.
Die Geschichte seiner Tochter Anna.
«Aber eine Sechzehnjährige kann doch schwimmen.»
«Und wie konnte sie schwimmen! Wie ein Aal.»
«Also. Wer schwimmen kann, ertrinkt nicht.»
«Nun ist sie ertrunken. Ich brings und brings nicht zusammen.

Da geht sie am Mittag um zwei aus dem Haus hier...»
Niemand brachte es zusammen.
Angeblich war Anna Surbeck mittags um zwei von zu Hause weggegangen, in weißen Sandalen. In weißen, fast altrömischen Sandalen, möchte Staal beifügen; eine marineblaue Badetasche um-
gehängt, mit weißen Kordeln. Niemand schien sich später zu erinnern, ihr an dem Tag begegnet zu sein, nicht in der Stadt und
nicht im Strandbad, außer Staal, aber der spricht nicht davon, weder hier noch anderswo. Nie spricht er davon. Auch jetzt nicht, wo
der unerklärliche Fall der Anna Surbeck im Greiben erneut be-
sprochen wird.
So war sie ausgezogen, unsichtbar wie es schien durch die Straßen
gegangen. Und Wochen später, acht Wochen später, sagt Surbeck,
hat man sie aus dem Aarerechen gefischt. Unten beim alten Kies-
werk.
Niemand weiß, wo sie ertrunken ist.
Auch die weißen Sandalen hat man nirgendwo gefunden.

Surbeck sagt: «So ist das.»
Hudibras blinzelt, fährt mit dem Bleistift durch die Luft, mißt die
Gesichtsverhältnisse.
«Dann hat sie sich eben ertränkt», sagt er.
«Nein. Das hat sie nicht.»

Auch in der Stadt hatte man an Selbstmord gedacht.
Anna ist in der Nacht von einer der drei Brücken gesprungen.
Anna hat sich am frühen Morgen von der Mauer beim alten Hafen
gestürzt. Ende Juni war der Wasserstand nicht hoch. Man konnte
die Algen sehen, die Algen auf den großen Kieseln am Grund.
Nein, sie hätte sich doch die Beine gebrochen, das Becken, den
Rückgrat. Sie wäre liegen geblieben. Die Strömung hätte sie nicht
fortgeschwemmt. Denn die Strömung ist dort nicht stark. Es sei
denn, sie wäre ins Tiefe hineingewatet und so versunken.
Wie soll aber jemand mit gebrochenem Becken noch waten? Und
aus welchem Grund hätte sie den Tod im Wasser suchen sollen?
Eine Liebesgeschichte war auch nicht im Spiel, sagt man.

«Eine Liebessache, nein.»
«Wirklich nicht?»
«Ich schwöre, Hudibras.»
«Woher willst du das wissen.»
Der Bleistift zieht Striche, Hudibras sagt: Verdammt. Er trennt
das Blatt vom Block, zerknüllt es und steckt es in die Rocktasche.

Die Rocktaschen sind voll von zerknüllten Blättern: zwei hängende Papierkörbe, die nur im eigenen Garten geleert werden, wie er sagt; und deren Inhalt sogleich verbrannt wird, bei Windstille, damit die verkohlten Fetzen nicht in die Nachbargärten fliegen, sich dort auf Gras und Sträucher setzen und womöglich von fremden Augen entziffert werden. Das darf nicht sein.

Ein schwieriges Gesicht, dieses Staalgesicht.
Ein Blatt ums andere wird zerknüllt.
«Jetzt muß ich es kriegen», sagt Hudibras.
«Was denn?»
«Das richtige Staalgesicht.»
«Versuchen Sie es.»
Er soll es nur versuchen. Er glaubt noch immer, ein Gesicht sei auf einer Fläche einzufangen mit allem, was darin ist. Mein Gesicht bringt er nicht auf Papier.

Staal streicht Bienenhonig auf die Weißbrotscheibe.
Im Rechen hat man sie gefunden, am Samstagnachmittag, sie aus den Stäben gezogen, in den Kleidern. Aufgequollen war sie, wie eine Schwangere, sagt man. Aber sie war nicht schwanger. Man sah sie imgrund immer allein.
Sie hatte keine Bekanntschaft.
Staal ißt die Honigschnitte. Er ißt wie die Kinder ganze Schnitten. Er bestreicht nicht kleine Bissen mit Butter und Honig. Er bestreicht ganze Scheiben.

Die Herren von der Untersuchung haben sich noch nicht geäußert.
Berichte brauchen Zeit.
Einer, der dabei war, will eine Wunde gesehen haben.
Sie hatte eine Bißwunde im Nacken, heißt es. Eine Zeitung schrieb: Nacken des Opfers weist Bißwunde auf.
«Von Menschenzähnen oder von Hundezähnen?» fragt Hudibras.
«Was fragst du. Sie ist doch wochenlang im Wasser gelegen. Da verändert sich doch alles. Nicht wahr, Herr Doktor?»
«Bis zur Unkenntlichkeit», sagt der.
Surbeck sieht, Staal verschlingt Honigschnitten. Und das Brot ist frisch, heute früh um fünf aus dem Backofen gezogen, aus Froidevaux' Holzbackofen. Ob er das zu schätzen weiß? Froidevaux besitzt den letzten Holzbackofen weiterum. Es ist der Mund, der beißt und kaut, nicht Staal, der ißt.
Staal blickt immerzu auf den Stuhl dort.
Seine Blicke sind festgenagelt.

Staal hört mit.
Staal wartet auf die Geschichte vom Vogel.
Er kennt sie aus erster Quelle.
Surbeck erzählt sie immer wieder, seit Anna vermißt war.

Jetzt fängt er an:
«Er hat sie immer verfolgt, dieser Neuntöter.»
«Neuntöter?» fragt Hudibras.
«Wissen Sie, das war ein Vogel», sage ich.
«Ein Vogel, der würgt die jungen Vögel und spießt sie auf. Auch
Mäuse. Mitten auf die Dornen. Er hatte das Nest...»

Das kennt man. Ein Nest hinter dem Haus ihres Großvaters, in
einem Weißdorn. Das war Reinhart, der Vater seiner Frau selig.
Die hatten bekanntlich ihr Haus oben am Berg.

«Ja. Und da ist sie oft gewesen. Da hat sie den Neuntöter beobach-
tet. Und dann nächtelang von ihm geträumt.»
Hudibras blinzelt nicht mehr. Er faßt mich offen ins Auge; zeich-
net jetzt. Es wird ihm nicht gelingen.
Surbeck sagt: «Er hat einen roten Rücken.»
Ja, und durch das Auge zieht ein schwarzer Streifen.
«Der ist wie ein Dolch», sage ich.
«Wie ein Dolch. Ja.»
Hudibras trennt sein Blatt vom Block, zerknüllt es:
«Verdammt nochmal.»

Surbeck erzählt wahrscheinlich die Neuntötergeschichte den mei-
sten Gästen. Das hängt mit dem Fall seiner Tochter zusammen.
Alles verknüpft er mit diesem Vogel. Neun-töter. Er löst dann die
Neun und sagt: An einem Neunten hat man sie aus dem Wasser
gezogen.
«Die Neun ist im Spiel», sagt er. «Das kann mir niemand neh-
men.»
«Das sind so Zusammenhänge», sagt Hudibras.

Staal zählt Geld auf das weiße Tischtuch.
«Der Herr Doktor will zahlen?»
Surbeck verläßt den Tisch, wo gezeichnet wird. Ein Gesicht nach
dem andern wird gezeichnet, und keines wird das Staalgesicht.
Der Herr Doktor bezahlt nicht jeden Tag. Auch nicht wöchentlich,
oder sagen wir am dreißigsten des Monats. Er bezahlt zwischen-
hinein, mal nach acht Tagen, mal nach fünf Wochen, nach keiner
Regel.

Die Agenda liegt aufgeschlagen da.

Die Tage, an denen er im Greifen gegessen hat, sind mit schwarzen Kreuzen vermerkt. Er führt Buch, mit feinen Filzstiften.

Der Wirt scheint ihm zu vertrauen.

Heute macht es vierundzwanzig Franken.

Staal sammelt die Münzen ein und zückt eine Fünfziger-Note.

Er will kein Herausgeld diesmal.

Surbeck will es nicht annehmen.

Er könne es brauchen, nach dem Todesfall.

Todesfälle sind teuer für die Hinterbliebenen.

«Das schon», sagt Surbeck. «Aber...»

«Kein Aber. Nehmen Sie es.»

Surbeck nimmt es, geht zur Kasse, tippt, kurbelt. Das Zählwerk
zeigt 24.00 an, weiße Ziffern auf schwarzem Grund. Die Schublade springt heraus.

Staal ist aufgestanden.

«Bitte, Herr Doktor. Nehmen Sie das.»

Staal scheint unerbittlich zu sein.

Er lächelt im Gehen: «Bitte, Surbeck.»

Er soll es nehmen, wenn ich es ihm geben will.

Er übervorteilt mich nie. Das ist es, was ich ihm bezahle, seine
Moral.

Man müßte eine neue Steintreppe legen. Die Ränder einzelner
Stufen sind abgeschlagen. Hier und hier, wie von Hämmern. Es
waren doch Ammonshörner eingeschlossen. Wo sind die Ammons-
hörner jetzt? Ausgeschlagen, abgeschlagen. Ein Dieb könnte am
Werk gewesen sein, ein archäologischer, geologischer Dieb. Zwy-
gart trägt immer sein Hämmerchen bei sich. Nein, die Stufen sind
anderswie zerschlagen worden. Durch die gußeisernen Tische und
Stühle vielleicht; Zierguß, den man in der Halle aufgestellt hat.
Engel, nackt aus Rosenschalen steigend, Früchte, geschwärzt.
Eine Öllampe auf dem Tisch.

Vielleicht ist über diese Treppe der Sarg der Anna Surbeck hinab-
getragen worden.

Särge sind teuer, auch bescheidene Särge.

Meinetwegen soll er die restliche Summe zum Sarg legen.

Nein, der alte Kopfjäger erlegt mich nicht.

Er mag seinen Bleistift spitzen, wie er will.

Was hat er zu Surbeck gesagt, als ich hinausging? Ich gehe verdreht? Gehe ich wirklich verdreht?

Staal ist verdreht, finden einige.

Die Schultern trägt er schief, wenn er so kommt, als wollte er die Luft zerschneiden. Die eine Schulter stößt wie ein Kiel ins Leere. Nicht immer, aber in gewissen Augenblicken. Niemand kann sagen warum. Ärzte deuten auf Verschiebungen der Halswirbel, auf muskuläre Verspannungen. Ferner gibt es einige, die sich fragen, seit wann denn Staal verdreht ist.

Sie vermuten, das habe irgendwann seinen Anfang genommen. Aber Anfänge fallen selten auf; erst, wenn es längst begonnen hat. Er geht verdreht, hat Hudibras gesagt, als Staal das Greifen verließ.

Clemens Mettler

HÖR ZU TELL

In Altdorf
gehst du so hoch über unsern Köpfen
Wilhelm Tell
wir sehen dich nur
durchs Opernglas

Merkst du denn nicht daß du
dich anbiederst dort oben
auf deinem Felsblock aus Bronce
mit Herrn Geßler
dem du im Nebel
zum Verzweifeln gleichst
du schwebst in den Wolken

Steig wieder herunter
wenn du unser Mann sein willst

Hör zu
sei informiert
schieß nicht
auf den Jungen
mit dem Transparent überm Kopf
deinen Sohn

WIR HABEN DAS BESTE

Wir Schweizer
sind gut dran.
Wahrlich,
wir haben das beste von allem.
Das große Amerika
schaut mit Neid
auf uns
herab.

...zunehmend
steigt der Rauch
wie im Herbst dem Städter der Nebel
die Sicht
ins Blaue
nimmt.

E. Y. Meyer

INSELGESCHICHTE

Das Rugbyspiel gefiel ihm überhaupt nicht, es langweilte ihn, und seinem Freund und dessen Freundin ging es nicht besser. Die übrigen Leute schienen jedoch begeistert zu sein, denn sie feuerten ihre Mannschaft mit lauten Schreien an und schlugen sich gegenseitig auf den Rücken oder auf die Knie, wenn einer der Spieler eine auch nur einigermaßen gute oder einigermaßen komische Leistung bot. Auch Frauen ließen sich zu Schreien hinreißen, wenn auch nur wenige zu sehr lauten.

Eigentlich hatte er gar nicht beabsichtigt gehabt, am Betriebsfest der Firma, in der er angestellt war, teilzunehmen, nicht nur, weil das Fest diesmal zusammen mit einer anderen Firma hatte durchgeführt werden sollen. Als ihm sein Freund, der in der gleichen Firma wie er angestellt war, jedoch gesagt hatte, daß das Fest diesmal auf einer Insel durchgeführt werde, obwohl er das eigentlich gar nicht hatte wissen wollen, hatte er eingewilligt, seinen Freund und dessen Freundin, die ebenfalls in der gleichen Firma wie sein Freund und er angestellt war, an das Fest zu begleiten. Schon bei ihrer Ankunft mit dem vollbesetzten Schiff am Morgen des normalerweise freien Samstags, den er sonst lesend zu verbringen pflegte, hatte er jedoch gemerkt, daß er sich falsche Vorstellungen über die Art und Weise der Durchführung eines Betriebsfestes auf einer Insel gemacht hatte, denn der ganze Strand war bereits mit Menschen überfüllt gewesen, die den Neuankommenden fröhlich zugerufen und zugewinkt hatten, und auch als er sich mit seinem Freund und dessen Freundin vom Strand entfernt hatte, um sich mehr ins Innere der Insel zu begeben, hatte die Menschenmenge nicht abgenommen. An picknickenden Menschen, an einem Karussell und ähnlichen Jahrmarktserscheinungen sowie an einem Samariterzelt vorbei waren sein Freund und dessen Freundin und er dann auf einen Sportplatz gelangt, wo ein Rugbyspiel zwischen den Mannschaften der beiden Betriebe, das eine große Menschenmenge angezogen hatte, in vollem Gange gewesen war.

Als zwei der Spieler von der Mannschaft der Firma, mit der zusammen diesmal das Betriebsfest durchgeführt wurde, sich, nachdem der eirunde Lederball von ihrem besten Spieler hinter der gegnerischen Mallinie abgelegt worden war, zur Freude des Publikums Rücken an Rücken stellten und, währenddem sie sich so aneinander lehnten, abwechslungsweise in die Knie gingen und sich dann wieder aufrichteten, verließen sein Freund, dessen Freundin und er die Zuschauerränge des Rugbyspielplatzes wieder, wo sich nun ein immer stärker anschwellender Lachstrom auszubreiten begann, und versuchten noch weiter ins Innere der Insel vorzudringen, wo diese noch dem hätte entsprechen können, was er und, wie es sich nun herausstellte, auch sein Freund und dessen Freundin erwartet hatten. Nachdem sie jedoch ein Stück durch den Wald gegangen waren, von dem die Insel bewachsen war und der ebenfalls von essenden und trinkenden sowie von Versteck und anderen Spielen betreibenden Menschen überfüllt gewesen war, so daß sie manchmal Mühe gehabt hatten, überhaupt noch weiterzukommen, und von verärgerten Leuten beschimpft oder verspottet worden waren, erreichten sie ein Kloster, das ähnlich wie der Rugbyspielplatz von einer riesigen Menschenmasse umgeben und belagert war. Der Weg an den ringsherum neu erstellten Gebäuden vorbei zum alten ursprünglichen Klostergebäude, auf dem sie sich nun befanden, war noch recht gut begehbar, obwohl er von sehr vielen Leuten benützt wurde, aber als sie durch das Rundbogentor in den Innenhof des Klosters eintreten wollten, kamen sie nur noch sehr langsam voran und mußten anstehen, und als sie endlich so weit gekommen waren, daß sie den Hof, in dem gegen Gutscheine, die man in der Firma hatte beziehen können, Essen und Trinken ausgegeben wurde, überblicken konnten, sahen sie,

daß es sinnlos gewesen wäre, irgendwo noch einen Platz finden zu
wollen.

Dennoch gelang es ihnen nicht mehr umzukehren, und sie mußten
sich von dem Sog, in den sie geraten waren, durch die schmalen
Wege zwischen den unzähligen eng beieinanderstehenden Tischen
und Bänken im Hof herumtreiben lassen. So gut es ging, versuchte
er, bei seinem Freund und dessen Freundin zu bleiben, und als er
trotz ihrer gegenseitigen Bemühungen von ihnen getrennt wurde,
sie beide im Auge zu behalten. Einen Augenblick lang befürchtete
er, eine Treppe hinaufgehen zu müssen, an der sein Freund und
dessen Freundin schon gut vorbeigekommen waren, und so den
beiden nicht mehr folgen zu können, und die, wie es auf einem
Schild an der Wand des Innenhofes oberhalb des Treppenbeginns
hieß, zum *Rousseau-Zimmer* führte, aber durch einige Drehungen
um sich selbst gelang es ihm, von den wenigen Stufen, die er hatte
hinaufsteigen müssen, wieder hinunterzusteigen. Als er sich nun
wieder von der Treppe entfernte, merkte er jedoch, daß er seinen
Freund und dessen Freundin dadurch aus den Augen verloren
hatte, die vergebens weiterhin die Gesichter der Leute in dem Klo-
sterinnenhof absuchten, weshalb es nun auch nicht mehr wichtig
war, in welcher Richtung er weitergedrängt wurde.

Wenn der Hof nicht so überfüllt gewesen wäre, hätte er nun, während er sich von den Leuten, die ihn umgaben, weitertreiben ließ,
diesen etwas genauer ansehen können, so sah er jedoch nur das
Ende der Treppe mit dem Schild, daß diese zum *Rousseau-Zimmer*
führe, die spiegelnden Fensterscheiben der Zimmer im oberen
Stockwerk, hinter denen undurchsichtige Vorhänge vorgezogen
waren und von denen eines das *Rousseau-Zimmer* sein mußte, die
Ziegel der ineinandergebauten Dächer des Klosters und das Stück
Himmel, das die Dächer einrahmten. Nach einer Weile gelangte er
so auch wieder zu der Seite, wo das Eingangstor lag und wo sich,
wie er auch erst jetzt sehen konnte, mehrere Schränke und Kästen
aus dunklem Holz befanden, die mit Vitrinen versehen waren und
in denen Souvenirs aufgehängt oder aufgestellt waren. An den
Rändern schon leicht vergilbte Karten mit Abbildungen von der
Insel und von *Jean-Jacques Rousseau 1712–1778* waren mit rostenden
Reißnägeln an Bretter geheftet, an denen er vorbeigedrängt wurde,
dann befand er sich vor dem Eingangstor, dessen beide Türflügel
immer noch ganz geöffnet waren, und beinahe hätte er sich von
neuem in den Hof treiben lassen, wenn ihn nicht sein Freund, der
zusammen mit seiner Freundin seitlich des Tores bei einem Stützbalken stand, gepackt und zurückgezogen hätte.

Gemeinsam warteten sie bei dem Stützbalken, bis mehrere Leute
an ihnen vorbei zum Tor hinausgetrieben wurden, schlossen sich
diesen an und verließen so das Inselkloster wieder, ohne ihre Gutscheine für das Mittagessen eingelöst zu haben. Sie kamen überein,
daß sie die Insel gleich jetzt wieder verlassen wollten, obwohl sie
auch noch für eine Zwischenverpflegung angemeldet waren und,
wie für das Mittagessen, auch dafür bereits bezahlt hatten. Ohne
sich noch einmal aufhalten lassen zu wollen, folgten sie einem Fußweg, der in der Längsrichtung der Insel wegführte und von dem
sie glaubten, daß er sie früher oder später wieder an die Anlege-
stelle führen würde, wo sie das Schiff verlassen hatten. Rechts von
sich, wo das Rugbyspielfeld liegen mußte, hörten sie die Schreie
der Zuschauer, die sich zeitweise zu einem wütenden oder auch
nur lauten Geheul zusammenschlossen, so daß sie manchmal fast
den Eindruck hatten, von einer Horde von Wilden verfolgt zu
werden, und unwillkürlich schneller zu gehen begannen, dann ver-
stummte jedoch das Geheul in der Ferne hinter ihnen, und es
wurde wieder etwas ruhiger, obwohl sie auf der Straße und neben
der Straße immer noch vielen Leuten begegneten.

Ohne daß sie einmal einer Abzweigung oder einem Wegweiser begegnet wären, begann der Weg jedoch immer mehr in Wiese über-
zugehen, und die Leute, denen sie begegneten, wurden immer seltener, bis sie sich schließlich allein in nicht besonders hohem, aber
weglosem Gras befanden und er nach einer Weile vorschlug, sich
von seinem Freund und dessen Freundin zu trennen und allein
etwas weiter nach rechts zu gehen, um dort nach einem anderen
Weg zu suchen, während sein Freund und dessen Freundin langsam in der bisherigen Richtung weitergehen sollten. Da die beiden
mit seinem Vorhaben einverstanden waren, entfernte er sich mit
großen Schritten von ihnen, nachdem die Wiese jedoch bald darauf
etwas angestiegen und dann wieder etwas abwärts gegangen war,
und er seinen Freund und dessen Freundin nicht mehr sehen
konnte und noch immer keinen anderen Weg gefunden hatte, begann er seine Schritte zu verkürzen und schneller, wenn auch mehr
nach links als nach vorne schauend, weiterzulaufen, in der Hoffnung, auf diese Weise seinen Freund und dessen Freundin wieder
ins Blickfeld zu bekommen und dennoch einen anderen Weg zu
finden. Öfters kam er jetzt an Büschen und sogar an Bäumen vorbei, und gerade, als er sich vorgenommen hatte, noch etwa hundert Meter weiter nach rechts zu laufen und dann wieder umzukehren, um seinen Freund und dessen Freundin einzuholen, stieß
er in vollem Lauf gegen eine Dornenhecke und zerstach sich dabei

seine Hände und sein Gesicht, so daß er sich für eine Weile nicht mehr zu bewegen wagte und sich erst dann langsam aus der Hecke zu lösen begann, wobei er sich noch mehr Kratzer zuzog und auch seine Kleider ziemlich stark zerriß.

Nachdem er sich vorsichtig das Blut, das in dünnen Fäden an seinem Gesicht hinunterlief und in die Augen zu dringen begann, weggewischt hatte, stellte er mit Erstaunen fest, daß er sich von Büschen und Bäumen umgeben befand und die Dornenhecke sich, nach beiden Seiten hin etwas höher als er selbst, aber auf den Seiten und auch oben vor noch nicht langer Zeit geschnitten, vor ihm ausdehnte, und er wollte schon auf dem schmalen Fußweg, der sich der Dornenhecke entlangzog, nach links gehen, um wieder auf seinen Freund und dessen Freundin zu treffen, obwohl sein Aussehen sie vielleicht erschreckt hätte und sie vielleicht mit ihm zu dem Samariterzelt, an dem sie vorbeigekommen waren, hätten zurückgehen wollen, was er gar nicht beabsichtigte und dem er sich aufs äußerste widersetzt hätte, als er plötzlich auf ein fast unhörbares Stöhnen aufmerksam wurde, das vor ihm aus der Hecke drang.

Vergeblich versuchte er, durch die Dornenhecke etwas sehen zu wollen oder die Zweige und Äste auseinanderzubiegen; er zerstach sich dabei seine Hände nur noch mehr, aber je näher er sich bei der Hecke befand, desto deutlicher konnte er das Stöhnen vernehmen, das in längeren Abständen immer wieder ertönte. Schließlich begann er von der Stelle, wo er das Stöhnen am deutlichsten hören konnte, in der Richtung, aus der er gekommen war, zurückzugehen, so daß diese Stelle weiterhin vor ihm lag, sein Blickfeld auf die Hecke sich jedoch immer mehr vergrößerte, bis er links von sich zwischen den Bäumen und Büschen hindurch eine Stelle zu sehen glaubte, wo die Hecke unterbrochen war. Rasch ging er nun wieder nach vorne zu der Stelle, wo er das Stöhnen am deutlichsten gehört hatte, und bog dann, nachdem er gewartet hatte, bis das Stöhnen wieder ertönt war, nach links ab, um kurz darauf wirklich auf einen Durchgang durch die Hecke zu stoßen.

Es hatte auf der anderen Seite der Hecke ebenfalls einen schmalen Fußweg, der in das Gras getreten war und auf dem er nun in einiger Entfernung rechts von sich eine dunkelgekleidete Gestalt liegen sah, über die sich eine zweite, ebenfalls dunkelgekleidete, beugte und in denen er, als er nahe genug an sie heran gekommen war, am Boden liegend einen alten Mann und darüber gebeugt am Boden sitzend eine alte Frau erkennen konnte. Beide waren vollständig in Schwarz gekleidet, auch der Strohhut mit dem schma-

len Rand, den die Alte trug, die sich so über den Mann, der am
Fuße der Hecke lag, beugte, daß er weder ihr noch das Gesicht des
Mannes sehen konnte, war schwarz. Erst als er vor den beiden
stehengeblieben war, richtete sich die Frau etwas auf, ohne sich
jedoch ihm zuzuwenden, und er konnte das blutüberströmte Gesicht des Alten sehen, der barhäuptig war und dessen Kleider noch
mehr zerrissen waren als die seinigen und die ebenfalls, wenn auch
weniger als das Gesicht, voll Blut waren, das an einigen Stellen sogar ziemlich große nasse Flecken auf dem schwarzen Stoff gebildet hatte. Der Kopf des Alten lag in dem Schoß der Frau, die in
der rechten Hand, welche auf dem zerrissenen, wie er jetzt sehen
konnte, ehemals weißen Hemd des Alten lag, eine Dose mit einer
Salbe hielt, während sie mit der linken dem Alten immer wieder
über seine blutbefleckten, gelblichweißen Haare fuhr. Ohne mit
dieser Bewegung aufzuhören, wandte sie sich jedoch plötzlich von
dem Alten ab und sah ihn an, aber die Augen in dem stark ge-
schminkten, von Tränenspuren durchzogenen Gesicht waren
merkwürdig starr, so, als ob sie Mühe hätten, sich der Entfernung,
in der er stand, anzupassen, und erst nach einer Weile schien sie
ihn wirklich zu sehen, worauf sie ihm langsam die rechte Hand mit
der Salbe entgegenstreckte, wartete, bis er diese genommen hatte,
und ihm dann auch noch den Deckel der Dose reichte, der neben
dem Kopf des Alten in ihrem Schoß gelegen hatte.

Das in längeren Abständen ertönende Stöhnen des Alten klang
auch hier, direkt neben ihm, nur sehr schwach, aber als er die
stärksten Kratzer an seinen Händen und im Gesicht mit der, wie es
auf dem Deckel der Dose hieß, desinfizierenden Wundsalbe behandelt hatte und ihr die Dose und den Deckel wieder zurückgeben
und ihr seine Hilfe anbieten wollte, bedeutete sie ihm mit der
rechten Hand, die Salbe zu behalten, und ging nicht auf sein Angebot ein. Sie hatte ihn während der ganzen Zeit, seit sie sich ihm
zugewandt hatte, nicht aus den Augen gelassen, und als er die
Dose und den Deckel hatte zurückgeben wollen, hatte er sogar ge-
glaubt, die Anzeichen eines Lächelns in ihren Augen zu bemerken,
aber bevor er sich hatte vergewissern können, ob das Lächeln
wirklich oder nur eingebildet war, hatte sie sich wieder von ihm
abgewandt, und ihr Kopf und ihre Schultern verdeckten nun wieder den Oberkörper des am Boden liegenden Mannes. Erst jetzt
fiel ihm auf, daß außer dem Stöhnen des Mannes auch einige Vogelstimmen zu hören waren, als sich jedoch keiner der beiden
Alten wieder bewegte, trat er zunächst vorsichtig einige Schritte
von ihnen zurück und entfernte sich dann langsam wieder rück-

wärts, bevor er sich umdrehte und in normalem Tempo weiter-
ging, wobei er sich jedoch zwischendurch immer wieder umdrehte,
solange er die beiden Alten noch sehen konnte.

Er war deshalb auch, auf dieser Seite der Hecke bleibend, an dem
Durchgang, durch den er gekommen war, vorbeigegangen, in der
Annahme, daß die Hecke bald einmal wieder zu Ende sein müsse
und er sich dann wieder in der Nähe des Ortes, wo er seinen Freund
und dessen Freundin verlassen hatte, befinden müsse, aber als die
Bäume und Büsche immer weiter auseinanderwichen und immer
weniger wurden und schließlich auch die Hecke, durch die es
keinen weiteren Durchgang mehr gegeben hatte, zu Ende war, befand er sich am Rande einer Ebene, die mit dürrem Gras und Schilf
bewachsen war und die er sogleich zu durchqueren begann, um
einen Damm zu erreichen, der sich auf der anderen Seite der Ebene
erhob und von dessen Höhe aus er sich eine bessere Orientierung
über seine Lage zu verschaffen hoffte.

So gut es ging, darauf achtend, daß möglichst wenig Dreck in die
aufgerissenen Stellen an seinen Händen geriet, erklomm er den
steilen Abhang des Dammes, der nur noch spärlich mit Gras bewachsen war, von dem große Teile vor nicht langer Zeit abge-
brannt sein mußten, denn, über den ganzen Hang verteilt, hatte es
verkohlte Flächen, von denen die, welche er beim Besteigen des
Dammes überquerte, immer noch beinahe heiß waren, und sah
dann über das Schilffeld hinweg, daß sich der Damm auf der rechten Seite immer weiter geradeaus durch dieses hindurch fortsetzte,
während er auf der linken Seite in der Richtung, wo das Inselkloster liegen mußte, nach einem nicht allzu langen Stück aufhörte
und der Weg, der sich auf ihm befand, auf der Insel weiterführte,
sich jedoch weder in dieser noch in der anderen Richtung außer
ihm jemand darauf befand, so daß er sich entschloß, zur Insel zurückzugehen, sobald er sich jedoch wieder auf ihr befinden würde,
langsamer zu gehen und vielleicht sogar stehenzubleiben, um nicht
etwa an seinem Freund und dessen Freundin vorbeizugehen, ohne
diese zu bemerken.

Als er das Ende des Dammes erreichte, wo der Weg durch eine mit
vielen kleinen Hügeln versehene Wiese weiterführte, traf er endlich auf einen Wegweiser, der jedoch nur in die Richtung, aus der
er gerade kam, zeigte und darauf hinwies, daß der Weg über den
Damm *Heidenweg* hieß, da er bis dahin jedoch weder seinen Freund
und dessen Freundin noch sonst jemand gesehen hatte, setzte er
sich auf die Bank, die sich neben dem Wegweiser befand, und erholte sich zunächst etwas vom Gehen, aber auch von der merk-

würdigen Veränderung der Umgebung, indem er seinen Blick
über die grüne Wiese streifen ließ, über die nun ziemlich oft die
dunklen Schatten der Wolken glitten, mit denen sich der vorher
blaue Himmel immer mehr bezog, aber plötzlich glaubte er in
einem der Schatten zwischen zwei Hügeln eine Bewegung wahrzunehmen, und als die Wolke, welche den Schatten verursacht
hatte, weitergezogen war und die Sonne jene Stelle wieder erhellte, sah er, daß sich dort jemand befand, der auf ihn zukam, ein
Mann und eine Frau, die zeitweise wieder in dem Grün verschwan-
den, aber als sie nahe genug herangekommen waren, sah er, daß es
sein Freund und dessen Freundin waren, und erhob sich von der
Bank, um sie durch Winken auf ihn aufmerksam zu machen, bis er
sicher war, daß auch sie ihn erkannt hatten.

Sein Freund und dessen Freundin begannen schneller zu gehen, und
als sie so nahe herangekommen waren, daß sie sein zerkratztes Gesicht und seine zerrissenen Kleider erkennen mußten, liefen sie auf
ihn zu, um ihn zu fragen, was denn passiert sei, aber es gelang ihm,
während er ihnen alles erzählte, sie zu beruhigen; er zeigte ihnen
auch die Dose mit der Wundsalbe und bat sie dann, ihm doch bitte
zu sagen, wie sie von der Stelle, wo er sie verlassen hatte, bis hier-
hier gelangt seien. Da sie ihm sagten, daß sie, wie vereinbart, zunächst langsam in der bisherigen Richtung weitergegangen seien,
als er jedoch nicht zurückgekommen sei, sich bei der Umgehung
eines Geheges, auf das sie gestoßen seien und in dem sich zu ihrem
Erstaunen Lamas befunden hätten, getrennt hätten, wobei die
Freundin weiterhin in der bisherigen Richtung gegangen sei, damit er wenigstens sie beim Zurückkommen angetroffen hätte, sein
Freund jedoch etwas mehr nach links gegangen sei, um dort vielleicht einen Weg zu finden, dabei dann auch den Weg, auf dem sie
sich jetzt befanden, gesehen hätte und mit der Freundin hierher-
gekommen sei, um darauf wieder allein nach ihm suchen gehen zu
können, mußte ihn demnach die Hecke, an der er nach der Begegnung mit den beiden Alten entlanggegangen war, in der ursprünglichen Richtung so weit nach vorne und von dem Inselkloster weggeführt haben, daß sich das Landschaftsbild der Insel
ziemlich stark verändert hatte.

Sein Freund und dessen Freundin waren niemandem begegnet, bis
sie wieder auf ihn gestoßen waren, auch bei dem Gehege mit den
Lamas hatte sich niemand befunden, so daß sie sich entschlossen,
die Insel über den *Heidenweg,* wie er auf dem Wegweiser bezeichnet
wurde, zu verlassen, an der Stelle, wo er auf den Damm gestoßen
war, jedoch noch einmal hinunterzusteigen, um nach den beiden

Alten zu sehen und ihnen noch einmal nun ihre gemeinsame Hilfe
anzubieten, aber als sie die Stelle erreichten, die dadurch gekenn-
zeichnet war, daß sich in der von dem spärlichen und verbrannten
Gras nur wenig zusammengehaltenen Erde noch seine Fußspuren
befanden, stand die schwarzgekleidete Alte mit dem schwarzen
Strohhut bereits am Fuße des Dammes und bat seinen Freund, dessen Freundin und ihn, ihr zu helfen, auf den Damm zu steigen, und
als sie hinuntergestiegen waren und der Alten ihre Hilfe auch für
den Mann anboten, sagte sie, das sei nicht mehr nötig, und man
brauche auch sonst niemanden mehr davon zu benachrichtigen.

Als sie dann wieder auf der Höhe des Dammes auf dem Weg standen, fragte sie die Alte, ob sie sich ihnen anschließen dürfe, da sie
nun allein das *Rousseau-Zimmer* im Inselkloster nicht mehr besuchen und den Weg über den Damm, der, bis sie eine Abkürzung
eingeschlagen hätten, ein Stück ihres Hinweges gebildet habe,
wieder zurückgehen wolle, und als weder sein Freund noch dessen
Freundin noch er etwas dagegen hatten, gingen sie zu viert auf
dem Damm weiter, der nach dem Schilffeld durch den See immer
weiter von der Insel wegführte. Es war ihm aufgefallen, daß von
den Tränenspuren, welche bei ihrer ersten Begegnung das stark
geschminkte Gesicht der Alten durchzogen hatten, nichts mehr zu
sehen war und dieses ziemlich stark gerötet schien, aber obwohl er
gerne noch mehr von ihr erfahren hätte, wagte er es nicht mehr, sie
noch einmal anzusprechen, da sie sich weder seinem Freund und
dessen Freundin noch ihm zuwandte und auch sonst keinerlei Gelegenheiten mehr dazu bot und schweigend mit ihnen ging, bis sie
hinter und über sich plötzlich die Geräusche von flatternden Flü-
geln hörten, und während sie und auch die Alte sich umdrehten,
wobei er noch einmal einen Blick auf ihr gerötetes Gesicht werfen
konnte, sahen sie, daß sich aus dem Wald, der die Insel bewuchs, in
einer nicht abbrechenden Reihe die verschiedensten Vögel, darunter auch Schwäne und andere Wasservögel, erhoben und über
sie hinwegflogen, wobei sich das Geräusch der flatternden Flügel
noch verstärkte und der Damm während der ganzen Zeit über in
dem unruhigen Schatten, den die Vögel warfen, lag, aber als sie,
der nach einer Weile doch wieder abbrechenden, bereits soweit sie
sehen konnten, reichenden Reihe der Vögel nachsehend, wieder in
ihrer ursprünglichen Richtung in der hellen Sonne dastanden,
setzte sich die Alte wieder in Bewegung, ohne darauf zu achten,
daß es nun mit einem Mal äußerst heftig zu regnen anfing, obwohl
der Himmel sozusagen nicht mehr mit Wolken bedeckt war und
ein Wind ihnen den Regen ins Gesicht zu treiben begann, was sie

dazu zwang, viel schneller als bisher weiterzugehen und sich abwechslungsweise zu zweit der Alten anzunehmen.

Als er auf diese Weise, vollkommen durchnäßt durch den Regen eilend, als erster endlich das Festland erreichte, wo sich gleich am Ufer ein Gasthaus befand, wo er und der nachfolgende Freund und dessen Freundin, die sich um die Alte kümmerten, unterstehen und in den Regen zurücksehen konnten, war trotz des wieder etwas heller gewordenen Himmels nur noch die unmittelbar vor ihnen liegende Umgebung des Gasthauses und der Anfang des Dammes, über den sie geeilt waren, deutlich zu erkennen, alles andere war im Regen verschwunden, der, vom Boden wieder aufspritzend, auch unter das überhängende Schutzdach des Gasthauses drang, so daß sie sich der im Dunkeln des überhängenden Daches liegenden Hauswand entlang bis zu einer in die Wand eingelassenen Türe zurückzogen, und als der Wind umschlug und den Regen nun so stark in ihre Richtung trieb, daß er auch die untere Hälfte der Türe erreichte, sie diese aufstießen, ohne nach weiteren, vielleicht besser als Eingänge gekennzeichneten Türen zu suchen, um sich in einem außerordentlich langen, alles andere, was er an diesem Tag und wahrscheinlich überhaupt bis jetzt an Hellem gesehen hatte, übertreffenden Gang zu befinden, der in seiner ganzen Länge, soweit er diese wegen der Helligkeit überhaupt abschätzen konnte, mit Menschen gefüllt war, die trotz aller Möglichkeiten des Schminkens von einer nicht zu erwartenden und sie von dem Gang nur unmerklich unterscheidenden Schönheit waren und die sich nach und nach umdrehend alle zu der Türe gewandt hatten, wo der Regen nun in den Gang hineinzudringen begann.

Hans Albrecht Moser

DER WEIHNACHTSABEND

Es war an einem Weihnachtsabend in einem stattlichen Bauernhof. Der Hof lag einsam hinter dem Wald und am Wege zum ziemlich steil ansteigenden Hügelland. Längst war es dunkel geworden, nur die verschneiten Matten und Felder ringsum und die still fallenden Schneeflocken brachten etwas Helligkeit.

In der geräumigen und holzgetäferten Wohnstube waren schon alle um den Baum versammelt, die Eltern, die Großmutter, die Kinder und das Gesinde.

«Wenn er nur bald käme, bevor die Kerzen heruntergebrannt sind», sagte die Großmutter und schaute besorgt auf den großen, glitzernden Weihnachtsbaum.

Sie war dagegen gewesen, daß man die Kerzen schon vor der Heimkehr Gottliebs, des Sohnes, anzündete. Die Eltern wollten aber den Sohn überraschen, er sollte nach dem rauhen Militärdienst das elterliche Heimwesen im schönsten Schmuck erfahren. Sie beruhigten die Großmutter, Züge hätten oft Verspätung, und bei dem Wetter könne Gottlieb den Weg hier herauf nicht so schnell wie sonst zurücklegen. Sicherlich werde er gleich kommen.

Man setzte sich um den Baum, die Augen der Kinder leuchteten und schauten verstohlen nach den Geschenkpaketen, die noch unangetastet auf den kleinen Bänken nicht weit vom Baum lagen.

Inzwischen ging Gottlieb, der Sohn, das Sträßchen hinauf, das den Bahnhof des Dorfes mit dem abseitigen elterlichen Hof verband. Er war schwer bepackt mit den Militärsachen und seinen Geschenken, und die Kälte und das Schneetreiben machten ihm den weiten Weg nicht leichter. Als er das steile Wäldchen hinter sich gebracht hatte und in der Ferne die Lichter seines Heimwesens gewahrte, blieb er stehen und überlegte, ob er das Sträßchen, das in einem großen Bogen zum Hof führte, gehen solle oder den schmalen Fußweg, auf dem er in gerader Linie und quer durch die Äcker das Haus erreichte. Er wählte den abkürzenden Fußweg, obschon er schwer zu erkennen war. Aber die Versuchung der Lichter war groß, sobald wie möglich von der warmen Stube und von den vertrauten Gesichtern der Eltern, der kleinen Geschwister und der Großmutter umgeben zu sein. Er jauchzte einmal auf und ging dann mit tastenden Schritten den arg verschneiten Fußweg, der sich durch die Ackerschollen drängte.

Aber gar bald verlor er den schmalen Pfad und stieg darauf von Scholle zu Scholle querfeldein. Es war eine mühsame Wanderung, das Schneetreiben nahm zu, die Schollen waren unregelmäßig und hart gefroren, ein eisiger Wind schleuderte ihm den Schnee ins Gesicht. Nur langsam kam er voran, öfters mußte er stehen bleiben, und schaute er dann auf, so schien ihm das Heimwesen immer gleich fern. Einmal legte er seine Sachen vor sich hin in den Schnee, breitete die Arme aus und schlug sie zur Erwärmung um seine Schultern. Darauf stapfte er weiter, und als es ihm war, als sähe er die Lichter des Hauses deutlicher, pochte sein Herz vor Freude. Aber nicht lange. Auf einer hohen Scholle glitt er aus und fiel mit gebrochenem Fuß in den Schnee. Vergebens mühte er sich, aufzustehen, vergebens schrie er um Hilfe, der Wind zerstäubte seine Stimme.

In der Weihnachtsstube war es still geworden. Längst hätte Gottlieb heimkommen sollen. Mit großen schweren Augen blickte die Großmutter von ihrem Armsessel aus in den Lichterbaum, fragend schauten die Kinder nach den Eltern. Ein Knecht wurde ausgesandt, dem Sohn auf der Straße entgegenzugehen und zu helfen, die Eltern aber beschlossen, die halb heruntergebrannten Kerzen auszulöschen. Wie matt leuchtete die Zimmerlampe nach dem Glanz des Weihnachtsbaumes. Nun trat der Vater vors Haus und hielt eine Weile stille Ausschau nach dem Sohn und nach dem Knecht. Als aber der Knecht allein zurückkam, begab sich der Vater wieder in die Stube und sagte bloß: Gottlieb kommt heute nicht mehr, er muß im letzten Augenblick verhindert worden sein.

Die Kinder wurden zu Bett geschickt, die Erwachsenen saßen aber noch lange um den Tisch und sagten nur hie und da ein Wort.

Am nächsten Morgen fand man die Leiche des Sohnes nur wenige Meter neben dem Pfad und zwischen zwei Schollenreihen.

«Wie gefällt Ihnen meine kleine Erzählung?» fragte ich den jungen Mann.

«Etwas altmodisch erzählt», antwortete der junge Mann, «aber gut. Unwahrscheinlich scheint mir bloß, daß sich der Vater an der Suche nach dem Sohn nicht beteiligt. Er hat kleine Kinder, ist also noch ein rüstiger Mann.»

«Sie mögen recht haben», sagte ich, «ein Grund ist bald gefunden und kann leicht in die Erzählung hineingeflickt werden. Haben Sie sonst noch etwas auszusetzen?»

«Nein», antwortete der junge Mann etwas zögernd. Vielleicht hatte er, aber zu Unrecht, eine leichte Gereiztheit aus meiner Frage herausgehört. Ich wünschte ja seine Kritik. Nun ging er zu einer allgemeinen Frage über und wollte wissen, wie ich im allgemeinen zur Kritik stünde, also ob mich gute oder schlechte Kritiken, freundliche oder unfreundliche, berührten.

«Schriftsteller», antwortete ich, «die behaupten, die Kritik ihrer Bücher sei ihnen gleichgültig, lügen, denn es gibt keinen Schriftsteller, dem es gleichgültig ist, ob er Erfolg hat oder nicht, sonst veröffentlichte er nichts. Schlechte Kritiken aber schaden ihm, auch wenn sie dumm sind. Im Publikum bleibt immer etwas hängen.»

«Aber warum lügen Schriftsteller?» fragte der junge Mann.

«Teils um nach einer schlechten Kritik das Mitleid ihrer Freunde abzuwehren, teils um den ihnen übel gesinnten Menschen die Schadenfreude zu verderben. Aber Sie wollten im besondern wissen, wie mich die Kritik berührt, ob sie mir Eindruck macht oder

nicht. Ich mache kein Hehl daraus – wie gesagt, andere machen es
–, daß mich eine gute Kritik freut. Ein darüber Erhabenheitgetue
liegt mir nicht. Schlechte Kritiken haben mich aber nie stark berührt, zu sehr bin ich mir der verschiedenen Beurteilungsmöglich-
keiten in allen Dingen bewußt, weiß ich darum Bescheid, daß es
keine Dichtung gibt, die nicht abschätzig beurteilt, also heruntergerissen werden kann, sei es aus sachlichen, sei es aus persönlichen
Gründen. Zu den persönlichen Gründen rechne ich auch die in
einer Dichtung zu Wort kommende Weltanschauung, die dem Kritiker nicht paßt. Dazu ist noch zu sagen, daß, in je höherem allge-
meinem Ansehen eine Dichtung steht, um so höhere Ansprüche an
den Geist des verneinenden Kritikers gestellt werden. Schlechte
Kritiken haben mich nur dann geärgert, wenn darin nachweislich
Falsches, Unsinniges behauptet wird. Ich habe mir bisher in einem
solchen Fall erlaubt, den Kritiker darauf aufmerksam zu machen,
und habe damit keine schlechten Erfahrungen gemacht.»
«Werden Ihnen auch bei guten Kritiken ‹die verschiedenen Beur-
teilungsmöglichkeiten› bewußt?» fragte der junge Mann, nun
seinerseits kritisch.
«Auch», antwortete ich, «aber es ist menschlich, wenn sie weniger
Gewicht haben, da man sich in diesem Falle nicht zu trösten
braucht. Außerdem hängt es mit unserm immer wieder hochkom-
menden Lebensoptimismus zusammen, daß wir alles Gute in der
Welt, also auch die ‹gute› Kritik als das auf dem richtigen Weg
Befindliche erkennen.»
«Darf ich noch fragen, was Ihnen die Kritik am häufigsten vor-
geworfen hat?»
«Warum sollten Sie es nicht dürfen? Aber leider, vielmehr Gott
sei Dank, kann ich Ihre Frage nicht beantworten. Meine Bücher
haben zu wenig schlechte Kritiken erfahren, als daß ich typische
Vorwürfe feststellen könnte. Anders ist es im privaten Bezirk. Da
wurde mir zuweilen vorgehalten, ich redete in meinen Büchern zu
viel von mir. Einer meinte sogar, ich bildete mir ein, ein besonders
interessanter Mann zu sein. Der Gute! Im Alter findet man sich
nicht mehr interessant, das überläßt man der Jugend im Pubertäts-
alter. Aber der Mensch ist interessant, für mich das Interessanteste,
das es gibt, und da er mir in mir am nächsten gegeben ist, so rede
ich eben viel von mir. In Anbetracht, daß der Held eines Romans
meistens der Autor selbst ist, so sage ich mir, daß es völlig gleichgültig ist, ob ich von mir erzähle oder von einem Herrn N. N. Das
einzige, worauf man in einer Ich-Erzählung Bedacht nehmen muß,
ist, daß man nichts sagt, was den Eindruck einer Selbstglorifizie-

rung erweckt, ausgenommen in einer Parodie. Man empfände es als eine Geschmacklosigkeit. Ich darf wohl sagen: Herr N.N. war ein geistreicher Mann, darf aber in der Ich-Erzählung nicht Gleiches von mir behaupten. Vermeide ich solche Geschmacklosigkeiten, so findet der Leser zum Helden einer Ich-Erzählung viel leichter den Zugang als zum Helden einer Erzählung, der N.N. heißt. Und da wir uns, wie gesagt, am nächsten stehen, so handeln wir auch ehrlicher, wenn wir von uns erzählen als vom Ich hinter der Maske des Herrn N.N. Ich wiederhole: Gute Kritiken freuen mich, schlechte Kritiken ärgern mich nicht. Besonders freuen mich Kritiken, aus denen ich etwas lernen kann, denn ich betrachte den Kritiker als Mitarbeiter an unserm Werk.»

«Sie meinen Œuvre!»

«Das sage ich bestimmt nicht, eher hänge ich mich auf.»

Der junge Mann schaute mich einen Augenblick mit offenem Munde an, dann sagte er:

«Spielt nach Ihren Erfahrungen die Kritik in bezug auf den Absatz eines Buches eine Rolle?» Der junge Mann wurde geschäftlich.

«Nach meiner Meinung eine erhebliche. Ein Verleger sagte mir zwar vor vielen Jahren, der Erfolg eines Buches hänge nicht von der Kritik ab, sondern davon, wie sich ein Buch im Publikum herumspreche. Mag sein, aber den Anstoß zum Herumsprechen gibt wohl meist eine maßgebende Kritik. Ich wundere mich aber über Ihre Fragen. Als mein ständiger Begleiter sollten Sie doch Bescheid wissen.»

«Ich bin noch jung, neben Ihnen jung, und als Ihrem blinden Passagier fehlt mir die Übersicht über Ihr Leben, und ich bin auf Schlüsse von mir auf Sie angewiesen. Sie haben es leichter, Sie überblicken mein Leben und können sich auf Ihr Gedächtnis stützen.»

«Stimmt», antwortete ich, «aber das Gedächtnis hat Lücken, außerdem verfälscht die Gegenwart die Erinnerung. Die Geschichte gibt Beispiele in Fülle. Gleichwohl mag das Gedächtnis noch immer zuverlässiger sein als Schlüsse.»

Eine Weile gingen wir stumm nebeneinander her.

Dann fragte der junge Mann wieder:

«Beabsichtigen Sie, auch dieses Gespräch in Ihr Buch aufzunehmen?»

«Selbstverständlich werde ich es. Ich bin für jede Gelegenheit, die sich mir bietet, dankbar, etwas in mein Buch aufnehmen zu können. Ich bin kein Gedankenmillionär, der sich erlauben kann, über solche Gelegenheiten hinwegzugehen.»

Unsere Unterhaltung war beendet. Aber es war ein Wort gefallen, das Wort «Gedächtnis», das mich anregte, mich einiger Episoden aus meiner Jugendzeit zu erinnern. Die folgende traurige Begebenheit drängte dabei in den Vordergrund.

Da gab es in unserm Städtchen, wo ich aufgewachsen war, einen alten, armen stoppelbärtigen Lumpensammler. Er trug seine Lumpen in einem großen, über die Schulter geworfenen Sack und hielt den oben zugebundenen Sack mit beiden Fäusten vorne vor der Brust fest. Dieser Lumpensammler war dadurch zu einer bekannten Erscheinung geworden, daß er die Gewohnheit hatte, von Zeit zu Zeit auf seinen Gängen stehenzubleiben und etwas zu hopsen, wohl um das Gewicht des hinten herunterhängenden Sackes anders zu verteilen. Begegnete er dabei einer Schar Schulkinder, so umringten sie ihn und riefen ihm zu: «Du, hops mal!» Da er ein Kinderfreund war, so machte er ihnen das Vergnügen und hopste auch ohne den angegebenen Grund, nur den Kindern zuliebe.

Aber einmal geschah es, daß er nicht hopste, trotz allem Kindergeschrei, es zu tun. Ich weiß nicht, warum er den Bitten der Kinder nicht nachgab, vielleicht litt er an Rheumatismus. Schließlich höhnte ein Bengel: «Jetzt kann der Lumpensammler nicht einmal mehr hopsen!» Da packte den alten Mann plötzlich die Wut, er ließ den Sack hinunterfallen, stürzte sich auf den Bengel, schmiß ihn zu Boden und würgte ihn, bis er keinen Laut mehr von sich gab. Schreiend stoben die andern Kinder auseinander, Passanten eilten herbei und hielten ihn unter unzähligen Püffen fest, bis die Polizei kam. Sie verhaftete ihn, führte ihn weg, und nach langer Untersuchungshaft wurde er gnadenlos hingerichtet. Er war zu beschränkt, um angeben zu können, wie alles geschah. In den Zeitungen hieß es: Grauenhafte Tat eines Sadisten endlich gesühnt, und das empörte Publikum sagte: Recht so!

Ich schaute den jungen Mann an, ich wollte wissen, was er zu meinem Bericht sage.

Er mißverstand aber meinen fragenden Blick und antwortete kritisch:

«Was Sie vom hopsenden Lumpensammler und von den ihn umringenden Kindern erzählen, ist richtig. Seine Mordtat und seine Hinrichtung haben Sie aber hinzuerfunden.»

«Dummkopf», antwortete ich, «erst dadurch wird die Begebenheit zu einem Gleichnis des Lebens und ist darum wahr. Sonst hätte ich nur ein Stück Wirklichkeit abkonterfeit.»

Der junge Mann zog sich zurück, und ich fand, es sei Zeit, mich wieder mit meinem Nachlaß zu beschäftigen.

APHORISMEN

Einfälle sind oft wie ungebetene Gäste: sie kommen und kümmern sich wenig darum, ob es einem paßt oder nicht, also ob man Zeit und Gelegenheit hat, sie zu empfangen.

Ohne ein gewisses Maß an Borniertheit kommen Überzeugungen nicht zustande.

Man lebt eigentlich zwischen allem, zwischen den Parteien, zwischen den Nationen, zwischen den Menschen, zwischen den Erkenntnissen, den Kunstrichtungen, den Philosophien, den Moralen... Wer meint, nicht zwischen zu leben, meint, was er will, und was er ist, sei dasselbe.

Konfessionelle Kämpfe erinnern an Menschen, die sich um einen verborgenen Schatz blutig schlagen, ohne zu wissen, ob er überhaupt vorhanden ist.

Niemand kann aus seiner Haut heraus. Also hängt unser Schicksal davon ab, ob sich unsere Haut mit der Haut der Gesellschaft verträgt oder nicht.

Wer Gemeinplätze sagt, den schau dir gut an. Er kann ein gemeiner Geist sein, aber auch ein mutiger Mann.

Die erstaunliche Anpassungsfähigkeit des Menschen an neue Verhältnisse ist ein Zeichen, daß er sich in dieser Welt eigentlich nirgends zu Hause fühlt.

Vernunft ist für das praktische Leben unerläßlich. Aber als Erkenntnisinstrument traue ihr nicht, sie ist vom praktischen Leben bestochen.

Alles Verstehen ist wortlos. Durch das Wort gerät das Verstehen auf Abwege. Man hüte sich also vor dem Wort.

In jedem Gelächter steckt das Bewußtsein vom Leben als Spiel drin. Weinen ist viel erdgebundener als lachen.

Hans Mühlethaler

WEIHNACHTEN 66

auf einem bild
das das beste pressebild des
jahres sein soll
sehe ich einen panzerwagen
schleifend an einem seil
um beide fußgelenke gebunden
einen menschen
das gesicht gegen unten
auf dem panzerwagen die inschrift

us army
12 bx 8 4

von der städtischen
schuldirektion erhielt
ich ein schreiben
lautend daß ich
wegen der andauernden
wohnungsknappheit und um
administrative umtriebe zu
vermeiden unter dem
vorbehalt gleichbleibender
verhältnisse und der
steuerteilung auf
zusehen hin da
bleiben darf wo
ich bin

Adolf Muschg

> *In memoriam A. Brehm*
> *Dem kummervollen Entdecker des Tiers, ohne den diese*
> *Geschichte nicht hätte geschrieben werden können.*

Darf ich Ew. Majestät voraus um Nachsicht bitten, wenn ich es an der Form, in der ich meinen *Hans* bei Hofe, zunächst brieflich, dann in Wirklichkeit vorzustellen aufgerufen bin, hie und da sollte fehlen lassen. Nicht nur bin ich ein einfacher geistlicher Mann, sondern lebe auch Tag und Nacht um die *Thier*heit herum, welche ich zwar, wie sich Ew. Majestät überzeugen werden, kräftiglich zu veredeln strebe, aber nicht ohne, durchaus gegen meinen Willen, etwas von ihrem *Brodem* anzunehmen. Ew. Majestät geruhen dieses gerade so *bildlich* zu nehmen, wie es Ew. Majestät am anständigsten ist; ich weiß bei Hofe nicht so Bescheid, kann darum, als *Mensch,* für mein eigenes Betragen nicht im selben hohen Grade gutstehen wie für dasjenige meines Gefangenen. Aber Ew. Majestät, die Dero Gnaden über einen *Mandrill* scheinen lassen will, wird sich wohl auch im Vorbeigehen seines *Wärters* erbarmen. Da ohnehin das Interesse für meinen *Hans* und mich in Dero Herzen ungleich verteilt sein wird, schweige ich von meiner Person und beeile mich, über *Hansen* das vielleicht Erwünschte mitzutheilen.
Ich beginne mit seiner *Art* als solcher, über welche sich dieses Geschöpf nach Charakter und Erziehung so unzweifelhaft erhebt. *Hansens* Kopf, insbesondere sein Schädel, ist unverhältnismäßig groß; die sehr kleinen Augen stehen nahe beisammen. Der Augenhöhlenrand erhebt sich *leistenartig.* Auf der *Nase* verläuft beiderseits eine anschwellbare gefurchte Längswulst. Das Gebiß ist wahrhaft *furchtbar.* Die folgenden Sätze bitte ich bei Bedarf zu überschlagen. Die Färbung der *nackten* Theile ist nämlich im höchsten Grade grell und abstoßend. Hände und Ohren sind schwarz, die Nase und ihre Umgebung zinnoberroth, die Wangenwülste kornblumenblau, die Furchen in ihnen schwarz, das bewußte Säckchen und die benachbarte Leibesöffnung hochroth, die *Schwielen* roth und blau. Auch die Bekleidung hat ihr Absonderliches, und hier mögen Ew. Majestät unbeschadet weiterlesen. Der Pelz verlängert sich am Hinterkopf und Nacken etwas, so daß man von einer *Mähne* sprechen könnte. Jedes einzelne Haar ist schwarz und olivengrau geringelt, wodurch das Kleid auf der oberen Seite

einen dunkelbraunen, olivgrün überflogenen *Lustre* erhält, welches der *Schönheit* nicht entbehrt. An der Brust sehen die Haare gelblich, am Bauch (ich gedenke hier nicht zu verweilen) weißlich, an den Seiten hellbräunlich aus. Der Kinnbart ist lebhaft zitronengelb, hinter den Ohren befindet sich ein graulich weißer Flecken. Alte Männchen erreichen eine Länge von drei Fuß bei zwei Fuß Schulterhöhe; der Schwanzstummel dagegen mißt kaum mehr als einen Zoll.

Ich wiederhole meine Bitte, diese Schilderung auf den Mandrill im Allgemeinen beziehen zu wollen, und bitte zu beachten, daß ich die gröberen und speziellen Züge unberührt gelassen habe; sie werden Ew. Majestät Blicken bei der Audienz nach Wunsch entzogen sein. Allerdings kann ich nicht umhin, Ew. Majestät auf Flausen und Tücken vorzubereiten, die, seltsam genug, bei dieser Thierart gerade in gesitteter Gesellschaft aufzubrechen pflegen. Ew. Majestät können sich darauf verlassen, daß ich sie meinem *Hans* nicht nur verwiesen, sondern durch eigentliche Pön, mit Schlägen auf seine empfindlichen Theile sowie Beuge-Haft auszutreiben gesucht habe. Aber, Ew. Majestät, es hilft alles nichts; auch der Höchsten Person darf ich die Erinnerung nicht ersparen, daß unser Schöpfer dieses Wesen als *Thier* geschaffen hat, ja als besonders *unersättliches* Thier. Es ist von Natur vielleicht überhaupt das Thierischste, was wir kennen. In seiner zarten Jugend zwar ist der Mandrill ein *allerliebstes* Geschöpf, unter einer reichhaltigen Gesellschaft unserer Herren Vettern im Affenhaus der ausgeprägteste Komiker, zu lustigen und tollen Streichen jeder Art aufgelegt, mit unverwüstlicher guter Laune begabt, und, ungeachtet seiner durch nichts zu erschütternden Unverschämtheit, noch nicht eigentlich *widerwärtig,* bewährt doch das Kindliche in jeder seiner Erscheinungsarten eine gewisse Unschuld. Zwar dient ihm jetzt schon sein Hintertheil, wenn ich so sagen darf, zum Dolmetsch seiner Gefühle, doch geschehen hierauf bezügliche Bewegungen noch mit einer so ausgeprägten Harmlosigkeit, daß man über der Komik das Unanständige vergißt.

Dies aber ändert sich beim Mandrill nur zu bald, weit früher als bei andern Pavianen. Schon nach wenigen Jahren zeigt er sich in seiner ganzen Scheußlichkeit. Zur Schilderung der letzteren fehlen die Worte. Sein Geschrei, sein Blick und seine Stimme kündigen eine vollkommen viehische Unverschämtheit an. Die schmutzigsten Gelüste befriedigt er auf die schamloseste Weise. Ja, es scheint, als ob die Natur, deren Wege wunderbar sind, in ihm ein Bild des Lasters mit all seiner Häßlichkeit habe aufstellen wollen. Alles Widerwärtige, welches uns der *Hamadryas* und andere Paviane bezeigen, erscheint dem Gebahren des Mandrills gegenüber maßvoll. Seine Leidenschaftlichkeit kennt keine Grenze. Ein wahrhaft dämonischer Glanz strahlt aus den Augen der Bestie; vollkommen im Einklange mit dieser Erregbarkeit stehen die sittlichen Ausschreitungen, welche sich der Mandrill erlaubt.

Nochmals sei es gesagt: ich spreche, Ew. Majestät, vom Mandrill im Allgemeinen, ich spreche glücklicherweise noch nicht von meinem *Hans*. Es muß mir aber daran gelegen sein, Ew. Majestät den Abgrund ermessen zu lassen, über den ich meinen *Hans* ein Stück weit der *Menschheit* entgegenhob, um Ew. Majestät mit der allfälligen Geringfügigkeit des Erfolgs eingermaßen zu versöhnen. Ich weiß, daß Dero Augen nach dem Hinscheiden des verewigten Prinzen und Gemahls tränenleer geblieben sind, wie dürfte ich hoffen, durch die Stücklein meines *Hans* etwelche Erheiterung hineinzuzaubern in einem Fall, wo die Grenze zwischen Erheiterung und möglicher Ernüchterung, ja Entrüstung so unsicher zu verlaufen droht? Ich tue wohl gut daran, Ew. Majestät auf das *Ärgerliche* in der Natur meines *Hans* wenigstens so weit vorzubereiten, daß Hochdieselben sich durch das auch nur *Leidliche* seiner Führung desto mehr zur Nachsicht gestimmt finden. Möchte Ew. Majestät sich gegenwärtig durch die Versicherung beruhigen lassen, daß nichts versäumt werden wird, die von der Natur zwar unbekleidet gelassenen, sonst aber leider! keineswegs vernachlässigten Partien am Körper meines Gefangenen zu *bedecken*. Sind wir doch über die gedankenlosen Zeiten hinaus, die am Thiere durchgehen ließen, was am Menschen anstößig erfunden worden, ja wohl gar, wie es im Bokkaz beschrieben ist, aus den Blößen der Creatur Nahrung für ihr eigenes Gelüsten zogen. Der Effect, ja oft schon der Anblick eines solchen Excesses kann freilich auf ein beschwerliches Gemüth Wunder wirken; auch gerät der Mandrill, selbst ein so rein gehaltener wie mein *Hans,* in dieser traurigen Hinsicht nicht leicht in Verlegenheit und würde sich, machte man ihm die Gelegenheit hiezu, kaum nehmen lassen, sich zu produciren. Ja, mit einem Seufzer füge ich bei, daß auch auf meinen *Hans* in diesem Betracht kein völliger Verlaß, oder nur allzu sehr Verlaß ist, ich weiß gar nicht, wie ich mich vor Ew. Majestät schicklich ausdrücken soll. Und doch wäre die Schicklichkeit, sollte ein entsprechender Wunsch an mich ergehen, dessen bloße Andeutung mir schon Befehl wäre, meine geringste Sorge! Bedenkt man, was sich in den Zoologischen Gärten *auch des Vereinigten* Königreiches täglich vor *unschuldigen Kinderaugen!* abspielt, so möchten kleinliche Bedenken selbst an höchster Stelle zurücktreten, wenn es gelten sollte, dem Übel durch einen *discreten* Augenschein auf den Grund zu kommen. Dem Reinen sei alles rein, sagt freilich die wohlfeile Spruchweisheit, und vergißt dabei, oder *will vergessen,* daß über Rein und Unrein erst das *gereifteste Gefühl* zu entscheiden vermag, ja, daß das letzte Urteil in so delicaten Fragen recht eigentlich Personen *höchsten* Standes vorbehalten bleiben sollte. Ich sage nichts weiter, stelle einem *solchen Urteil* nur anheim, ob ich meinen *Hans* in Gesellschaft einer passenden äffischen Gefährtin bei Hofe einführen soll. Nur soviel hätte ich dazu zu erinnern, daß sich diese Massregel vom Standpuncte der Wissenschaft dann empfiehlt, wenn Ew. Majestät an einer völligen Beruhigung des Gefangenen gelegen sein sollte, ohne daß Höchstdieselben vor dem natürlichsten Mittel zu diesem Zweck gerade die Augen zu verschließen wünschten.

Es sind übrigens – wenn auch nicht gerade aus England – Beispiele bekannt, wo man an gefangenen Mandrillen nicht allein Zuneigung zu menschlichen Frauen (freilich nur solchen *einfacher* Geburt), sondern auch Eifersucht gegen deren rechtmäßige Liebhaber beobachtete. Sie werden *rasend,* wenn ein Mann solche Freundinnen vor ihnen liebkost oder zu liebkosen *vorgibt,* und tragen ihm ein so großes Verbrechen sicherlich lange Zeit nach. Im *Pflanzengarten* von Paris wurde diese Eifersucht einmal sehr geschickt benützt, um einen Mandrill, welcher aus seinem Käfig ausgebrochen war und viel Unheil anrichtete, wieder in das Gefängnis zu bringen. An der Rückseite des Käfigs befand sich eine kleine Thür: hinter diese mußte sich die Tochter eines der Wärter stellen, und zwar so, daß der Affe sie sehen konnte. Nun trat einer der Wärter zu dem Mädchen, *umarmte* es und *stellte sich so,* als ob er es *küssen* wollte. Dies war zu viel für den verliebten Mandrill! Er stürzte wie rasend auf den Mann los, gewiß in der besten Absicht, ihn zu zerreißen, mußte aber, um zu seinem Zwecke zu gelangen, notwendig in den Käfig hineingehn! Der eifersüchtige Affe sah sich eine Minute später hinter den eisernen Gittern!

Aber ich versäume Ew. Majestät. Ob sich Ew. Majestät von der Glaubwürdigkeit solcher Geschichten direct zu überzeugen wünschen – die zugehörigen Anstalten lassen sich ja leicht treffen, sind etwa im Schloß des Marquis von Exeter mit großem Beifall getroffen worden –, oder ob sich Höchstdieselben an einer eher *bürgerlichen* Nummer wollen genügen lassen, genug! ich stehe dafür, daß jedenfalls für die *Sicherheit* Ew. Majestät immer weniger zu besorgen sein wird als für Dero Zerstreuung. Wenn die sittliche Führung meines *Hans* nicht auf sehr starke Proben gestellt wird – in welchem Fall ich selbstredend mit Käfig arbeiten würde –, bleibt sie unfehlbar erhalten. Ja, ich getraue mich zu beschwören, daß mein *Hans* in einer gewöhnlichen Teegesellschaft allenfalls durch seine artigen Manieren und eine sichere Hand auffallen würde. Durchaus läßt er sich den wohlerzogenen Kindern von Ew. Majestät Untertanen an die Seite stellen, die man bei Tische zwar *sehen,* aber nicht *hören* soll.

In Ew. Majestät Ländern spricht man ehrerbietig davon, wie sehr Höchstdieselben, auch in den Jahren tiefer Zurückgezogenheit, noch den *sparsamsten* Augenschein regelmäßig durch *eigene Studien* zu ergänzen belieben. Um Ew. Majestät dabei eine geringe Handreichung zu geben, gestatte ich mir untertänigst, Höchstdieselben in das weitere Wesen des Geschöpfes einzuweihen, das bald die Ehre haben soll, vor Ew. Majestät zu stehen, und ihm seinen naturgeschichtlichen Platz anzuweisen. Möge, was mir als praktischem und geistlichem Manne dabei an reiner Wissenschaft abgeht, durch das Gewicht eigener Anschauung aus meiner Missionairs-Zeit einigermaßen aufgewogen werden.

Ohnehin bleibt auffallend genug, daß wir über das *Freileben* des seit so vielen Jahren als *Gefangenen* bekannten Affen nichts Sicheres wissen. Der Mandrill soll truppweise in gebirgigen Wäldern des östlichen Schwarz-Afrika, teils auf Felsen, teils auf Bäumen leben, seinen Aufenthalt aber nicht selten verlassen, um die naheliegende Ansiedlung zu besuchen und dort nach Herzenslust zu *plündern.* Man berichtet auch, daß Rotten dieser Tiere in die Dörfer einfallen und in Abwesenheit der Männer Frauen und Kinder *mißhandeln.* Die Eingeborenen sollen den Mandrill mehr fürchten als den *Löwen,* sich nirgends in einen Kampf mit ihm einlassen, ja nicht einmal die Waldungen betreten, in denen der Affe sich aufhält, es sei denn, daß die Männer in großer Anzahl und mit guten Waffen versehen einen förmlichen *Kreuzzug* gegen ihre Feinde ausführen.

So ward uns nach unserer Ankunft auf der Missions-Station berichtet, und wir sollten bald Gelegenheit erhalten, uns von der Wahrscheinlichkeit des argen Gerüchts zu überzeugen. *Isabella,* ein sehr starkes Weibchen, das wir bereits vollständig erwachsen geschenkt erhielten, weil es um seiner Bösartigkeit willen in der Factorei nicht mehr geduldet werden durfte, fiel wütend Menschen jedes Geschlechtes, Alters und jeder Farbe an, die sich ihm näherten. Es dauerte lange, bis sie, durch zweckmäßige freundliche Behandlung beruhigt, wenigstens in uns *Europäern* keine Feinde mehr erblickte. Ihr Character aber war verdorben. Sie ließ sich alles Gute gefallen, war aber nicht erkenntlich dafür. Später stießen zwei Jung-Mandrille, *Pavy* und *Jack,* zu uns, deren Mütter wir auf einer Jagd-Expedition zur Strecke gebracht hatten, und es gelang uns, beiden Kindern das Leben zu retten und zu erhalten, freilich ohne daß *Isabella* daran den geringsten Anteil genommen hätte. So lange die Bestien klein waren, zeigten sie sich von ihrer gewinnenden Seite. So war mir ganz neu, daß sich Mandrille irgend welche leblosen Gegenstände zum Spielzeug erkoren und sie, wie Kinder ihre Puppen ins Bett, des Abends vorsorglich mit in ihre Schlafkästen nahmen und dort auch am Tage verwahrten. Sogar die unfreundliche *Isabella* ließ sich durch das Beispiel bewegen, kleine Besitztümer zu sammeln. *Jack* hielt längere Zeit eine kleine blanke Blechbüchse sehr wert, *Pavy* ein krummes Holzstückchen, das er unter den lustigsten Kapriolen durch Aufschlagen mit der Hand von der Erde in die Luft wirbeln machte. Einmal flog es zu weit, so daß *Jack* sich seiner bemächtigte. Darob entstand zwischen beiden grimmige Feindschaft, da aber die langen Leinen beider so bemessen waren, daß sie nicht aneinander kommen konnten, blieb ihnen nichts übrig, als sich in nächster Nähe die wütendsten Grimassen zu schneiden und anzukeifen! Ew. Majestät ersehen daraus, daß wir die Tiere streng getrennt hielten, wenigstens nachdem sich mit den Jahren die bekannten Unarten der *Gattung* und des *Geschlechts* an ihnen bemerkbar machten. Wir glaubten dabei alle Maßregeln der Vorsicht beobachtet zu haben.

Aber mit der Unbändigkeit der tierischen Triebe, Ew. Majestät, ist «kein ew'ger Bund zu flechten»; das mußten wir bald zu unserem Kummer erfahren. Eines Nachts nämlich hatte *Jack* seine Leine durchgebissen und nicht nur seinen Ziehbruder buchstäblich in Stücke gerissen, sondern auch der hilflosen *Isabella* abgenötigt, was sie ihm, bei aller Zweideutigkeit ihres Characters, in freier Wildbahn wohl niemals zugestanden hätte. Ehe das Amok laufende Tier sich auf unsere Station stürzen konnte, wozu es alle Anstalten traf, gelang es einem meiner Burschen, den das höllische Gekreisch aufgestört hatte, den Mandrill mit einer Kugel zur Vernunft zu bringen. Kreischend entkam das Thier in den Busch, wo wir es, der Blut-Spur folgend, bei Tageslicht ausmachten und mit einer zweiten, besser gezielten Kugel in den Kopf erlösten. Aber noch in ihren letzten Augenblicken schnitt die Bestie ein Gesicht, als ob sie uns allen das Herz aus der Brust reißen wollte!

Freilich hatte sie, wie sich nach einigen Wochen zeigte, ihr böses Werk bereits vollbracht. *Isabella* wurde guter Hoffnung und genas, als ihre Stunde gekommen war, eines Söhnchens, das wir ihr, so-

bald als thunlich, wegnahmen in der guten Absicht, ihm die äffischen Abwege zu ersparen und unser Menschenwerk an ihm zu
versuchen. Dieses Affenkind aber, Ew. Majestät, ist kein Anderer
als mein *Hans!* der Affe, den Höchstdieselben binnen kurzem be-
grüßen werden, um die Wirksamkeit unserer Anstalten mit stren-
gem Auge zu prüfen.

Wer beschreibt aber das Unglück *Isabellens,* als wir ihr das Kind
wegnahmen! Sie benahm sich recht jämmerlich, fast möchte man
sagen, daß sie menschliche Züge gewann, um dann desto entschiedener in ihre vorige Lethargie, unterbrochen von Anfällen der bekannten Bösartigkeit, zurückzusinken.

Nur einmal noch bäumten sich ihre Lebensgeister auf. Wir nahmen sie auf einen kleinen Küstenfahrer mit, was sie, in der Nähe
des unendlichen Wassers, über Gebühr zu erregen schien. Sie
wurde, für einige Tage wenigstens, ein Ausbund von Unrast und
Tollheit und fand ein besonderes Vergnügen daran, aus dem in
einem mit Sand gefüllten Kübel an Deck offen brennenden Koch-
feuer Brände zu reißen und umherzuschleudern. Da sie die gefährliche Unart nicht ließ und wir, der tückischen Eingeborenen wegen, sehr viel Pulver an Bord hatten, wurde *Isabella* auf einen mit
langer Leine nachgeschleppten Kahn verbannt und mit einer Kiste
als Wohnung versehen. Dort behagte es ihr aber gar nicht, und sie
hockte, sehnsüchtig zum Schiffe blickend, auf dem Buge des kleinen Fahrzeuges. Ihr Sinn stand nach Befreiung. Kaum war die
Dunkelheit angebrochen und der Koch bereitete das Abendessen,
so fiel der Kochtopf mit dem Wasser um, und die Feuerbrände
flogen sprühend über Deck! *Isabella,* über und über naß, flüchtete
ins Takelwerk und konnte in der Nacht nicht wieder entfernt werden. Am nächsten Morgen wurde sie gefangen und abermals in den
Kahn gebracht. Sie aber – das Schiff hatte nur geringe Fahrt – lief
sogleich an dem zum Schleppen benutzten Thau auf uns zu, drückte es natürlich durch ihr Gewicht ins Wasser und schwamm nun
wie ein Hund und ziemlich scharf ziehend bis zu dem über dem
Stern aufwärts führenden anderen Ende. Ein zweites Mal sprang
sie sofort ins Meer und mußte über zehn Minuten lang hinter uns
herschwimmen, ehe der ergrimmte Eigner des Fahrzeuges sich bewegen ließ, das arme Thier vor dem Ertrinken zu retten. Der Affe
war schon recht ermattet, als wir ihn erreichten, denn die Wellen
gingen hoch und kurz. Aber die Lehre hatte gewirkt: fortan ertrug
er seine Verbannung mit geziemender Würde!

Freilich war abzusehen, daß wir, einmal am Bestimmungsorte an-
gelangt, keinerlei Verwendung für *Isabellen* haben würden, da uns

unsere Geschäfte zu unbeschwerten und eilfertigen Ortswechseln zwangen. So schien es geraten, das Thier, ehe wir in *Sharpville* einliefen, vom Schiffe aus durch einige wohlgezielte Büchsenschüsse zu erlösen. Ew. Majestät kann versichert sein, daß die Mutter meines *Hans* nicht gelitten hat, ja, ihre Züge waren im Tode ruhiger und, wenn ich mich so ausdrücken darf, *gefaßter,* als wir sie im Leben gekannt hatten.

Doch zurück zu meinem *Hans!* Ew. Majestät sind unterrichtet, daß wir dieses ausgezeichnete Thier in einem Alter, da es noch nicht verdorben war, nach Britannien zurückbrachten, wo es einer so hingebungsvollen Pflege genoß, als ihm auf unserer *bescheidenen Pfarre* immer zu Theile werden konnte. Ew. Majestät sind über die Errungenschaften dieses merkwürdigen Wesens, das auch nach eingetretener Reife wenig von seiner Gutmütigkeit und Strebsamkeit einbüßte, durch Dero eigene Sendboten hinlänglich aufgeklärt; so darf ich mich auf einige allgemeine Anmerkungen beschränken, um dem nahen Augenschein Ew. Majestät nicht allzu viel wegzunehmen. Gewiß, *die geregelte Arbeit* ist es gewesen, welche diesen Affen zu dem gemacht hat, was er ist: zu dem ausgezeichnetsten Mitgliede seiner Art, zu einem Mandrill, wie es sicherlich bis jetzt noch wenige gegeben hat. Man muß dieses Thier im Käfig, hinter und auf der Bühne gesehen haben, man muß einer Unterhaltung zwischen ihm und meiner Gattin gelauscht haben, um zu verstehen, was *Erziehung* selbst bei einem so wilden und scheinbar unverbesserlichen Wesen zu leisten vermag. Und dieses kommt nicht von Ungefähr. Auch die zahlreichen Schoßhunde der Vorzeit, wenn ich mir eine kurze Abschweifung erlauben darf, treten ja in ihrer Faulheit und ständigen Überreizung als die elendesten *Zerrbilder* des Hundecharakters auf, während im Gegenteil diejenigen, welche man beschäftigte und zur Arbeit anhielt, das Hundegeschlecht würdig vertreten. Denselben Fall haben wir auch hier bei einem der wildesten und rohesten Affen. Auch seine niederen, rein tierischen Triebe und die sein eigenes Sein *untergrabenden* Gelüste fingen an zu schweigen oder wurden gar nicht erregt, als der Mensch ihn *emporzog* aus jener Sphäre, die das Thier zu seinem Untergange geführt haben würde, durch Lehre und Liebe zu Leistungen, welche den ersten Funken einer *Geistestätigkeit* in ihm erweckten. Dieses Mittel entspricht der wahren Bedeutung und der eigentlichen Würde des organischen Lebens, welche nur auf einer *unablässigen Veredelung* beruht.

So sahen wir uns denn auch in der Lage, meinem *Hans* diese oder jene kleine Vergünstigung zu erlauben, um ihn vor dem Rückfall

in niedrigere Bedürfnisse desto gewisser zu bewahren. Mein *Hans*
lernte unter anderem Branntwein trinken und Tabak rauchen.
Ersteres that er sehr gern, zu dem Letzteren mußte er durch das
Versprechen gebracht werden, Branntwein und Wasser zu erhalten. In seinem Käfig stand ein kleiner Armstuhl, auf den er sich,
wenn es ihm befohlen wurde, würdig setzte und fernere Befehle
erwartete. Hatte ich die Tabakspfeife angezündet und sie ihm ge-
reicht, so betrachtete er sie genau und befühlte sie wohl auch, bevor er sie in das Maul steckte, um sich zu überzeugen, ob sie auch
wirklich brenne. – Da ich wohl weiß, wie empfindlich Ew. Majestät
über solche Ablenkungen des Bildungstriebs denken, muß ich hier
um gefälligste Directiven bitten, ob diese der gemeineren Lebens-
art abgelauschten Stücklein in die Vorstellung bei Hofe eingeschlossen werden sollen; wo nicht, muß ich allerdings besorgen,
daß die Productionen meines *Hans* dann allzu wenig spectaculär
ausfallen möchten.

Vielleicht darf ich die Gefühle Ew. Majestät abschließend durch
den Hinweis versöhnen, daß mein *Hans* die Stunde, die er im Angesicht Ihrer Hoheit zubringen darf und die ihn recht zu einem
Hans im Glück zu machen verspricht, nicht überleben soll. So teuer
mir der liebe Gefangene ist, so schwer belastet doch sein Unterhalt,
seine umständliche Pflege, Verköstigung etc. meine Oeconomie,
von deren schwachen Möglichkeiten sich Ew. Majestät leicht ein
Bild machen können. Mein *Hans* hat mit diesem Auftritt vor Dero
Augen seine *höchste Bestimmung* erfüllt; ich wüßte ihm danach keine
höhere zu geben und ziehe es vor, ihn durch einen freundlichen
Tod in die Hände des Schöpfers zurückzulegen, der mir diese
tierische Seele zu kurzfristiger Verbesserung anvertraut hat. Ich
kannte meine Pflicht; es wäre vermessen von mir, jetzt nicht auch
ihre Grenzen zu erkennen, die, wenn kein Wunder geschieht, mit
den Grenzen meiner irdischen Mittel zusammenfallen. Der Abschied von meinem Gefangenen wird mir durch die bestimmte
Aussicht erleichtert, daß mein *Hans* nach seinem Hinschied, wie
mit dem Ober-Custos von Ew. Majestät Sammlungen ausgemacht
ist, das britische Museum zieren soll. Die entsprechenden Conser-
virungs-Arbeiten lassen sich naturgemäß leichter an einem Thiere
durchführen, dessen Körperliches noch intact, dessen Fellbeklei-
dung noch üppig und vollständig ist.

Aber zuvor sollen Ew. Majestät ihn noch im Fleische sehen, so
lebendig und lustig, wie es sich mit Dero Grundsätzen, Dero mir
heiligen Trauer, Dero mir nicht minder heiligen Zerstreuungs-
bedürfnisse immer verträgt. Ergebenst gewärtige ich Dero Wink,

welchen Rahmen Ew. Majestät für die Audienz in Aussicht nehmen, und zeichne in persönlicher Ergebenheit ersterbend als Dero
geringer Diener

submissest
HAINSWORTH, REV.

Paul Nizon

DAS REVIER DES FALKEN.

PORTRÄT EINES DICHTERS ALS KIND

Abseits von Haus und Straße und abseits der Route, die der Schul-
weg vorschreibt, hat unser Viertel einen Hügel, der ganz von Gärten behängt scheint. Dieser Hügel, von unseren hinteren Fenstern
mehr zu ahnen als zu sehen, ist der nachtglänzende Schatz des Kindes. Dieser Hügel gehört ihm. Tag und Nacht geht es hin und
packt Landschaften aus.

Oben wächst dem Hügel ein finsterer Kamm. Die Finsternis rührt
von den Tannen in Gärten, von den harpunenen Zacken des Ge-
zweigs, die die Giebel ritzen. Die Tannen zacken den Höhenweg
und sie rieseln ihre Schwärzlichkeit über die Zäune. Dieser Finsternis antwortet das Düster des Asphalts, und beide Finsternisse umhüllt die Stille. Die ganze Höhenpromenade atmet eine alters-
bissige Schattigkeit.

Hier liegen die Häuser tief in den Gärten wie in Augenhöhlen. Und
weit und breit kein Verkehr. Nur das Gesprenkel von Verlassen-
heit. Die halbverhangenen Augen des FALKEN schweifen an Gittern entlang und über Tannen und darüberhinaus auf die Straßen
des Viertels weit unten mit ihren Geschäftchen in Reih und Glied
zu Füßen der Mietshäuser. Und der Bauch einer Trambahn gleitet
wie ein Zeppelin durch so eine Straße, fern, gleitet durch Tannen
jetzt, ohne Lärm.

Hier liegen die Häuser in hochmütiger Absonderung in ihren finsteren Gärten. Und vor den Gärten warten die steinern gegossenen
Straßenstücke – oft tagelang – wie ein Hund: daß jemand erscheine
und sie begehe oder beklopfe, mit dem Stock beklopfe oder strei-
chle oder auch nur sanft antippe; wie jener Herr im perlgrauen
Anzug, der so schön allein des Wegs kommt unter dem Geriesel
von Tannen und sich dabei die Häuser betrachtet, die stillen ge-
faßten Fenster, die so leer auf die leere Straße gehen, daß man sich
vorstellt, sie hüteten wer weiß welche Geschichten, die sie brüten

über Jahre und Jahrzehnte; bis so ein Herr aussteigt aus so einem Haus. Sicher ein Erfinder, weitgereist, aber jetzt zurückgezogen, wenn auch in Korrespondenz mit der ganzen Welt.

Abends am kleinen Tisch im tiefen Sessel unter der Lampe schreibt er seine wichtigen Briefe, und das Fenster leuchtet durch die tannenschwarze Finsternis, während er schreibt und der FALKE gekrümmt mit halbverhangenen Augen des Wegs kommt und das Fenster wahrnimmt und weiß, daß er jetzt dort sitzt und schreibt, der Erfinder. Und kein saures Treppenhaus, kein öffentliches, belauert hier Lärme aus verschlossenen Wohnungstüren, die alle auf den einen Schacht gehen. Und kein Treppenhaus verdaut hier Familien, die alle keinen Platz haben und krank werden und sich nicht grüßen. Nein, der Herr beendet seinen Brief und nimmt den Mantel vom Haken im Entrée und begibt sich hinaus, den Brief einzuwerfen, der in die weite Welt geschickt wird.

Und er selber wird demnächst das Haus verschließen und eine große Reise antreten, und niemand wird wissen, ob das Haus zur Zeit bewohnt ist oder nicht. Es geht niemand was an, was der Erfinder tut. Es hat ja auch niemand Gelegenheit, sich Gedanken darüber zu machen, es sei denn der FALKE, der Tag und Nacht durch das Hügelrevier streicht und die Häuser im Auge behält mit einer Gier, die ihn verzehrt unter dem buckligen Gefieder. Mit Haß blickt er auf die Mietshäuser in der Tiefe, die man durch die Bäume ausmachen mag, wenn man will. Denn auch er wird dereinst diesen Kasernen entkommen und wie der Erfinder verreisen – hinaus in die Welt, wo er sich ein Leben ansammeln wird auf vielen Straßen und in Straßenschlachten vieler Städte und auf Schiffen der Meere, bis er alt ist und irgendwo ein Haus bezieht, das auch ohne Trophäen von Geschichte angefüllt sein wird, daß man es spürt, selbst von außen; selbst von der Straße aus. Ein geheimnisumwittertes Haus. Ein erregendes Haus.

Der Hügel hat die Stille, die um Sanatorien herrscht, und diegleichen alten Bäume und schwarznarbigen Gitter. Und es ist ja auch ein Spital hier in der Nähe. Wenn der FALKE sich dem Bereich des Spitals nähert, kommt es ihm vor, als überzöge sich die ganze lange Front des Gebäudes mit einem stacheldrahtartigen Gitter. Hier ist die Stille geladen mit unheimlichen Dingen, die hinter der langen Front vor sich gehen mögen – eine Stille, aus welcher jederzeit Schreie ausschlüpfen könnten. Sie würden auf der bleichen Niemandsstraße vor dem Spital geistern und einen anfallen (daß man sie nicht mehr los wird), obwohl doch die Gärten der Finsterhäuser ganz nahe sind.

Diese Seite des Hügels durchschweift der FALKE mit leichtem Grausen, vor allem wenn hoch in der Luft plötzlich eine glasige Kuppel in gelbem Licht erstrahlt – ein Zeichen, daß jetzt operiert wird.

In diesem Haus liegen die Kranken in ihren Betten, darunter manche voller Ungeduld, die die Spitalbetten noch nicht als ihre eigenen ansehen können, weil sie demnächst zurückzukehren hoffen; andere liegen darin, als gäbe es nichts mehr außerhalb der Betten. Sie liegen wie unter einem Moskitonetz in den Fesseln der Schmerzen und bohrenden Gedanken, jeder für sich, in einer der vielen Geviere, die man von außen errät. Hier kommt, wenn überhaupt, kein alleinstehender Erfinder vorbei, der nur eben schnell zum Briefkasten schlendert, seine Post abzuschicken. Es huschen einzelne Gestalten an der Mauer entlang und verschwinden im Eingang – Krankenhauspersonal, Schwestern und Küchenmädchen, die von einem verspäteten Stelldichein kommen. Sie möchten die Loge am Eingang möglichst ungesehen passieren. Sie eilen durch die langen Gänge, an den am Boden vor den Krankenzimmertüren abgestellten Blumen entlang, an wartenden Bahren vorbei, die plötzlich erschreckend lautlos dahergerollt kommen können, mit ihrem vermummten Passagier obenauf.

Und der FALKE tritt mit verspäteten Schwestern in die Krankenhausgänge, wo Ruf- und Notlichter in verschiedenen Farben über Türen aufblinken, und er begreift die Gefühle junger Mädchen in Schwesterntracht, die mit Kranken leben und teilen müssen. Sie beugen sich aus dem Fenster. Ob der Freund noch zu sehen ist? Zwischendurch hassen sie die Kranken.

Der FALKE schlüpft jetzt durch ein Gartentor, er paßt auf, daß er auf den verwilderten Pfaden nicht über Gartengerät stolpert, das vor langer Zeit liegengelassen und dann vergessen wurde. Er schlängelt sich an Lorbeer- und anderem Gesträuch vorbei, an einer Stachelpalme; er überklettert eine Mauer, er behält die Hausfront im Auge – er befindet sich ja auf verbotenem Gebiet. Das Haus hängt als Drohung Schürzen der Finsternis hinaus, die dem FALKEN die Witterung der Gefahr bescheren. Er schleicht, läuft, turnt durch die Wildnis, aber es ist *sein* Revier. *Er* ist der Herrscher dieser Gärten. Er möchte diese Häuser verschlingen, die schattenhaft hinter Sträuchern aufragen. Er weidet sie aus, er verzehrt ihre Innereien, er saugt ihr Geschichtengewebe, ihr Mark, aus den Mauern, er wird ganz trunken davon. Er ist der Vampir-FALKE, der unersättlich Leben stiehlt und vertilgt.

Jetzt lichten sich die Gärten zugunsten ruhiger Straßen am Abhang, die von zierlichen Laternen (mit schaukelnder Liebespost im

Lichtkreis) gesäumt sind. «Liebst du mich», sagt ein Jüngling zum
Mädchen, das er bis hierher wortlos begleitet hat; aber in seinem
Kopf sammelte sich so viel Verwirrung, während die Leiber, in
Mänteln, artig nebeneinander sich fortbewegten. Und sie zupft,
am Handschuh? und sagt, sie müßte längst drinnen sein, sagt sie.
Aber was sagen die Augen? im Sturm der wirbelnden Liebespost
unter der Laterne, die aufblickenden Augen?

Dann endet der Weg in einem sackförmigen Hof. Der Boden ist
aus gestampfter Erde und steht voller Planwagen. Die Plane hängen schlaff von den Stangen. Es ist das Lager einer Transportfirma,
aber es ist auch ein Zigeunerlager, die Raststätte fahrender Leute.
Die Hunde schlafen und geben nicht Laut (bei einem FALKEN), und
die Pferde scharren nicht. Sie schnauben mitunter, und dann ist das
Geräusch sich reibender Leiber zu vernehmen. Und aus Schnaub
und Leibern, Geschirr, Holz und Leder mischt sich ein dumpfer
Geruch zusammen – für die Nüstern des FALKEN ein berauschen-
der Geruch.

Unter den Wagenbrücken die an Ketten hängenden Laden sind
wie Gewichte jetzt. Es sind dieselben Laden, die so euterschwer
baumeln, wenn die Fuhrwerke durch die Straßen wanken und die
Hufe der Pferde schnalzend das Pflaster entkorken. «Wie stark
liebst du mich?» sagt das Mädchen zum Jüngling in der Tiefe so
eines Planwagens, im Nest, im Versteck, die schmalen Leiber un-
gefiedert... «Mehr, mehr», sagen beide. Der FALKE wittert den
Strand.

Hier sind die Ausläufer des Hügels. Die Gärten bleiben zurück,
Wege und Sträßchen purzeln kopfüber abwärts, das Freie zu erreichen. Sie münden alle in eine breite Straße, die sich rampen-
gleich über die Arena des Güterbahnhofs schiebt. Ja, es ist der
Güterbahnhof, der sich da unten erstreckt, aber für den FALKEN
ist's Hafengelände. Hier unten ist der Boden grobsteinig gepflastert,
also gelockert und schon beinah gekräuselt – wie Wellen? –, und
liederlich wirken die Verschläge von Lagerhäusern, Handwerker-
buden, Schuppen; und bunt, wie sich's für einen Strand óder Hafen gehört.

Jetzt zu nachtschlafender Zeit ist diese Zone verlassen, wie jetzt ja
auch das weite Areal des Güterbahnhofs wenig bewegt daliegt, mit
schlafenden Schienenschlangen unterm Signalwerk und Geschling
der Drähte. Auch das Café ist geschlossen. Aber frühmorgens,
wenn der Hafen mit vielerlei Gepuffe erwacht, wenn die Dampf-
sirenen pfeifen und alle Würmer fauchen; wenn die Pferdewagen
warenträchtig vorbeischaukeln, die Kunde vom Hafen in die Stadt

zu tragen; wenn erst Rauch den morgendlichen Himmel fleckt und anschwärzt – dann wird das Café heiß sein von Dämpfen, Leibern und Geschwätz. Und ganz vorn wird einer sitzen, ganz nah an der gläsernen Wand des Cafés wird er sitzen mitten in seinem Sack und Pack, der Unbekannte – Seemann? oder ist es ein Auswanderer? Er könnte erzählen von einem Schiff voller Fernrohre und Sterngucker, das seine unbekannte Fracht hinträgt. Messer sind an Bord, um vielerlei zu schlitzen und verloren zu gehen. Fässer sind da, schwere steinharte Taue, Ringe und Rettungsboote. Und des Auswanderers Sack und Pack wird auf Zwischendeck schliddern, wenn das Schiff in hohem Seegang schlingert. Aber es wird sich beruhigen und unvergleichlich über einen neuen Horizont steigen.
Der FALKE äugt auf den Strand, aber er begibt sich nicht ins Hafengelände. Der FALKE bleibt in den Grenzen seines Reviers.

Später wenn er nicht mehr der FALKE, sondern wieder das Kind ist ... in seinem Bett, in einer Bauchhöhle des Hauses... Und jetzt ist das Haus ein Gefängnis auf einer Klippe, ein Felsengefängnis, umspült von der Nacht. Und im Bett in der Bauchhöhle des Hauses wächst aus der Enge im Dunkel die Vorstellung der nächtlich laufenden Straßen. Sie erwächst in den Lauten schlurfender Tritte und – endlich – in einzelnen Fetzen hin- und hergeworfener Worte; Worte von Männern, die sich entfernen... Erwächst in lautgewordenen Entfernungen, von Fremdarbeitern, die mit ihren Frauen und Mädchen durch die Straßen schwärmen. Und ein Lachen, schwächer schon, fast schon verschluckt – daran klammert sich das Kind im Felsenhaus, in der Höhle. Es klammert sich an die Hoffnung des entschwindenden Lauts.
Es denkt an das Revier des FALKEN, an das Tagrevier jetzt. Wenn der FALKE unsichtbar durch die Gärten gleitet und das viele Gemäuer im Licht atmen sieht; mit weidenden Obstbäumen auf den Hügelterrassen, in welchen der blaue Gärtner umgeht. Das Kind denkt an den Hügel bei Tag, wenn der FALKE, jetzt in der Tarnung des Schulkindes (die Mappe in der Hand) im engsten Pfad: im Gartenkorridor, unbeweglich verhält und nurmehr diese Gärten spürt; die geplünderten Ruten im November, Gartenlazarette; oder die krautigen Ländereien im Sommer, von welchen die Hummel sich emporschraubt, um weit im Himmel als Aeroplan zu entschwinden – wohin? Wenn es sich in die engste Engnis solcher Winkel klemmt, bis der Himmel sich auftut, eine gewaltige schillernde Blase, voll zum Zerspringen und zitternd. Und es schweben Kringel von Licht und Schatten herüber; und aus der Tiefe von Gärten,

die nicht zu sehen sind, besuchen es Geräusche glücklichster Langeweile; von Leuten, die nach dem Flugzeug schauen, die Hände am Buch, Lehnstuhl oder am gebuckelten Schild der Schildkröte; während das grüne Licht sie umspielt, das grüner von Geheimnis den entkommenen Knaben umfängt.

Er steigt jetzt in immer tiefere Wildnis, er entschwindet, ist längstens untergegangen (im Dschungel). Und niemand sieht, was er erblickt: das rundlaufende Gemäuer, mit Bogen, mit Zinnen. Plötzlich da. Und auf der Balustrade, aber nur für einen Augenblick, der Erfinder – er hier? Und aus dem seitlichen Tor tritt das Mädchen, es kommt durch Gesträuch geschlendert, taghell kommt es im Verborgenen auf ihn zu. Vobei an einem verwachsenen Rad, das sich so elegant in den Himmel kurvt, vorbei am Schnabel einer Gießkanne, die sich wie der Schnabel eines Tropenvogels biegt, grünundblau schillernd und rot... Sie kommt...

denkt er im Bett, in der Bauchhöhle seines Felsenhauses. Daheim.

ENGNIS DER ENGE: DAS BEISPIEL ROBERT WALSER

Die moderne erzählende Literatur unseres Landes leidet eindeutig unter Stoffschwierigkeiten oder – genauer – unter Stoffmangel. Sosehr der schweizerische Schriftsteller die Wirklichkeit seiner Zeit auch zu spüren und – als Welt seines Bewußtseins – auch zu kennen vermeint: wenn er sie im eigenen Alltag sucht, um damit zu arbeiten, scheint sie sich zu verkrümeln. Literatur, wie sie ihm vorschweben mag: «Welt»-Literatur im Sinne von «zeitgenössischer» Literatur läßt sich aus schweizerischen Alltagsmaterialien, läßt sich aus schweizerischen Schicksalen und Figuren und in schweizerischem Milieu nur sehr schwer verfertigen. Jedenfalls nicht in jenem selbstverständlich lebensvollen Sinne, wie er es wohl gerne möchte und wie er es von anderen Literaturen her kennt – etwa (um wiederum ein großes Beispiel zu geben und zwar zu Kontrastzwecken) von der amerikanischen Literatur her kennt.

Dort, scheint es ihm, braucht der Schriftsteller bloß in seine Straße, auf sein Pflaster zu tauchen, und schon zieht er riesige Netze voller Lebensstoff an Land. Er kann anscheinend vom banalsten Alltag, von Beliebigkeiten aus seinem Tageslauf, von irgendwas reden, und schon wimmelt es von prickelndem, gegenwärtigem, wahrhaft «weltbedeutendem» Dasein. Das empfinden wir sogar noch im amerikanischen (trivialen) Kriminalroman. Der Weltschauplatz

scheint dort wirklich vor der Tür zu liegen und zu brausen. Keine
Angst, daß der literarische Extrakt zu dünn und zu dürftig abfalle.
Das ist dem Schweizer versagt. Versucht er etwas Entsprechendes,
dann läuft er Gefahr, lokal zu werden: unecht in jenem Sinne, in
welchem sich Dialektstück und Mundartschwank zur Wirklichkeit verhalten; oder gekünstelt in unfreiwillig theatralischer Ma-
nier; oder gesucht beziehungsweise unwahrscheinlich; oder lächerlich aus Verniedlichungsgründen – wie Marionettenwirklichkeit;
oder einfach langweilig und unbedeutend.
Der «Schweizer Roman» existiert als solcher ebensowenig wie der
«Schweizer Film».
Die neuere erzählende Literatur der Schweiz kommt nicht aus
ohne Weltanlehnung; und nicht, ohne Weltanleihen aufzunehmen
– in der Weltliteratur nämlich. Aber bei den Anleihen droht immer
Gefahr, daß die geliehene Optik, weil sie sich nicht aus unseren Bedingungen aufdrängte, sondern bloß modellhaft auf unsere Verhältnisse angewandt wird, überanstrengt wirke. Übernommene
Modelle wie etwa «Tod des Handlungsreisenden» oder «Ein Tag
im Leben des Inseratenaquisiteurs…» müßten sich, auf unseren
Boden verpflanzt, ganz von selbst als angelesene Wirklichkeit entlarven. Warum eigentlich? Weil unsere Stoffe das dazu notwendige welthaltige Luftgemisch vermissen ließen, weil die Enge nur
einen unausgewachsenen Sonderfall des Modells zuließe? Sie gingen letztlich über die einheimischen Erfahrungen hinaus, sie gingen in zu großen Kleidern einher.
Angelehnt ist die neuere erzählende Literatur unseres Landes vielfach bei der amerikanischen, bei Hemingway, Faulkner zum Beispiel. Schon der junge Zollinger nahm Anleihen bei einem Dos
Passos auf. Jetzt, Ende der sechziger Jahre, hat sich die Situation
etwas geändert. Das Phänomen der Weltanleihe wird besonders
deutlich am *Flucht*motiv, das sich durch unsere Literatur durchzieht und deshalb als typisch schweizerische Thematik oder doch
als typisches Stimulans schweizerischer «Handlung» angesehen zu
werden verdient.
In unserer Literatur reißen die Helden aus, um Leben unter die
Füße zu bekommen – wie in Wirklichkeit die Schriftsteller ins
Ausland fliehen, um erst einmal zu leben, um Stoffe zu erleben.
Flucht als Kompensation von Ereignislosigkeit und Stoffmangel.
Robert Walser hatte das Glück, in jungen Jahren dank der Bei-
hilfe seines erfolgreichen Malerbruders einige Jahre hintereinander
auf dem Weltschauplatz Berlin leben zu dürfen. Und Berlin war da-
mals vor dem ersten Weltkrieg wahrhaftig ein Weltplatz. Das Ent-

scheidende von Walsers Werk entstand in Berlin, so die drei Romane. «Jakob von Gunten» spielt auch da.

Nach seiner Rückkehr in die Schweiz hatte Walser zusehends größere Produktionsschwierigkeiten. Er ist ja dann auch bald verstummt.

In die Romane und kleine Prosa der Berliner Jahre ist die Welt unvergleichlich anders eingegangen als bei Zollinger, als bei jedem Schweizer überhaupt. Und, was das auffallendste ist, seine Stoffe, seine literarische Provinz sind eminent schweizerisch. Liegt es daran, daß diese durch den Filter der Berliner Luft, also eines zeitgenössisch stimmigen Mediums gewonnen worden ist? Jedenfalls gelingt es ihm, ohne nennenswerte Weltanleihe: aus echt schweizerischen Schauplätzen und Materialien eine überzeugende Lebenslandschaft seiner Zeit zu schaffen – eine in diesem Sinne weltbedeutende Landschaft der Literatur.

Es gelingt durch eine ganz spezifische Form der Anpassung an unsere Verhältnisse. Durch eine entsprechende Optik und Thematik.

Walser versucht erst gar nicht, hierzulande ein Leben entdecken zu wollen, wie er es aus anderen Literaturen und Breiten kennt. Er geht vielmehr gerade von der Realität schweizerischer Ereignislosigkeit, Bedeutungslosigkeit – oder soll man sagen: Stagnation – aus. Er faßt von vornherein die Kleinheit und Enge ins Auge, aber er paßt sich ihr an, indem er sich und seinen Helden entsprechend klein macht. Es kann kein Zweifel darüber bestehen, daß zwischen der erklärten Bedeutungslosigkeit, ja Nichtigkeit von Walsers Protagonisten-Ausstattung und Rolle einerseits und der Kleinmaschigkeit, romanhaften Unergiebigkeit, ja Elendiglichkeit der schweizerischen Lebenswirklichkeit ein kausaler Zusammenhang besteht.

Walser geht also von vornherein von einer Realität der Lebensarmut, somit von einem Negativum, aus; und er setzt auf diesem Boden nicht einen Titanen, Siegfried, Rächer, hungrigen Wolf oder Erlöser, Revolutionär, Weltverbesserer, Entwicklungsromantiker –: nicht einen Helden, sondern einen Lebensunfähigen aus. Einen anmutigen Taugenichts und reinen Tor, einen zu jeder Karriere unfähigen, an eigenem Vorankommen uninteressierten, also ungefährlichen Diener von Geburt aus, der sich als Quartalsgehilfe verdingt und dies aus Überzeugung; einen zutiefst anspruchslosen Mitläufer setzt er aus, von dem gar nicht erwartet werden kann, daß er Handlung mache und Lebenskurven absolviere. Dieser zutiefst entwicklungslose «Held», der so gewichtslos ist, dass er beinahe überhaupt nicht existiert: dieser geborene Anti-

Held darf ruhig vor sich hinträumen, kuriose Reden führen und
Betrachtungen anstellen – und spazieren gehen.

Der so ausgestattete, untragische Romanheld ist aber in seiner na-
turbedingten Anspruchslosigkeit geradezu prädestiniert, auf der
kargen Weide Schweiz Nahrung zu finden. Er ist ja gewissermaßen
darauf programmiert, nur das ganz Bescheidene zu leben und er-
lebend zu entdecken. Er hat die Nüstern, im scheinbar Leblosen
Lebensstoff zu wittern.

Er wird denn tatsächlich auch zu einem Entdeckungsreisenden in
Miniaturdimensionen, und seine Entdeckungen in der kleinen
Welt wachsen sich zu Unendlichkeiten des Mikrokosmischen aus.
Ein normaler, ein positiver Held wäre zu solcher Optik nicht legi-
timiert gewesen, aber Walsers Protagonist ist es.

So entsteht aus der Begegnung einer von Natur aus quasi lebensunfähigen Existenz (mit reichem Innenleben) mit einem vor lauter
Ereignislosigkeit gewissermaßen unwirklichen Schauplatz etwas
äußerst, ja abgründig Wirkliches. Die beiden Sonderfälle schlagen
aus ihrer Begegnung das Feuer einer heftigen Lebenswirklichkeit.

Man kann dieses Phänomen allerdings auch anders sehen und aus-
legen. Walsers Held entspricht ja der Figur des Dichters hauteng.
Er läßt sich jedenfalls nicht als literarische Erfindung oder als
«Kniff» erklären.

Die verwunderliche Walser'sche Lebens- und Heldenrolle läßt sich
auslegen als Gestalt eines frühen und für alle Lebenszeit bestimmenden furchtbaren Erschreckens angesichts einer beängstigen-
den Lebensleere. Als eine Art bleibende Lähmung auf Grund einer
katastrophal empfundenen Enttäuschung.

Denn dieser Walser war ja anlagemäßig eine Dichternatur von
hochschweifenden Lebensansprüchen, der ein ganz anderes Weid-
land und andere Lebenskurven verlangt hätte. Der furchtbare Ur-
schrecken löste die Lähmung aus. Und die beschriebene Rolle war
seine Form der Anpassung. Das Sich-klein-Machen war seine Form
der Anpassung, um zu überleben. Im Falle Walsers hat die Selbst-
degradierung bisweilen Züge der Selbst-Kastration. Man kann in
seiner Gehülfenrolle mit ihren Selbstbeschneidungs- beziehungsweise Kastrationserscheinungen eine Form der Selbstbestrafung
erkennen. Es wäre die in Selbstbestrafung verkehrte Enttäuschung
angesichts einer mehr als sträflichen, einer tötenden Lebensleere.
Tatsächlich hat sich der Dichter Walser in diesem Sinn auch selber
exekutiert. Als Strafe für die Leblosigkeit, die er vorfand und bei
allen Anstrengungen nicht zum Leben zu erwecken vermochte;
aus unstillbarem Hunger nach Lebensstoffen, die seine Natur be-

nötigt hätte und lange vergleichsweise aus dem Nichts mit Sprach-
alchimie herzauberte; aus Gründen solcher Unterernährung hat
sich der Mensch Walser immer weiter vernichtigt und schließlich
buchstäblich entleibt. Er floh in die Umnachtung. Für ihn war die
Endstation des Schweizer Hauses die Anstalt.

Das unmäßig aufbauschende, manierlich schnörkelnde Sprach-
gehaben dieses Dichters war nichts anderes als rhetorische Ersatz-
handlung für Fehlendes. Der ganze Walser'sche Sprachtanz ist anzusehen als ein Bebilderungskampf von David'scher Kühnheit, um
die goliathesken Ausmaße eines ihn umgebenden «Toten Meeres»
zu verdecken, zu kaschieren. Oder: als sprachdrechselnder Seil-
tanz, um die Abgründe der eigenen Sprachlosigkeit zu übertönen.

Urs Oberlin

ROY

Zur Situation:
Roman einer Gymnasiastenklasse. Ort: Städtchen im Kanton Bern. Sechs
Monate vor der Matura ist ein Sepp Tanner aus dem Oberland eingetre-
ten. Wegen eines Unfalls beim Klettern muß er nachholen. Schriftdeutsch
ist nicht seine Stärke; Mathematik und Chemie sind es noch weniger, wes-
halb er sich einen Mentor sucht, den er schließlich in dem aus Kalabrien
stammenden Roy findet. Als Gegenleistung lädt er diesen übers Wochenende
in sein Heimatdorf Kandersteg ein. Das folgende Kapitel trägt den Titel
ROY, *was bedeutet, daß es Roy, der Italiener ist, aus dessen Blickwinkel*
gedacht bzw. gehandelt wird.

Am Samstag kam ein Telegramm aus Brissago. Cornelia sagte ab.
Sepp freute sich, «dann chunscht mit is Hasli, gell!» Er entwarf
verführerische Bilder von Schneeschmelze und Alpenfrühling.
Bevor der Mittagsverkehr einsetzte, wurde gestartet.

In einem italienischen Wagen war er noch nie gefahren. Alfa Ro-
meo, das imponierte ihm.

Lockig blühten die Obstbäume, schäumten Dächer und Kirch-
türme ein, flockten die Straße weiß. Unnötig, die Karte zu studieren, der Eidgenosse kannte sein Ländchen. Burgdorf, Konolfingen, Thun, der blustumwallte Thunersee. Auf den Matten eine
Legion weidender, glockenschwingender «Chueli», die Sepp nicht

müde wurde, fachmännisch einzustufen. Braune «Brienzer» mit
brandschwarzen Mäulern und Augen, schwarzweiß gescheckte
«Friburger» und rötliche Simmentalerrasse mit hypertrophischem
Euter... Nun – die Abzweigung nach rechts. Die Südhänge der
Niesenkette. Reichenbach, Frutigen, die trüb kochende Kander.
In geordneten Paketen blühten Anemonen und Schlüsselblumen,
umkränzten Bäche, und die niedrigen Holzhäuser zeigten liebe-
volle Details. Hier ein geschnitzter Fries, dort ein Rundscheiben-
fenster. Dann, über grob gezeichneter, an Szenerie zu «Wilhelm
Tell» gemahnender Felsstaffage im knallblauen Himmel: erster
ewiger Schnee.

«'s Balmhore», erklärte Sepp.

Bergwald folgte, dahinter noch tieferes Blau.

«'s Blauseeli», sagte Sepp. «Wenn du's gschouen willscht, müssen
wir umkehren.»

«Nicht nötig. – Woher kommt die Farbe?»

«Von der Suberkeit, hat halt keine Vycher drin, numen Forellen,
ou ne goldigi – ouch eine goldige ischt dabei.»

«Gibt es Goldforellen?»

«Numen disi.»

«Hast du sie gesehen?»

«Denk wohl, hat Tupfen wie die andern, numen helleri.»

«Sicher ein Goldkarpfen.»

«Mit roten Tupfen!» Seinen Wunderfisch ließ er sich nicht nehmen, fehlten nur die Zwerge, die den Goldforellenhort bewachten.
Weißer Krokus sprenkelte die Matten. Immer dickere Felsbrocken
bedrängten die schlingernde Straße.

«Kandersteg», verkündete Sepp, «kannscht hier halten, da, unterm
Ahorn!»

Er stieg aus und wusch das Gesicht mit Schnee. «Schmeck emal,
das Lüftli! Und was sagscht dazue?» Den Blick beschattend, trat er
vor, schwieg ausdrucksvoll. Die Reihe der Naturwunder wollte
nicht abbrechen, dieses da bedeutete den Höhepunkt. Hehres, drei-
gipfliges, im Höhenlicht leicht irisierendes Firneis. Ein Berg mit
Busen – vielleicht eine Berg*in?*

Sepp bestätigte es. «D'Blüemlisalp», er fand wieder Worte.

«Siescht den Gletscher dort überm Grat? Da liegt myn Urgroßätti drin.»

«Der Vater deines Großvaters?»

«Ja-a, syt siebenundsechzig Jahren.»

«In dem Gletscher drin liegt er?»

Sepp nickte und schritt bergan.

«Welches Haus ist es, Sepp?»

«Das mit dem großen Dach.»

«Toll!»

«Z gröschte im ganzen Tal. Und weil's noch Schindeln hat – steht es unter Heimatschutz.»

«Hat – schon dein Urgroßätti drin gewohnt?»

«Denk wohl, und in dem Hüsli dort wohnt z Mälzi.»

«Wer?»

«Sini Frou, ds Urgroßmüetti.»

«Die lebt noch?»

«Wohl eppen!»

Das heimatgeschützte Dach beschirmte vier Reihen winziger, zum Teil blinder Fenster. Die Hofstatt mit dem dreigestuften Brunnen lag im Schatten. Sepp trank und tauchte die Hand in den höchsten Trog. «Für üs», er verbesserte, «für die Menschen.» Im mittleren Trog schaukelten allerlei Behälter. «Für d'Brenten und Melchterli», kommentierte er. Der dritte Trog diente als Viehtränke. Die Stiege rechts leitete auf eine von Holzsäulen gestützte Loggia. Durch die Küche betrat man das Haus... Ein Herd mit glosenden Feuerlöchern. Im Rauchfang tummelten sich Funken, umsegelten Töpfe und Messingpfannen, zerschellten an der blauen Kachelung. Sepp blies in die Glut und lauschte. «Sind sie eppen am Metzgen? Komm!»

Über eine Stiege an der Bergseite des Hauses gelangte man ins Kellergeschoß.

«Was metzget man, Sepp, eine Kuh?»

«Chanscht denken, es Süüli.»

«Jetzt im Frühling?»

«Mir metzgand 's ganz Jahr.» Er stieß eine Schiebetür auf. Dampfzungen leckten aus dem Gewölbe. Den Nebelring, worin die Lampe schwamm, verschattete eine Hand, die ein Bündel Schläuche hielt... ein Bündel Därme. Und hier hing die Sau, tropfte aus, während ein emsiger Metallbesen dem Blutschaum da unten gehackte Zwiebel und Grünes beimischte. Hölzerner Waschtrog, daneben ein Kupferkessel, worin Fett kochte, sahnig überfließend. Ein Frauenrücken, Fettaugen im grünen Tuch, am Boden, Fettaugen am Blechschirm der Lampe, die jetzt ein bärtiges Gesicht anleuchtete.

Sepp stellte vor: Ätti, Tante, Onkel, Großmutter. Es galt, Hände zu drücken, so viele kühlfeuchte Schlachthände, daß einem kalt wurde.

«Wo isch 's Muetti?» fragte Sepp.

«Z Dorf, denk, ischt ja Samstig», der Ätti zwinkerte. «E Länge
sind Sie, Herr Roy! Üser Chnechte us Italie… aus Italien sind alle
gringi gsy.» Er öffnete eine andere Schiebetür, der Dampf zog ab.
«Wollen Sie den Staal gschouen? Kommen Sie!» Zwei Dutzend
Kühe standen in dem ungelüfteten dunkeln Loch.

«Das ischt Lüssi», sagte Sepp, «d'Leitchue, und das da Bleß und
das d'Leni, die hat am meischten Milch.» Er gab den Biestern erst
einen Finger, dann die Hand ins Maul. «Trouscht nit? Die tuen dir
nüt, hescht d'Chueli eppen nit gern?»

«Dochdoch.»

«I glaub, du hescht sie nit gern.»

«Pferde mag ich lieber, Seppli.»

Ätti lachte. «Dr Roy ischt halt en Heer», er gab sich Mühe, verständlich zu sprechen, «und wer d'Roß gern hat, mag halt d'Chueli
nit schmöcken, begryfsch!»

«Warum?»

«Wil sech d'Roß mit de Chüene ou nit vertragen, d'Rytroß, mein i,
wil sie z'fyn si.»

«U warum sellent Chueli nit glich fyn si? Nume wil si nit zeberlen
und tenzlen?» brauste Sepp auf. «Warum schwygscht du, Roy?»

«Was heißt zeberlen?»

«Närvös tuen, blöd tuen us Angscht vor de Chueleni.»

«Weil die Kühe sie anstecken, sie krank machen.»

«Krankmachen, d'Chueleni d'Roß?»

«Wie sagt man dem auf deutsch?»

«Dämpfig», schaltete der Ätti sich ein, «dr Roy het schon rächt.»
Oben wurde eine Glocke geläutet. Man reinigte die Schuhe.

Der Zvieritisch stand in der Küche bereit; die Familie war jetzt
vollzählig. Sepp erhielt Mutterküsse auf beide Wangen, und der
Gast einen mütterlichen Händedruck. – Fad hübsches, typisch ber-
nisches Gesicht, in dem nur der Mund lächelte. Wenn sie sprach,
änderten die Augen den Ausdruck nicht. Dazu paßte das straff ge-
kämmte, in kongruente Hälften gescheitelte Haar.

«Und das sind Devi und Fritz», Sepp stellte die Vettern vor.
Zwillinge, man erkannte es auf den ersten Blick. Wären nicht die
kurzen Kinnbärte gewesen, hätte man auf Drillinge geraten, jetzt,
da Sepp neben ihnen stand.

Der Großvater sprach das Tischgebet. Dann machte ein irdener
Milchkrug die Runde, und die Magd verteilte Brot. Appetitliches
rotblondes Ding mit wippenden Ohrgehängen und steilem Blüm-
lisalpbusen – da einmal abzustürzen…

«Wo isch z Mälzi?» fragte die Mutter.

«I chum... chumchume ja!» antwortete es von der Tür her.

«'s Urgroßmuetti», raunte Sepp. «Es isch e chli verhürschets, i erklär dir's nachher.»

In dem farblosen Gesicht lebten nur die Augen. Über der dünnen Nase trafen sich die noch dünneren Brauen in spitzem Winkel. Der Knoten des makellos weißen Haars krönte eine fast ebenso weiße, kaum von Falten getrübte Stirn. Während des Imbisses huschte Mälzis Blick fragend herüber, die schlaffen Lippen zitterten. Ihr gegenüber saß Devi. Daneben Fritz, der Vater, der Großvater – viermal die gleiche Profillinie, nur durch die Farbe der Bärte unterschieden.

«Trink!» Sepp grollte noch immer, «oder magsch ou Chuemilch nit?»

Der Busen verteilte wieder Brot. Liseli hieß die Puppe. Ein breiter Goldzahn gab ihrem Lächeln Glanz. Jedermann blickte in seinen Napf und widmete sich dem Kaugeschäft. Essen, man spürte es, war eine ernste Angelegenheit. Als die Wanduhr vier schlug, erhob sich die Schlachtequipe.

Auch Sepp stand auf. «Willscht das Haus gschouen?» Er machte den Führer. Stiegen links, Stiegen rechts, hoch- und niedriggestufte, nach Harz riechende neue und wannig ausgetretene alte; überall stieß man den Kopf an.

Das höchste Stockwerk unterm Dachfirst faßte nur zwei Räume. Einen bewohnten die Vettern, der andere war Sepps «Stübli».

«Und wer schläft im zweiten Bett, Sepp?»

«Du». Er setzte sich aufs Fensterbrett. «Schöni Aussicht, gell! Deine Sachen kannscht du da versorgen.»

«Wo gibt's Wasser?»

«Numen am Brunnen, nimm den Wäschblätz wieder mit.»

Im mittleren Stockwerk waren die Elternzimmer. Kein Bild gab Wohnlichkeit, kein Teppich, keine Lampe. Verwendete man Kerzen? «Mir sind halt einfach Lüt.» Sepp sprang aus dem Fenster aufs Vordach und von dort in den Hof hinab. Es ihm gleichtun war Ehrensache. Den «Wäschblätz» hängte er an den Draht neben dem Brunnen.

«Wo ist deiner, Sepp?»

«I bruch keinen», er hielt die Stirn unter den Wasserstrahl.

An dem Häuschen rechts bewegte sich ein Fensterladen.

«'s Mälzi», flüsterte Sepp.

«Geht es schon schlafen?»

Er schüttelte den Kopf. «Es gugget numen. Wenn öpper kommt, gugget's halt.»

«Warum sind die Läden zu?»

«Weil's verhürschet ischt. Chum, i zeig dir das Güpfli», er deutete auf einen tannenbestandenen Felskegel.

«Wie alt ist Mälzi?»

«Bald siebenundachtzgi. Sit dr Urgroßätti im Gletscher liegt, isch's nümmen gschyd.»

«Und die Fensterläden sind immer geschlossen?»

Er nickte. «Aber mängisch hat es auch helle Momente, dann redet es ganz normal.»

«Wie ist das Unglück passiert?»

«Dr Sepp ischt z'waghalsig gewesen.»

«Er hieß auch Sepp?»

«Denk! Und z'jung ischt er o gsi – grad zwänzgi. Hat halt auf die Wyßi Frou wöllen, den Gipfel dort.»

«Erst zwanzig!»

«Und erscht es halbs Jahr danach ischt dr Großätti uf d'Wält cho. Seithär ischt in unserer Familie», er berührte Holz, «niemand mehr gschtorben. Am Abend zeig i dir ein Photo, wo alli druf sind.»

«Und warum bist *du* abgestürzt? Aus Sympathie für den Ursepp?»

«An dr Wilden Frau gibt's einen Grat, wo noch keiner ufen ischt. Wenn ich den gemeischtert hätt, würd er jetzt der Tannergrat heißen, das wär doch schön, nit? Chum, hock ins Miesch!» Er erzählte von seinen Spitalaufenthalten in Thun und Interlaken, zweimal war er operiert worden.

«Wo gingst du vorher zur Schule, Sepp?»

«Ins Berner Gymnasium, aber i mag Bärn nit, ischt e z'großi Stadt, warum lachscht? Ischt e z'nervösi Stadt.» Er lachte ebenfalls, legte die Hände um den Mund und stieß einen Schrei aus, einen Jauchzer, dem vielfältiges Echo antwortete. Radio Beromünster brachte manchmal solches «Gejodel», wie sie es nannten. Jetzt, aus Sepplis Hals, tönte es erträglicher, man verstand wenigstens, wie es gemeint war. Aber dazu gehörte unbedingt die Weite dieses Tals und Schnee, der elegisch rötliche Schnee an den drei Bergzitzen da oben. – Der immer noch blaue Himmel hatte sich bewölkt, «befiedert» würde Uled vielleicht sagen, und das immer rotere Geflimmer der Wasserschnüre, Wasserfäden und Fädchen dort an der Felswand steigerte den Farbkontrast ins Extreme. Seppli jodelte leiser.

«Bist du verliebt, Sepp?»

«He?»

«Hast... auch du ein Schätzli?»

Er antwortete nicht.

Gegessen wurde beim Schein von Petrollampen, und um eine drei-
flammige Petrolfunzel versammelte man sich danach in der Stube.
Die Männer lasen das Abendblatt, mit ihrer Strickarbeit setzten die
Frauen sich auf die «Kunscht», eine grüngekachelte Ofenbank, die
Wärme aus dem Küchenherd empfing.
Sepp nahm zwei Photos von der Kommode. Auf der ersten war
die ganze Sippe zu sehen, pyramidal gegen oben verjüngt. Unterste
Reihe, Fritz und seine Braut, Devi mit der seinen und Seppli.
Zweite Reihe, die Elternpaare; dritte, beide Großeltern, und zu-
oberst der einsame Weißefraugipfel von Mälzis Haarknoten. Auch
Photos hatten hier alpinen Charakter.
Sepp hielt das andere Bild unter die Lampe. «Und das ischt er.»
«Du gleichst ihm! Bloß noch jünger scheint er zu sein als du.»
«Chan scho sy», Sepp grübelte, «sechzig Jahre jünger.»
Die Tür neben der Kunscht gab Laut. Aus dem Flur floß Dunkel
ein. Vier Pfoten, Ohren, der Schweif einer schwarzen Katze.

Nach neun Uhr lag alles in den Federn. – Federn waren es sicher
nicht.
«Was ist da drin, Sepp, womit stopft ihr die Kissen?»
«Rat!»
«Mit Korn?»
«Chirschistii.»
«Was?»
«Kirschisteine, das ischt gsund.» Sofort schlief er ein.
Auch die Matratze war voller Kirschensteine. Unten im Tal rausch-
ten Züge. Bei der geringsten Bewegung knirschten zehntausend
Kirschensteine, ausgespuckte, gewaschene und getrocknete Kirschkerne, rieselten, wichen auseinander, öffneten ein Kirschkerngrab –
jeder Atemzug schaufelte es tiefer. Hatte der Lötschberg so reis-
senden Verkehr, war das die Kander, gingen unausgesetzt Lawi-
nen zu Tal, Blüemlisalplauinen? Merkten auch die Berginnen den
Frühling? Wiegten sie den Mond zwischen ihren Brüsten, Weiße
oder Wilde Frau – wie wild trieb's die? Den Schnarcher da – hatte
sie abgeworfen – ah, er schläft gar nicht, richtet sich auf – Roys
ruhiges Atmen wiegt ihn in Sicherheit. Er schlüpft ins Hemd, in
die Hosen, macht sich barfuß davon. – Liseli erhält Besuch, aber an
den Gast denkt er nicht. Kirschkerne tun's für den Gast auch!

Frühmorgens traf man sich vor dem Brunnen. Die Vettern erschienen ebenfalls. Helvetische Prachtsexemplare mit madonnen-
weißer Haut. Sie stiegen in den dritten Trog.

«Seipfe ischt verboten», sagte Fritz, «wenn'd Seipfe nimmscht, muescht dussen blyben.»

Devi steckte einen Strohhalm in den Mundwinkel. «Zeig diner Arm, du Tschinggli! Wieviel magscht glüpfen?»

«Was meint er, Sepp?»

«Wieviel Kilo du stemmen kannscht», antwortete dieser, «er ischt halt en glüpfige.»

«U dr Schwingerchünig vom Dorf», ergänzte Fritz.

«Wieviel?» beharrte der andere.

«Devi, fang nit a!» mahnte Sepp.

Aber Devi nochmals: «Wieviel?» Er lächelte herablassend.

«Soviel wie du mindestens.»

Er kniff ein Auge zu. «Wei mer probieren?»

Sepp trat dazwischen, aber beim Frühstück stänkerte Devi weiter.

«Laß ihn schnurren», flüsterte Sepp, «dr Gschyder git na.»

«Was will er eigentlich?»

«Dir's zeigen, denk, paß uf!»

Nach dem Imbiß wurde Chemie repetiert. Die Vettern waren zu ihren Bräuten, die Eltern zur Predigt gegangen.

Sepp hatte Anfälle von Verzweiflung. Vitaminformeln, behauptete er, seien zu lang, hätten in einem Tannerkopf gar nicht Platz.

«So stell dir mal etwas vor dabei, Sepp! Ascorbinsäure als Schmetterling, zum Beispiel – das da... sind die Flügel, siehst du?»

«Chabis!»

«Bloß den linken Flügel brauchst du dir zu merken, der rechte...»

Mit dem Hefte fuchtelnd, lief er ins Freie und begann Kreise zu treten.

Schrittweise eroberte die Sonne den Vorplatz, schnitt Streifen ins Stiegengeländer, fensterte den Laubenboden. Man konnte vielleicht das Hemd öffnen und sich's auf dem Bänklein bequem machen. Da lag eine Zeitung, «Der Frutiger Bote». Nichts als Reklame! *Erwecken Sie die Galle Ihrer Leber... Haben Sie Alibaba schon gesehen? Oder fürchten Sie für Ihre Moral?... Sei ein Mann und rauche Mutzli-Stumpen. Wer raucht, lebt besser* – und auf der Gegenseite eine Statistik über die Zunahme von Lungenkrebs in den USA.

Mit der Regelmäßigkeit eines Schöpfrades umkreiste Sepp den Brunnen. Als schwarzer Strahl löschte sein Schatten die Lichter an der Laubenwand – kam, ging, kam wieder.

Jetzt knackte die Diele. Unsichern Schritts näherte sich Mälzi, hielt Umschau, wollte sich setzen und erschrak.

«Wer bischte?» Ihr Blick wurde starr. «Dr Sepp?... Säg, bischt my Seppli?» Wieder sah sie sich um, drückte dann den Zeigefinger an die Lippen. «Weischt, wär *i* bi? Schschscht, kennscht mi nit?»
Sie setzte sich. «I bi z Käti, merksch's jetz?»
Zu nicken kostete nichts.
Die Fältchen unter den Augen glätteten sich, der Mund schien lächeln zu wollen. «Woscht doch nit wider z'Berg? Blyb da! Gell, du blybsch bi mir... immer!» Laut wiederholte sie das letzte Wort.
– In dem Ring an ihrer Hand, vielleicht schon verwischt und abgescheuert, stand der Name des Toten, und der andere Ring mit ihrem Namen lag auf dem Grunde des Gletschers. «Immer», sagte Mälzi. Auch über ihr Gesicht schien Eis zu wachsen, die Lichtflecke in den Augen wurden grau. Sie zog ein Tüchlein aus dem Ärmelumschlag und winkte, den Blick gegen die Decke gerichtet.
– Auch dieses Haar war blond gewesen wie das der Urenkel; und die etwas kurze Oberlippe hatten sie alle geerbt. Am deutlichsten Sepp. – Immer noch umkreiste er den Brunnen. Nur sein Gesicht war zu sehen – sechzig Jahre tief unter dem ihren. Als schmale Profilsichel dämmerte es auf, wurde voll, nahm wieder ab. Wie sah es aus in sechzig Jahren? Hatte auch er Generationen hinter sich gebracht, zwei oder drei? Schaute auch er hinab auf Urenkel? Und andere wie Dani hatten kaum noch ein Jahr zu leben, wußten, daß sie in zwölf Monaten unterm Boden lagen. Warum ging Dani noch zur Schule, warum spielte er mit, als habe er ein Studium vor sich? Hatten die Gesunden mehr Aussicht auf Zukunft? Und was verlor der Idiot von Roy seine Zeit im Berner Oberland, statt nach Brissago zu fahren, zu Cornelia zu fahren?

Nach dem anstrengenden Mahl, Blut- und Leberwürste müßten innert zweier Tage gegessen werden, behauptete der Ätti, ruhte man auf der Laube. Familienglück an milder Aprilsonne. Für Stimmung sorgte Sepps Mundharmonika. Er blies wie er jodelte, mäßigte aber seinen Hang zu Mollmeditationen mit nicht immer kunstgerechten Sprüngen in Durlagen. Großätti bat um einen Marsch. «Träm träm trädelidy», intonierten die Frauenstimmen. Von der Treppe her antworteten andere. Da kamen Fritz und Devi, jeder ein Mädchen am Arm.
Devis Braut sprach ein paar Worte italienisch, wenigstens wußte sie Komplimente zu erwidern. Ihr größter Wunsch sei, bald das Meer zu sehen; Devi habe ihr eine Hochzeitsreise nach Venedig versprochen. «Kann man im Mai schon baden? Gellen Sie, man kann!»

«In Venedig sicher nicht, da müssen Sie schon nach Ischia!»
«Ghörsch, Devi, Ischkia!» Sie kicherte. «Er soll drum schwimmen lernen, die Tanner können alli nit.»
Devi schwieg.
«Du bekommscht einen Schwimmgurt, ich schenk dir einen.» Sie zupfte an seiner Krawatte.
«'s blybt bi Venedig», brauste er auf, «my Läbtag bruuch i nit z'schwimmen.» Aggressiv leuchtete sein Augengrau.
«Im Militärdienst auch nicht, Herr Tanner?»
Er rückte näher. «Mir si kener Matrose, du Tschinggeköbi!» Er krempelte die Ärmel hoch. «Wie schwer bischt?»
«Und du?»
Er grinste. «Wär z'ersch der ander lüpft, wett i guggen.»
«Devi!» riefen die Eltern.
Schon packte er zu, erwischte jedoch statt des Gürtels nur den Westenknopf. Seinem zweiten Griff mit Tsurikomi zuvorzukommen, war ein leichtes. Er sperrte, hob ebenfalls das Knie und verlor den Stand. Ahnungslos ließ er sich abrollen und mit Hanegoshi werfen.
«Iiii!» tönte es von der Bank her. Großätti lachte meckernd.
«Sakermänt, dä rüersch nümen a!»
Den Hinterkopf reibend, setzte Devi sich auf.
«Gscheht dr rächt», bemerkte der Onkel.

Am Zvieritisch erkundigte sich Fritz, ob das eine kalabresische Art «Hosenlupf» gewesen sei, und Seppli erklärte den Ausdruck. Von Judo hatten sie nie gehört. Devi beteiligte sich nicht am Gespräch, und später kam nur Fritz den Steig hinab, um sich den Alfa anzusehen. «Chum ume», sagte er beim Abschied mit freundlichem Blinzeln, «em Devi het's guet ta.»
Auf der Heimfahrt wollte Sepp mehr über Judo erfahren.
«Chansch's mi ou lehre?»
«Mach das mit Uled ab, erst muß man fallen können.»
«Fallen?»
«Devi hat sich weh getan, weil er falsch gefallen ist. Laß dir's von Uled zeigen!»
Sepps Hand war am Ohrläppchen zu spüren. «Wieviel wiegscht du, sag?»
«Sechsundsiebzig.»
«Und Devi achtzig!» Er dehnte die Arme. «Bischt ein Schlaumeier.»
«Ich kenn einen größern.»

«Welchen?»
«Wo bist du diese Nacht gewesen, Sepp?»
Mit dem Taschenmesser reinigte er die Nägel.

GELEIT

besteh nicht darauf
daß die Erde schwer ist
daß ihr Dunkel dich schützt
vor deinem Schatten

bau nicht darauf
daß der Stunde
eine andere folgt
daß die Minute endet
sie kam nicht
geht nicht
du bist der Zeiger
auf ihrer ruhenden Zahl

Erica Pedretti

NICHT AN KANINCHEN DENKEN

Doch ich kann bei Mondschein schlecht schlafen. Und sonst?
Nicht an Kaninchen denken. Sonst kann ich nicht schlafen. Nur
keine Kaninchen. Nie mehr. Sonst: ich träum Kaninchen seh Kaninchen überall auf dem Boden an den Wänden über dem Kopf
unter dem Kopf auf unter der Decke Kaninchen füttere Kaninchen
lauf hinter Kaninchen her fang Kaninchen. Wer hat von den Kaninchen angefangen?
Ich selbst ich du er sie es hat angefangen.
Ein Weber hat damit angefangen: ein Weber in Sternberg hat mir
das erste Kaninchen geschenkt. Er hat es nicht bös gemeint. Er
konnte ja nicht wissen, wohin alles führt. Alles, was ich unter-
nehme, an die, in die Hand nehme. Und damals war ich noch recht
klein, wußte es selbst noch nicht, woher hätte ich, er es wissen
sollen. So ein schönes Kaninchen. Ein zigarrenbraunes Havanna-
weibchen. Eine empfindliche, hochgezüchtete Rasse, nicht zu ver-

gleichen mit blauen Wienern, Schecken und anderem Gewöhnlichen, wie man es oft in kleinen, aus alten ausgedienten Kisten in
Freistunden zusammengebastelten Ställen, neben Bahnwärter-
häuschen und in Schrebergärten sieht.

Es fängt in Sternberg an. Ich schaue zu, wie der Weber einen Stall
nach dem andern öffnet, ein Tier nach dem andern vorsichtig, ja
zärtlich am Fell im Genick nimmt, sie sich liebevoll in den Arm
legt, die Weibchen, Männchen, große feiste Karnickel und kleine:
schön gell, aber heikel, bekommen leicht Blähungen von zu viel
Futter oder von Gras, das liegen geblieben und warm geworden
ist. Er schenkt mir eins seiner Kaninchen, und bevor ich ihm recht
dafür danken kann, ist er in einem Haus neben den Ställen verschwunden.

Er hat angefangen, und nun fange ich an zu züchten, wünsche mir
zu dem Weibchen ein Männchen, bekomme es, die beginnen sofort,
fast sofort sich zu vermehren, den ersten Wurf taufe ich auf den
Buchstaben A, mein Bruder ist Pfarrer, meine Schwester steht
Pate: Antoinette, Anny, Adolf, Adalbert, die Kleinen des nächsten
Wurfes heißen: Bertha, Bubi, Bernhard, Beatrice undsoweiter, C,
D, E, usw., die Namen schreib ich in ein Zuchtbuch, wie mir der
Weber geraten hat, in ein großes kariertes Schulheft, mit genügend
leeren Seiten für die Tabellen der Namen und Daten und einem
Stammbaum, das ist ein Baumstamm, der sich oben verzweigt,
dessen erste Verzweigung aber schon so breit wird, daß ich links
und rechts ein Blatt ankleben muß; inzwischen vermehren sich
nicht nur Adam und Eva, sondern auch Anny und Adolf, Beatrice
und Bubi und das dürften sie doch eigentlich nicht, auch Antoinette
und Bernhard, das ist schon besser, Bertha und Felix, und Georg
zeugt Mizzi, die Mizzi gebiert die Nora, die Nora den   aber so
genau beobachten kann man das nicht, da ist ein Teil meiner Kaninchen schon fünfte Generation, die erste noch lange nicht zu-
ende, das Alphabet wird problematisch, bald sinnlos, mir fallen
auch nicht genug Namen ein, genug, laß mich schlafen, die Namen
stimmen nicht überein mit den Geschlechtern, ach was, ich brauch
keinen Stammbaum, laßt mich schlafen, laßt mich in Ruh, laßt sie
ruhig hinaus, alle, alle aus hinaus in den Auslauf laufen laßt sie
hinauslaufen aus laßt mich schlafen

doch ich kann bei Mondschein schlecht schlafen
im Mondschein such ich noch nach Kaninchen, jage sie dem Gitter
entlang zu den Ställen, kann sie nicht fangen, sie gleiten geschickt
aus meinen Händen, entwischen in Erdlöcher, dann knie ich vor

dem Bau, versuche einen Hinterlauf zu fangen, herauszuziehen, der entzieht sich geschwind, die Gänge sind tief und lang, mein Arm ist kurz, reicht nicht weit

manchmal füttere ich noch nachts Kaninchen. Ich kann bei Vollmond doch nicht schlafen. Schleppe Kübel voller Kartoffelschalen. Sichle im Mondschein Gras und werfe hohe Armladungen davon in den Auslauf. Sie fressen so viel, alle meine Kaninchen. Im Garten und auf den Wiesen rundum hab ich das Gras ganz kurzgeschnitten. Wie werd ich alle Tiere sattfüttern?

Bei Mondschein

Warum kommt heute nacht der Weber? Wenn es dunkel wäre, aber der Mond beleuchtet wimmelnde, glänzende Kaninchenkörper, die drücken sich dicht einer neben den andern, wogen auf und ab, uns entgegen, man könnte den Auslauf nicht betreten, ohne mit jedem Tritt

vom Zaun aus beobachten wir die Tiere, die braun auf uns zukommen, stolz zeig ich auf meine Zucht   doch was ist das?

der Mann hat sich ja ganz verändert, er bückt sich über den Zaun, faßt schnell aus der Menge ein feistes Karnickel am Pelz im Genick, lüpft auch mich hinten am Kragen, zappel nicht beiß kratz nicht, trägt uns zu einem Holzbock, gilt es dir oder gilt es

drückt das verzweifelt zappelnde Tier aufs Holz, zwingt mir das Beil in die Hand, reißt meine Hand mit dem Beil hoch, läßt sie fallen

Ich kann im Mondlicht nicht schlafen   ich werde nie ein Kaninchen töten   Kaninchenbraten eß ich nicht nein meine jetzt muß ich noch alle Tiere füttern   wer hilft mir alle Ställe ausmisten   wer hilft mir die Kaninchen einfangen   nein nein nicht fangen   laß sie leben   so schöne schlanke elegante Tiere   wimmeln braun auf der Wiese   springen schlagen Haken graben   wer weiß noch wie sie heißen wohin sie gehören   welcher Wurf?

Nachts steht da der Weber aus Sternberg: wo ist der Stammbaum? wo sind Anny Bertha Carl Dora Emil Franz Gudrun und Hedwig? Ingrid und Jonas und Käthe und   und droht alle ohne Stammbaum zu schlachten.

Kaninchen wühlen graben Gänge Kaninchen die ausbrechen Kaninchen im Morgentau zwischen Rosen Phlox Ringelblumen abgenagte Stauden und Sträucher Kaninchen leergefressene Salat-

Spinat- Karfiol- Kohlrabibeete Kaninchen. Nachts steht der Weber
mit einer zitternden Kugel im Arm und sieht mich an: empfindliche Tiere dürfen keinen feuchten Salat fressen und keine klebri-
gen Ringelblumen.

Dann kommt er wieder mit dem ersten kranken Kaninchen: ich
hätte dem Tier nichts zu fressen geben sollen, es ist heikel, bekommt leicht Blähungen von feuchtem Futter und von Gras, das
liegen geblieben und warm geworden ist.

Womit soll man die Tiere denn ernähren?   und wer hilft mir
beim Füttern? Ich habe die Würfe A B C und D gefüttert   es
wird dunkel   der Sternberger steht da mit dem Arm voller
Gras alt feucht warm warum hast du ihnen das gegeben   laß
mich schlafen   laß   im Auslauf kein Gras nur noch Erd-
haufen und Löcher dort sitzt etwas aufgeplustert und zittert
ich leg es in ein Nest aus Heu   schlafen   schlafen
und es stirbt in der nächsten Nacht   in der nächsten Nacht
reicht mir der Mann ein aufgeblähtes Tier nach dem andern
alle Ställe sind gefüllt mit kranken Kaninchen   am Morgen
voller toter

nachts zwischen den Sternen steht der Weber

Rudolf Peyer

SCHWERTLILIEN

«Schwertlilien haben zweiseitig symmetrische Blüten, sechs Blü-
tenblätter, drei Staubblätter, einen unterständigen Fruchtknoten,
die Früchte sind Kapseln –»
Unsinn, dachte er, das würde er nicht sagen.
«Die Schwertlilien verdanken ihren Namen den schwertförmigen
Blättern –»
Auch das würde er nicht sagen. Er würde überhaupt nichts sagen.
Er wird einfach den Strauß hinstrecken, und er wird kein Wort
sagen. Sie wird die Tür öffnen, sie wird auf die Blumen schauen
und denken «Blumen». Er wird auf ihr Gesicht schauen, in ihre
Augen. Ihre Augen werden auf die Blumen schauen. In ihren
Augen wird er sehen können, ob sie den Strauß nimmt oder nicht.
«Warum habe ich Schwertlilien gekauft?» dachte er. «Warum habe

ich keine Rosen gekauft? Weiße oder rote Rosen?» Er zupfte das
Seidenpapier oben auseinander. Die hängenden Lappen der
Schwertlilienblüten hatten ein feines Geäder, er dachte an Marmor,
an Lilians kühle, durchsichtige Haut, der Papiertüte entströmte ein
feiner Duft.

«Schwertlilien sind schön», hatte das Mädchen im Blumenladen
gesagt. «Schwertlilien sind apart. Schwertlilien halten länger als
Rosen.» Das Mädchen im Blumenladen hatte Erfahrung mit Blumen. Vielleicht auch mit Leuten, welche Blumen kaufen. Und vielleicht sogar mit den Leuten, welche die Blumen erhielten von den
Leuten, welche Blumen kaufen. «Rosen sind Rosengewächse.
Rosen sind langweilig. Rosen haben keine dunklen Äderchen. Rosen halten weniger lang.» Er knüllte das Seidenpapier wieder zusammen. Nässe drang unten durchs Seidenpapier, seine Finger
wurden feucht. Er rückte mit den Fingern an den Stengeln eine
Spanne höher. «Und Schwertlilien haben keine Dornen. Nur die
Rosen des heiligen Franz hatten keine Dornen. Franziskus hat in
Italien gelebt, im zwölften und dreizehnten Jahrhundert. Aber der
heilige Franz ist schon lange tot. Und jetzt gibt es wahrscheinlich
keine Rosen ohne Dornen mehr.»

In Assisi hatten sie sich zum ersten Mal gestritten. Nein, gestritten hatten sie sich nicht. Sich nur nicht verstanden. Lange kein
Wort mehr gesagt. Und dieses seltsame Gefühl im Magen. Am
Abend hatten sie auf der hell erleuchteten Piazza Kaffee getrunken,
sie hatten wieder gelacht, und sie hatte gesagt: «Non c'è rosa
senza spina.»

Wenn sie den Strauß nicht nimmt, wird er sagen: «Es sind keine
Rosen.» Vielleicht wird sie den Strauß dann nehmen. Wenn sie ihn
nimmt, wird er sagen: «Die Stengel abschneiden, jeden Tag einen
Zentimeter, schräg, und drei Kupfermünzen ins Wasser. Es sind
Schwertlilien. Dann halten sie länger.»

MEXIKANISCHE NOTIZEN

Mandinga

Das Paradies –

So stand es im Prospekt. Und so stellen sie sich das Paradies auch
vor: Eine blaue Lagune, Palmen am Ufer, Fischerhütten, kleine
schwarze Schweinchen quietschen dazwischen umher und kleine,

nackte Kinder. Und dann diese unbeschwerte Luft, die auf der
Haut prickelt und in der Lunge –
Die Fischerboote fahren aus, und die Boote bringen die Fische und
Garnelen und Austern lebend in die Küche. Mit geplatzten Augen
und Rosapanzern und Perlmutterschalen kommen die mariscos
aus der Küche zurück auf den Tisch. Die Luft summt und zittert
von den Saiten von Harfe und Banjo. «La Bamba, la Bamba»,
singt der Vorsänger, und «la Bamba, la Bamba», singt die Gruppe
zurück. Die kleinen Indiomädchen sollten ihre Schnecken- und
Colorinesketten verkaufen. Aber sie vergessen die Ketten und tanzen. Und die Leute an den Tischen vergessen die Fische mit den
geplatzten Fischaugen und tanzen. «La Bamba, la Bamba» – die
Männer mit verschränkten Armen auf dem Rücken, die Frauen
mit hochgehobenen Röcken in wirbelndem Kreis. Daneben spielt
eine Gruppe einen «Huapango», eine andere improvisiert. Fünf
Gruppen spielen gleichzeitig, miteinander, gegeneinander –
Nur die Kellner gehen unbekümmert um das Treiben zwischen
den Tischen mit ihren leeren und mit ihren vollen Tellern. Sie
allein glauben nicht an das Paradies. Sie schreiben unverschämte
Trinkgelder auf und werfen dann die Gräten und Panzer und
Schalen von den Tellern auf einen Haufen hinterm Haus, wo sich
die großen, schwarzen Schweine und die kahlköpfigen Geier zan-
ken um die Abfälle aus dem Paradies.

Mezquital

Er hatte: eine Frau, eine Hütte, fünf Kinder, ein Maisfeld, eine
Kaktushecke, einen Esel und fünf leere Jutesäcke. Mit dem Esel
und den leeren Säcken transportierte er für die Leute Lasten.
Und so verhungerte die Familie nicht.
Einmal wurde der Esel krank. Und am gleichen Tag erkrankte das
älteste Kind. Aber Geld für zwei Ärzte hatte der Mann nicht. Den
ganzen Tag starrte er Löcher in die Luft und sagte zu seiner Frau
nicht, was er dachte. Und sie sagte zu ihm nicht, was sie dachte.
Aber sie dachten dasselbe.
Wenn sie den Arzt kommen ließen, mußte der Esel sterben.
Wenn sie den Tierarzt kommen ließen, starb das Kind.
Der Mann zuckte die Schultern.
Und die Frau nickte.
Am Tag darauf kam der Mann mit dem Tierarzt zurück.

Kuno Raeber

Als ich heute dem Herrn Kardinal Georgios, Eurer Eminenz Bruder in Christo (ich half ihm mit der üblichen Sorgfalt beim Ankleiden und stellte von neuem fest, daß er nach wie vor das griechische Kreuz auf der bloßen Brust trug) das Hemd reichte: –
er zieht keins mehr als einmal an; Eure Eminenz können sich leicht vorstellen, was das unseren Heiligen Vater kostet, jeden Tag ein neues Hemd für den Herrn Kardinal, und jeden Tag befiehlt er neue Leibwäsche und neue rote Strümpfe, nichts, was seinen Leib berührt hat, will er zum zweiten Mal sehen: das ihm Nächste fürchtet er am meisten, ein Haß ist in ihm gegen alles, was ihm befreundet, nicht ausstehen kann er es, sodaß ich zuweilen denke, er leide seit dem Tag, an dem er aus Konstantinopel floh, an einer unheilbaren Verstörung; oft wollte ich etwas darüber erfahren, doch zog er sich immer auf etwas Praktisches, dessen Erledigung er für dringlich ausgab, zurück und klammerte sich daran fest: nie fiel mich irgendwoher so große Angst an wie aus diesen scheinbar beiläufigen Fragen nach einem Paar roter Schuhe, «feineren, nicht aus Samt, aus Damast», nach einem Körperpuder, «nicht aus Frankreich, nein, aus Zypern» (wenn ich es nicht hatte, erzählte ich etwas von einem algerischen Piratenschiff, das die Pudertransporte aus der Levante abgefangen habe; und er war so freundlich, zu tun, als ob er das Märchen glaube); doch das Bedenklichste scheint mir der Umstand, daß er, dies jedenfalls ist, auch wenn ich sie nicht beweisen kann, meine Überzeugung, nicht etwa die Türken fürchtet, sondern daß er, der Grieche, in seinem Nahhaß die Griechen fast mehr noch verabscheut als die Lateiner: der Fall von Konstantinopel riß ihn los von seinem eigenen Volk, es zerfiel ihm in zusammenhanglose Partikel; als er die Gesichter der unterworfenen Landsleute sah, merkte er, daß sie nur noch Einzelne waren, daß er in ihnen immer nur ein, vielleicht seit jeher imaginäres, Ganzes geliebt hatte, das es jetzt, nach der Plünderung, der Entweihung der Hagia Sofia nicht mehr gab; es glotzte ihm nun aus ihren Augen die Leere entgegen, nachdem sie ihm vorher Gold, Purpur und Blau jenes ihnen nun verschlossenen und übertünchten Kuppelraums wiedergespiegelt; er hatte, auf seine Weise, spät zwar, aber doch noch gemerkt, was sie tatsächlich, was die Menschen überhaupt waren: Freßsäcke und nachblökende Schafe, daß jene

Wölbung, jenes Dunkelrund, glänzend von Mosaiken – zuweilen spricht er, wenn auch nur in Andeutungen, davon: «Turmmenschen seid ihr hier eben alle» – nicht in ihnen war, daß es, allenfalls, aus ihren Augen geleuchtet hatte, aber in ihren Herzen nie eine Entsprechung besaß: jetzt es auch in ihren Augen erloschen,begriff er, und das traf ihn unheilbar, daß es auch in ihren Seelen nie wirklich und höchstens, für eine Zeitlang, ein Reflex an der Wand, der Decke eines leeren Raumes gewesen: an jenem Unglückstag kam er, daran zweifle ich nicht mehr, erst eigentlich zur Welt, und der Schock der Geburt, je später er ihn traf, desto weniger, schlechter als wir Frühgeborenen alle, hat er ihn verwunden; das der Grund, warum er nichts Vertrautes, nicht einmal einen Koch, einen Kutscher, länger als einen Monat im Haus hält: nichts und niemanden duldet er bei sich außer mir; zu meiner täglich und in letzter Zeit geradezu stündlich wachsenden Bestürzung erträgt er mich nun schon ein Jahr mit unveränderter Freundlichkeit und zeigt mir seine Sympathie wann und wo immer es angeht, so deutlich, daß sich mir, für Augenblicke zumindest, der Verdacht aufdrängt, er wisse von meiner Mission; ich könnte mir denken, daß er, so wie ich ihn jetzt kenne, imstande wäre, gerade darum mir allein zu vertrauen, weil er weiß, daß ich ihn verrate und weil er nur darauf wartet, Eurer Eminenz überliefert zu werden; da ich sein einziger Feind im Hause bin, zieht er mich an sich, um auch die letzte Spur von Menschenliebe in sich zu ertöten; denn zuweilen ertappt er sich doch noch dabei, daß er jemandem nicht bloß aus Wohlerzogenheit freundlich begegnet, daß er nicht bloß aus Verpflichtung und Gründen der Repräsentation ein Geschenk macht, sondern aus spontanem Vergnügen; getrieben von selbstquälerischem Durst nach dem bitteren Bodensatz, den er auf dem Grund der Welt geschmeckt zu haben glaubt, will er davon nicht mehr lassen, im Gegenteil, er wünscht, daß sein ganzes Verhalten zu Menschen und Dingen immer ausschließlicher davon durchtränkt werde –: als ich dem Herrn Kardinal Georgios heute früh das frisch geschneiderte Hemd reichte (er las wohl in meinen Augen die Sorge um die Kasse Seiner Heiligkeit, deren Gelder weniger für die Hemden der Kurie als vielmehr für die Ausrüstung der Flotte gegen die Türken bestimmt sind) und mich dabei, wie nebenher, erkundigte, warum er die Akademie, zu deren Präsidenten ihn die Gnade unseres Heiligen Vaters, wohl vor allem, um ihm wenigstens ein minimales, natürlich niemals zureichendes Einkommen zu sichern, erhob, ausgerechnet immer in den Katakomben des heiligen Sebastian versammle, antwortete er, obwohl es schier unmöglich ist, daß er das Lauern in meiner Stimme, die Absicht der Frage nicht merkte, freimütig und scheinbar arglos, als ob es sich um die größte Selbstverständlichkeit handelte: welch anderer Ort mir denn geeigneter schiene für den Dienst und die Begehungen der Akademie, da doch das Bild des von Pfeilen durchlöcherten Märtyrers mit seiner Flitterzier die barbarische Phantasie der Einfältigen anziehe und, indem es sie vor der Tür, die zur Treppe führe, festhalte, am Abstieg hindere und ihnen so die Weisheitskatzen mit den von der Katakombennacht geweiteten und an den Lidern beschnittenen Lichtern verberge. Akademie der Katzen sei denn auch der geheime Name der Gesellschaft, die hier zusammenkomme. Allüberall durch die Stollen schlichen die Tiere und fixierten aus allen Winkeln, was niemand sonst sehe: den großen Kater, der drinnen im Gedärm des Erdkloßes wohne...

Eure Eminenz halten mich sicher nicht für so naiv, daß ich die krause Eröffnung für bare Münze genommen hätte. Aber sie bewies mir die Neigung des Herrn Kardinals, seine Gedanken in Bilder zu hüllen, überhaupt in Bildern zu denken, und zwar auf so manisch ausschließliche Weise, daß er das Gefälle von der gemeinen Klarrede zu seiner eigenen Metaphernschwelgerei gar nicht erkennt und diese sogar für jener überlegen hält. Wenn es mir also auch unmöglich war, zu verstehen, was er im Einzelnen meinte, so fühlte ich mich doch in der Vermutung bestärkt, daß die Akademie nicht nur zu einer häretischen Sekte, sondern zu einem Geheimbund entartet sei, der die aus dem Tageslicht der göttlichen Offenbarung schmählich vertriebenen Dämonen beschwöre und bei ihren Zusammenkünften der Schwarzen Magie und mannigfach greulicher Abgötterei fröne.

Erst heute ist mir, wenngleich ich es lange schon ahnte, über jeden Zweifel klar geworden, wie sehr der Herr Kardinal Georgios unsere Mutter, die Römische Kirche, haßt und insbesondere die Eurer Eminenz anvertraute Heilige Inquisition, statt sie zu fürchten, mit wahrhaft griechischem Dünkel verachtet. In der verbissenen Bestrebung, sich selbst zu zerstören, ist er nicht zufrieden damit, ein Schismatiker, ein Ketzer und sogar ein Heide zu sein, sondern er legt es darauf an, seine Schmach uns alle wissen zu lassen, damit wir, indem wir mit ihm, wie es unsere Pflicht ist, verfahren und ihn den Häschern, Richtern, Gefängniswärtern und, wenn möglich, dem Henker überliefern, seinem Welthaß die unwiderrufliche Bestätigung verschaffen, ihn von der obszönen Berührung durch Menschen und Dinge, von den letzten Spuren der Beschmutzung, als welche er das Leben empfindet, befreien.

Es sei denn, und das ist ein nicht weniger schlimmer Verdacht, er
führe uns, um uns zu verhöhnen, absichtlich auf eine falsche Fähr-
te, locke Eurer Eminenz Sbirren in eine harmlose Greisenver-
sammlung, die sich bloß über den a.c.i. bei Cicero ereifert.

Das eine zeugte von einem nicht geringeren Zynismus als das
andere; die Wahrheit zu finden, überlasse ich getrost den zuständigen Beamten Eurer Eminenz. Was mich persönlich angeht jedoch, weiß ich jetzt, daß jede Stunde, die ich länger in diesem Haus
zubrächte, mich schändlicher entehren, mich vor mir selbst lächerlicher machen würde: ein Agent, dem man die Informationen, die
er sucht, bereitwillig liefert, ist eine Witzfigur. Die Vertrauens-
seligkeit des Herrn Kardinals kränkt und erniedrigt mich so sehr,
daß meine Verdauungsorgane und meine Leber mich bereits mit
Brechreiz und Durchfall quälen: Wie sollte es einem Geheimbe-
auftragten, der allmählich gewahr wird, daß sein Deckberuf eines
Kammerdieners sein wirklicher und einziger Beruf ist, daß er tatsächlich zu nichts Besserem taugt, als täglich seinem Herrn das
frische Hemd zu reichen, anders ergehen?

Nein, was das Dossier des Herrn Kardinals Georgios betrifft, kann
ich Eurer Eminenz nicht länger dienen. Ich bitte daher, mich von
hier abzuberufen und mich für einige Zeit nach den Heilbädern
von Tivoli zu beurlauben, auf daß ich, erholt und gekräftigt, nachher, an derer Stelle, Eurer Eminenz als Spürhund und Wachauge
desto eifriger diene...

J. R. von Salis

KULTURELLE AUSSENPOLITIK

Die Zusammenarbeit der geistig Schaffenden ist so alt wie die Kul-
turwelt selbst. Geistige Zusammenarbeit, kultureller Austausch,
ein Geben und Nehmen mythologischer, philosophischer, wissenschaftlicher Weltbilder liegen aller Kultur- und Wissenschaftsge-
schichte zugrunde. In der Kunst und Dichtung sind mehr als nur
Motive von einem Kulturkreis und von einem Sprachbereich in
den andern gewandert. Assimilation fremden Geistesgutes, Re-
zeption andersartiger Systeme oder Stile kennzeichnen den Weg
aller Kulturvölker. Grenzen hat es immer gegeben, auch Kriege,
aber sie haben diese gegenseitige Beeinflussung nie zu verhindern
vermocht. Selbst die Kreuzzüge haben Morgenländisches ins
Abendland gebracht; sogar die scharfe Trennung zwischen Chri-

stenheit und Ungläubigen im Mittelalter hat die Christen nicht abgehalten, mathematische, astronomische und medizinische Kennt-
nisse von den Arabern zu übernehmen. Das geistige Erbe der
Menschheit hat sich durch alle Fährnisse und Katastrophen immer
wieder auf diejenigen übertragen, die zu seinem Erwerb und Besitz fähig waren. Es hat in diesem Prozeß immer neue Verwand-
lungen durchgemacht, zur Schaffung neuer Kulturen und Weltbilder beigetragen, Unruhe in die menschliche Gesellschaft gebracht – denn das Prinzip des Geistigen ist Unruhe –, aber es ist in
diesen Metamorphosen nie untergegangen. Man ist versucht anzunehmen, daß die Summe der geistigen, kulturschaffenden Energien
in der Menschheitsgeschichte konstant ist.

Nun strebt die Kultur, nicht anders als der Staat und die Gesellschaft, nach Geschlossenheit. Wir pflegen Höhepunkte einer kulturellen Blüte daran zu erkennen, daß ihre verschiedenen Manifestationen integriert sind in einer Ganzheit von Weltbild, Lebensgefühl, Stil und Sitte. Jede Kultur hat einen solchen Augenblick
klassischer Geschlossenheit erlebt, und der abendländische Mensch,
der zum Augenblicke sagen möchte: Verweile doch, du bist so
schön! denkt nicht ohne Sehnsucht – und nicht ohne den selbst-
täuschenden Glauben, in solchen Augenblicken sei eine Perfektion
das Gemeingut aller an ihm beteiligten Menschen gewesen – an
Athen im Perikleischen Zeitalter, an das Augusteische Rom, an das
Mittelalter des Thomas von Aquin, an die Kultur der Renaissance
in Italien, an das Frankreich Ludwigs XIV., an Goethes Weimar.
Aber der Augenblick verweilt nicht.

Es ist bloß die Umkehrung dieses irreführenden Glaubens an ein
statisches Kulturideal, wenn in der ersten Hälfte des 20. Jahrhunderts pessimistische Kulturphilosophen Systeme ausdachten, nach
denen angeblich jeder Kulturkreis, in sich geschlossen, eine bestimmte, unentrinnbare Bahn von Aufstieg, Höhepunkt und Niedergang durchmache, an dem die übrige Menschheit keinen Teil
habe, da sie ihn nicht einmal verstehen könne – wie es denn, nach
dieser Darstellung, überhaupt keine Menschheitsgeschichte und
Menschheitskultur geben könne, weil es eine tiefere Einheit der
Spezies Mensch gar nicht gebe. Unter diesen Auspizien könne es
denn gar nicht anders sein, lehrte Spengler, als daß nun die abendländische Kultur ihrem Untergang entgegengehe. Selbst ein viel
subtilerer Kulturkritiker der gleichen Generation, Paul Valéry,
glaubte an die «Sterblichkeit» der Kulturen. Wir hätten gelernt,
schrieb er nach dem Erlebnis des Ersten Weltkrieges, daß Kulturen sterblich seien wie Menschen.

Wir sehen heute diese Dinge anders. Wir klammern uns nicht mehr
an jene klassischen «Höhepunkte», die vor anderen, komplexeren
Stadien eines Kulturablaufes bloß den Vorzug haben, daß sie dank
einer unleugbaren Sinnfälligkeit Anspruch auf kulturelle Reprä-
sentanz eines bestimmten Volkes in einem bestimmten Zeitpunkt
an einem bestimmten Ort erheben können. Wir haben ganz andere
Aspekte der griechischen Kultur und Kunst kennengelernt als diejenigen, die das Zeitalter des Perikles auszeichneten, und in Wirklichkeit ist das Bild der antiken Kultur, das die Wissenschaft seit
einigen Jahrzehnten erarbeitet hat, ein viel interessanteres, kom-
plexeres, vielschichtigeres, auch viel reicher an Ausdrucksformen
der Kunst, viel fragwürdiger in staatlich-gesellschaftlicher Hinsicht als das Klischee, das so lange für die sogenannte griechische
Kultur stand. Wir haben die nachaugusteische Zeit des imperialen
Rom höher schätzen gelernt als die reichlich höfisch-konventio-
nelle Kunst und Literatur der Zeit des Augustus, im Mittelalter
andere Dinge als die theologisch bestimmte Geschlossenheit entdeckt; wir denken auch nicht mehr daran, im Barock bloß einen
Niedergang nach dem Höhepunkt der Renaissance zu erblicken
usw. Nichts ist verwunderlicher, als daß in unserem Jahrhundert,
das dank einer noch nie dagewesenen Kenntnis verschiedener Kulturen aus verschiedenen Jahrtausenden und Weltteilen diese Kulturen vergangener Zeiten oder abgelegener Kontinente in sein Bewußtsein aufgenommen hat, die Behauptung aufgestellt werden
konnte, Kulturen seien sterbliche Wesen, gleich dem Menschen.
Denn was wir, nachdem es vielleicht längere Zeit den Augen entschwunden war, wieder in unser Bewußtsein aufnehmen, was wir
wieder rezipieren können (und wir können tatsächlich Kulturen
des alten Asien oder des vorkolumbischen Amerika wieder rezipieren), ist nicht tot.
Eine Zeit des Niederganges ist genau besehen eine Zeit der Verwandlung und eine Zeit des Übergangs. Die schwere Erschütterung des Ersten Weltkrieges hatte überlebte Einrichtungen und
Vorstellungen vor den denkenden Menschen bloßgestellt. Sozio-
logisches Denken hat Auflösungserscheinungen aufgedeckt. Neue,
umstürzende Entdeckungen der Wissenschaft haben das physika-
lische Weltbild verändert. Kunst und Dichtung haben alte Rahmen gesprengt und überlebte Formen abgelegt. Städte und Landschaften veränderten ihr Aussehen. Eine industrielle, sich des
Technischen in nie gewesenem Umfang bedienende Gesellschaft
nahm neue Sitten an. Die alte bürgerliche Sicherheit bestand nicht
mehr. Die Schlüssel der Macht und des Einflusses fielen in die

Hand anderer Völker, anderer Klassen, eines anderen Menschen-
schlages. Man sprach von einer Kulturkrise, weil die überkommenen Normen des kulturellen Lebens nicht mehr verbindlich
waren. Revolutionäre Ideologien schickten sich zu einem Bilder-
sturm an. Notwendige Kritik mochte zunächst manches falsch
diagnostizieren und irrige Schlüsse aus dem Geschehen ziehen;
aber man kann nicht leugnen, daß seit 1918 eifriger und energi-
scher an der Besinnung auf die kulturellen, sozialen und politischen
Probleme der Zeit gearbeitet worden ist als vor dem Katastrophen-
jahr 1914.

Die Verbindung des Begriffes Politik mit der Kultur ist ein neues
Phänomen und aus der Erschütterung der Kriege und Revolutionen unseres Jahrhunderts entsprungen. Zwar ist, ohne dieses Wort
zu gebrauchen, «Kulturpolitik» schon immer bekannt gewesen
und gemacht worden. Der bewußt ordnende und auf ein Ziel ge-
richtete Wille – also die Politik – hat je und je getrachtet, zu bestimmten Zwecken das kulturelle Leben zu organisieren. Abgesehen von der dienenden Rolle, die der Kunst, Dichtung und Wissenschaft von der Religion – ad maiorem Dei gloriam – zugewiesen
wurde, haben große Herrscher und mächtige Staaten, aber auch
kleine Republiken die Kultur gefördert. Die großen Bücher- und
Kunstsammlungen der Geschichte wären ohne solche mächtige
Förderung nicht entstanden. Neben privatem gab es auch immer
öffentliches Mäzenatentum. Architektur und Plastik sind von Bau-
herren und Auftraggebern abhängig, die zu so kostspieligen Unternehmungen die Mittel haben. Die Prado-Galerie wurde von den
spanischen Königen zielbewußt in allen Ländern, wo hervorragende
Maler am Werk waren, zusammengekauft. Lorenzo di Medici,
Ludwig XIV., Karl August von Weimar haben ihre Namen, mehr
noch als im Politischen, durch die Förderung von Kunst und Dichtung verewigt. Wissenschaftliche Forschung und Lehre, Akademien und Universitäten bedurften der Hilfe des Staates.

Es besteht wohl ein grundsätzlicher Widerspruch zwischen der
Sphäre der Freiheit und Autonomie, deren jedes künstlerische
Schaffen und jegliche wissenschaftliche Forschung bedürfen, und
der Sphäre des Staatlichen, das ohne Autorität und ohne Macht-
mittel nicht bestehen kann. Ein Übermaß an politischer Autorität
und staatlicher Macht kann der Kultur zum Verhängnis werden –
kann tödlich wirken. Doch derjenige Staat, der seinem eigenen
Machtwillen Grenzen setzt, indem er die notwendige Autonomie
des Geistigen und Kulturellen anerkennt und diesem *dennoch* seine
Hilfe angedeihen läßt, fördert mit den Interessen von Kunst, Lite-

ratur und Wissenschaft auch seine eigenen Interessen. Das ist eine Auffassung, die sich mit dieser Deutlichkeit erst in jüngerer Zeit durchgesetzt und Anspruch auf Allgemeingültigkeit erlangt hat. Es ist für die Geschichte der Schweiz im 19. Jahrhundert aufschlußreich, daß mehrere Kantone deutscher und französischer Sprache Universitäten gegründet haben. Eine der ersten Schöpfungen des 1848 gegründeten Bundesstaates war die Polytechnische Schule (heute Eidgenössische Technische Hochschule); später folgten die Landesbibliothek in Bern, das Landesmuseum in Zürich. In jüngster Zeit, deutlich unter dem auch kulturellen, ideologischen und wissenschaftlichen Druck des Auslandes, mit dem Willen zur nationalen Selbstbehauptung, erfolgte die Gründung der Stiftung Pro Helvetia unmittelbar vor, des Nationalfonds zur Förderung der wissenschaftlichen Forschung kurz nach dem Zweiten Weltkrieg.

Als ein Bestandteil der Außenpolitik des Staates, als ein Gegenstand staatlich geförderter kultureller Ausstrahlung auf das Ausland, als ein Objekt internationaler Vereinbarungen, Abkommen und Organisationen ist Kultur wohl erst nach den Weltkriegen unseres Jahrhunderts verwendet worden. Es spricht daraus eine höhere Schätzung der Kultur, aber wie jeder Brauch ist auch dieser vor Mißbräuchen nicht sicher. Rückgängig läßt sich eine solche Entwicklung auf keinen Fall machen; sie kann indessen einen großen Beitrag leisten an die – ursprünglich von der Wissenschaft, der Technik, der Wirtschaft und den Verkehrsmitteln herbeigeführte – global gewordene Zivilisation und Kultur. Es ist kein Zufall, daß die europäischen Länder in einer Zeit, da sie in Kriege verwickelt waren und unter deren Folgen litten, als ihr nationaler Machtanspruch und ihr Prestige in der Welt ins Wanken gerieten, das Bedürfnis empfanden, ihre Kultur im Ausland zu propagieren. Es fing damit an, daß im Ersten Weltkrieg die Staaten beider kriegführender Parteien ihre besten Künstler, Orchester, Opern- und Schauspieltruppen, Vortragsredner ins neutrale Ausland schickten. Sie riefen im Ausland auch Buchhandlungen und Bibliotheken mit den Erzeugnissen ihrer Verlage ins Leben. Sie trachteten alle, die Spitzenleistungen ihrer Nationalkultur ins beste Licht zu rücken, die Kenntnis ihrer Nationalsprache im Ausland zu verbreiten und die Anschuldigungen ihrer Kriegsgegner dadurch zu entkräften, daß sie den hohen Stand ihrer Kultur und Wissenschaft unter Beweis stellten. Es sah denn auch zunächst so aus, als ob Kulturpropaganda bloß ein Anliegen großer Staaten sei, für die sie ein Mittel unter anderen ihrer Machtpolitik bildete.

Während der prekären Friedenszeit nach 1918 erkannten aber auch die wissenschaftlich und kulturell Schaffenden aller Länder, daß ohne organisatorische Zusammenschlüsse und ohne Zuwendung aus öffentlichen Mitteln die geistige Zusammenarbeit von Land zu Land und im internationalen Rahmen nicht möglich sei. Private, nichtgouvernementale Vereinigungen zum Zweck wissenschaftlichen Austausches und geistig-kultureller Zusammenarbeit über die Staatsgrenzen sind damals entstanden, neben der bewußten, von den Regierungen geförderten Werbung für die Kultur einzelner Nationen. Es war in der Geschichte dieser «kulturellen Außenpolitik», bei der die Kulturpropaganda der Staaten neben einer echten Internationalisierung des wissenschaftlichen und kulturellen Lebens – und als Ergebnis *beider* eine größere Verbreitung des Wissens über die geistigen Leistungen der verschiedenen Völker – nebeneinander hergingen, ein denkwürdiger Augenblick, als im Januar 1926 in Paris das Institut des Völkerbundes für geistige Zusammenarbeit seine Tore öffnete. Er war nicht nur denkwürdig, weil sich den leitenden Gremien dieses Institutes hervorragende Persönlichkeiten zur Verfügung stellten: aus Frankreich Henri Bergson und Paul Valéry, aus Deutschland Albert Einstein, aus Holland der Physiker Lorentz, aus Polen Madame Curie, aus Italien der Jurist Ruffini, aus der Schweiz Gonzague de Reynold, und mehrere andere noch. Er war wichtig vor allem aus dem Grunde, weil hier zum erstenmal der Versuch unternommen wurde, auf Grund einer Staatenorganisation – des Völkerbundes – die Zusammenarbeit auf den verschiedenen Gebieten der Natur-, der Geistes- und der Sozialwissenschaften, aber auch der Literatur, des Theaterwesens, der Museumskunde usw. sinn- und zweckentsprechend zu regeln. An Aufgaben fehlte es diesem Institut nicht – die Aufgaben drängten sich heran, sie entsprachen einem Moment der kulturellen Entwicklung, wo keiner mehr für sich allein bestehen konnte, wo die Welt kleiner und ein Zusammenschluß notwendiger wurde. Es ergab sich aus der Natur des Völkerbundes und aus den Aufgaben des Internationalen Institutes für geistige Zusammenarbeit von selbst, daß in seinen leitenden und beratenden Gremien und in seinem Beamtenstab die kleinen neben den großen Ländern vertreten waren; die Hierarchie ergab sich hier nicht mehr in erster Linie aus dem Politischen, sondern aus dem in den verschiedenen Ländern vorhandenen Fundus an kulturellen Gütern und an geistiger und wissenschaftlicher Leistung. Die Schweiz, die dem Völkerbund angehörte, fand hier den ersten Ansatzpunkt einer Zugehörigkeit und Mitarbeit an einem international organi-

sierten Unternehmen, das die geistige Zusammenarbeit zum Ziele
hatte.

Auch für die Schweiz stellt sich die Aufgabe ihrer kulturellen
Außenpolitik unter dem doppelten Gesichtspunkt der Selbstbehauptung und der Zusammenarbeit. Die Stiftung Pro Helvetia
entstand, am Vorabend des Zweiten Weltkrieges, aus der geistigen
Abwehr gegen einen fremden, völkische Schlagwörter als Propa-
gandavorspann benutzenden Machtanspruch. Als ein föderalisti-
scher Staat, als ein mehrsprachiges Volk, als eine kleine freiheitliche
Demokratie hat die Schweizerische Eidgenossenschaft trotz ihrer
kulturellen Vielgestalt ein Kulturgut zu verteidigen, das sie von
den zwar mit drei ihrer Landesteile gleichsprachigen, aber durch
ihre machtpolitische Entwicklung andersgestalteten und anders-
gesinnten Nachbarnationen unterscheidet. Es lag in der Natur der
Dinge, daß während des Zweiten Weltkrieges die Pro Helvetia
ihre Tätigkeit vornehmlich im Innern des Landes entfaltete, zugunsten der geistig Schaffenden und des akademischen Nachwuchs-
ses, für Heimat, Volk und Heer. Nicht nur die neue legale Grundlage, die aus dieser «Arbeitsgemeinschaft» im Jahre 1949 eine
öffentlich-rechtliche Stiftung machte, sondern auch die neue politische und kulturelle Lage ließen – neben den konstanten Aufgaben im Innern des Landes – die Werbung für schweizerische geistige und kulturelle Werte im Ausland als eine der vornehmsten
Aufgaben der Pro Helvetia erscheinen. Wenn es der Pro Helvetia
obliegt, die kulturelle Werbung im Ausland auf bilateraler Basis,
von Land zu Land, zu pflegen, hatte der im Jahre 1949 erfolgte
Beitritt der Schweiz zur Unesco den Zweck, ihre Mitwirkung an
dieser Weltorganisation für Erziehung, Wissenschaft und Kultur
zu sichern. Die Unesco hat die auf dem Gebiete der geistigen Zusammenarbeit liegenden Aufgaben des ehemaligen Völkerbunds-
institutes übernommen, indem sie allerdings den Rahmen ihrer Tätigkeit weiterspannte und mit ihren viel zahlreicheren Mitglied-
staaten ungleich universaler ist als jenes.

Wir haben immer wieder die Erfahrung machen können, daß die
kulturelle Außenpolitik einen wichtigen Platz einnimmt in der
Außenpolitik aller Staaten ohne Ausnahme. Wir sind in unserer
Praxis den Organismen und Methoden begegnet, deren sich andere
Staaten zu diesem Zwecke bedienen. Wir sind dabei zur Erkenntnis gelangt, daß Wetteifer oder Propaganda keineswegs ein echtes
und ernstes Bemühen um ein besseres gegenseitiges Sichkennen-
lernen, also um einen ersprießlichen Austausch über die Landesgrenzen und um kulturelle Zusammenarbeit mit anderen Völkern,

ausschließt. Schiefe, falsche und vor allem ungenügende Kenntnis des eigenen Landes durch das Ausland in besseres und unterrichteteres Verständnis zu verwandeln, ist zweifellos eine lohnende Aufgabe. Die Verkleinerung der modernen Welt durch Technik, Nachrichtenübermittlung, Verkehr und Handel verhindert nicht, daß von Land zu Land eine Menge Vor- und Fehlurteile herrschen; es ist notwendig, sie dank besserer Kenntnis und vermehrtem Verständnis in die Bahnen begründeter Urteile zu führen. Wenn die Präambel der Unesco-Satzungen, nicht ohne Ambition, als Zweck dieser Staatenorganisation für Erziehung, Wissenschaft und Kultur die Förderung des Friedens durch besseres gegenseitiges Sichkennen und Sichverstehen der Völker postuliert, so gilt diese Zwecksetzung grundsätzlich für jede Bemühung um kulturellen Austausch und geistige Zusammenarbeit. Sie sollte und müßte das oberste Ziel jeder ernsthaften kulturellen Außenpolitik sein.

Gerhard Saner

MUFFIGER MYTHOS

Tellspiel-Premiere in Interlaken:
«Der Tell ist tot», laut Pressemeldung vom 7. Juli 1970: *Andreas Gasser*, der Altdorfer Tell und Tellspiel-Präsident, Vater von drei Kindern und Kantonsförster, verunglückte im Gebirge bei hilfreicher Tat – nicht bei der Rettung eines Knaben wie in der romantischen Ballade von *Uhland,* sondern etwas prosaischer, bei der Wegweisung für bergfreudige Zürcher Polizisten. Am Tag der Premiere des Interlakener Tell, den er gern einmal gespielt hätte, wurde er begraben – Urner Landestrauer. Geßler war unter seinen letzten Begleitern, auch ein ehemaliger Interlakener Geßler. Man hat sich gut gekannt: es gibt so etwas wie eine schweizerische Tellspiel-Familie, noch mehr: eine Freilichtspiel-Familie, denn auch die Einsiedler Welttheater-Leute sind Freunde.
Der Tell von Interlaken ist nicht zu Hause. Den Geßler überrasche ich beim Ausprobieren einer neuen Schleifmaschine in seiner VW-Garage (25 Arbeiter und Lehrlinge, bereits zu klein, hauptsächlich Verkauf). Hier ist er Vogt, hier darf er's sein. Obwohl ganz und gar nicht bösewichtig, läßt sich mit dem großflächigen Gesicht und dem markanten Dreieck von Wangenfalten und Mund gewiß ein

rechter Bühnenzyniker herstellen. So, wie bei der letzten Probe, solle er ihn geben, meint der Regisseur, der ins Büro eingetreten ist: *Samuel Wenger,* dreifacher Tell, fünffacher Melchtal, Altphilologe, Gymnasiallehrer, Hobby-Oboist und Major.

Warum wird der «Tell» in Interlaken gespielt? Weil «Die Alpen» des Berners *Albrecht von Haller* zur bevorzugten Lektüre Schillers gehörten? Und dieser den rachedürstenden Melchtal (in der 4. Szene des 1. Aufzuges) sagen läßt:

> *«Und wohnt' er droben auf dem Eispalast*
> *Des Schreckhorns oder höher, wo die Jungfrau*
> *Seit Ewigkeit verschleiert sitzt – ich mache*
> *Mir Bahn zu ihm; mit zwanzig Jünglingen,*
> *Gesinnt wie ich, zerbrech ich seine Feste.»?*

Auf der Freilichtbühne am Waldhügel des Rugen kann Melchtal dies gegen Süden wie gegen Norden sprechen: im Süden thront die natürliche Jungfrau, von der Tribüne allerdings verdeckt, im Norden die «Regina», des Rugens Hotelgestell. Das Kloster Interlaken war der Regina Maria geweiht. Sein einstiger Kastvogt, von Österreich aus dem Amt verdrängt, war *Walter von Eschenbach,* einer der Mörder *Albrechts.* Der Rächer des Königs, sein Sohn *Leopold,* war Interlaken allerdings ein milder Herr; die Interlakener, obwohl der Sage nach dem gleichen Volk aus dem Norden zugehörend wie die Waldleute ennet dem Brünig, zogen 1315 unter *Straßberg* über den Paß gegen die rebellischen Bauern. Tellspiele Interlaken aus alten Gewissensbissen?

Ein Journalist schrieb einmal, das Freilichttheater Interlaken liege zwischen Hotelküchen, und man müßte daher den Wilhelm Tell umtaufen in «Wilhelm Hotel». An Hotels mangelt es hier sicher nicht. Die Hauptstraße ist eine Hotelschlucht, zu ebenem Asphalt Uhren, Schmuck und Textilien, geschnitzte Bernhardiner und Pfadimesser, Châlets suisses mit aufgeklebten Kieselsteinen und Châlets suisses auf Holztellern, mit der Perspektive in Fehde begriffen: peintres naïfs, sculpteurs sur bois naïfs, kurz: ein einziges Entgegenkommen an den «Geschmack» der Fremden und ihre Klischeevorstellungen der Schweiz. Aber diese geschnitzte Maske Interlakens hat eine lange Tradition, man sieht es am Detail: Am Anfang der Höheweg-Promenade steht ein obeliskartiger Stein, mit einem zierlichen Eisenzäunchen umgeben:
Barometer (mittlerer Stand 172 mm)
Thermometer (mittlere Temperatur 8°,03C)

Hygrometer (mittlere Regenmenge 1150 mm)
«Registrir»-Barometer
Geographische Länge 7°52' von Greenwich etc.
Gefühl, als ob eben noch *Sherlock Holmes* im Großkarierten hier
gestanden habe und die Messungen äußerst wichtig gewesen seien
für seinen neuesten Fall. Dann der Höheweg: in regelmäßigen Abständen die Holzhäuschen-Attrappen mit den geschnitzten Alpen-
blumen im Giebel und den Altarbildern des heiligen Tourismus:
Trümmelbach, «the most wonderful of alpine waterfalls», Beaten-
berg, Blausee, Thunersee, Gießbach, Gstaad – die Kreuzwegsta-
tionen der touristischen Glanztaten Helvetiens. Der weltberühmte
Kursaal Interlaken: *Schoeck* im Schönbrunn der Schweiz: Rasen,
Blumenbeete, Springbrunnen, dahinter dieses Ding zwischen Kloster und Varietébude – eine Orgie der Dachdecker und Laubsäger.
Die Leute unter den Sonnenschirmen in der Nachmittagssonne,
viele alte Leute – als ob sie hier auf den Ausbruch des ersten Weltkrieges warteten. Nur, das Englisch, das jetzt vorherrscht, hat diesen verzweifelten amerikanischen Slang. Im ganzen ist die Interlakener Hotelmaske jedoch gemütlich, von der Tradition abgewit-
tert und patiniert, manchmal sogar rührend, wie die alten rst-o
roten BLS-Lokomotiven, die den Kampf mit der Ewigkeit auf
genommen zu haben scheinen. Und die Interlakener beherrschen
das Spiel mit dieser Maske schon so lange und sicher, daß sie ruhig
ihrer eigenen Erbauung nachgehen können: das Tellspiel braucht
mit dem Hotelspiel nichts zu tun zu haben. Dieser «Schornalist»
mit seinem «Wilhelm Hotel» wollte seinen Wortspaß. Der Tell-
spiel-Verein aber sollte in seinen Statuten konsequenterweise Absatz 2 in Artikel 2 (Zweck des Spiels) streichen: Der Fremdenver-
kehr bedarf der Förderung durch das Tellspiel nicht.

Der Zweck des Spiels will allein ein erzieherisch-vaterländischer,
moralischer sein. Zwar dichtete Schiller den Tell nicht zum Preis
demokratischer Ideen. Den demokratischen Bund auf dem Rütli
sah er nur als Gleichnis der subjektiven Autonomie, des Indivi-
duums, das sich zur Gattung Mensch steigerte. Aber die mythen-
gierige Schweiz der Regeneration und des neuen Bundes von 1848
fand sich in diesem Stück, usurpierte es und übergab es später ihren
Schullehrern zur Verwaltung. Die erste Begegnung des jungen
schulpflichtigen Schweizers mit dem Theater soll mit dem Tellspiel verbunden sein. Deshalb hat jede Schweizer Gemeinde das
Recht, den Tell aufzuführen. Am Anfang des Interlakener Spiels
stand ein junger Lehrer des 6. Schuljahres, der seine Tell-Pflicht im

Freien zu erfüllen suchte und dabei mit der Dramatischen Gesellschaft Interlaken in Kontakt geriet. Damals wurde der Tell gerade in Dießenhofen gespielt. Interlaken aber hatte außer dem Recht aller, den National-Mythos zu spielen, noch den Natur-Mythos der Jungfrau. 1912 war Premiere.

Hodler hat beide gestaltet: den Tell und den Berg, mit dem gleichen Winkelmaß. Etwas vom Hodler-Tell lebt auch im Interlakener Tell: eine massig-gedrungene, aber ebenmäßig aufgebaute Gestalt, vierkantiges Gesicht, die Kraft an der Hodlerschen Nasenwurzel konzentriert. Er drückt mir beim Gruß – im Schminkzimmer bei den Holzpavillons hinter der Szenerie – fast die Hand ab, nicht, weil ein fester Händedruck einem rechten Mann gut ansteht, sondern herzlich, selbstverständlich. Er ist die Hauptfigur, auf ihn ist das Spiel vom Ursprung der Nation aufgebaut: Tat oder Rat, Individualismus oder Gemeinschaft, Föderalismus oder Zentralismus? Was ist er für ein Tell? Ein Dümmling, ein tiefphilosophischer Weiser, ein rasender Urmensch, Mörder oder Rächer, ein großer Kindskopf? – Ausformungen in der Geschichte seines Mythos. Der Interlakener Tell ist Lehrer in Wilderswil, ein gutmütiger, ruhiger, väterlicher Tell – sagte der Regisseur im Büro Geßlers –, Holzbildhauer und Maler; der Altdorfer Tell sei pathetischer, katholischer gewesen. Ein Hodler-Tell auf dem Rückzug von Marignano? Zurück in die kleinstaatliche, bürgerliche Enge? Sein Spiel beweist es: Wer glaubt es ihm, wenn er sagt: «*Der Starke ist am mächtigsten allein*»? Er ist den Zuhörern zu lieb geworden, sie kennen seine Sprüche: «*Die Axt im Haus erspart den Zimmermann*» (heiteres Lachen). «*Durch diese hohle Gasse muß er kommen*» (heiteres Lachen). Er ist ein episches Talent: die Geschichten von der Begegnung mit dem Vogt im Schächental, von der Sturmfahrt mit Geßler auf dem Urnersee sind ausgezeichnet erzählt. An ihm liegt das Unbehagen an dieser Aufführung nicht: er ist echt, das beweist auch das Gespräch in der Pause auf der Bank vor dem Pavillon. (Das Spielvolk sitzt herum und verpflegt, die Fanfarenbläser üben, sie haben es nötig: «Türe zu, Donnerwetter!») Ob es stimme, daß er im Gemeinderat sitze? O ja, aber er sei eigentlich gegen seinen Willen drin. Er habe nach aufregenden Jahren in Bern hier oben Ruhe gesucht. Das dürfe ich aber nicht schreiben. Als ich ihm aber vorhalte, er habe ja auch den Baumgarten gerettet *(«Ich hab' getan, was ich nicht lassen konnte»)* – eine Annäherung von Theater und Wirklichkeit –, bewilligt er diese Zeilen.

Diese Annäherung von Theater und Wirklichkeit hat *Gottfried Keller* gestaltet im Grünen Heinrich (2. Fassung): Tell läßt das Volk gegen den Willen des Zöllners durch und wiederholt damit aufs natürlichste die Vergangenheit in der Gegenwart. Keller gelingt es, die Illusion der Dichtung in Wirklichkeit umzuwandeln. Das zugleich teilnehmende und zuschauende Volk auf der Bühne der alltäglichen Umgebung wird identisch mit seinem nationalen Mythos; die Verschmelzung im *nunc stans* wird zur zeitlosen Gegenwart der Nation. Kellers Tellspiel begründet eine Einheit der Zeiten im Menschen. Es ist entstanden als Ausdruck der Zufriedenheit mit den vaterländischen Zuständen um 1848, die Schweiz auf der Höhe der Zeit: «*Es war der schöne Augenblick, wo man der unerbittlichen Konsequenzen, welche alle Dinge hinter sich her schleppen, nicht bewußt ist und die Welt für gut und fertig ansieht.*» Später dichtete Keller «Das verlorne Lachen» und den «Martin Salander». An die Stelle des idealisch-bärbeißigen Freisinns der Pfaffen- und Aristokratenfresser traten Gelddenken, soziales Mißbehagen, Interessen, eine endlose Hatz. Keller begann die mehr und mehr sich vergrößernde Kluft zwischen dem kurzlebigen 48er-Ideal und der Wirklichkeit darzustellen. Aus dem Dichter «vor-bildlicher» Werke, aus dem «Schutzgeist der Nation» wurde ein Polterer und Pamphletist. In seinen Materialien, die noch radikaler wirken als das ausgeführte Werk, findet sich die Notiz: «*Der Autor stellt sich anläßlich des Festschwindels (Schulreisen etc.) selbst dar als büßender Besinger und Förderer solchen Lebens. Alternder Mann, der unter der Menge geht, und seine Lieder bereut etc.*»

Das Interlakener Tellspiel, und hier muß die Kritik einsetzen, läßt noch viel zu sehr die Stimmung aufkommen; auf zweitausend Köpfe berechnet, ist das keine Kleinigkeit:

«Es ist eigentlich immer noch alles sehr gut bei uns. Wir kennen unsere Feinde und wissen uns zu wehren!» Eine solche Behauptung muß bewiesen werden: Wenn der Landvogt zum ersten Mal über die Szene reitet, ohne ein Wort zu sagen, wissen es unbedingt alle, daß dies ein ausgemachter Bösewicht ist. Wenn doch der Unterdrücker so leicht erkennbar wäre! Er könnte auch im eigenen Innern stecken. Nicht genug, er wird auch noch lächerlich gemacht: Dem Wächter bei der Stange gelingt es fast nicht, den Plastikdeckel auf dem Stangen-Loch zu öffnen – ein hohler Vakuum-Ton hallt mehrmals über den Platz. Gewiß, ein technischer Fehler, der sich leicht beheben läßt, aber symptomatisch. Schwerer würde das Verbessern bei Frießhart zugehen, der aus dem ersten Hutwächter einen vollendeten Trottel macht, wahrscheinlich machen muß. So steht er nicht im Text (in Wildwestfilmen sind die Indianer meistens Trottel, in amerikanischen Kriegsfilmen die Deutschen und umgekehrt). Und wer glaubt es dem Fronvogt beim Bau der Zwing Uri, wenn er sagt: «...; *ich tu, was meines Amts*»? Er sagt es viel zu wenig schrecklich, nach *Auschwitz* viel zu wenig schrecklich, und die Fronleute murren viel zu offen, nach den Panzern von *Budapest* und *Prag* viel zu offen. Die Reisigen des Landvogts tun sich einzig durch rassiges Reiten hervor. Interlaken ist sportlich. Wenn man schon ganze Textblöcke, wie die Parricida- und die Altdorf-Szene am Schluß, gestrichen hat, dann könnte, müßte man auch die Schlußpassagen der Stauffacherin streichen, wenn sie sagt – nachdem ihr der Mann die Schrecken des Krieges, auch für «Weib und Kind», vor Augen hielt:

« Die Unschuld hat im Himmel einen Freund!»
« Die letzte Wahl steht auch dem Schwächsten offen,
Ein Sprung von dieser Brücke macht mich frei.»

Glaubt die Frau Pfarrer, welche die Gertrud spielt, noch an das *Rilke*-Wort: «*Gib jedem seinen Tod*»? – im Atomzeitalter ohne edle Waffentaten? Die heutigen Stauffacherinnen sind dabei, etwas mehr Humanität ins Berufsleben, auch in die Politik zu bringen. – Was hat sich wohl Herr *Wanner* gedacht, Chef des Stabes für Gesamtverteidigung, der bei der Premiere anwesend war? Die Kritik am Interlakener Tell kann mit dem ersten Satz aus *Hans Weigels* «Lern dieses Volk der Hirten kennen» zusammengefaßt werden: «*Ob Wilhelm Tell gelebt hat, weiß man nicht. Aber daß er den Landvogt Geßler umgebracht hat, steht fest.*»

Um in Schillers Tell zu retten, was zu retten ist – wohlverstanden in dem Sinne, wie ihn die Schweiz interpretiert –, müßte der Stift energisch ins Textbuch fahren. Auch auf das bißchen Adel und Erotik in der Berta-Rudenz-Szene, von Keller als unschweizerisch abgelehnt, könnte man verzichten und dafür die echtere und auch zur Lokalhistorie passende Parricida-Szene wieder aufnehmen. Nicht, daß die Zuschauer ihren Spaß nicht haben sollen, wenn das Pferd der Berta laut aufwiehert bei der unerwünschten Annäherung von Rudenz' Roß. Im Gegenteil, diese «Panne» ist reizvoll, die grasenden Kühe im Alpabzug am Anfang des Spiels ebenfalls, auch die Winde, welche das Pferd des Harras fahren läßt nach dem Tod von Geßler. (Den Tieren gelingt das *nunc stans* im Theater.) Das Postkarten-Kitschbild der drei Fahnen in der Glorie des Spotlights ganz am Schluß könnte wegbleiben. Die Höhenfeuer aus den

Butangasflaschen genügen. Überhaupt sollte mit dem Licht gespart werden. Durch zuviele Aufhellungen der umrahmenden Nacht wird der Eindruck verstärkt, nicht vor dem Freien, sondern doch vor einer Guckkastenbühne zu sitzen.

Der Interlakener Schiller-Tell kann sicher gerettet werden. *Spittelers* Prometheus ist nicht auf die Bühne zu bringen, die Tellen *Bernoullis, Chavannes, Schoecks, Morax'* und *Bührers* sind zu sehr zeit-, orts- oder sprachgebunden. Auf eine Neufassung des Tellmythos ist gegenwärtig wohl kaum zu hoffen. Ein Mythos aber lebt nur so lange, als er Neufassungen erfährt. Es wäre sehr schade, wenn es einmal hieße: «Der Tell ist tot.»

Martin Schaub

Eine Filmkritik

Er ist fünfzig Jahre alt, Fabrikbesitzer, Enkel eines Mannes, der vor hundert Jahren mit seiner Werkzeugkiste den Jura verlassen und sich in Genf angesiedelt hat. Großvater und Vater haben sich «heraufgearbeitet»; er selbst, unser Zeitgenosse, hatte nicht die Kraft und die notwendige Rücksichtslosigkeit, um noch weiter heraufzukommen. Schon drängt ihn der Sohn, doch etwas zu tun: Das Fernsehen ist zum Firmenjubiläum gekommen und bietet die einzigartige Gelegenheit, sich vor der Öffentlichkeit aufzublasen. Doch Charles Dé fällt in sich zusammen: Er betrachtet sich dreimal im Spiegel und findet sich häßlich.

Charles Dé setzt seine Brille nicht mehr auf. «Du hast deine Brille vergessen», ermahnt der Sohn. «Ich habe nie eine Brille nötig gehabt. Ich kann lesen, was da in ganz kleinen Buchstaben auf dem Kalender steht», sagt der Vater. «Da wundert man sich aber, wozu du eine Brille getragen hast.» Der Sohn, spöttisch: «Um weniger klar zu sehen. Man hat sie mir dazu verkauft. Das gehört mit zum Komplott.» Der Vater, ironisch, schon etwas weg, mit der Überlegenheit dessen, der einen Entschluß gefaßt hat, sich nicht mehr treiben lassen will.

Charles Dé, der fünfzigjährige Fabrikbesitzer aus Alain Tanners Film «Charles mort ou vif», ändert sich. Er stiehlt sich davon, tut das, was er eigentlich immer hätte tun wollen. Später wird ihm seine Tochter sagen: «Du hast dich geändert, weißt du.» Charles

Dé meint darauf: «Nur die Einfachen im Geiste ändern sich nie.»
Wer denkt nicht an Brechts Keunergeschichte:

Das Wiedersehen
Ein Mann, der Herrn K. lange nicht gesehen hatte, begrüßte ihn mit den
Worten: «Sie haben sich gar nicht geändert». «Oh!» sagte Herr K. und er-
bleichte.

Alain Tanner beschreibt und interpretiert einen, der weggeht und
von den anderen wieder eingeholt wird. Von den anderen, jenen
Einfachen im Geiste, die sich nicht ändern, die sich um die Rosinen
im Kuchen einer hochindustrialisierten Schweiz balgen, das Auge
starr auf den Erfolg gerichtet, der sie nicht ändern wird. Hat einer
schon einmal etwas Neues begonnen, als er oben war? Tanners
Film ist ein Zeugnis der Sorge um eine nach allen Seiten hin abge-
sicherte Gesellschaft, die nichts so fürchtet wie Experiment und
Veränderung. Einer, der in dieser Ordnung einen «Vorteil» – und
sei es nur der Vorteil eines einigermaßen komfortabeln Lebens –
verschenkt, ist schon ein Spinner. Charles Dé wird am Schluß des
Films von der Ambulanz der Klinik des Doktors Flickmann abgeholt. Auf der Fahrt, wieder mit dem bitter-ironischen Lächeln
eines Menschen, der es besser weiß, entwickelt er den zentralen
Gedanken seiner Flucht und Weigerung; nicht für die beiden
gespenstisch komischen Pfleger, sondern nun ganz klar für das
Publikum.

Charles   *Meine Herren, es gibt da einen kleinen Abschnitt, der Sie inte-*
ressieren könnte. Hören Sie (er liest): «Saint Just sagte, daß die Idee des
Glücks neu in Frankreich und auf der Welt war. Das selbe könne man
vom Unglück sagen. Das Bewußtsein des Unglücks setzt die Möglichkeit
von etwas anderem voraus, eines anderen Lebens als eine unglückliche Exi-
stenz. Vielleicht ersetzt heute der Gegensatz ‹Glück–Unglück› (oder Be-
wußtsein des möglichen Glücks und Bewußtsein des wirklichen Unglücks)
die antike Schicksalsidee. Könnte nicht das das Geheimnis des generellen
Malaise sein? (Er hebt den Kopf.) Was meinen Sie dazu?
1. Pfleger   *(zum zweiten). Schalte die Sirene ein. Die wird ihm das*
Maul stopfen, und so werden wir uns auch nicht bei den roten Signalen auf-
halten.
2. Pfleger   *(off) Ja, ... die roten Signale werden uns nicht aufhalten.*

Den Doktor «Flickmann» (Flic-Mann, Flick-Mann) und die «roten
Signale» wird man auch im übertragenen Sinne verstehen dürfen.
Die Ambulanz, die Charles durch eine tote Großstadt-Landschaft
zur Klinik führt, ein der Wohlstandsgesellschaft angepaßtes Re-

pressionsinstrument. Flickmann gleich Eichmann, Psychiatrie gleich Polizei. Die Fahrt: eine Höllenfahrt.

Rosemonde, «La Salamandre» (1971), gehört wie Charles zu jener immer größer werdenden Familie von Ausscherern, Verweigerern, in die Tanner seine Hoffnungen setzt. Das Bewußtsein des 50-jährigen Fabrikbesitzers hat die 23jährige Gelegenheitsarbeiterin Rosemonde allerdings nicht. Die Zwänge erfährt sie noch ganz physisch. Dafür hat sie Freunde von der Statur Charles'. Pierre und Paul, der Journalist und der Dichter, scheinen «Charles mort ou vif» zu kennen. Sie haben sich aus der Integrationsumarmung der Flickmänner bereits so weit gelöst, daß sie dem Mädchen Rosemonde dabei behilflich sein können, die Flickmänner nicht einfach aus einem spontanen physischen Ekelgefühl heraus von sich zu stoßen, sondern mit der nötigen bewußten Entschiedenheit. Charles beginnt ein Experiment auf Zeit; über die beschränkte Dauer seiner Eskapade macht er sich nie Illusionen; er kennt seinen Sohn und seine Frau. Rosemonde weiß zu Beginn gar nicht, was das ist, ein Experiment. Aber sie lernt es. Am Schluß verläßt sie nicht einfach die Stelle im Latschengeschäft; sie provoziert ihren Herauswurf. Sie weiß jetzt, daß man Gewehre auch umdrehen kann.

Rosemonde, der Salamander, übersteht nicht nur das Feuer, sondern viel Schlimmeres unbeschadet: die Hölle einer von seelischen Krüppeln bevölkerten Leistungsgesellschaft, deren wachsende Intoleranz in dem Film deutlich genug angesprochen wird: Das Mobiliar eines Mieters muß mindestens 18 Monatsmieten wert sein; ein Inspektor der Zivilverteidigung tritt auf; in der Straßenbahn bricht die Xenophobie der Schweizer durch; Rosemondes Haare sind zu lang und ihre Röcke zu kurz. «Der Weg der Reaktion und der Intoleranz, auf den sich die Schweiz gemacht hat, droht uns direkt zum portugiesischen Modell zu führen», sagte Tanner in einem Interview mit dem französischen Kritiker Guy Braucourt. Seine Filme sind Hindernisse, «rote Signale» auf diesem Weg, Sand ins Getriebe einer galoppierenden seelentötenden Prosperität.

(Pierre, der Journalist, der eben von einer Brasilienreise zurückgekehrt ist, und dessen Artikel über schweizerische Kapitalanlagen in diesem Land von einer französischen Zeitung gedruckt werden, weiß, daß es einen Zusammenhang gibt zwischen der Zerstörung der Körper dort und der Zerstörung der Seelen hier.)

Im kühlen und ruhigen Novemberlicht Genfs hat ein begabter, sensibler und politisch sowohl genügend engagierter als auch skeptischer Autor begonnen, vorsichtig und doch dezidiert genug die Schalen wegzuschälen, die sich um den brutalen Kern der schweizerischen Wirklichkeit legen, die geschmückten Vorhänge vor einem seelenlosen Catch-as-catch-can wegzuziehen. Als Vorhangzieher fungieren zweimal fiktive Personen, die sich dem psychischen Tod durch Änderung entziehen. Sie haben sich ein inneres Bild vom Glück bewahrt, und sie versuchen, es zu verwirklichen. Bei dieser Arbeit – eine Arbeit ist es – provozieren sie die Kräfte, die sich den leise Absterbenden nie zeigen werden. Sie lernen, die Feinde und die Freunde zu erkennen. Es bilden sich wieder sichtbare Fronten, ohne die gesellschaftliche Entwicklungen unmöglich sind. Der schweizerische Frieden, das allgegenwärtige Konkordanzdenken, das man schon beinahe als «natürlich» anzuerkennen begann, werden in Frage gestellt. In «Charles mort ou vif» und «La Salamandre» kann sich die Schweiz betrachten und merken, daß sie trotz Seen, Bergen, Reichtum und der ältesten Demokratie der Welt häßlich ist.

«Die Schweizer werden so lange nichts tun, als sie nicht genug verzweifelt gewesen sind.» Diesen Satz von Charles Ferdinand Ramuz zitiert Tanner gerne. Und er hilft mit seinen Filmen, diese Verzweiflung zu beschleunigen. Wenn's nur dabei bliebe, wären diese Filme allerdings nicht so bedeutend und zudem im innenpolitischen Klima der 70er Jahre kaum effektiv. Auf Destruktion antwortet unsere prosperierende Zeit mit restaurativem Druck.

Tanner aber zeigt nicht nur den verkrüppelten, unglücklichen, den entfremdeten Menschen, sondern im Ansatz einen neuen, glücklicheren, beweglichen. «Wer zuletzt lacht, lacht am besten» heißt der Schlußtitel von «Charles mort ou vif». Werden es die Progressiven sein oder die Konservativen? Die Frage bleibt immerhin offen. Der Verzweiflung steht eine Hoffnung gegenüber, dem verzweifelten Sich-Festklammern an Traditon und überholten Ordnungen, kurz an der Vergangenheit, steht eine Hoffnung für die Zukunft gegenüber. Tanners Hauptfiguren, Charles und Rosemonde, verwirklichen ein Stück Utopie, gerade jenes kleine Stück, das jedem möglich ist. Dieser fünfzigjährige Mann, der den Komfort und das Geld hinter sich läßt, und dieses Mädchen, das sich weigert, sich unterkriegen und kaputtmachen zu lassen, sind jenen zugedacht, die da meinen, ändern lasse sich ja ohnehin nichts, und die sich im «écrasement des esprits» eingerichtet haben, den Flickmännern und ihren willfährigen Opfern.

Die feine Dialektik von Verzweiflung und Hoffnung spielt wie von selbst in Tanners Filmen. Das ist es, was sie so ermutigend macht. Daß die Schweiz (und nicht nur die Schweiz, sondern alle entwickelten Länder) solche Filme nötig haben, ist nicht neu. «Filme als Spiegel der Gesellschaft und zugleich als Meißel an dieser Gesellschaft», wer hätte sie sich noch nicht gewünscht, wer hätte sie noch nicht gefordert? In ganz Europa ist eine Generation von Filmautoren daran, die gesellschaftliche Funktion und die Interdependenz von politischen und ästhetischen Entwicklungen zu untersuchen. An gescheiten Analysen und Kritiken mangelt es nicht; was aber weit herum fehlt, sind die Beispiele eines neuen Verständnisses des Mediums. Die Zahl von elitären, verkrampften, doktrinären Filmen wächst mit jedem Jahr. Das mag als Erklärung für den ungewöhnlichen Widerhall, den Tanners Filme in Europa, ja selbst in Übersee gefunden haben, genügen.

Diesen Widerhall hat nicht nur ein Autor gebraucht, sondern auch eine ganze Generation von Intellektuellen, die noch einmal ins isolationistische «Schweizer Sonderfalldenken» zurückgestoßen wurde durch ein zwar äußerst gescheites, doch im Ganzen doch eher unheilvolles Buch, Paul Nizons «Diskurs in der Enge», das an das 20. Jahrhundert teilweise mit Maßstäben und Vorstellungen des 19. herangeht. Die Klage über die mangelnde «Welthaftigkeit» schweizerischer Wirklichkeit berührt streckenweise geradezu peinlich angesichts einer Welt, die sich in ihrer geschichtslosen Erstarrung von New York bis nach Moskau, von Rom bis Helsinki längst gleicht. Längst gehört die Schweiz zur Welt. Nicht nur schweizerische Investitionen in Brasilien beweisen es. Wirtschaftsführer müßten eigentlich Nizons These besonders weltfremd finden. Im Grunde können ihr nur noch kurzsichtige Politiker und komplexbeladene Intellektuelle folgen.

Einer betrachtet sich im Spiegel und findet sich häßlich. Und er will schöner werden. Ein Mädchen begreift, daß seine Wünsche normal sind und daß der Fehler nicht bei ihr zu suchen sei; einen Fehler allerdings müsse es geben, denn zwischen ihr und der Welt klappe so gut wie gar nichts. So einfach die Grundmotive in Tanners Filmen sind, so vielschichtig ist die filmische Durchführung. Mit verblüffender Präzision werden die Ebenen gewechselt und die Töne variiert. Zwei großartige Darsteller stellen einen spontanen Kontakt zum Zuschauer her. François Simon vermittelt die nicht nur pittoreske oder hübsche Verrücktheit eines Fünfzigjährigen, der sich zu ändern beschließt: Sein zuweilen sogar böses Auflachen ist das Signal, daß es da nicht um die spinnige Clownerie eines Durchgedrehten handelt, daß echte Alternativen erprobt werden. Bulle Ogier vergegenwärtigt dem Zuschauer mit ihrer zurückhaltenden, leicht fahrigen Art sich zu bewegen, zu sprechen, Leute anzusehen, wie schwer es ist und zugleich wie leicht, dem Konformitätsdruck auszuweichen. Die «Richtigkeit» dieser Figuren und auch der Nebenfiguren (vor allem Jacques Denis und Jean-Luc Bideau als Paul und Pierre in «La Salamandre») ließ die dialektische Struktur und den didaktischen Impetus von Tanners Filmen nicht dogmatisch werden. Sie haben dazu beigetragen, daß das schweizerische Publikum nicht seinen notorischen Stupor reproduzierte vor Gedankengängen, die deutlich auf Veränderung zielen. Die Leute sind gekommen, und sie haben das Kino – besonders nach «La Salamandre» – weniger gebückt verlassen. Charles und Rosemonde sind «Verräter». Sie sind nicht so schicksalsergeben, wie es ein senkrechter Schweizer offenbar zu sein hat. (Das Wort «Verräter» wird in dem neuen Film von Alain Tanner, von dem ich gegenwärtig erst den Arbeitstitel – «Afrique retour» – und eine vage Vorstellung des Plots habe, eine gewisse Rolle spielen.) Charles und Rosemonde sind die verführerischen Vorbilder einer erst in den Umrissen entworfenen Gegengesellschaft, einer Opposition, die sich langsam wieder formiert.

Vom Salamander sagt die Legende, das Feuer könne ihm nichts anhaben. Der Volksmund behauptet auch, er sei giftig. Alain Tanner ist es gelungen, das Gift der Weigerung und des «Verrats» begehrenswert zu machen. Sein Publikum hat es eingenommen. Man wird sehen, ob und wie es wirken wird.

Karl Schmid

ENGAGEMENT UND OPPOSITION

Zu den Wörtern, ohne die man in der politischen und in der literarischen Diskussion heute nicht auskommt, gehören «literarisches Engagement» und «intellektuelle Opposition». Es sind dies Begriffe, über denen sich die Geister scheiden. Verwirrt, oft verärgert nimmt der Leser wahr, wie ein großer Teil der Literatur ihm nichts anderes bietet als Bilder häßlicher Wirklichkeit. Das «Wahre, Gute, Schöne» fällt aus, wo Anklage und Opposition den Ton angeben. Ich möchte im Folgenden versuchen, bei Zeitgenossen, die sich nicht beruflich mit Literatur befassen, um ein gewisses Verständnis zu werben für solche Möglichkeiten der Literatur, Anwendungen des Worts, Tonarten der Dichtung, wie sie den üblichen Erwartungen nicht entsprechen. Dabei geht es nicht um eine blanke Stel-

lungnahme zugunsten dessen, was modern ist. Man entscheidet
sich nicht gegen Gottfried Keller, wenn man Brecht ernst nimmt;
man liest nicht Günter Grass auf Kosten Robert Walsers.

Dem modernen politischen Engagement der Schriftsteller kommt
man mit Emotionen nicht bei; man kann es weder verbieten, noch
befehlen. Solche Sprach- und Geschmacksregelungen sind gleich
brüchig, wenn sie von der progressiven, wie wenn sie von der konservativen Seite kommen. Man muß zunächst ohne Voreingenom-
menheit zu verstehen versuchen, was der Denkweise und dem literarischen Willen von Brecht, Grass, Enzensberger, Frisch, Peter
Weiss, Böll, Biermann zugrunde liegt; das ist die Voraussetzung
für das Urteil.

Die beiden Begriffe «Engagement» und «Opposition» hangen zusammen, aber sie dürfen nicht ausgewechselt werden*. Albert
Camus meint, daß «bis zur französischen Revolution die vorherr-
schende Literatur im großen und ganzen eine Literatur der Zu-
stimmung war. Vom Augenblick an, da die aus der Revolution
hervorgegangene bürgerliche Gesellschaft gefestigt ist, entwickelt
sich jedoch eine Literatur der Auflehnung». Da wird an Frankreich
gedacht; von Deutschland ließe sich das nicht so sagen. Die Franzosen sind intellektuell auflehnend, die deutschen Geistigen sind
eher zustimmend oder eben «neutral» gegenüber Staat und Gesellschaft. Aus diesem apolitisch-neutralen Raum scheren die deutschen Schriftsteller erst in jüngster Zeit aus, und die Weise, in der
es geschieht, ist von den Vorgängen in Frankreich oder England
verschieden. Die heutige politische Aktivierung der deutschen
Literatur kann nicht an eine Gesellschaftskritik anknüpfen, die von
Bedeutung wäre; das deutsche Theater, das gesellschaftskritisch
sein wollte, mußte Ibsen spielen, Tolstoi, Strindberg, Shaw. Die
heutige Politisierung der deutschen Literatur hat politische Gründe; das Engagement der deutschsprachigen Schriftsteller ist eine
Folge des Dritten Reichs. Gewiß ist die Ideologie und Program-
matik der engagierten Literatur im französischen Sprachgebiet
entstanden – Denis de Rougemont will den Ausdruck «Littérature

---

* Die Literatur zum Thema Engagement und Opposition ist kaum mehr zu überblicken. Zur Einführung
in die Denkweise können dienen:
Albert Camus: Fragen der Zeit. Hamburg 1960. *Hans Magnus Enzensberger:* Deutschland, Deutschland
unter anderm. Äußerungen zur Politik. Edition Suhrkamp. Nr. 203 (1967). *Max Frisch:* Öffentlichkeit als
Partner. Edition Suhrkamp. Nr. 209 (1967). *Günter Grass:* Über das Selbstverständliche. Neuwied 1968.
Walter Jens: Literatur und Politik. Pfullingen 1963. *Gert Kalow* (Hrsg.): Sind wir noch das Volk der
Dichter und Denker? 14 Antworten. rororo-Taschenbuch Nr. 681 (1964). *Reinhard Lettau* (Hrsg.): Die
Gruppe 47. Neuwied 1967. *Robert Minder:* Kultur und Literatur in Deutschland und Frankreich. Insel-
Bücherei Nr. 771 (1962). *Jean-Paul Sartre:* Was ist Literatur? Rowohlts deutsche Enzyklopädie Nr. 65
(1958).

engagée» als erster gebraucht haben –; gewiß sind Malraux, Sartre,
Camus ihre europäischen Promotoren; die Bewegung hat aber im
deutschen Sprachgebiet eine besondere Schärfe und überlitera-
rische Bedeutung bekommen infolge der neueren deutschen Ge-
schichtserfahrung. Der spezifische politische Moralismus der
deutschen Generation, die nach dem Zweiten Weltkrieg publiziert,
richtet sich gegen die nationalsozialistischen Väter, gegen die Va-
tergesellschaft, zum Teil buchstäblich gegen Deutschland als Vaterland.

Das gibt dieser jüngeren Literatur das Aggressive und Ankläge-
rische. Kein Zweifel: die besserwisserische Arroganz dieser frisch
gebackenen und nicht immer ganz durchgebackenen Geschichts-
und Staatskritiker macht einem die Lektüre nicht immer leicht.
Aber wir sollten nicht übersehen, daß unter dieser anklägerischen
Sicherheit eine Bescheidenheit auch sein kann, die ebenfalls neu ist.
Bescheidenheit: gemeint ist Verzicht auf alle jene Vorrechte poetischer und geistiger Exterritorialität, die seit dem «Odi profanum
vulgus» des Horaz bis auf unsere Tage immer wieder die Dichter
und die Gelehrten sich ausnehmen ließen von der allgemeinen
Sache, der Sache der Öffentlichkeit, der Res publica. Man muß
spüren, wie sehr sich die jüngeren zeitgenössischen Schriftsteller
der Frage ausgesetzt fühlen, die Albert Camus immer wieder heim-
suchte und die bei ihm heißt: «*Ist die Kunst ein verlogener Luxus?*»
(Er hat sie gestellt und aufs genaueste traktiert in dem Augenblick,
als er, betroffen, erschüttert, tief unsicher, den Nobelpreis erhalten
hatte.)

Diese Frage «Ist die Kunst ein verlogener Luxus?» tönt im deutschen Raum, im Volk der Dichter und Denker, unerhört viel pro-
vokanter, ironischer, bitterer als irgendwo sonst. Es scheint dies
für viele eine rhetorische Frage zu sein, scheint nichts anderes zu
meinen als: selbstverständlich war das Dichten der deutschen
Dichter, das Denken der deutschen Denker ohne Zusammenhang
mit der Geschichte, also wirklichkeitslos, Spiel um des Spieles
willen, und noch dort, wo die Ausnahmen liegen mochten – Nathan, Don Carlos, Woyzeck – ohne Folgen. Ohne irgendeine Folge
in Hinsicht auf die Verhinderung der Barbarei. Mehr noch: diese
deutsche Kultur und diese deutsche Barbarei gingen nicht nur nebeneinander her; sie gingen sogar miteinander. Denn das Dritte
Reich war kein Reich ohne Dichter und Denker. Tausende und
Abertausende reichsfroher Kulturträger – Schriftsteller, Philosophen, Professoren, Intellektuelle aller Art und Couleur – haben mit
ihrem Bild von deutschem Geist und deutscher Kultur zu verein-

baren gewußt, was der schlichteste Begriff von Zivilisation keinesfalls ertrug.

Engagement der Literatur würde nun also auf etwas zielen, was
das Gegenteil von verlogenem Luxus wäre, Wahrheit und Wirklichkeit zum Beispiel, an der man nicht vorbeigehen darf. Dichtung
als das Gegenteil von Luxus, als etwas durchaus nicht Auszu-
klammerndes, etwas, das notwendig ist und aus dem Gesamt der
Kultur und der Gesellschaft gar nicht emigrieren kann.

Zunächst ist das nur eine Absicht der Schriftsteller, ein gewiß
ehrenwerter und legitimer Ehrgeiz. Ob die Literatur, die aus solchem Willen zum Engagement entsteht, tatsächlich einen Beitrag
zum Gesamt der Kultur darstellt, steht durchaus dahin. Aber der
Kurs, auf den nun da ein Teil der deutschen Literatur einschwenkt,
ist geschichtlich prinzipiell richtig und sollte in keinem Falle deswegen belächelt werden, weil diejenigen, die ihn zu steuern beginnen, nicht alle das Patent für große Fahrt haben. Die Deutschen
müssen nicht zuletzt auch eine große literarische Vergangenheit
bewältigen. Die neue Parole «Hier und jetzt» steht in schroffem
Gegensatz zu größten Traditionen. Die Deutschen stehen, mit den
Franzosen verglichen, noch vor Voltaire, geschweige Zola. Es
wäre also, sozusagen, das 18. Jahrhundert aufzuarbeiten, jene in
Frankreich, England, der Schweiz damals sich vollziehende Durch-
dringung aller Kulturgebiete und der Künste mit dem scharfen
Äther des kritisch-rationalen Denkens. Das kann nicht nur historisch geschehen. Die Erfahrung des 20. Jahrhunderts ist hineinzu-
nehmen; zur Erfahrung von der Unteilbarkeit der Kultur tritt diejenige von ihrer Fragilität.

«*Unteilbarkeit der Kultur*» – das Sensorium dafür ist erst zu schaffen.
Schiller hat die «Teilung der Erde» behauptet; es war nicht die
letzte und tiefste Meinung des Verfassers der Briefe über die ästhe-
tische Erziehung des Menschen. Aber wenn das Gedicht nicht
durchaus Schiller ist, so ist es doch völlig deutsch. Da sagt der
Gott zum Poeten:

Was tun? spricht Zeus; die Welt ist weggegeben,
der Herbst, die Jagd, der Markt sind nicht mehr mein.
Willst du in meinem Himmel mit mir leben –
so oft du kommst, er soll dir offen sein.

Ein heutiger Nachfahr Schillers würde wohl meinen: hier irrt Zeus.
Die Welt kann nicht weggegeben sein, ist nie weggegeben, und der
Dichter darf nicht in den Himmel emigrieren, darf sich in keinem
Himmel niederlassen.

Max Frisch hat den Ausdruck geprägt «Kultur als Alibi». Das
Sensorium für die Unteilbarkeit der Kultur wendet sich genau gegen dieses humanistisch-spirituelle Glaubensbekenntnis, nach welchem der intellektuelle Rang eines schöpferischen Menschen ihn
von den Konsequenzen der Zugehörigkeit zur Gesellschaft dis-
pensiert. Zu lange hatte das deutsche Dichterauge den träume-
rischen Glanz und die leichte Richtung nach oben. Nun soll es
wahrnehmen, was vor ihm liegt. Es ist unklug und geschichtsblind,
wenn man diesen richtigen und ernsthaften Kern des Schlagworts
«Engagement» aus den Augen verliert, weil bei dieser forcierten
Hinwendung zum Alltag einiges Stupide, politisch Faserige, moralisch Unappetitliche abfällt. Auch bei Voltaire und bei Zola läuft
manches mit, was anzugreifen wäre. Dennoch haben sie ihrer Nation unermeßliche Dienste geleistet.

Nun kommt dazu diese jüngere, weder jenen Aufklärern des 18.,
noch den Realisten des 19. Jahrhunderts mögliche Erfahrung von
der *Zerbrechlichkeit der objektiven Kultur*. Hinter dem Bildungs- und
Kulturzynismus der jüngeren deutschen Schriftsteller steckt das
erschütternde Wissen, wie wenig offenbar der ganze Apparat und
Bau der objektiven Kultur die Menschen sichert und sich auf ihr
praktisches Verhalten auswirkt. Im Blick auf die Vorgänge in
Deutschland zwischen dem Ende der zwanziger Jahre und dem
Zweiten Weltkrieg kann man sich der schrecklichen Erkenntnis
nicht entziehen, daß Kultur nichts Definitives ist. Der kulturelle
Weg der Völker aus der Tiefe der Vergangenheit in die Gegenwart hat einen schlechten Unterbau. Das ist nicht gute Straße, sondern immer Brücke, Steg, Gesimse: der Absturz ist immer möglich.

Die politische und soziologische Aktivierung der Intellektuellen
heute ist eine logische Folge davon, daß unsere Generation den
Glauben verloren hat, in der überlieferten Kultur seien Sicherungen und Garantien gegen das Böse verankert. Kultur, kulturelles
Wissen ist kein Besitz, der auf seinen Träger moralisch zurück-
wirkte. Kein Kapital, das obligatorisch sittliche Zinsen abwürfe.
Unter dem Drucke aller Diktaturen, an allen moralischen Scheide-
wegen zeigt sich dasselbe: gut handelt nicht, wer reich an Überlieferung, sondern wer reich an Gewissen, Hoffnung und Mut ist.
Die Intellektuellen sind nicht wichtig, wenn sie «im Namen» der
Kultur auftreten, nur wenn sie es um der Kultur willen tun. Das ist
nicht dasselbe. Der Auftritt der Intellektuellen soll mithin unab-
dingbar moralischer Natur sein. Es gilt dies für Camus und Sartre
nicht mehr als für Böll und Grass.

Da das sogenannte Engagement von Böll und Grass, aber auch Frischs und Dürrenmatts die Folge der intellektuellen Einsicht ist, daß die Schriftsteller nicht exterritorial sein dürfen, und die Folge des existentiellen Schreckens, den die Erfahrung der Fragilität der Kultur den Menschen von der Mitte des 20. Jahrhunderts eingejagt hat, kommt es zu einer großen Umkehrung im Verhältnis der Schriftsteller zur Gesellschaft. Nun wird der Leser durch die Literatur nicht mehr aus der Wirklichkeit hinausversetzt in etwas Schöneres, Reineres, Besseres, sondern das dichterische Wort soll ihn in die Wirklichkeit hineinversetzen. In der Kunst und durch die Künste soll – paradoxerweise – der Mensch erfahren, in welcher Wirklichkeit er lebt, aus welcher er kommt und auf welche er sich vielleicht hinbewegt.

Es ist logisch und gar nicht anders zu erwarten, als daß der so denkende und so gestimmte Schriftsteller in *Opposition* gerät zu jener Mehrheit der Zeitgenossen, die nicht wissen, sondern sich wohlfühlen will. Insofern «Engagement» solch unruhiges Befragen und Befragtsein impliziert, ist es beinahe synonym mit Opposition. Jedenfalls gilt das für Deutschland, wo sich die Engagierten als im Kampf gegen das geschichtlich Böse verstehen. Da wird dann das Böse leicht politisch etikettiert, parteipolitisch; das Böse steht «rechts».

Dieser innenpolitische Aspekt des literarischen Engagements soll hier nicht verfolgt werden, obwohl er – man denke an den leidenschaftlichsten und hervorragendsten unter den politisch aktiven deutschen Schriftstellern, an Günter Grass – der Interpretation würdig wäre. Sicher ist, daß dieses «Böse», das zu bekämpfen die engagierte Absicht ist, eine Verwandlung erfährt, wenn es vor allem als das parteipolitisch Entgegengesetzte gesehen wird. Das Böse, das den Schriftsteller in Bewegung setzt, ist, allgemein gesehen, die Denkfaulheit der Menge; ihr Befangensein in Sprachregelungen; die diabolische Neigung des Kollektivs, wegzudrängen, was das Behagen gefährden könnte. Im Kern der engagierten Denkweise steckt das Axiom, daß das Böse von morgen in der Unbedachtheit, Unbewußtheit, Denkunfähigkeit von heute gegründet sei. Darum wollen die Engagierten, Hebbels Gyges-Rat nicht befolgend, an den «Schlaf der Welt» rühren. Wahrscheinlich ist es erlaubt, die Jahre zwischen 1918 und 1933 als das traumatische Leit- und Schreckbild für diese Aufklärer von heute zu bezeichnen. Damals glitt die Nation, von zu wenigen gewarnt, von zu Begabten verführt, ins Verderben; es darf sich Ähnliches nicht wiederholen.

Denkt man einen Augenblick an Camus zurück, der für die Entwicklung der Gestalt des engagierten Schriftstellers so entscheidend wichtig war, so erkennt man die besondere Tönung des Engagements in Deutschland: die allgemeine moralische Sensibilität,
welche Camus auf so wunderbare Weise auszeichnete, ist bei den
Deutschen scharf polarisiert durch den Haß auf die nazistischen
Väter; das verschafft ihrem Engagement die politische Konkretheit. Aber diese politische Konkretheit ist eine Gefahr für das spe-
zifisch Schriftstellerische. Hans Magnus Enzensberger, Peter
Weiss, auch Günter Grass sind leicht in Versuchung, Lücken auszufüllen, die die Politiker offen lassen. Camus sah das Wesen seines
Engagements nicht darin, den Politikern einzuheizen. Man könnte
wohl sagen: die genau und besonders definierte Situation, in der
sich die jüngeren deutschen Intellektuellen nach dem Ende des
Dritten Reiches befanden, hat ihnen mächtige Energien zugeführt,
aber gleichzeitig die Ziele verengt. Camus wirft das Wort wie einen
Falken in die Luft, der lange schwebt und ferne niederstößt; mit
dem verglichen muß einem das Scheibenschießen deutscher Schriftsteller auf einzelne Namen und Etiketten gelegentlich als epheme-
res und subalternes Geschäft vorkommen. Immer wieder hat Camus dem Dichter aufgetragen, er solle dem Stummen die Stimme
leihen. Das Vergessene, Verdrängte, Verratene ist auf den Dichter
angewiesen. Auch das, was kommen sollte und noch keine Stimme
hat. Versteht er sich zu sehr als politischer Souffleur, so mag er den
spezifischen Dienst am Menschen für den Dienst am Augenblick
und an der Partei hingeben.

Beinahe habe ich jetzt eine zwar unbestellte, vielleicht aber nicht
überflüssige Apologie der engagierten Literatur vorgetragen, die
insofern unkritisch war, als ich die Vorbehalte gegenüber einzelnen Texten und Autoren durchaus zurückstellte, um, und dies
hartnäckig, zu betonen, daß diese neue Wendung der deutschen
Literatur als geistesgeschichtliche Bewegung notwendig und
wünschbar ist. Ich stünde nicht an zu sagen, es sei die deutsche Nation heute eines halben Dutzends selbst zweitrangiger «Engagierter» eher bedürftig als eines neuen Rilke oder Benn. Heute: so
kurz nach der Stunde Null nämlich; die Nation: nicht die Liebhaber der Belletristik, nicht die Dichtung an und für sich. Wir sind in
der Schweiz etwas zu oft ungeschoren davongekommen, etwas zu
wohlgebettet und zu sehr in den puritanischen Codex verliebt, als
daß wir an den vietnamesischen Arien des Peter Weiss, den Ausfäl-
len des Günter Grass, den zahlreichen politischen Fehlurteilen der

Gruppe 47 vorbei und durch sie hindurch das sehr bewegende Neue wahrnähmen, was sich da in schwierigen Versuchen zu bilden anschickt: eine *Literatur der Zeitgenossenschaft.* Zeitgenossenschaft der Literatur. Politische Wachheit der Intellektuellen. Menschliche Gewissenhaftigkeit von solchen, die sich auf den Status des Künstlers berufen und die Türe zur Gesellschaft schließen könnten. Aber sie tun es nicht.

Angesichts der genannten Positiva ist man nun erstaunt, daß die Opposition gegen die Opposition der Intellektuellen und das Engagement der Schriftsteller so groß ist und offenbar nicht abnimmt, sondern wächst. Ist es nur die Stupidität des Establishments, die geistlose Verhärtung einer Gesellschaft, die Kritik nicht erträgt und sie mundtot machen will, totschweigen, repressiv unterdrücken? Ich glaube es nicht. Und nach so ernsthafter Apologie wird man mir kaum repressive Absichten unterschieben können, wenn ich meine, die engagierten Schriftsteller deutscher Sprache (über andere wage ich nicht zu urteilen) seien in Gefahr, den Goodwill, den die Öffentlichkeit ihnen entgegenbrachte, zu vertun. Indem einige von ihnen die Haltung des Engagements in einen Beruf oder ein Geschäft verwandeln, oder, ganz einfach gesagt: sich das Engagement zu leicht machen. Man darf die schwierige Verpflichtung des engagierten und daher opponierenden Geistes nicht in rasche Technik der Opposition veräußern und veräußerlichen.

Auf dreifache Weise gefährdet die engagierte Literatur sich selbst. Einmal liegt offenbar eine sehr große Verführung im Schreiben-Können, im Gut-schreiben-Können. Das können sie ja alle, diese jungen Schriftsteller. Sie sind mit allen stilistischen Wassern gewaschen, in allen Sätteln gerecht, und zu jedem Spott über die schwere Zunge der alten Männer und etablierten Politiker bereit. Der Satz ist aber nicht wahr, wer etwas könne, könne darüber auch gut sprechen, und wer nicht gut spreche, sei nichts. Und es ist Unfug zu meinen, worüber man gut schreiben könne, darüber sei man Herr. Ob Herrn Erhards Stil besser oder schlechter war, sei nicht untersucht. Sicher aber war es hybrid zu sagen, man könne es ja an seinem schlechten Stil erkennen, daß er ein Wirrkopf sei. Das sind so Sätze, mit denen, wie es scheint, die engagierten Schriftsteller Herrn Erhard zum Beispiel kaum, sich selber aber sicher schadeten.

Es ist die professionelle Lust an der *Formulierung,* was dem Schriftsteller auf dem politischen Felde gefährlichen Beifall verschafft. Die Gefahr liegt in dem, daß der Schriftsteller plötzlich nicht mehr die Wahrheit, sondern die schlagende, verblüffende Formel sucht. Ein Beispiel: ich lese irgendwo, Formosa sei «eine amerikanische

Fiktion». Die Formel ist verblüffend; sie liegt so gut im Ohr und in der Hand, daß es offenbar humorlos und schulmeisterlich ist zu fragen: «Formosa – ist das wirklich nur und nicht mehr und nichts anderes als eine amerikanische Fiktion?» Leicht sagt da einer verärgert: wer so schreibt, ist eben von den Kommunisten bestochen. Kaum. Was den Schriftsteller anbetrifft: unendlich viel häufiger als Landesverrat ist der Wahrheitsverrat, den er begeht, indem er sich von der Formulierung bestechen läßt. Diese gefährliche Zentrierung der schriftstellerischen Bemühung auf die «Formel» ist heute wahrscheinlich ein noch verbreiteteres Übel als früher, da diese schriftstellerischen Kommentare zum Zeitgeschehen nicht mehr die Ausnahme, sondern Regel geworden sind. Man hat nun heute gelegentlich den Verdacht, der Schriftsteller A denke, wenn er seinen Reim auf zum Beispiel die amerikanische Ostasienpolitik sucht, an nichts so sehr wie an seine Kollegen B und C vom selben engagierten Fach: sein Satz soll auf keinen Fall weniger brillant sein, als was jene sagten. Herbert Lüthy hat scharf und böse geschrieben: «Seit zehn Jahren haben französische Intellektuelle die großen Fragen des Zeitalters sozusagen vor dem Spiegel diskutiert, und was sie suchten, war nicht objektives Wissen, sondern das Einnehmen der richtigen Haltung.» Es kommt da von der Sprach- und Formelfreude her etwas Narzißtisches, Eitles, Unernstes in die Sache der nun nur noch sogenannten «engagierten» Literatur hinein, das zu bedauern ist. Da wundert's denn nicht, daß man schon von den Schriftstellern als den «Designern der Politik» gesprochen hat. Bei Camus lesen wir: «Jeder Künstler ist heutzutage auf die Galeere seiner Zeit verfrachtet.» Das Engagement des Schriftstellers, das unter solch ernsten Zeichen begann, darf nicht als Artistennummer auf dem Oberdeck enden.

Mit dieser zentralen Rolle, die die Formulierung für die Schriftsteller spielt, hängt ein zweiter Aspekt des engagierten Schrifttums zusammen, der zu denken gibt. Wir meinen die Gefahr der *Verkürzungen*. Im täglichen Leben stellen wir immer etwa wieder fest, daß derjenige, der neu an eine Sache herankommt und von ihr nicht sehr viel versteht, sagt: «Es handelt sich hier ja doch wohl ganz einfach um das und das...» Der Wunsch nach linearen Kausalitäten und der Mangel an spezifischem Wissen, das bedrücken könnte, vereinigen sich zu der Neigung, einen komplexen Sachverhalt auf einen einfachen Sachverhalt zu «reduzieren» – in beiden Bedeutungen des Wortes: ihn darauf zurückzuführen und ihn zu simplifizieren. Bei dieser Nötigung, die komplexen politischen Dinge zu simplifizieren, um sie in den Griff zu bekommen, erweist sich die Reduktion auf den *moralischen* Aspekt als besonders dankbar und leistungsfähig. Verkürzung der Wirklichkeit aufs Moralische – es macht die Dinge einfach und den, der sie traktiert, erst noch selber moralisch. Zwischen der Tatsache, daß wir den Moralismus des Engagements positiv werteten, und der Erfahrung, daß die Moralisierung der Fragestellungen aber auch krasse Verengungen des Urteils zur Folge haben kann, besteht kein Widerspruch. Die moralische Frage ist leider Gottes nur scheinbar der archimedische Punkt, von dem aus die Welt neu einzurichten wäre. «Du sollst nicht töten» ist ein Satz von wunderbarer Einfachheit. Ob er als weltpolitische Richtlinie konkret ausreicht, bleibe dahingestellt. Angesichts Hitlers dachte man auch in der westlichen Welt darüber anders als heute.

Das Moralische ist einfach, aber wer die Weltgeschichte in moralischen Pointillismus auflöst, kann kein Bild von ihr bekommen und keines geben. Wenn man, wie es jetzt so oft geschieht, ein Stück politische Wirklichkeit einfach ein paar Schreibmaschinenseiten lang in die Säure der moralischen Ansprüche hängt, wird man immer ein schneeweiß-sauberes Skelettlein herausziehen können, etwas «ganz Einfaches», aber all das, was die Sache schwierig macht – die Sache Vietnam oder DDR, den Kolonialismus allgemein oder Südafrika im besondern, die heiligen Kühe der Inder oder die Negerfrage in den USA – ist dann weggezaubert. So häßlich es tönt: ein gewisser radikaler Moralismus ist ein todsicheres Mittel, um die Welt nicht mehr zu verstehen; er macht blind für die tatsächlichen Probleme und Gefahren. Von solch radikal moralischem Anspruch weiß man zunächst nie, ob er die ultima ratio des alten Weisen ist oder der erste Bockssprung des politischen Dilettanten. Es liegt offenbar nahe, den schlichten Mangel an geschichtlichem Wissen durch Eindeutigkeit des sittlichen Urteils über die Geschichte wettzumachen. Damit aber gräbt sich Opposition selbst die Grube; man nimmt sie, ist dieser Zusammenhang einmal erkannt, nicht mehr ernst. Unter allen Revolutionen ist diejenige die billigste, die jede Macht als böse ausgibt, Ordnung mit unmoralischer Repression gleichsetzt und die stupide Alternative von Revolution oder Establishment auf ihre Fahnen geschrieben hat. In diesen jüngsten Formen konsequenter «intellektueller» Opposition gegen alles und jedes ist etwas am Werk, was das echte Engagement der wirklichen Intellektuellen gefährdet. In diesem lauten, «soziologisch» aufgeheizten Rebellentum bildet sich nichts anderes heraus als eine neue, heimtückische Form von *Apolitie*. Es ist nicht die alte Apolitie, wie man sie den deutschen Dichtern und

Denkern vorwarf, die den Staat zwar sahen, aber als die Sache der anderen verstanden. Diese neue Apolitie spielt sich hochpolitisch auf, aber sie verwechselt auf groteske Weise das Reden über Politik und gegen diejenigen, die sie machen, mit Politik. Wer nicht erkennt, daß Politik ein *konkretes* Geschäft ist, das niemals in der Form des ufer- und gegenstandslosen Dialogs über das, was man tun sollte, besorgt werden kann, hat von ihrem Wesen weniger verstanden als jene geschmähten Dichter und Denker, die dieses Geschäft, weil es eines ist und Sachverstand verlangt, denjenigen überließen, denen sie diesen Verstand mit oder ohne Recht zuschrieben und zutrauten. Es gibt ein unseriöses, ding- und zielloses Reden über Politik, bei dem die Opposition nicht mehr die Folge des Engagements ist, sondern *an seine Stelle* tritt. Ist es so weit (und bei Peter Weiss ist es zurzeit so), dann wird «der Bürger» sich von der Lektüre der Schriftsteller, die er politisch ernstzunehmen begann, wieder dispensieren. Man mag es bedauern, aber man muß es verstehen.

Selbstverständlich ist alles, was wir in dieser kritischen Sequenz angetupft haben, den klugen Engagierten völlig vertraut. Bei Frisch lesen wir: «Ich frage mich: bin ich dadurch, daß ich mich vor andern Mitbürgern auszeichne am Schreibtisch, berufen oder auch nur befugt, Staatsmännern schreibend die Aufgabe zu stellen, der ich mich dann selbst entziehe?» Und schärfer, als wir es getan, sagt derselbe Frisch zur Frage des spezifischen Gewichts des sogenannten Engagements: «Was man Nonkonformismus nennt, kann auch nur eine Geste sein, nicht unwahr, aber eine Geste zum Wohl unsrer Arbeit.» Und in einem die professionelle Opposition ironisierenden Gedicht von Günter Grass heißt es bitter:

Wie Stahl seine Konjunktur hat, hat Lyrik ihre Konjunktur.
Aufrüstung öffnet Märkte für Antikriegsgedichte.
Die Herstellungskosten sind gering.
Man nehme: ein Achtel gerechten Zorn,
zwei Achtel alltäglichen Ärger
und fünf Achtel, damit sie vorschmeckt, ohnmächtige Wut.
Denn mittelgroße Gefühle gegen den Krieg
sind billig zu haben
und seit Troja schon Ladenhüter...

Wie bei allen Dingen, die man ernstnimmt, steht auch hier hinter jeder Frage, über die man etwas klarer sieht, eine andere, ungelöste auf. So etwa: sollte vielleicht das Engagement der Schriftsteller genau bedacht nicht eher der *Gesellschaft* als dem Staate gelten? (Aber gleich tönt es dagegen: mit der Gesellschaft haben es die Dichter immer zu tun gehabt, subjektiv, sentimental und unverbindlich; erst mit dem Staat und der Politik wird dies Denken konkret.) Dann: wie verhält sich die engagierte Direktheit gegenüber der begründeten Vermutung, der Dichter übe die stärkste Wirkung auf das Kollektiv gerade dort aus, wo er sich am *privatesten* äußert? (Und umgekehrt: ist er nicht oft gerade dort emotionell-unverbindlich, wo er die allgemeinsten und öffentlichsten Breitseiten abfeuert?) Und schließlich: ist nicht die wichtigste, von gar niemand anderem zu besorgende Opposition des Dichters zu seiner Zeit in seiner Vertrautheit mit dem begründet, was *in dieser Zeit gar nicht ist* und vielleicht gar nie sein kann? (Aber auch das wird gleich durchkreuzt: der Seher sollte keinesfalls gegen den genauen Zuschauer ausgespielt werden.)

Wir müssen diese Fragen jetzt so stehen lassen. Ganz gefühlsmäßig, nicht genau, aber vielleicht auch nicht falsch, denken wir: bevor der Dichter Ankläger wird, und auch wenn er Ankläger ist, sollte er immer und allermeist *Anwalt* sein. So wie er immer engagiert sein muß, bevor er oppositionell wird. Anwalt dessen, was keine Stimme hat, Engagement für das Stumme. Opposition gegen das, was alle Welt singt, ist besser, als mitzusingen, was alle singen, und mitzubeschweigen, was ohnehin nicht bedacht wird.

So verstanden, ist Engagement, ist Opposition ein ungeheuer ernster Dienst der Künste an der Gesellschaft.

Werner Schmidli

DER PFARRER KAM NICHT IMMER ALS KUNDE

Die Papeterie befand sich in einem langgezogenen Eckhaus.

Man konnte das Geschäft von zwei verschiedenen Straßen aus betreten: es hatte zwei Eingänge, Glastüren. Wenn man vor der einen Tür stand, sah man über Tische mit ausgereihten Kugelschreibergestellen, Füllfederreklamen, Klebrollen, Regale mit Schachteln und ungebrannten Vasen, durch die andere Türe wieder hinaus.

Man konnte das Geschäft durch die eine Tür betreten, durch die andere verlassen, was von den Kunden oft getan wurde, weil es eine Abkürzung vom Milchgeschäft zum Metzger war, oder umgekehrt, wenn man vom Metzger kam, eine Abkürzung zum Milchgeschäft; zwischen den beiden Geschäften konnte man sich mit Packpapier, Schnüren oder Bleistiften versorgen, auch nur für einen

Schwatz kommen: die Frau, die das Geschäft leitete, hielt zwischen Milchladen und Metzgerei die Mitte. Schon seit vielen Jahren.

Die Kinder, die jüngsten, dachten, wer da hineingeht, der bleibt auf Lebenszeit drinnen, wenn sie die Leute hineingehen, aber nicht mehr herauskommen sahen; für sie barg die Papeterie Probleme, etwas Geheimnisvolles. Ihre Eltern kauften Briefpapier, Bleistifte, Sudelblöcke, Packpapier, Glückwunsch- und Trauerkarten und so weiter, auch Bastelsachen für die Kinder, die sie mitbrachten, und nahmen so dem Geschäft das Geheimnisvolle, gaben den Kindern andere Probleme auf: Bastelprobleme.

Auch der Herr Pfarrer kaufte seine Bleistifte hier, Sudelblöcke, Radiergummi, bündelweise Luftpostpapier und was er weiter so brauchte. Er brachte auch ab und zu seinen Füllfederhalter zur Reparatur. Er war ein guter Kunde, der Herr Pfarrer.

Manchmal kam er nur auf einen Blick herein, wie er sagte, nicht als Kunde, sondern als Seelsorger: die Frau, die das Geschäft leitete, die blonde Tochter, hübsch und minderjährig, gehörten zu seiner Gemeinde.

Meistens kam er an einem Freitag und kaufte Bleistifte, nicht regelmäßig, aber oft; an einem Freitag setzte er, wie man in der Papeterie wußte, seine Predigt für den Jugendgottesdienst auf, zeitnahe Predigten, aufgeschlossene, an denen die Kirchgänger manchmal Anstoß nahmen.

Er fand, wie die Leute vom Beichtstuhl wußten, immer die richtigen Worte, er gab auch Trost und zeigte in jeder Aussprache sein großes Verständnis. Man schätzte ihn als einen Mann mit großem Einfühlungsvermögen, und er war nicht so leicht aus der Fassung zu bringen.

Er wußte um die Sorgen seiner Gemeindemitglieder.

An diesem Freitag, im Winter, Anfang Januar, Föhneinbruch nach zehn Tagen Schnee und Eis, kaufte der Herr Pfarrer keine Bleistifte, er kaufte überhaupt nichts; er kam von der Metzgerei, hatte Filetstücke bestellt, Kalbsfilet für ein kleines Festessen, das immer im Januar stattfand, was man in der Papeterie wußte, darüber schon lächelte: man war informiert, daß der Herr Pfarrer immer persönlich das Fleisch für dieses Essen aussuchte und nicht, wie sonst, die Köchin, eine freundliche Bündnerin um die dreißig. Sie wurde in der Papeterie gerne gesehen. Man kannte auch die Weinsorte, die zu diesem Essen getrunken wurde, sogar den Jahrgang.

Der Herr Pfarrer sah, daß sich in der Papeterie nichts verändert hatte, außer den neuen Kalendern an den Wänden, Berglandschaften, Tierbilder, die ihm gefielen, was er freundlich erwähnte, aber bereits drei Kalender besaß. Und er sah, daß die Frau, das Gemeindemitglied, nicht mehr Schwarz trug, hatte es beim letzten und vorletzten Mal bemerkt, das erste Mal im Herbst; auch die Tochter, die ihm schon ein paarmal unangenehm aufgefallen war, nachts, beim Kirchhof hinter Fliederbüschen, zusammen mit einem jungen Pfadfinder, trug nicht mehr Schwarz. Jedesmal empfand er das, wenn er vor dem Ladentisch stand, im Mantel, den Hut in der Hand, und darauf wartete, daß man seine Einkäufe in Papier schlug.

Er empfand es auch heute, war mit Bleistiften eingedeckt, wie er sagte, dazu lächelte, den Hut in der Hand drehte und nicht sagte, was man aber wußte, Tradition war, daß der Herr Pfarrer, wie die anderen Kunden auch, nach dem Jahreswechsel vorbeikam, nicht unbedingt etwas kaufte – dafür war das ganze Jahr durch Zeit – um ein Geschenk für die Treue zum Geschäft entgegenzunehmen; dieses Jahr war es eine Taschenagenda in rotem Kunstleder. Der Herr Pfarrer wünschte – aber nur wenn es möglich ist –, eine grüne oder schwarze. Seine Stimme klang sogar bei diesem Wunsch, den er etwas verlegen vorbrachte, irgendwie tröstlich.

Er erkundigte sich nach den Familienangehörigen, nach dem Geschäft, redete über das vergangene Jahr, während links und rechts andere Kunden warteten, und die Tochter alle Hände voll zu tun hatte.

Er wirkte hilflos, als die Frau sagte, im Sommer habe sie eine Tochter verloren, die jüngere, Gertrud, nicht Lisbeth.

Die beiden haben sich aufs Haar geglichen!

Zuerst sei der Vater gestorben, im Frühling.

Das wissen Sie doch, Herr Pfarrer!

Im Herbst habe der Mann das Pferd abtun müssen, und ein paar Wochen später sei der Hund, ein Schäfer, überfahren worden. Und seit zwei Wochen liegt nun die Mutter im Spital!

Da der Herr Pfarrer schwieg, sagte die Frau: Hoffnungen machen wir uns keine mehr! Und sie trug noch ein Lächeln, das angewöhnte Kundschaftslächeln über der blauen Ärmelschürze.

Der Herr Pfarrer sagte: Die Mutter ist doch bei Bewußtsein, da wird sich noch alles zum Guten, zur Besserung wenden. Und er ließ den Hut in den Händen kreisen.

Oh nein, sagte die Frau, wir sind alle gefaßt.

Sie schien auch gefaßt, lächelte, und da brachte die Tochter, Lisbeth – oder war es Gertrud –, die sich oft beim Kirchhof hinter den Fliederbüschen mit einem Pfadfinder küßte, die Taschenagenda, eine grüne, wie gewünscht.

Der Herr Pfarrer setzte den Hut auf, noch im Geschäft, was er
sonst nie tat, ging etwas verlegen, hilflos, mit leisem Gruß durch
die Tür zur Metzgerei hinüber, von wo er eben gekommen war,
und ließ die Frau endlich die Wartenden bedienen, mit dem ange-
wöhnten Kundschaftslächeln.

Hansjörg Schneider

HOPP SCHWIIZ!

Der liebe Gott ist sicher Schweizer.
Leider
gelangte er
wegen seiner Tüchtigkeit
zu internationalem Ruhm
und ist jetzt für die ganze Welt zuständig.
Doch
im Herzen bleibt er seiner Heimat treu,
der Gute.

DER SENKRECHTE SCHWEIZER

Ich
bin Inländer. Ich
schlafe senkrecht.

Hermann Schneider

DIE KLAGEMAUER

Wenn ich an trockenen Tagen der wärmern Jahreszeit in die Inner-
stadt gehe, versäume ich's selten, der Klagemauer einen Besuch
abzustatten. Ihre Metaphysik besticht mich. Den Namen führt sie,
seitdem ich sie stehen weiß als Abschluß des aufs untere Straßen-
niveau gesenkten und (außer während der Budenmesse im Herbst)
zum Autoparking erklärten Barfüßerplatzes. Also Volksmund

älteren Adels, nicht im Zusammenhang mit den Wallfahrern gemeint, die heutzutage im «sit-out» ihre Brüstung frequentieren.
Da hat sich Harun al Raschid gelagert; sein Maxigewand etwas
abgewetzt, aber Ketten und Medaillons prangen um den Hals und
vor der Brust. Und Scheherazade? Blumenreich gebatigt, langes
gescheiteltes Haar; mit Kling und Klang aber auch Trapper aus
dem Wilden Westen, Indianermaiden. Dort ein wetterfester Roll-
kragenpullover, selbst wenn die Sonne dem Besitzer beinah den
Bart verbrennt. Oder ein ausgedienter Militärmantel unter einem
Gehirn, das für Dienstverweigerung pulsiert; oh, und Seelen-
wikinger aus dem Hohen Norden, auf der Autostopdurchreise,
mit Büchlein oder Posterrollen bewaffnet; grimme Falten als Ge-
sichtszier, und das Mahl, mit zwei, drei Fingern in den Mund ge-
hoben, gewürzt mit markigen oder gleichnishaften Reden, bespru-
delt aus der kreisenden Cocaflasche. Kosmopolitisch auch der
sound. Transponiert ins Moderne heißt das: Transistorradio,
Schnulze, Beat, Pop. Ein Jugendfest ohne Umzug, nur Lager und
Gelage; Plausch, meist so gedämpft, daß nur Eingeweihte daran
teilhaben und die Polizei in dieser Beziehung um jede Intervention
gebracht wird. Wie fade die Mauerblümchen, die es nicht zu einem
besonderen Kostüm gebracht haben, nicht einmal zur Andeutung
durch einen Fransengürtel, deren einziger Jugendnachweis etwa
die Schulmappe ist. Angst vor der eigenen Courage, oder durchs
Machtwort ihrer Eltern benachteiligt? Oft schon, was die Haar-
tracht betrifft!
Weshalb zum Kuckuck lasse ich mich auf all das so ein? Freude am
Zuschauen, am Glossieren? Es geht tiefer. Ich meine, wer nicht
mehr in Frage stellt – sich selber zuvorderst –, der ist schon bei
lebendigem Leib gestorben, um den weht fauliger Nachtwind,
nicht die würzige Morgenluft. Erst in reiferen Jahren bin ich zum
Morgenmenschen geworden: seit der Zeit, da ich bewußter arbeite
und die Dinge betrachte.
Hippies und Gammler: längst abgenutzt, diese Bezeichnungen,
und passen genau genommen für die wenigsten, die auf der Klagemauer sitzen oder dahinter sich breit machen. Andere Namen?
Neue, die der hier praktizierten Metamorphose gerecht werden...
immer weitere, die man diskutieren und sich umhängen kann? –
Denn das geht alles so verflixt schnell.
Theoretisch wäre die Distanz von einer Generation zur andern
fünfundzwanzig Jahre, scheint aber bald nur noch über ein paar
Kirschblühet zu dauern. Die Konsequenz daraus zu ziehen erlasse
man mir; sie führte zu einem Paradoxon, das der Leser wohl ahnt.

Sollte er aber naiverweise annehmen, ich mache mich lustig –
Naivität ist keine Haltung mehr im Umgang mit der Jugend; und
lustig? Wenn ich einen Schmelz auf Klagemauergesichtern sehe,
so weckt er so etwas wie Sehnsucht, mitreden zu können. Doch
man nimmt keine Notiz von dem Siebziger. Läßt ihn nicht teilhaben am wirklichen Wortlaut der Mären und Geschichten. Man
traut den vom Leben eingetrübten Augen nicht; er ist auch einer,
auch einer – jawohl, ich gehöre zu denen, die von der Jugend nicht
als Zirkuspublikum betrachtet werden sollten! Bin ebenfalls beim
Zirkus, trete bloß in einer andern Nummer auf. Kollegialität unter
Artisten, sonst wackelt das Unternehmen! – Ich schlage zuhause
das großartige Werk von Ricarda Huch über die deutschen Romantiker auf, das neuerdings wieder in Nachdrucken erscheint.
Da sagt sie von zweien: «Wenn Tieck und Wackenroder Arm in
Arm am Giebichenstein über der Saale saßen und die Welt hinter
sich versinken ließen...»; dann vom einen: «Ohne Zusammenhang mit der Erde ist er wie eine märchenhafte Fieberblume, die
sich nur von Licht nährt, wie ein losgerissenes Blatt, das beweglich
auf ewig bewegten Wellen schwankt... Er fühlt seine Arbeitsscheu
als Bürgschaft, daß er zu Höherem geboren sei»; und vom andern:
«Ein Mensch von solcher Lieblichkeit, daß das zarteste Wort zu
plump scheint, um sein Wesen zu bezeichnen; unter den übrigen
Menschen wie Daniel unter den Löwen, aber ohne dessen erhabene Sicherheit. Denn er war scheu und nie ohne verhaltene Angst
vor dem Leben... voll Leidenschaft und Sinnlichkeit war er und
hätte vielleicht ein wilder, ausschweifender Mensch werden können, wenn nicht in seinem Innern etwas entzwei gewesen wäre:
ich meine den Riß in der Scheidewand zwischen dem Bewußtsein
und dem Unbewußten.» – Der eine leistete späterhin doch Stau-
nenswertes, der andere starb fünfundzwanzigjährig.
Das war um die Wende vom achtzehnten zum neunzehnten Jahrhundert. Es gab noch keine Luftverpestung und Wasserverschmut-
zung, man kannte das Geschrei und Geflimmer der wellenge-
schwinden Massenmedien, das augenblickliche Wehe, Wehe! nach
jeder Katastrophe über die ganze Erde hin nicht; auch nicht das
Geschäft, das diese Informations- und Beeinflussungsmittel aus
der Jugend, ihren Problemen und Unbotmäßigkeiten zu schlagen
wissen, und womit sie den Geltungstrieb anheizen. Daraus folgt:
Die heutigen Kinder einer Romantik, die sich auf der Klagemauer
treffen aus mannigfaltigem Protest, aber auch in der Meinung, die
Welt verbessern zu können, sind härter und morbider (braucht
kein Gegensatz zu sein!), gehaben sich anders. Die Sexwellen, in

denen sich zu tummeln sie lernen, das Wissen um die Atombombe, die Entzauberung des Mondes und das Drogenangebot haben sie gestaucht. Ihre Manifestationen fallen ins goldene Zeitalter der Psychiater. Romantik als Auflehnung gegen das bestehende Gesellschaftsgefüge, gegen Materialismus und Technokratie; wer weiß aber, wenn diese hippisierende und popende, diese sich in Verkleidungsscharaden ergehende Generation zunimmt an Alter und dem, was eine Redewendung im gleichen Atemzug beifügt? Proteste können sich in Entdeckungen verwandeln und welterhaltend werden, Höhen und Tiefen und alle Himmelsrichtungen verbindend. Der romantische Traum, immer wieder, wenn die Zeit dafür reif ist, wenn die Menschen ihn brauchen, um zu überleben! Dieses ist noch an ganz anderes geknüpft als an Luftschutzkeller und Notvorrat...

Unsere Klagemäuerlinge wollen bestimmt nicht zu langbärtigen Gnomen oder Knusperhäuschenhexen werden. Der Alte aber weiß, daß in jede Verwandlung alles Frühere eingegossen ist wie Käfer in Bernstein. Insekt und das umschließende harzig Mineralische sind über ihren Eigenwert hinaus zu einer Kostbarkeit geworden.

Nicht unversehens bin ich zu einer Metakritik im Wortsinne Kants gelangt. Der Weißhäuptige, der da an diesem Jugendkonvent vorbei übers Kopfpflaster geht, ist begierig nach Verwandlung, diesseitiger, solang ihm die Sonne noch ein verlorenes Haar auf der Achsel glitzern macht. Das ist meine einzige Rechtfertigung für die so hartnäckigen Gedanken um die Klagemauer.

Paul Schorno

SOZIALPOLITIK

Schwer ist es
mit dem Spatz in der Hand
zufrieden zu sein,
wenn jene
mit den gebratenen Tauben im Mund
die andern ermahnen
mit dem Spatz in der Hand zufrieden zu sein.

Sprichwörter haben nicht immer recht.

SUPERSICHERHEIT

Da trotz allen Sicherungen
kein Ding sicher ist
braucht deine Sicherheit
eine Versicherung,
um für alle Fälle gesichert zu sein
vor Zusicherungen,
die nicht gesichert sind.

Wo Versicherungen versagen
hilft die Versicherung.

GESCHICHTSUNTERRICHT

...und
dann kam der russische Winter,
der böse.
Man denke nur an Napoleon.
Auch Er.
Verdammt noch mal,
diese verfluchte Meteorologie.

Hans Schumacher

DIE WEISSE WAND

Immer, wenn er am Morgen erwachte, fiel sein erster Blick auf das
Bild an der Wand. Er sah das Bild auch am Abend, wenn er sich
hinlegte, oder tagsüber beim Gang durchs Zimmer, aber er sah es
dann nur wie alle andern Gegenstände, von denen man weiß, daß
sie zu einem gehören und daher keiner besonderen Beachtung bedürfen. Doch am Morgen, noch durch keine täglichen Tätigkeiten
abgelenkt, erschrak er immer aufs neue, wenn er es entdeckte. Das
hing damit zusammen, daß er selbst – sich gegenüberzustehen ist
eine Herausforderung – auf dem Bild dargestellt war: schreibend
am Tisch hinter Linien, die Kraftfelder zogen, von Gestalten und
Masken, von Zeichen und Dingen umgeben. und mit einem Tren-
nungsstrich mitten durchs Gesicht. Er glaubte zu erkennen, daß
die eine Seite seine trüben Antriebe, die andere seine bessern Mög-

lichkeiten darstelle, doch sicher war er nicht. Er fühlte sich stets durchschaut, sobald er mit Worten die Wirkung des Bildes in Sprache zu übersetzen versuchte. Immer aber, wenn er sich dabei zu nahe trat, entschwand es ihm wieder – bis zum nächsten Morgen.

Wenn er seine Betrachtungen hätte weiterführen können, wäre ihm vielleicht klar geworden, daß es dieser täglichen Beeinflussung durch das Bild zu verdanken war, wenn er seither in seiner Arbeit nicht versagt hatte. Weil aber diese Wirkung gerade darin ihren Grund fand, daß sie unbewußt blieb, war ihm diese Einsicht verwehrt.

Er wurde von diesem Bild sozusagen immer wieder neu eingestellt, wie ein empfindliches Instrument, eingestimmt auf die schöpferische Mitte zwischen Gefühl und Verstand. Er selbst hätte sich zwar dieser abgedroschenen Worte nicht bedient. Er haßte sie. Auch hatte er Angst vor den beiden durch sie benannten Mächten, deren einer zu verfallen ohne Gegengewicht der andern er im geheimen befürchtete.

Daß in der linken oberen Ecke des Bildes, in Berührung mit seinem Kopf, sich ein Zifferblatt befand, war ihm selbstverständlich nie entgangen, aber er hatte ihm – aus Abneigung gegen alles, was an Zeit und ihren unerbittlichen Ablauf gemahnte – nie nähere Beachtung geschenkt. Eines Morgens aber blieben seine über das Bild hinwandernden Augen an den Zeigern haften. Es dünkte ihn plötzlich unverständlich, weshalb er bis jetzt nie die von ihnen angezeigte Zeit festzustellen versucht hatte. Als er es nun zum erstenmal tun wollte, machte er die überraschende Beobachtung, daß die beiden Zeiger nicht so zueinander gewinkelt standen, daß sich daraus eine reale Zeit ablesen ließ: die ganzen Stunden lägen bei entsprechendem – gedachtem – Weiterdrehen der Zeiger zwischen den Ziffern. Hier galt offenbar eine irreale Zeit. Eine in einem phantastischen Bereich, wo Möglichkeiten des Lebens offenstanden, die ungestraft auszunützen, nicht jedem vergönnt sei – so seine ihn selbst überraschende Deutung.

Und dann diese andere ihn beunruhigende Entdeckung: die Zeiger waren während der Nacht um ein winziges Stück weitergerückt. Ja er glaubte, im Augenblick, da er es feststellte, soeben wieder eine kleine Bewegung beobachtet zu haben. Die Uhr mußte in Gang gekommen sein. Das Unsinnige einer solchen Behauptung war ihm durchaus bewußt. Die Unmöglichkeit, daß nur in einem Zeichenstrich bestehende Zeiger wandern könnten, lag auf der Hand. Doch wer wagte zu sagen, daß Unmögliches nie möglich werde?

Er begann kleine Markierungen anzubringen, um einen sichtbaren
Beweis zu haben. Sobald er aber nachprüfen wollte und dazu die
Lupe benutzte, um auch die kleinste Verschiebung zu erfassen,
löste sich ihm das Bild an dieser Stelle in wirres Gespinst auf, das
keinen eindeutigen Befund zuließ. Von weitem betrachtet aber
war kaum noch ein Zweifel möglich: die Stellung der Zeiger ver-
änderte sich von Mal zu Mal, wenn auch in einem kaum spürbaren
Maß.

Sein Schlaf wurde unruhig. Quälende Träume hetzten ihn hinter
fliehenden Lichtpunkten her, die es einzuholen galt. Oder er ritt
auf einem hin und her schwingenden Pendel mit dem Gefühl, durch
die Reibung an der Luft langsam zum Skelett abgetragen zu werden. Das Erwachen war dann wie eine Erlösung – bis sein Blick
auf das Bild fiel und sofort mit schmerzender Schärfe die Zeiger
suchte. Jeden Morgen.

Er wußte: er käme nie mehr davon los, selbst wenn sich alles nur
als eine durch überreizte Sinne bewirkte Täuschung herausstellen
sollte.

Das Bild mußte zerstört werden. Sonst zerstörte das Bild ihn.

Die Fetzen verbrannte er. Die Asche blies er aus dem Fenster. Fast
greifbar deutlich sah er das, was die Uhr gebildet hatte, Papier und
Farbe, nun zu Rauch geworden, im Raum, der unsichtbaren Hülle
der Zeit, entschwinden.

Als er sich am andern Morgen an seine zerstörerische Tat zu erinnern begann und zur Wand hin blickte, sah er dort an der nun
weißen Stelle in schattenhaften Umrissen die Uhr. Doch die Zeiger
fehlten. Die Zeit auf ihr war gelöscht. Dann verblaßte auch diese
letzte Spur des Bildes und ging ins reine Weiß der Wand über.

CODIERT

Alles codiert.
Dein Lächeln
mir gegenüber
am Tisch –
codiert.

Das Pfeifen
des Vogels
durchs Fenster –
codiert.

Buchstabenparaden
über die Weiten
des Weiß –
codiert.

Entsetzlich zu wissen:
der Decoder defekt
der Klartext
verloren.

DIE FORMEL

Weiß
an der Tafel
die Formel.

Die Hand
mit dem Schwamm
zu spät:
die sie lasen
die Formel
gebrauchen sie auch.

Schwämme sind
untaugliche Mittel.

Manfred Schwarz

TUMMHEIT

Dr Profässer Barth söll gseitt haa:
d'Sünd sig e Tummheit,
d'Tümmi sig aber au e Sünd.
S'Bonmot isch guet,
und dr Lieb Gott söll jo,
seitt me,
grooßzügig sii.
Aber was nützt's?
Au d'Grooßzügigkeit
cha zu-n-ere Sünd wäärde
oder e Tummheit sii.

S'CHUNNT DRUF AA WIE ME'S AALUEGT

Gschiid rede cha mänge
Und je mee das'r redt
Deschto weniger seitt'r
(meischtens).
Schpööter redt me drum
Vo dene am meischte
(meischtens)
Wo fasch nüüt gseitt hei.
Si hei ghandlet.
Aber weme-n-aaluegt
Was bis hütt usegluegt hett drbii
De mueß me sääge:
Gottseidank gitt's ou söttig
Wo nume gschiid rede.

Gerold Späth

DER MILLIARDEN-STAUFFACHER
Eine Kalendergeschichte

Von der Post im Weiler Schachen zur alten, nicht mehr benutzten
Eisenbahnbrücke über die Verach war es eine knappe halbe Weg-
stund, zuerst ein Stückweit schmale Asphaltstraße, dann auf gras-
bordigen Traktorwegen und bald den ersten Kuhweidedrähten
entlang über Wiesland gegen den Fluß zu und am vermoosten und
vermodernden Fallenstock vorbei. Die Zugänge zum Fallenstock
und zur Bahnbrücke weiter hinten waren an beiden Ufern mit
Latten und Maschendraht versperrt. *Übergang verboten* stand auf
rostfleckigen Blechtafeln, darunter etwas von *Buße bei Betreten,* ob
Fr. 10.– oder Fr. 20.– konnte man nicht mehr genau ausmachen;
die Verbotstafeln waren alt. *Der Gemeinderat von J* hingegen, ganz
unten hingemalt, ist zumindest auf der Tafel bei der Brücke noch
zu entziffern gewesen. Das letzte, hinter dem Fallenstock leicht an-
steigende obere Wegstück ging durch stark verwachsenen Misch-
wald, erst kurz vor dem Flußknie kamen Nagelfluhfelsrippen aus
dem Boden, Wald und Gesträuch wurden schütter; dort hörte man
auch schon das Geräusch des kleinen Wasserfalls knapp unterhalb
der Brücke, wo der untere, an der Verach entlangführende schmale
Fischerweg noch schmaler wurde, steinig abbröckelte, aufhörte.

Vor Jahren ist dort einer ins Wasser gegangen; man hat ihn am
Fallenstock geländet. Schon damals gab es an jener Stelle viel
Forellen.

Linksab auf einer gegen Süden weit offenen Anhöhe über dem
Wald, etwa halben Wegs zwischen Fallenstock und Wasserfall,
stand ein breit hingeklotztes flachdachiges Landhaus. Von dort
aus konnte, wer drin wohnte, jenen berühmten Blick tun, der denjenigen ins Auge geht, die es auf Hanglagen oder höhergelegene
Grundstücke abgesehen haben: über Wipfel und Weiler in die
Weite.

Es wohnte ein Herr Stauffacher in jenem Landhaus, das freilich
eine Villa war, denn *Villa Semper Felix* hieß es, massiv einge-
mauert, in schmiedeisernen Buchstaben allwetterfest an der Um-
fassungsmauer neben dem Tor.

Stauffacher war ein Bauernsohn, soll aber schon in jungen Jahren
eher ins Kaufmännische hineingerutscht sein. Da habe er, noch
keine dreizehn Jahre alt, im Weiler und in der ganzen Gemeinde J,
in deren Gebiet der Schachen lag, an schulfreien Nachmittagen
und in den Ferien Altmetall-, Lumpen- und Papiersammlungen
organisiert und oft in zwei, drei Wochen mehr Geld zusammen-
gebracht als die meisten Leute im Schachen während eines Viertel-
jahres in der Gerberei der Gebrüder Guldenstein verdienten. Es
waren die dreißiger Jahre; Buntmetall vor allem wurde sehr gut
vergütet.

Nach seiner Schulzeit hat der junge Stauffacher in der Gerberei
eine kaufmännische Lehre durchlaufen; die war im Frühjahr neun-
unddreißig aus. Bereits im Juli rückte er ein: Rekrutenschule bis
in den Herbst hinein – da war schon Krieg, und Stauffacher wäre
eigentlich kurz nach Neujahr wieder eingezogen worden, hätte er
es nicht ab Ende November mit einer langwierigen Lungenentzündung zu tun gehabt. Im Februar erhielt er nach einer militär-
ärztlichen Untersuchung den Bescheid, seiner angegriffenen Gesundheit wegen sehe man vorläufig davon ab, ihn aufzubieten,
aber auf Frühjahr einundvierzig sei er für eine weitere sanitarische
Kontrolle vorgemerkt, dann werde man sehen.

In der Gerberei fehlte es an Leuten. Die Leute waren Soldaten geworden. Stauffacher kannte sich in Bestellungen, Häuten, Riemen,
Rechnungen aus und wurde kaufmännischer Angestellter für alles;
in die Steuererklärung schrieb er damals bei «Beruf»: Disponent.

Im August jenes Jahres rief ihn der alte Guldenstein in sein Büro
und sagte, er freue sich, in ihm, dem jungen Herrn Stauffacher,
einen strebsamen Mitarbeiter gefunden zu haben, einen tüchtigen

Mann, dem er vertrauen könne. Dann wurde sein Gesicht eine Spur ernster und älter. Er wollte wissen, was sein tüchtiger junger Mitarbeiter vom Krieg halte, vom Elend, das er bringe, beispielsweise den jüdischen Menschen, die würden jetzt verfolgt wie – «... wie ... wie ... » sagte Guldenstein und wußte nicht wie. Stauffacher glaubte es zu wissen. «Wie Vogelfreie», sagte er. Guldenstein seufzte und schwieg.

Anderntags rief er Stauffacher wieder zu sich. Er habe, berichtete er, Nachricht von kaum noch bekannten, sehr weit entfernten Verwandten erhalten, und diese Nachrichten seien schlecht. Es ging, hörte Stauffacher, wie schon gestern angedeutet: um Juden. Nämlich um Juden, die in Rumänien, vorab in Bukarest, ihre Geschäfte betrieben hatten, meist den Getreidehandel. Sie hatten, da die Zeichen der Zeit plötzlich auf Tod rückten, ihre Familien in aller Hast außer Landes gebracht, die meisten nach England oder in die Staaten, waren aber selber zurückgeblieben, um zu retten, was irgendwie zu re... und nun setzten sie, setzten sie alles daran, mit dem Leben davonzukommen und wenn möglich, wenn möglich auch wenigstens einen Teil, einen Teil ihres Vermögens über die Grenzen... – «Verstehen Sie! Ohne Geld haben sie keine Chance! Ohne Geld... die kommen um ohne Geld!» – Mit den Menschen sollte Stauffacher nichts zu tun haben, nur mit dem Geld, mit dem... mit ihrem Besitz – «Gold, Schmuck und so weiter, ich weiß nichts Genaues», sagte der alte Guldenstein; vielleicht sei nicht alles ehrlich... also nach hiesigen Grundsätzen, nicht wahr, also vielleicht nicht ganz ehrlich verdient, er kenne die komplizierten und ein wenig korrupten rumänischen Verhältnisse von früher, in den Zwanzigerjahren zum Beispiel, oder noch früher... aber das spiele jetzt überhaupt keine Rolle, ob ehrlich oder nicht, also danach zu fragen, nicht wahr, sei jetzt selbst für ihn, den seit zwei Generationen Getauften, keine Zeit, keine Zeit, ja... es gehe darum, das Geld dieser Leute herauszubringen... «Irgendwie. Verstehen Sie. Irgendwie. Nur wer für sein Leben bezahlt, wird irgendwie weiterleben... irgendwie überleben... irgend...» sagte er.

Stauffacher nickte, schluckte.

Guldenstein hatte einen Plan. Es sollte jemand mit einem Diplomatenpaß unter irgendwelchen glaubhaften Vorwänden mit drei oder vier großen, aber doch nicht zu großen Koffer, mit sozusagen unaufdringlich großen nach Rumänien reisen und mit ebenso viel Gepäck wieder zurückkommen, die Koffer freilich sollten dann mit anderen Dingen gefüllt sein als bei der Abfahrt in Zürich...

«Die Menschen allerdings...» murmelte Guldenstein; sofern sie
Glück hätten, kämen sie irgendwie heraus. «Ich weiß nicht wie.
Wie kann man das wissen!» Er könne nur versuchen, irgendwie
mitzuhelfen, einen Teil ihrer Gelder zu retten. «Verstehen Sie!
Nur wer für sein Leben zahlt, wird überleben!» sagte er noch einmal. Und dann fragte er den jungen Stauffacher, ob er reisen wolle,
beim ersten Mal sei das Risiko am kleinsten – «Gleich Null!» sagte
er. «Ich würde selber... aber die sähen mir sofort an... die würden
merken, daß ich... wenn mein Bruder noch lebte, würde ich trotzdem...» – er schwieg. «Selbstverständlich», setzte er dann hastig
hinzu, «selbstverständlich» und bewegte einen messingenen Brief-
beschwerer hin und her und rückte ihn wieder an seinen Platz,
«selbstverständlich erhalten Sie... werden Sie entschädigt, gut
entschädigt, falls sie sich entschließen könn... wenn Sie also den
armen Menschen helfen möchten, nicht wahr...», er denke seit
Wochen darüber nach, was man tun könne, etwas besseres sei ihm
nicht eingefallen, die Zeit sei kriminell geworden. «Jawohl, Herr
Stauffacher, kriminell!» rief er, es bleibe dem ehrlichen Menschen
nichts anderes als auch kriminell... Er lehnte zurück, Eugen Guldenstein: dunkle Weste, Uhrkette, kleiner straffer Krawattenknopf,
die Spur eines grauen Schnurrbärtchens, schlaffes Furchengesicht,
altersstockfleckige gewölbte Glatze im Weißhaarkranz. Wieder
ruhig sagte er: «Es bleibt keine andere Wahl», fragte, ob der Herr
Stauffacher verstehe, ob er das wirklich ganz verstehe: Keine
andere Wahl!
Die Sache war eine Sache zwischen dem alten Guldenstein und
dem jungen Stauffacher. Der alte Guldenstein, seiner Lebtag Gerberei, Leder- und Riemenhandel, besorgte falsche Diplomaten-
papiere; er wußte selbst nicht, wie es ihm gelang, die Ausweise zu
beschaffen, er verwunderte sich über die Fähigkeit eines ehrlichen
Menschen, ohne Gewissensbisse kriminell zu werden. Keine merklichen Veränderungen. Nur Angst hatte er, und schlecht schlief er,
wenn überhaupt: er hatte große Angst, zu jeder Tages- und Nacht-
stund hinfort: Angst. Der junge Stauffacher, kaufmännischer Angestellter, Disponent, fragte nicht, wieviel ihm die Sache einbringen würde, er hatte eine Geschäftsreise zu machen, es gab große
Koffer schwer vollzupacken und zu versiegeln. Stauffacher reiste
am zwanzigsten August in diplomatischer Mission, Kurier war er
und kam ungeschoren durch. Er traf in Bukarest dann und dann
dort und dort den und den, man begrüßte, man küßte ihn gar, man
leerte seine drei mit Riemenmuster gestopften Koffer und ließ ihn
alles sehen, was hineinkam: Schmuck und Gold, wie Guldenstein

vermutet hatte, und Geld, Dollarnotenbündel, auch englische Pounds, das Gold zum kleineren Teil in Hundertgramm- oder Kilotäfelchen, meist in Münzen: deutschen, österreichischen, französischen. Alles wurde eng an eng straff verpackt, dann wieder versiegelt, die Koffer waren schwerer geworden, nur mit Mühe hochzuheben, hoffentlich hoffentlich würde er es schaffen, man sei vermögend gewesen, da habe er alles, was neun Familien mit knapper Not gerade noch beizeiten beiseitegeschafft... ein Bruchteil dessen, was man...

«Je reviens», sagte Stauffacher und wurde wieder abgeküßt in Bukarest; in Zürich wurde der Schweizerische diplomatische Kurier abgeholt – «Da bin ich wieder!»

«Wenigstens das!» sagte der alte Guldenstein. Stauffacher lachte; «Mit Gottes Hilfe!» sagte er, aber da sah ihn Guldenstein an mit einem Gesicht voll Schreck, daß ihm das Lachen verging. Sie fuhren heimwärts.

«Wenn Sie wollen, mach ich's noch einmal.»

Guldenstein gab zuerst keine Antwort. Dann meinte er, so etwas könne man nicht verlangen, beim zweiten Mal sei das Risiko schon viel größer, viel zu groß...

«Aber mit dem Diplomatenpaß riskier' ich doch überhaupt nichts!» rief Stauffacher, es habe niemand etwas von ihm gewollt, nichts sei kontrolliert worden – «Da ist überhaupt kein Risiko dabei!» rief er.

«Sie bekommen fünf Perzent, das sind mindestens zweihunderttausend Franken, nehme ich an», sagte Guldenstein, «Aber das bleibt unter uns. Das darf niemand wissen. Verstehen Sie: Niemand.» – Nur Guldenstein und Stauffacher wußten bald darauf, daß es über zweihunderttausend waren.

Noch zweimal ist der junge Stauffacher mit drei Koffer hin- und zurückgereist. Dann hat er, schon Oktober war es, einen vierten vollgepackt. Die Leute in Rumänien organisierten ihre wachsende Verzweiflung; ihre letzte Hoffnung hatte einen Namen: Stauffacher – aber sie kannten nur den falschen: Siegfried Gehl stand im Paß. So hieß der junge Kurier, der Vermögen hinausschmuggelte, Vermögen rettete: Siegfried Gehl, die Hoffnung. Man sprach Englisch, Französisch, Deutsch, man sprach bald von zwanzig Prozent, von dreißig. Stauffacher hatte auf der Rückreise viel Zeit, sich vieles zu überlegen, sich Namen zu merken, eine ganze Liste; aber nichts aufschreiben – «Vorsicht!» sagte Guldenstein öfter als nötig. «Und sagen Sie denen da unten ja nie Ihren richtigen Namen! Bei diesen Ost... bei diesen Rumänen weiß man nie!»

Stauffacher hieß Gehl und wußte genau.

Im November kam der alte Guldenstein eines Morgens aufgeregt ins Büro; er sei gegen zwei Uhr nachts vom Telefon geweckt worden, jemand habe gesagt: Guldenstein, ich weiß etwas! – dann sei aufgelegt worden.

«Was!» rief Stauffacher und sprang auf.

Guldenstein war käsig im Gesicht. «Es ist aus», wisperte er, vielleicht habe der Paßfälscher geschwatzt – «Neinein, Sie kennen ihn sicher nicht!» – man sei gezwungen, sich mit solchen Leuten einzulassen, man müsse sie bezahlen, man glaube, damit sei alles ein für allemal abgemacht, und dann merke man, daß von solchen Menschen nicht mehr loszukommen sei – «Aus! Die haben mich! Die können mich jederzeit anzeigen! Die wollen mich aussaugen!» – Stauffacher verbog seine Finger ineinander, daß es knackte.

In den folgenden Nächten, alles war dunkel und alles schlief, schreckte das Telephon den alten Guldenstein regelmäßig zwei Stund nach Mitternacht: Guldenstein, ich weiß etwas! Guldenstein, ich weiß etwas!

Guldenstein wurde krank vor Angst.

«Ich probier's noch einmal. Nur noch dieses eine Mal. Ich muß einfach, ich muß!» rief Stauffacher in Guldensteins Büro. Guldenstein hing schlapp in seinem Stuhl und atmete vor sich hin mit halb offenem Mund; müd sah er aus, alt, krank, abgehetzt. «Ich hätte mich nie darauf einlassen sollen», murmelte er, «Und Sie auch nicht. Wir hätten... aber was hätten wir anderes...»

Der junge Stauffacher ging am sechsundzwanzigsten November – Rumänien war seit vier Tagen im Dreimächtepakt mit den Siegreichen – ging mit vier großen Riemenmusterkoffer auf Geschäftsreise, der junge Gehl. Am zweiten Dezember war er wieder zurück; die Hälfte, hatten die Leute in Bukarest gesagt, fünfzig Prozent sollten ihm gehören. Er nahm hundert. Denn der alte Guldenstein holte ihn nicht ab im Zürcher Hauptbahnhof, der alte Guldenstein war tags zuvor am Fallenstock geländet worden. Im Schachen hieß es, das sei typisch, aber mit den Juden sei es ja immer dasselbe – «Wenn's brenzlig wird, hauen sie ab, so oder so. Wie die Slowaken und die Polen, da diese Polaken, dieses Polakenpack!» Es stimme schon, sei alles dasselbe Kroppzeug, und alles aus dem Osten – «Kaschuben! Juden! Zigeuner! Schubjacken! Alles Schlawiner!» – Aber allzulang hat man nicht über den alten Guldenstein geschwatzt, man hat anderes zu tun gehabt im Schachen: Krieg außer Landes, schlechte Zeiten für die meisten, eine schlechte Zeit fast überall.

Stauffacher ist noch sechsmal nach Rumänien gereist und hat sich dort nie mehr als fünfzig Prozent aufdrängen lassen, wiewohl ihm die Leute fünfundfünfzig, sechzig, siebzig und mehr angeboten haben zum Schluß, als es immer schlimmer, als ihrer immer weniger wurden; der Babel sei vor einer Woche verhaftet worden, ja, der jetzt auch! Die Schachtel mit den Rohdiamanten war von ihm gewesen, die nützten ihm jetzt nichts mehr. Die großen Kaufhäuser am Bulevardul Elisabeta seien vorgestern geplündert worden, alles auf der Straße zuhauf geworfen, Möbel, Kleider, Stoffballen, alles, und Juden aneinandergefesselt und auf die Haufen geschleift und Benzin drüber und alles angezündet: Grauenhaft! Über hundert Juden an einem einzigen Nachmittag schreiend auf den brennenden Haufen! O diese verdammten verfluchten... diese...

Stauffacher hat siebenmal hundert Prozent genommen, fand dann, Anfang März einundvierzig, es sei genug. Außerdem: das Risiko und so, immerhin – obwohl es später hieß, wahrscheinlich habe er schon während der Reiserei mit den Nazi unter einer Decke... aber das waren Biertischvermutungen, sind nichts wert gewesen. Man weiß auch nicht, ob er jener Kerl gewesen ist, der im April einem Heil-Hitler-Botschaftsangestellten zwar nicht seinen, aber ein paar andere Namen zu sagen gewußt hat. Im April ist er ja, weil vom Militärarzt als wiederhergestellt und einsatzfähig befunden, wieder beim Militär gewesen; bis Kriegsende hat er insgesamt über tausend Tage Wehrdienst mitgemacht. Zwischendurch arbeitete er bei Gebrüder Guldenstein, Gerberei; es gab sehr viel zu tun, erst recht natürlich, seit der alte Guldenstein, offenbar völlig unhaltbarer Greuelberichte wegen, wahrscheinlich also aus unbegründeter, in der Schweiz selbst damals geradezu lächerlicher Angst vor Deportation und so beim Wasserfall unterhalb der alten Eisenbahnbrücke...

Stauffacher ist Fourier gewesen, als sie ihn entließen, weil der Krieg aus war. Er hat seine Stelle in der Gerberei aufgegeben und mit Vermögensverwaltung in verhältnismäßig kurzer Zeit ein offensichtlich beträchtliches Vermögen gemacht, jedenfalls war er schon anno achtundvierzig einer der besten Steuerzahler in der Gemeinde J.

In der Lichtung, fast an derselben Stelle über dem Wald, wo das Bauernhaus seines Vaters gestanden hatte, ließ er anfangs der fünfziger Jahre seine Villa Semper Felix bauen. Die Leute nannten ihn bald den Milliarden-Stauffacher, aber die Leute haben immer übertrieben, und nicht nur die Leute im Schachen. Selbst wenn Schweizer, die es ja, wie alle Welt weiß, wissen müssen, Vermögen verwalten, sind vor jede Milliarde viele Millionen gesetzt.

Zur Erholung fischte der Herr Stauffacher gern Forellen. Er hatte die Verach-Fischpacht vom Fallenstock bis zur alten Bahnbrücke, von der vorderen bis zur hinteren Verbotstafel also. Nebst der Verwaltung von Vermögen – lauter zufriedene Kunden – brachte der Milliarden-Stauffacher hin und wieder auch ein Grundstückgeschäft unter Dach. Aber in den letzten Jahren zog er sich immer mehr zurück. Er kam fast täglich mit seiner Fischerrute von der Villa herab in den Schachen, holte seine Post ab, nahm dann den Weg auf die Verach zu; hinter dem Fallenstock steckte er jeweils die Rute zusammen und warf den Blinker oder die Fliege zum ersten Mal aus, warf immer wieder aus, ging dabei langsam auf dem unteren Weg flußaufwärts. Man sah ihn beinah jeden Tag am Fluß, bei jedem Wetter; er wußte, wann es sich lohnte; am Nachmittag fischte er meist ganz hinten vor dem Flußknie beim Wasserfall unterhalb der Brücke. Dort war das Wasser tief und die Strömung stark, dort stehen die Fische heute noch im Schwarm. Das muß man wissen, will man nicht nur zufällig Schwein haben beim Edelfischfischen.

Emil Staiger

CARL ZUCKMAYER
Eine Rede

Lassen Sie mich mit einer Jugenderinnerung beginnen, den Jahren nach dem Ersten Weltkrieg. Es gab damals keine zerstörten Städte, aber ein graues, zermürbendes Elend, dessen beklommene Zeugen wir in der Nachbarstadt Konstanz werden konnten. Das deutsche Geld war so entwertet, daß der Preis für eine Semmel hundert Milliarden Mark betrug. Die Löhne und Gehälter wurden in Waschkörben von den Banken geholt und mußten, wenn sie nicht abermals ihren Wert verlieren sollten, unverzüglich in Waren umgesetzt werden. Meine Schulkameraden aßen mit Sägemehl durchsetztes klebriges Brot. Die Lage schien hoffnungslos zu sein. Da machte auf einmal die Erfindung der Rentenmark – nicht aller Not, aber doch der unmittelbarsten ein Ende. Wir begriffen nicht, wie das möglich war, und nahmen das Wunder halb ungläubig, halb erleichtert entgegen. Man richtete sich in einem etwas gefe-

stigten Zustand wieder ein und glaubte, daß Glück und Freude
vielleicht doch nicht von der Erde verschwunden seien.

In diese Zeit fällt der Erfolg von Carl Zuckmayers «Fröhlichem
Weinberg», dem Stück, das schon durch seinen Titel und erst
recht durch die in jeder Szene überbordende Lust des Lebens allem
widersprach, was damals in der Literatur an der Tagesordnung
war. Man darf getrost behaupten, Zuckmayer habe mit diesem
Werk entscheidend dazu beigetragen, daß die Vorherrschaft des
Expressionismus auf den Bühnen gebrochen wurde, daß man sich
auch wieder zu anderm als immer nur zu Entsetzen und schriller
Verzweiflung zu bekennen wagte. Soziologen werden dies wohl
als ein Paradebeispiel für den Zusammenhang von Schrifttum und
wirtschaftlichen Verhältnissen geltend machen. Der Literarhistoriker findet damit die Frage nach dem Sinn des erstaunlichen Vor-
gangs noch nicht gelöst. Was soll er aber dazu sagen? Es gehört
geradezu zum Wesen des Dichters, den wir feiern, daß er den
Literarhistoriker in die größte Verlegenheit setzt. Man erwartet
von uns eine Einordnung. Wie ordnen wir aber Zuckmayer ein?

So viel steht vorerst fest: mit dem Expressionismus hat er nichts
zu schaffen. Ich wüßte nichts, was ihm fremder wäre als der Wille
zur Erschütterung, ja womöglich zur Zerstörung alles Bestehenden überhaupt, als der Schrei nach einem neuen Himmel und einer
neuen Erde. Unsere Erde mit allen ihren Gebresten hat er viel zu
lieb, als daß er sie vernichten möchte. Sogar sein Schinderhannes,
der das Zeug dazu hätte, uns als dämonischer Rachegeist zu zerstören, bleibt liebenswert, dem Leben zuliebe. Die wilhelminischen
Säbelraßler im «Hauptmann von Köpenick» werden nicht zu
gespenstischen Karikaturen entstellt: wir finden sie zwar lächerlich, sie tun uns aber auch wieder fast leid in ihrem bornierten
Getue, weil der Dichter ihnen gleichfalls herzlichste Teilnahme
nicht verweigern mag, weil er alles Lebendige, wie es auch sei,
vielleicht nachsichtig, aber, er kann nicht anders, wohlwollend betrachtet.

Alles *Lebendige,* sage ich. Denn wo der Mensch zum blinden Werkzeug erstarrt in der Hand einer Obrigkeit, die ein für allemal anerkannt wird, als wäre wirklich jede von Gott, da findet Zuckmayer
kein Leben mehr und gibt es, wie bei manchen Gestalten in «Des
Teufels General», nicht den leisesten Zweifel über sein Urteil.
Aber sogar dieses Stück, in dem sich der Dichter, unmittelbar nach
dem Krieg, an das Entsetzen der letzten Jahre des Nationalso-
zialismus heranwagt, wächst sich nicht zum Gemälde eines Dan-
teschen Infernos aus. Zuckmayer hält in einigen unvergeßlichen

Szenen das strengste Gericht, vermeidet es aber, mit nacktem Grauen einen brutalen Effekt zu erzielen, und sucht noch in der Asche des Vaterlandes Goldkörner der geschmähten, beleidigten Menschlichkeit heraus, auch in der beklemmendsten Finsternis von Glaube, Liebe, Hoffnung einer besseren Zukunft entgegengeführt, nicht einer überschwänglichen, mit der sich nur der Verzweifelte tröstet, aber doch einer Zukunft, in der ein Mensch unter Menschen sich einrichten kann.

Dies also scheidet ihn von den Expressionisten, seinen Jugendgefährten. Bedeutet sein Schaffen vielleicht eine Rückkehr zu dem frühen Stil Gerhart Hauptmanns? Man hat es behauptet, und Zuckmayer selbst hat wiederholt seine tiefe Verehrung für den Dichter der «Weber», des «Biberpelz», des «Fuhrmann Henschel» bekannt. Er teilt mit ihm den Verzicht auf eine metaphysische Problematik, wie sie das idealistische Drama der Goethe-Zeit ausgebildet hat und wie sie auch in unserm Jahrhundert hin und wieder zu finden ist. Ein Problem dieser Art, den steten Bezug der Gestalten, Ereignisse, Taten und Leiden auf eine vorausgefaßte Idee hätten Hauptmann und Zuckmayer nur als Scheidewand zwischen sich und dem Leben empfunden, als eine der Dichtung abträgliche Brechung seiner elementaren Gewalt.

Zuckmayer und Hauptmann begegnen den Dingen sozusagen mehr mit den Nüstern als mit den Organen der Reflexion. Das Individuelle kann beiden gar nicht individuell genug erscheinen. So sind sie immer darauf bedacht, das Eigenartige eines Raumes, Tracht und Gebaren ihrer Gestalten so deutlich wie möglich herauszuarbeiten, bis zu den seinerzeit berühmten Hirschhornknöpfen an Kahls Jackett in Hauptmanns Erstling und bis zu den Schweinsrippchen mit Kraut in der ersten Szene des «Fröhlichen Weinbergs». Beide Dichter kennen sich auch in den deutschen Dialekten aus und bringen sie immer wieder mit Lust und Liebe zur Geltung, Hauptmann sein Schlesisch, Berlinerisch, Sächsisch, Zuckmayer seine rheinische Mundart, darüber hinaus aber eine ganze Musterkarte von Dialekten, vor allem in seinem «Schelm von Bergen», wo er mit einem überaus reizvoll archaisierten Deutsch aufwartet, dazu aber auch mit Bayrisch, Platt, das schon ins Holländische übergeht, und anderen Idiomen, die ich nicht sicher zu identifizieren wüßte.

Man pflegt dies «naturalistisch» zu nennen, trifft damit die Sache aber nicht ganz. «Naturalistisch» – das legt den Gedanken an ein Kopieren der Wirklichkeit nahe, an eine fast photographische Technik, bei der es auf Genauigkeit ankommt. Die Meinung ist aber nicht Genauigkeit, sondern Lebensintensität, ein Hören, Schmecken und Riechen des Daseins, an dem der Zuschauer bis zur völligen Selbstvergessenheit teilnehmen soll. Bei Gerhart Hauptmann, der sich gegen die Schuldramatik durchsetzen mußte, wirkt das manchmal noch programmatisch. Zuckmayer bewegt sich freier. Eine verstimmende Absicht wird nirgends fühlbar. Und offenbar liegt ihm auch etwas anderes mehr am Herzen, was nun gar nicht naturalistisch genannt werden darf.

Es ist nicht leicht zu bezeichnen, obwohl es jeder von uns ganz deutlich spürt. Ich gehe wohl am besten vom Untertitel des «Hauptmanns von Köpenick» aus: «Ein deutsches Märchen in drei Akten.» In einer Szene liest Wilhelm Voigt dem kranken Mädchen aus Grimms Märchen, den «Bremer Stadtmusikanten», vor. In einem Satz, den Zuckmayer auch am Schluß des Stücks noch einmal hinsetzt, verdichtet sich das traurige Schicksal des nach seiner Zuchthausstrafe überall abgewiesenen Schusters: «Komm mit, sagte der Hahn; etwas Besseres als den Tod werden wir überall finden.»

Die Melodie dieser Worte scheint überall zwischen den Zeilen hinzuziehen und sichert der Bilderfolge auch jenseits ihres klaren Zusammenhangs eine traumhaft-musikalische Einheit. Ein Märchen ist aber erst recht der «Schelm von Bergen», die Geschichte vom Sohn des Henkers, der die Kaiserin liebt; und Märchenhaftes leuchtet in der Zirkuswelt der «Katharina Knie», in den bunten Kostümen und in dem Goldglanz der Pailletten auf. Man wende nicht ein, auch Gerhart Hauptmann habe Bühnenmärchen gedichtet: «Und Pippa tanzt», «Die versunkene Glocke». Gewiß! Doch Gerhart Hauptmann unterscheidet das Märchen genau von der Wirklichkeit, indes Zuckmayer die Reize des Märchens in der Wirklichkeit entdeckt.

Die Frage, ob sich dies mit dem realistischen Wahrheitsbegriff vertrage, hat schon Gottfried Keller beschäftigt. Man warf ihm vor, es gehe bei ihm oft nicht mit rechten Dingen zu. Er gab zur Antwort: das sei ihm klar; er wisse so gut wie jedermann, daß niemand einen Zettel mit einem Sinngedicht in die Tasche stecke und ausziehe, um das Erröten und Lachen mit seinem Kußrezept zu erproben; es sei aber märchenhaft und werde darum den Leser überzeugen. Keller nannte dies die «Reichsunmittelbarkeit der Poesie» und ließ sich zum Glück nicht irremachen. Die Reichsunmittelbarkeit der Poesie im Sinne Gottfried Keller hat also auch Zuckmayer wieder entdeckt und, wie mir scheint, mit den Jahren immer selbstverständlicher in Anspruch genommen.

Die Dinge liegen aber bei ihm nicht genau so wie im «Sinngedicht» oder in den märchenhaft anmutenden Novellen der «Leute von Seldwyla». Keller gestattet sich zu erzählen, was der Wirklichkeit nicht entspricht – der Wirklichkeit, die Hugo von Hofmannsthal mit großem Recht die «fable convenue der Philister» genannt hat. Im «Hauptmann von Köpenick», in «Katharina Knie», im «Schinderhannes» finde ich nichts, was ein Pedant als unwahrscheinlich bezeichnen müßte. Und dennoch liegt der Märchengoldstaub auf den Szenen und entzückt uns, wir wissen nicht recht warum und wie, weil diesem Dichter nun einmal die wahrhaft dichterische Gnade verliehen ist, das Märchen auch dort wahrzunehmen, wo es nicht eigentlich wunderbar zugeht.

Wir schauen uns weiter um und kommen nun erst zu den eigentlichen Altersgenossen. Unter diesen ragt als eindrucksvollste Gestalt Bert Brecht hervor. Altersgenossen? werden Sie fragen. Bert Brecht, obwohl er noch immer zu den meistgespielten Dramatikern deutscher Sprache gehört, erscheint uns doch schon eher als eine historische Größe, während Zuckmayer lebens- und schaffensfroh in unserer Mitte weilt. Es verhält sich aber doch so, wie ich sage. Zuckmayer ist sogar noch ein gutes Jahr älter, als Brecht heute wäre. Er hat sich denn also wohl auch mit diesem Rivalen auseinandergesetzt.

Tatsächlich drängen sich auf den ersten Blick gemeinsame Züge auf. Im Unterschied zu Gerhart Hauptmann, der seine dramatischen Fabeln meist in großen geballten Akten entwickelt und damit hin und wieder fast die Wucht der antiken Tragödie erreicht, neigen Brecht und Zuckmayer eher dazu, das Geschehen in eine Folge einzelner Bilder aufzulösen und auf große Architektur zu verzichten. Sogar in Stücken, die in wenige breite Akte aufgeteilt sind – ich denke an «Katharina Knie» oder an «Des Teufels General» –, fehlt jene Spannung auf weite Sicht, die zielstrebige szenische Rhythmik, die zum klassischen Drama gehört und die, unter anderen Voraussetzungen, auch noch dem Schöpfer der «Rose Bernd» und des «Fuhrmann Henschel» natürlich war. Dem Verlust entspricht aber ein Gewinn. Wir haben die Freiheit, uns auf Einzelheiten beschaulicher einzulassen. Jeder Moment gewährt uns schon eine gewisse Befriedigung. Wir sind viel eher gefesselt als gespannt. Das «epische Theater» kündigt sich in solchen Wirkungen an.

Sobald wir aber dieses heute nur allzu geläufige Wort aussprechen, wird uns auch der Unterschied zwischen Brechts und Zuckmayers Kunst bewußt. Brecht hat – nach seiner eigenen Theorie – Beschaulichkeit angestrebt, damit das Publikum die Möglichkeit ha-

be, sich kritisch zu den Ereignissen auf der Bühne einzustellen. Ein
Zuschauer, der sich gelassen zurücklehnt, wohl gar eine Zigarette
anzündet und während des Spiels zu der Einsicht gelangt, daß es
mit der Gesellschaft übel bestellt sei – zu einer klaren, vernünfti-
gen Einsicht –, ein solcher Zuschauer war ihm erwünscht; zu einer
solchen Haltung das Parterre zu nötigen war die Absicht, die er,
wie er uns deutlich erklärt, mit seinen Verfremdungseffekten verfolgte. Ein Publikum, das sich nicht so verhielt, das lieber bewegt, ergriffen sein wollte, nannte er bürgerlich-kulinarisch. So
nach der Theorie! In der Praxis sah freilich alles oft anders aus.
Zuckmayer hat, soviel ich sehe, überhaupt keine Theorie. Ihm
liegt es eher, mit Goethe zu sagen: «Bilde Künstler, rede nicht!»,
sich unverdrossen ans Werk zu machen und im Verlauf der Arbeit
zu erproben, was dabei herauskommt.

Hat er sich je zu Verfremdungseffekten und dergleichen verpflichtet gefühlt? Ich glaube es kaum. Ganz sicher nie im Sinne Brechts
und seiner Gefolgschaft. Ein Publikum, das skeptisch-kritisch beobachtet, was auf der Bühne geschieht, wie Zeugen Straßenun-
fälle betrachten: nichts, meine ich, läge Zuckmayer ferner. Er will
uns rühren und bewegen. Er will, daß uns das Leben ebenso innig
umarme wie ihn selbst. Und wir wissen, wie trefflich ihm dies gelingt. Ich erinnere an die Brüder Knie, die tränenüberströmt, geschüttelt von Ergriffenheit dasaßen, als Katharina Knie und ihr
Vater in Zuckmayers Seiltänzerstück erschienen. Unsere Ergriffenheit nimmt meist wohl etwas andere Formen an. Sie ist aber sicher
ebenso stark, und sie ist ein seltsam gemischtes Gefühl – nicht einfach Mitleid, das nach Lessing der Haupteffekt der Tragödie sein
soll und das auch bei Gerhart Hauptmann jede andere Empfindung
weit überwiegt. Wilhelm Voigt ist freilich ein armer Kerl, bei dem
uns wind und weh wird. Er ist in allem Elend aber auch wieder so
unverwüstlich pfiffig und läßt sich so gar nicht unterkriegen; er
rächt sich an der Gesellschaft nicht als Revolutionär, vielmehr mit
einem so überwältigenden Humor, man möchte fast sagen: so lie-
benswürdig, daß sich in unser Mitleid mehr und mehr eine tiefe
Genugtuung mischt und wir zuletzt, wo wir meinten nur klagen
zu müssen, einen Sieger bewundern, einen Sieger, der sich selber
darüber wundert, daß er siegt, der auch kein Schlachtfeld hinter-
läßt, nur eine Blamage seiner anonymen Gegner und ein Gelächter. Nein, da wird nichts verfremdet, wird unsere Sympathie nicht
künstlich verhindert. Wir bangen, weinen, schmunzeln und lachen,
vergessen uns selbst und kehren als freiere Menschen in unsern
Alltag zurück.

Mit all dem ist der Literarhistoriker aber noch immer nicht aus seiner Verlegenheit heraus. Er weiß noch immer nicht zu sagen, wo Zuckmayer eigentlich hingehört, und tut wohl gut daran, auf eine Antwort überhaupt zu verzichten. Für jene seltenen Menschen, die aus eigener Machtvollkommenheit leben, die nicht, um sicher zu gehen, immer nur wie die anderen reden und handeln, die ihrem eigenen, ihnen selber unergründlichen Herzen gehorchen und deshalb unberechenbar sind, für solche Menschen genügte Goethe nur ein einziges Wort: «Natur». «Eine Natur», so pflegte er zu sagen, wenn er der Ursprünglichkeit eines Geistes gerecht zu werden versuchte. Und eben in diesem Sinn erscheint Carl Zuckmayer uns als eine Natur, in seinen Erzählungen, seinen Dramen, seinen Gedichten und nicht zuletzt in seiner erfrischenden Menschlichkeit, der Kraft zu leiden und zu genießen und, ohne viel Aufhebens davon zu machen, in allen Lebenslagen tapfer seinen Mann zu stehen. Er hascht nicht nach Originalität. Er kann nicht anders als originell sein. Er schielt nie nach der herrschenden Mode, hat nie eine Cliquenwirtschaft betrieben. Er macht seine Sache, und damit gut. Die andern sollen sehen, ob sie etwas damit anfangen können. Das heißt: er ist kein Literat. Wir hören das Papier nicht rascheln. wenn wir seine Bücher lesen. Wir sind mit ihm in frischer Luft.

Doch «eine Natur»: das könnte nun freilich auch wieder mißverständlich sein. Es gibt Naturen, die keiner Bildung fähig sind, Originalgenies, die Goethe – um ihn noch einmal anzuführen – «Narren auf eigene Faust» nennt. Zuckmayer beweist, daß sich Urnatur mit Bildung sehr wohl vereinigen läßt. Er kennt die Geschichte und Literatur in einem Ausmaß, das man ihm nicht ohne weiteres zutrauen würde. Er hat bei älteren Dichtern gelernt und keine Mühe gescheut, sich das Handwerk des Dramatikers anzueignen. Er hat sich aber niemals an ein Vorbild, an einen Meister verloren, nicht einmal an Gerhart Hauptmann, der ihm doch wohl am nächsten steht. Was immer er lernt, es verwandelt sich wie von selbst in seinen eigenen Rhythmus und nimmt die persönliche Physiognomik seiner elementaren Begabung an. Ein seltener Glücksfall, für den zu danken wir nicht müde werden wollen.

Ein seltener Glücksfall weiterhin, daß ein solcher Künstler und Mensch die Geschichte seines Lebens geschrieben hat, eine Lebensgeschichte, die zur deutschen Geschichte der ersten Hälfte unsres Jahrhunderts geworden ist, zur Geschichte der Literatur, der Gesellschaft, der Kultur, der Politik und mit der Politik zur Geschichte einer der fürchterlichsten Epochen der neueren Menschheit. Wie wäre es abermals leicht gewesen, mit brutalen

Effekten, mit drastisch ausgemalten Greueln auf einen Sensations-
erfolg hinzuarbeiten! Zuckmayer – ich kann nicht sagen: hat darauf verzichtet; denn dergleichen lag überhaupt nicht in seiner Gewalt. In seiner Märchensprache zu reden: Alles schien darauf angelegt, daß ein sinnenfreudiger, glücklicher Mensch ausziehe, um
das Hassen zu lernen. Er hat das Hassen nicht gelernt. Die Liebes-
kraft – in jedem Sinne genommen – war zu groß in ihm. So fällte er
wohl sein eindeutiges Urteil über die Schmach und Schande der
Zeit. Er fällte es, indem er auszog. Er fällte es auch in Amerika, indem er sich weigerte, sein Talent unwürdigen Zwecken anzupassen, und es vorzog, mit Hacke und Spaten im Schweiße seines Angesichts als kleiner Farmer sein Leben zu fristen. Damit erreichte
er, daß seine Seele nicht verunstaltet wurde, daß alles Menschenwürdige und Lebenswerte, das überall von unserm Planeten verbannt zu sein schien, in seinem Gemüt eine Heimat behielt, so, daß
er es unversehrt in unser entehrtes Europa zurückbringen konnte.
Mit Haß, Verdüsterung und Verzweiflung hätte er sich vom Gegner das Gesetz des Handelns aufzwingen lassen und ihm erlaubt,
auch das Hoheitsgebiet, das er allein zu verteidigen fähig war, sein
Herz, zugrunde zu richten. Alles Unfruchtbare aber, alles, was
nicht Leben schafft und Leben erhält, war ihm zuwider.
So blieb er denn sich selber treu und bewahrte, offenen Auges, in
aller Bedrängnis den Mut zur Heiterkeit. Auch dies vermag nur
eine Natur. Nur eine Natur ist unverwüstlich und geht aus allem
Wandel der Dinge immer wieder als Sieger hervor, als Sieger, der
keine Wunden schlägt, der nicht über tödliche Waffen, nur über
die heilenden Kräfte des Ursprungs verfügt.

Jörg Steiner

UNTERWEGS IM GRAUEN OLIVENHAIN

Auf einer Kutschenfahrt durch Korsika kommt mir mein Hut ab-
handen; damals bin ich vier oder fünf Jahre alt.
Die Geschichte ist in einem Grammatikbuch für Mittelschulen
nachzulesen und in die Vergangenheit zu setzen.
Vater tröstet mich, heißt es. Er fragt: Soll ich dem Hut pfeifen?
Ja, sage ich.
Das Väterlein pfeift durch die Finger und setzt mir den Hut, den es
hinter dem Rücken versteckt hat, wieder auf.

Brav, sagt Mutter Laetitia. Er ist ein kleiner Junge, sagt sie und lächelt mich an; wenns nur so bliebe! Aber bald verstehe ich: man lacht darüber, daß ich den Trick, den alle durchschauen, nicht gleich durchschaut habe.

Vater, pfeife noch einmal, bitte ich, indem ich den Hut zum Fenster hinauswerfe.

Mutter Laetitia hat mir die Geschichte oft erzählt. Es handelte sich um einen blauen Samthut von bekanntem Zuschnitt; ich bin ihn nie mehr losgeworden. Schauspieler tragen ihn heute auf der Bühne, kleine, krummbeinige Kerle. Sie strecken die rechte Hand in den Ausschnitt der Uniformjacke und sind von mehreren Adjutanten umgeben; als Tänzer wären sie unmöglich. Das Publikum kennt sich aus; meist gibt man Napoleon als Kaiser, hin und wieder als General, selten als Staatsmann.

Mutter Laetitia hat es geahnt: meine Versuche, mich mit Anstand zurückzuziehen, mußten fehlschlagen. Ich habe mein Handwerk als Soldat verstanden. Als einer, der sein Handwerk versteht, bin ich im Lexikon abgebildet.

Ich habe den Royalistenaufstand niedergeschlagen und bin zum Kaiser gemacht worden; Stationen und Gegenspieler sind bekannt, die Schuldfrage scheint geklärt.

Als Schriftsteller im Hauptberuf hätte ich mich mit dem Französisch des Kaisers beschäftigt, mit seiner Zeitwahl, vor allem mit seinem passé simple.

Als Schriftsteller wäre ich der alleinige Urheber des berühmten und längst vergessenen Gesetzbuches – wie heißt es bloß – es ist in mehr als vierzig Sprachen übersetzt worden; ein Bestseller, sagte Frau Marie-Louise: Die Ohnmacht der, die Ohnmacht.

Ich war nie ein Held. Ich habe für Helden nichts übrig. Ich versuche, mich selbst zu verstehen als eine Figur, die die Geschichte vorantreibt; als eine lächerliche Figur, wenn ich der Sprachschule glauben darf.

Man findet mich auf Flückigers Vertiko und im Bücherschrank der Familie Bruppach. Verwalter Bruppach kennt zwei Gedichte, in denen ich eine Rolle spiele: Unser Leben gleicht der Reise eines Wandrers in der Nacht, und: Holio-Dia-Hu.

Ich habe die Figur in einem staatlichen Antiquariat gekauft, pflegt Verwalter Bruppach seinen Gästen zu erklären. Eine Nippes-Sache, aus Elfenbein; drüben so teuer wie ein Fernseher. Mutter, wie lange hast du nicht Staub gewischt?

Eine Fälschung, bitte, sagte der Verkäufer in Prag zu Verwalter Bruppach; aber sehr gut gemacht. Man kann seine Brust öffnen;

alles von Hand geschnitzt und wird immer wieder verlangt. Sie als Schweizer; es möchte mich wundernehmen, warum man als Schweizer Napoleon kauft.

Er hat die Welt verändert, sagt Lehrer Flückiger. Er liebte die Tiere, besonders die Katzen. Auf dem ägyptischen Feldzug und kurz vor seiner Flucht bestrafte er einen Soldaten, der ein Kamel quälte, mit dem Tode durch den Strang. Er befreite sogar die Bären in Bern, Schweiz, und ließ sie mit dem Goldschatz der Stadt und zwei Jodlern nach Paris führen.

Man muß die großen Zusammenhänge sehen lernen, sagt Verwalter Bruppach. Napoleon war Nichtraucher wie ich; er aß viel frisches Obst. 1969 wird er zweihundert Jahre alt. Der Krieg weitet sich aus. Napoleon ist der Begründer der modernen Kriegsführung. Man muß die Tatsache sehen, daß die Menschheit ohne Kriege nicht leben kann. Ich, als Major.

Der Fürsorgebeamte sagt: Napoleon war schon als Kind unverstanden; daher die fehlgeleiteten Aggressionen. Seine Mutter Laetitia ließ es an der nötigen Nestwärme fehlen. Er war oft allein, er hatte Angst vor Feuersbrünsten; bitte entschuldigen Sie die Mehrzahl. Löscht das Feuer, sagte er jeden Abend vor dem Zubettgehen. Sonst sprach er kaum ein Wort, auf Elba, von März bis Juni. Er wollte wie ein gewöhnlicher Gefangener behandelt werden. Erst auf St. Helena wurde er umgänglich. Er fing an, mit den Leuten zu reden, er stritt sich mit der Köchin; er hatte sich mit seinem Los abgefunden. Man ließ ihm den Hut; er soll ihn als Kind ungern getragen haben. Immerhin ist er ein bedeutender Mensch gewesen, eine Größe, wenn ich mir erlauben darf zu sagen, was ich denke; Napoleon.

In der Sprachschule heißt es von mir: Napoleon führt den Hut in seinem Gepäck mit. Napoleon ist verwundbar. Verwundbar bedeutet auch: verwendungsfähig.

Talisman bedeutet, wenn ich recht verstanden habe, jeder sei der Napoleon eines andern.

Ein Gesetz trägt meinen Namen; ein Goldstück; eine Komödie; ein Cognac; eine Geschichte des Dichters Johann Peter Hebel. Setze in die Gegenwart:

Da gab es nun von seiten der Einwohner, denen das Alte besser gefiel als das Neue, mancherlei Unordnungen, und es wurden besonders in dem Ort H. mehrere Widersetzlichkeiten ausgeübt und unter anderen ein französischer Offizier getötet. Das konnte der französische Kaiser nicht geschehen lassen, während er mit einem zahlreichen Feind im Angesicht kämpfte, daß auch hinter ihm

Feindseligkeiten ausbrachen und ein kleiner Funke sich zu einer großen Feuersbrunst entzündete.

Ich gebe zu: einer wie ich redet gerne von Schwierigkeiten. Einer wie ich denkt gleich an Verschwörung, wenn von Umwegen die Rede ist. Mir fehlen die Sprachkenntnisse der Frau Marie-Louise; ich habe wenig Geduld. Ein Schlagwort, vor der Schlacht geprägt und an eine Mauer geschrieben, hat damals genügt. Die Soldaten hielten Ausschau nach dem bekannten Hut: En Avant, riefen sie, oder Vive l'Empereur.

Ich habe mich von der Truppe nie General nennen lassen; der Hut macht mich zum Zivilisten. Ich ziehe ihn höflich vor den Einwohnern, denen ich hier aber nur noch selten begegne.

Jamestown leidet unter Hitze und Kohlenstaub; St. Helena ist vulkanischer Boden. Am Stadtrand verzweigen sich die Wege; sie bilden an den kahlen Hängen ein Netz ohne Mittelpunkt und werden nach den gerade herrschenden Bedürfnissen verändert. In immer neu abgestützten Gruben findet sich Arsen, ein chemisches Element; es ist stahlgrau und spröde, hat das Atomgewicht 74,91 und trägt, gediegen, den Namen Scherbenkobalt.

Leider spricht die Negerbevölkerung der Insel vorwiegend Englisch, eine Sprache, in der ich mich zur Not auf meinen Spaziergängen am Strand unterhalte.

Auch Frau Marie-Louise verfaßte ihre Briefe in mehreren Fremdsprachen; Gedichte manchmal. Prosa ist schwerer zu übersetzen, und auf der Kriegsakademie denkt man nicht daran, Sprachen zu lernen.

Wie traurig ist die Erinnerung an Brionne! Nicht mehr als ein Aufblitzen von Fensterscheiben in der beginnenden Dämmerung; und hier, das eine Buch mit dem blauverfärbten Umschlag, ein Grammatikbuch für Mittelschulen. Ich weiß nicht, wie es damals in mein Gepäck gekommen ist. Auf dem Titelblatt zieht sich der Weg durch einen grauen Olivenhain. Eine Kutsche wirbelt Staub auf, und man erkennt hinter einer nicht ganz geschlossenen Scheibe Hut und Gesicht eines kleinen Jungen.

SPIELREGELN

In der Schule hören die Kinder eine Geschichte,
sie hören die Geschichte von Hiroshima,
Hiroshima ist ein Dorf in der Schweiz.

Hiroshima ist eine keltische Siedlung,
in Hiroshima stehen die Sachen nicht zum besten,
die Bauern sind unzufrieden.

Hiroshima braucht Industrie,
die Kinder lesen im Chor,
der Lehrer schreibt ein Wort an die Tafel.

Schweizeräpfel sind
nicht irgendwelche Äpfel;
sie gehören der
schweizerischen Alkoholverwaltung.

Die Schweiz ist reich an Äpfeln,
die Schweiz ist unser Land,
unser Leben gleicht der Reise,
auf der Reise essen wir Äpfel in Fülle,
dies ist eine Apfelaktion.

Auf einen Wandrer in der Nacht
fallen 4 Obstbäume,
auf einen Wandrer in der Nacht
trifft es 170 Kilo Obst jährlich.

Aus Fallobst brennt der Bauer Schnaps,
verkauft ihn, achtfünfzig den Liter,
dem Wandrer auf der Reise, Ende Oktober,
wenn die Gänse fett sind.
Bauernkinder haben schlechtere Zähne als Stadtkinder.

Urs Martin Strub

DAS BLATT

Er ist der ewige Baum,
weil ich sein Blatt nur bin.
Er hat mich durch den Raum
gesandt nach oben hin.

Wenn meine Stunde reift,
will ich mich wieder drehn
und sanft hinabgestreift
zu seinen Wurzeln gehn.

ERHEBUNG

Mit wachsenden Gefühlen
und Träumen die nicht sind
wirst du auf Wolkenstühlen
fahren im Wind.

Für eine flüchtige Weile
unter dem Meridian
ziehen dich Adler in Eile
sausend voran,

daß dir am richtigen Orte
der Himmel zerbirst
und du im inwendigen Worte
leben wirst.

Magdalena Vogel

SPANNUNGEN

Die Berge sind Klammern,
fassen zusammen –
Sonnenaufgang und Abendgewitter,
westöstlich ist mein Gefühl.
Der Wind ist Südwest.
Es «herrscht» Südwest.
Vermag Laues zu herrschen?
Ich verachte Verblasnes,
bin nicht für die Pole.
Den Lichtbogen rühm ich,
den gleißenden Grat,
die Spanne,
die, ausgemessen, versöhnt.

IM STADTPARK

Der Himmel
ist eine Markise,
rot und gelb gebändert,
niedergezogen
von den Totenhänden
der Bäume
und ohne zu schützen
vor dem Tagmond,
der in den Abend wächst
und das Straßenlicht
blau werden läßt
vor Kälte.

Traugott Vogel

HERKOMMEN UND HINGEHEN – AUTOBIOGRAPHISCHE SKIZZEN

Hartes Wasser

Im ersten Jahr, als man im eigenen, mit Pfandbriefen reichlich belasteten Haus eingezogen und der trockene Sommer dem Rigolen und Drainieren förderlich war, mußten einige ausgewählte in der Nähe des Hauses gelegene Felder oberflächlich für einen ersten Anbau von Gemüse hergerichtet, zum mindesten vom Riedgras gesäubert und mit Spaten und Grabgabel ausgeebnet werden. Erstes widerstandsfähiges, wenig anspruchsvolles Gemüse wurde angebaut.

Meine Mutter, damals in Erwartung ihres ersten Kindes, meines nachmaligen Bruders, kam später immer wieder auf die harte Arbeit zu sprechen, ohne Klage und mit dem heimlichen Stolz, der den Pionier auszeichnet, dessen Opfer dadurch sinnvoll wird, daß das gewagte Unternehmen gelungen ist. Sie erzählte: mit dem Brecheisen, einer schweren, mannshohen stählernen Stange, die «Heb-Ise» (Hebe-Eisen) genannt wurde, mußten für die Setzlinge handtiefe Löcher in die ausgetrocknete, harte Erde gestoßen werden. Zwar rutschte das krümelige, staubige Erdgut nach; aber man stieß ein zweites und drittes Mal in die Tiefe, pflanzte nun den Setzling in die kleine Grube, goß Wasser nach und schwemmte so die Wurzeln ein. Es waren Kohlarten, denen man zutraute, genügsam und widerstandsfähig zu sein, um zu überleben: Kabis, Wirz, Rosenkohl, vielleicht auch Feder- und Blumenkohl. Und sie gediehen. Zwar galt es, Tag für Tag mit Tanse oder Gießkanne Wasser zu tragen und die Pflänzchen wie Säuglinge zu stillen, um sie vor Sonnenbrand zu bewahren. – Doch woher nahm man das Wasser?

Mein Vater hatte sich vorgesehen. Zwar besaß er keinen Mosesstab, auch fehlte ihm der Wüstenfels. Wahrscheinlich waren ihm ähnliche Schwierigkeiten während seiner Lehrzeit dort drüben hinter dem Bodensee und dem Allgäu in München begegnet und hat man ihn gelehrt, sie zu beheben. Er ließ eiserne Röhren in den Grund treiben, wußte er doch, daß auf der Molasse, unter Torf und Lehm, die Schotterbank lag: eine tiefgründige, wasserführende Kiesschicht. Das Grundwasser sprudelte zwar nicht als Quell oder Aufstoß aus der angebohrten Tiefe. Nein, so freigiebig war unsere Heuriednatur nicht. Man hatte Handpumpen einzusetzen, die förderten das harte, kühle Wasser zu Tag und ergossen sich in einen Zuber, Stande geheißen, der als Trog diente. An diesen Handpumpen mit ihrem langen Schwengel hatte man sich nun zu betätigen: eine dauerhafte Plackerei, beinahe eine Galeerenfron.

Nicht daß ich wüßte, daß je einer der Pompiers, weiblichen oder männlichen Geschlechts, jugendlichen oder bestandenen Alters, das Pumpen verwünscht hätte! Bestand doch der Lohn der Mühe in wahrem Lebenswasser. Es schlug sich außen am Pumpenhals in silbernen Perlen als Nässe nieder, und im Umkreis der Schöpfstelle gedieh Pflanze, Tier und Mensch. Man kam sich ins biblische Land und an den Jakobsbrunnen versetzt vor.

Der Geborgene ist heiter

Von jenen bayrischen Landarbeitern, die mit unserem Vater in Verbindung geblieben waren und von denen er diesen und jenen «in d Schwoiz nei» holte und als Gesellen einstellte, sind uns Kindern besonders deren zwei in ungetrübter Erinnerung geblieben. Die beiden waren unter sich bereits eng befreundet und blieben es, als die schweizerische Fremde ihre neue Heimat wurde. Der eine bewährte sich im Dienste meines Vaters, der andere im Dienste meiner Großmutter und hernach meines Onkels. Ich denke gerne an sie zurück: sie bewahrten uns in unserer ländlichen Abgeschiedenheit vor der Enge des Selbstgenügens; aus Bayern kommend sprachen sie eine eigene, beinahe andere Sprache und wurden da-

mit Zeugen einer für uns neuen Außen- und Innenwelt. Von ihrem
«Boarisch» hob sich mir mein «Züritüütsch» geradezu befremd-
lich ab, und in solchem Gegensatz erkannte ich staunend, daß sich
die Eigenart der Welt, in der einer lebt, nicht nur in ihr selbst (in
der Welt), sondern in ihrer Sprache darzustellen vermag und sich
hier verwirklichen kann. Auch stellte ich im Umgang mit den
beiden fest, daß zwar ihre Sprache zusehends-zuhörends verblaßte
und sich in unserer Mundart auflöste, die Männer selbst aber in
ihrer Persönlichkeit sich nicht veränderten; sie bewahrten sich in
ihrer angeborenen Art, obgleich sich ihre Sprache der neuen Umwelt anpaßte. Wir unsererseits eigneten uns für die Dauer nicht
einen einzigen ihrer Ausdrücke an, obwohl es deren zur Genüge
gab: Namen von Geräten, von Pflanzen und Bezeichnungen gärt-
nerischer Tätigkeiten. Wohl nahm man sie zur Kenntnis, versuchte sie zu gebrauchen, stieß sie jedoch bald wieder ab.

Einen einzigen Ausdruck, dem es beinahe gelungen ist, sich in unserer Umgangssprache zu behaupten, habe ich bis heute im Ohr
behalten, und der dann doch abstarb: mit dem abschätzigen Wort
«Krauterer» bedachten sie einen unfähigen Gärtner, einen Pfu-
scher und Stümper; alle Schärfe der Verachtung legten sie in das
Schmähwort, und es gab solche Auchgärtner nach und nach in
bedrängender Zahl rings ums Heuried! Auch in der mundartlichen
Einkleidung «Chrauteri» ließ sich der Ausdruck nicht naturali-
sieren, vielleicht weil der Stamm mit dem Doppellaut «au» die
fremde nördliche Herkunft verriet. Und da sich der Eindringling
nicht zu «Chruuterer» oder «Chruuter» umbilden ließ, ging er ein,
und einzig die Zwitterform «Chrauteri» konnte sich für einige
Zeit im Gedächtnis und in gelegentlichem Gebrauch in unserer
Familie erhalten. Ein Chrauteri war ein höchst verächtliches Subjekt, das Berufsstolz und Standesehre beleidigte, und hatte demnach auszusterben, als Ding und als Wort.

Die beiden deutschen Gesellen blieben bei uns im Land, bei uns
im Heuried. Zwar folgte der eine einmal einem Aufgebot seiner
alten Heimat, leistete als Einjähriger den vaterländischen Dienst,
kam im zweifarbigen Tuch in Urlaub, fremd und beinahe abstoßend schneidig gedrillt und beschnauzt. Was ihn aber zu den
Burstwiesen zog, war nicht allein das gute Auskommen, das er
hier gefunden hatte, und kaum ein erstes Ahnen demokratischer
Freiheit, sondern es war die Tochter eines Nachbarn, eines kauf-
männischen Angestellten, der sich am Rande unseres großmütter-
lichen Gartenlandes ein schmales Feld erstanden hatte und darauf
sein bescheidenes Wohnhaus errichtet hatte.

Die beiden deutschen Burschen sind nicht mehr über den Bodensee in ihre alte Heimat zurückgekehrt; selbst der Krieg von Vier-
zehn/Achtzehn hat sie nicht heim ins Reich zu holen vermocht, obschon sie wußten, daß sie während banger Wartezeit als staaten-
lose Aufenthalter zwar hier Asylrecht genossen, jedoch bei einem
Einbruch des deutschen Heeres in unser Land als Verräter ihr
Leben verwirkt hätten. Welche Macht es war, die sie hier festhielt,
konnten wir wohl ahnen, doch hätten wir diese Macht nicht als
Liebe zu erkennen vermocht, obschon offensichtlich sie es war, die
das Geschick der beiden bestimmte.

Wenn ich an die beiden braven «Schwoobe» denke, wacht in mir
ein tiefsitzendes Gefühl der Kameradschaftlichkeit für sie auf. Obgleich sie ja bereits erwachsen und wir noch Kinder waren, ver-
einte uns eine echte Freundschaft, die ihre gemeinsame Mitte in
der Verehrung unserer Großmutter, aber auch unserer Eltern
hatte. Was diese dachten, vertraten und glaubten, war für sie und
uns das unbezweifelbar Richtige; es war Gesetz. Unter dem
Schutz dieses Gesetzes fühlte man sich geborgen. Und der Gebor-
gene ist heiter.

Ja, sie waren heiter. Sie pfiffen und trällerten bei der Arbeit auf
dem Feld oder bei Regen im Schopf. Und wir Kinder waren mit
ihnen heiter. Aus Deutschland hatten sie Lieder mitgebracht, nicht
auf Platten (es gab sie zwar schon, die ersten, aber nicht für sie und
uns); sie sangen ihre Schlager auswendig: «Im Grunewald, im
Grunewald ist Holzauktion» (eigentlich hieß es bei ihnen «Holz-
aktion») und «Wir sind die lustigen Holzhackerbuen».

Gotthelf im Schindelkorb

Unser Vater war nicht nur ein ausgebildeter Gärtnermeister, der
seine Fachblätter zu Rate zog, er hatte auch das Talent, den beruflichen Anforderungen und Schwierigkeiten mit erfinderischen
Sinnen zu begegnen. So war er der erste, dem es einfiel, das leichte
Gefälle der Felder für sein Gewerbe auszunützen. Er erschloß es
mit schmalspurigen Geleisen, auf denen er statt mit Schubkarren
(Karretten) mit Rollwagen das geerntete Gemüse oder den Dünger
vom Haus hinweg oder zum Haus hinauf führen ließ. Er erfand
auch eine Fußbremse, die bei der Talfahrt die Geschwindigkeit
stufenweise regelte; er bastelte einen Blechkorb, den er so geschickt an das Blatt der Sense löten ließ, daß das Grünzeug – zumeist war es Spinat – mit dem Schnitt zugleich aufgefangen und
im Schwung in den bereitgehaltenen Schindelkorb gekehrt wurde.
Von ihm lernten wir früh schon die Bösewichter des Bodens ken-

nen und bekämpfen: die Werre (Maulwurfsgrille), die Erdraupe, den Drahtwurm, die Lauchmotte und weiteres, fast zahlloses lauerndes Gesindel. Knieend oder kauernd wurden wir unter seiner Anleitung vertraut mit dem Unkraut in allen seinen mühsalbereitenden, schleichenden, wuchernden und hartnäckigen Arten und Unarten. Während der Schulferien belohnte er ein gesäubertes Saatbeet, für welches man sich während Stunden abgemüht hatte, mit einem Halbfranken, einem für unser Ermessen großzügigen Entgelt.

Eines Tags kam er von der Stadt heim und eröffnete mir, ein Kunde, der ihm den Betrag für etliche Gemüselieferungen schuldig geblieben war, habe ihm die Bücherei angeboten, die er von einem Vorfahren geerbt hatte; ich dürfe mir auslesen, was ich brauchen könne und mir Freude bereite. Ich säumte nicht hinzugehen, fand aber auf jener Bücherlade wenig, das mich lockte, zumeist waren es Reiseberichte und gebundene Zeitschriften. Einzig zwei kleine Bücher habe ich gewählt und heimgebracht. Das eine enthielt Proben aus Mark Aurels Schriften, das andere war eine Ästhetik. Aus dem Umstand, daß ich gerade diese Bücher auslas, will ich nicht etwa auf einen besonders ausgebildeten Spürsinn oder einen frühreifen Geist schließen lassen; was mich zu der einen Wahl bewog, war ein Hinweis im Geleitwort des Buches, mit welchem darauf aufmerksam gemacht wurde, der Leser begegne hier einem schreibenden römischen Kaiser. Für mich, den Jüngling aus lehmigem Grund, hatte die Verbindung von Krone, Geist und altrömischer Lebensweisheit etwas aufreizend Unwirkliches. Ich habe das Bändchen während Jahren immer wieder zur Hand genommen und mich weniger an den Sentenzen erbaut, als mich dadurch ausgezeichnet gewußt, daß ich mich in kaiserlicher Gesellschaft befand. Und aus jener Ästhetik ist mir eine Begriffsbestimmung bis heute in Erinnerung geblieben: das Schöne erfülle sich, wenn die Idee und deren Darstellung sich deckten.

Zuweilen brachte unser Vater ganze Schindelkörbe voll Zeitungen und Zeitschriften heim, deren Papier man auf dem Wochenmarkt zum Verpacken von Gemüse benötigte. Einmal fand sich dabei ein Korb voll Gotthelf; es war die Neuenburger Zahnsche Ausgabe von Otto Sutermeister in Lieferungen. Dieses außerordentliche Frachtgut hat sich auf alle Glieder der Familie ausgewirkt. Man ließ die Hefte zu Büchern einbinden, und sie bekamen ihre Lade über einer Tür im Hausgang, und die Wälzer, so plump und schwer sie gebunden waren, begleiteten uns bis ins Bett. Doch erst mit der Zeit stellte sich bei mir mit der wachsenden Reife die Be-

reitschaft ein, Gotthelfs Geschichten nicht nur anzulesen und mich
in den Illustrationen zu verträumen, sondern das Abenteuer des
Lesens zu wagen. Den nachhaltigsten Eindruck bewirkten zunächst nicht die Worte, weder die erzählten Geschehnisse noch
ihre Gestalten, auch nicht die prophetischen Beschwörungen und
Mahnungen, sondern es war die Zweiheit Bild und Wort, die mich
in ihren Bann zog und mich entscheidend zu bilden vermochte.
Die Federzeichnungen vor allem Albert Ankers hatten es mir angetan, und es mag sein, daß tatächlich der geistige Wuchs des
Malers der ragenden Gestalt des erzählenden Moralisten nicht
weiter als bis zu dessen Knieen reichte, wie ein gewisser Gotthelf-
deuter wahrhaben wollte – mir eröffneten diese Illustrationen Ankers den Zugang zum Dichter, und eine ganzseitige Zeichnung
wie etwa diejenige des auf dem Waldboden schlafenden Erdbeeri-
Mareilis oder die Skizze von strickenden Mädchen, die auf der
Steintreppe sitzen («Und alle, die kamen, lernten von Mareili Gutes
fürs Herz und Nützliches für die Finger»), so drahtig der Feder-
strich im Buchdruck wiedergegeben war, stimmten mit dem Tonfall des Erzählers überein, auch wenn diese Gemeinsamkeit sich
lediglich hier auf ein kindliches Profil oder dort auf die zart ge-
zogene Nackenlinie oder das dunkle, glanzlose Auge eines ernsten
Mädchens beschränkte.

Mit Rührung gedenke ich des Mannes, der im Korb, dessen Schindeln noch feucht waren vom milchig tropfenden Kopfsalat, uns
Kindern solches Gut heimbrachte. Abendelang konnten wir Geschwister vor solcher Makulatur, die vom Tisch der Satten gefallen
war, in Eintracht kauern und beim Licht der Petrollampe blättern,
ausscheiden, lesen und einander die Funde vorweisen. Hier bin ich
zum ersten Male dem «Lesezirkel Hottingen» und dessen Zeitschrift begegnet und fand ich Namen von Malern und Dichtern,
lernte nicht nur die Namen kennen, sondern traf auf die wunderbare Tatsache, daß sie nicht als längst abgeschiedene, unerreich-
bare Geister zu betrachten, sondern in ihrer vollen Gegenwärtig-
keit vorhanden, zu hören und zu sehen waren.

Wie banal: da räumt das Zimmermädchen in einer Villa an der
Freigutstraße den Inhalt der Papierkörbe ihrer Herrschaft beiseite,
trägt die Köchin die gebündelten papiernen Abfälle zum Wochenmarkt, um sie der Gärtnersfrau zu übergeben, die dort ihr Gemüse feilbietet und stets Bedarf an Hüllpapier hat, und in diesen
Zeitungen und Heften finden die Kinder der Gärtnerin einen
Lesestoff, der in ihren Gemütern aufgeht und den Geist weckt und
reizt und ernährt. Noch seltsamer, noch wunderlicher: es ist viel

Schales, viel gewichtloses, ja einfältiges gedrucktes Geschreibsel,
das da mitläuft und sich der lesegierigen Jugend anbietet; aber es
hat ein wenig Keimkraft und wirkt wie jener Müll, den sie Stadt-
mist nennen und der in der Zersetzung Wärme erzeugt und als
Dünger wirkt.

Walter Vogt

ICH HASSE DIESE STADT

Auf Leben steht Tod, und auf Tod die Ewigkeit. Ich verlasse den
Bauch der Kirche. Niemand verfolgt mich, der Platz liegt still.
Verräterische Siesta, Nerven- und Drüsenruhe nach Tisch.
An meinem freien Tag besuche ich meine Buchhandlung. Für einmal als Kunde. Man bedient mich. Und außerdem bekomme ich
Rabatt. Die von unten raffiniert beleuchtete Glastreppe hinunter,
an Nubien vorbei, Schweden, Norwegen, Israel, Max Benses
Ästhetik, Cantatrice Chauve, Autobus S... Neuerscheinungen:
Der Vogel auf dem Tisch, ein schmaler Band. Lukianos weiß
wenigstens noch, was ein Schutzumschlag ist. Ich las das Büchlein,
im sogenannten Leseexemplar, das die Buchhändler vor Erscheinen des Buches bekommen, damit sie ihre Kunden seriös beraten
können, wenn das Buch dann endlich erscheint. Das Buch ist nichts
Besonderes. Es handelt von einem Buchhandlungsgehilfen, der ein
bißchen in der Stadt herumspaziert, sein Innenleben ist reicher als
sein äußeres Leben. Wen soll das interessieren? Wenn es wenigstens in einem Stil geschrieben wäre, daß man es jedermann verkaufen könnte, oder empfehlen als Geschenk! Das wird kein Hit,
und für Jugendliche sollte so etwas verboten sein. Außerdem hat
der Autor von den wahren Problemen der Buchhandlungsgehilfen
keinen Dunst. Der Buchhandlungsgehilfe in dem Buch geht zum
Beispiel an seinem freien Tag in seine Buchhandlung, als Kunde.
So ein Blödsinn. Das tut doch kein Mensch. Er genießt es, daß ihm
niemand zu widersprechen wagt, daß seine Kolleginnen ihn bedienen, er hat Rabatt. Und das soll man verkaufen! Damit verjagt man
doch höchstens die Kundschaft. Aber hübsch in der Hand liegt das
Buch. Und wenn der Herr Erpf vom Lukianos-Verlag es anpreist,
bloß weil er den Autor ein bißchen kennt, könnte man ihm beinahe glauben. Es ist auch sorgfältig gedruckt. Als Gegenstand
könnte man es liebgewinnen.

Fräulein Röntgen, die Baronin mit dem Pferdefimmel, lacht mir von weitem zu. «Grüüzzi Herr Lipps!» Sie sieht was ich in der Hand halte. Sie findet den «Vogel auf dem Tisch» kolossal. «Das münndsi leesä, unnbedinnggtth –». Sie schlägt Seite dreiundsechzig auf. Ich lese. Die Röntgen sagt: «Einfach toll. Wii deer siine eigeni Buuchhanndlung besucht – odr leesenzi daas –» Die Wärme des Ladens, steht auf Seite dreiundsechzig, schlägt mir betäubend, umhüllend entgegen. Es riecht nach Staub und Papier und Hochglanzfolienkaschierung, die sich unter den feuchten Fingern Pubertierender krümmt. Meine eigene Buchhandlung. Fräulein Girsberger mit der Engelsnase hinter der Kasse lächelt mir zu. Niemand wundert sich. Ich besuche meine Buchhandlung an jedem freien Tag – einmal als Kunde. Niemand wagt mir zu widersprechen. Meine hübschen Kolleginnen bedienen mich. Es gibt Rabatt. Fräulein Röntgen, die Baronin mit dem Pferdefimmel, fragt nach meinen Wünschen. Ich will schmökern. Den «Vogel auf dem Tisch» stelle ich in das Regal zurück. Der Vogel auf dem Tisch kann mir! Ein ausgestopfter Seidenschwanz mit umgedrehtem Hals. Das ist doch kein Thema. Man kann alles übertreiben! Natürlich habe ich viel gelesen, schon als Kind. Alle Lipse lesen. Ein Tagebuch eines Lesers führe ich nicht. Ich lese niemals ein Buch bei der ersten Begegnung. Sobald man es liest, verliert es sein Geheimnis, und meist ist man enttäuscht. Die meisten Bücher sind ein kurzes Zögern wert.

Schwarze Einbände sehen mich an: Mäusefest, Schattenland Ströme, Botschaft und Anruf, Anfrage, Ermittlung, Die Haut, Das Tibetanische Totenbuch. Wir suchen Hitler... also dazu ist es entschieden zu früh. Allerdings gibt es keine Erinnerungslücken der Geschichte. Wer der Wirklichkeit zu nahe kommt, nach dem schnappt sie. Der Rest ist Literatur, also Papier. Soweit meine Erfahrungen. Beim Dichten muß das der erregendste Augenblick sein: wenn die Tatsachen wieder einfallen, alles durcheinander, mit ihrem bunten Menu. Sprache ist, kybernetisch gesprochen, ein abzählbares System von Elementen bestimmter Struktur. «Grranndioos!» nennt die Röntgen das Buch über kybernetische Grundbegriffe. Man sollte dem Verlag dankbar sein, daß er die Kybernetischen Grundbegriffe einem weiteren Publikum zugänglich macht. Fräulein Röntgens Ohrringe knattern. «Darinn liggtdi Zuukumfft!»

Manchmal fällt sie mir um den Hals und nennt mich «Härrz!» Das kann unmöglich ernstgemeint sein. Miß Röntgen liebt Neuerscheinungen, überhaupt alles Neue.

Sie behauptet, daß die je vorhandene, sie sagt so: die je vorhandene Literatur, sie gar nicht interessiert. Und Sprache ist wichtiger als Literatur. Sie ist keine ganz schlechte Verkäuferin. Sie verkauft den unglaublichsten Leuten die unglaublichsten Bücher. Manchmal kommen die Leute dann nicht mehr in den Laden. Oder bringen das Buch zurück. Aber im Verkaufen von Pferdebüchern an Pferdenarren bleibt sie unschlagbar. Es muß in dieser biederen Stadt hunderte, wenn nicht tausende von Pferdenarren geben. Davon also leben wir.

Ich selbst allerdings lasse mich bei meinen Bücherkäufen eher vom Einband leiten. Ich liebe das Buch als Besitz. Dabei verkenne ich die Bedeutung der Autoren nicht im geringsten. Blindbände verleiden einem bald.

Ich greife zu dem Buch, das mir am besten gefällt – zwei Bände, achtundzwanzig-neunzig, eine Sonderausgabe, preiswert, Hochglanzumschlag über weißem Leinen, mit roten, grünen und blauen Rauten, die betteln wie Singvogelrachen oder ein Signal. Ich muß das Buch haben, packe die beiden Bände hastig und verstohlen, wie ein Dieb, trage sie zur Kasse.

Das sanfte Kind an der Kasse verpackt die Bücher, postfertig, weil ich es mir wünsche. Zusammen messen die Bände hundertdreiundneunzig mal hundertachtzehn mal dreiundvierzig Millimeter, das Gewicht erfahre ich am leichtesten durch den diensttuenden Engel auf der Post. Die Röntgen schreit durch den Laden: «Uf widerluuge, a biänthoo...» Dann wie durch Schneefall zur Post. Das Fräulein schreibt das Gewicht nicht auf das Paket, das meine Adresse trägt – also werde ich die Bücher doch mit der Küchenwaage wägen müssen, die nicht besonders exakt ist. Die Stadt wirkt im einbrechenden Abend verbraucht. Sie verträgt nicht viel. Verärgerte Automobile stauen sich brummend. Ich rette mich, fliehe, nach Hause. Ich hasse diese Stadt.

J. F. Vuilleumier

DER SCHADEN GEHT IN DIE MILLIONEN

Am Morgen auf dem Weg zur Chemischen Fabrik.
Der Gedanke an Rilou. Sie hört es lieber, wenn man sie Marie-Lou nennt. Ein Name aus einem Film. Für mich klingt Rilou fröhlicher, spitzbübischer. Ich habe Rilou selbst erfunden.

Salut.

Salut.

Mit Fritz zusammen tritt Paul durch das Tor der Chemischen. Sie arbeiten im selben Labor.

Dampf pfeift. Kessel brodeln. Der Lärm einer Maschine steigt zu höchsten Tönen. Fällt zusammen in ein Murmeln. Steigt wieder gellend hoch. Fällt zusammen. Fängt vorne an. Ununterbrochen. Auf und nieder. Auf und nieder.

Striche zischen rot, gelb, blau, weiß hinter einer Asbestscheibe.

Die paar arbeitenden Männer sind undeutliche Schemen. Werden für Sekunden scharf umrissene Gestalten. Wieder vom Dampf verwischt. Unwirklich. Schatten.

Durch das Dach zieht der Dampf ins Freie. Vermischt sich mit dem niedrigen, wolkenschweren Himmel.

Ein Schatten wird im Dampfgewirr zum Körper: Paul.

Ein Schatten, den Paul von seinem Arbeitsplatz aus erkennt, bleibt undeutlich: Fritz.

Fritz betreut das Azetonbad. Die Dämpfe des Azetonbads schmuggeln sich durch die Nebel der Maschinenhalle. Man sieht sie nicht. Paul weiß um sie. Er vergißt sie nie. Es heißt, sie seien so oder so lebensgefährlich.

Fritz denkt nie an sie.

Paul denkt an vieles. Er liebt seine Arbeit in der Chemischen.

Ich bringe es im Leben weiter, in der Arbeit weiter.

Rilou...

Paul lächelt. Ich brauche die Augen nicht zu schließen. Ich sehe Rilou ganz deutlich im Dampf. Zwischen den zuckenden roten, blauen, weißen, grünen Strichen hinter der Asbestscheibe. Ich brauche die Augen nicht zu schließen. Ich schließe die Augen bei der Arbeit nie. Ich sehe dennoch, was ich will.

Jemand steht hinter Paul. Ein Schatten. Jetzt ein deutlicher Körper. Paul schaut rasch auf.

Der Chef-Chemiker, Dr. Beljean, beobachtet ihn bei der Arbeit.

Paul grüßt mit einem Kopfnicken. Beljean hat wiederholt gesagt, er interessiere sich für mich. Es heißt, er sei ein berühmter Erfinder, der Beljean. Daß er mir gut gesinnt ist, ist wichtiger. Er tut nie stolz, von oben herab. Er gehört zur Direktion.

«Läuft die Arbeit, Frankenbach?»

Paul versteht Beljeans Worte trotz der kreischenden Luft. Beljeans Deutsch hat einen lustigen welschen Akzent.

Ohne aufzuschauen: «Sie läuft.»

«Très bien!»

Der Körper ist wieder Schatten geworden. Verschwunden.

Wenn Beljean hilft. Beljean kann viel. Machen Sie so weiter, Frankenbach, hat er vor kurzem gesagt. Paul grinst in sich hinein. Arbeitet. Fühlt sich jung, kräftig, froh: Ich mache weiter, Herr Beljean, ich mache immer so weiter.

«Haaaalt!!»

Fritz schreit aus Leibeskräften.

«Haaalt!!» und noch einmal: «Haaalt!!»

Sein Schrei ist nur noch ein Gurgeln.

Wie unter einem Peitschenschlag zuckt Paul zusammen. Schaut auf. Schaut in eine riesige rote Flamme. So nahe, daß seine Augen brennen. Er schließt erschrocken seine Augen. Preßt die Arme vors Gesicht. Zieht den Kopf zwischen die Schultern. Duckt sich.

Haaaalt!!

Der Raum schreit haaalt!! Die Maschinen schreien haaalt!! Der Dampf schreit haaalt!!

Der Schrei dröhnt in Pauls Augen. Der Schrei zersprengt Pauls Trommelfell. Zersprengt seinen Kopf. Die große Flamme greift gierig nach Pauls Gesicht. Sie greift nach seinem Körper. Er spürt sie in seinem Mund, in seinen Handflächen, auf seinen Armen. Hinter den geschlossenen Augen, vor die er die Fäuste preßt, brennt das höllische Feuer, brennt, blendet, dringt schneidend in seinen Kopf.

Alles brennt. Die Arme. Die Fäuste. Das Gesicht. Alles!

Paul will die Arme vom Gesicht wegreißen. Sich mit ihnen gegen die Flammen stemmen. Kann sie nicht mehr vom Gesicht lösen. Sie sind mit dem Gesicht zusammengeschweißt.

Paul ist eine einzige, offene, brennende Wunde.

Er reißt den Mund auf. Auch er will jetzt schreien.

Eine riesige schwarze Hand legt sich über sein Gesicht.

Über den Mund. Erstickt den Schrei, den Atem.

Paul versinkt in der riesigen schwarzen Hand. Versinkt in der riesigen schwarzen Handfläche. Spürt, wie er in der Handfläche versinkt. Erst hart. Dann ganz weich. Ganz tief. Kein Schmerz.

Die Augen brennen in der Schwärze, zwei grünliche Stichflammen. Erlöschen zischend.

Nacht.

Bewußtlosigkeit.

Nichts.

Ein schneidendes Nein-nein-nein fährt plötzlich durch seinen Körper. Reißt ihn zu einem verzweifelten Luftsprung hoch. Hart klatscht er auf den Boden.

Eine dicke, schillernd farbige Dampfwelle legt sich über ihn, ein riesiger Vogel mit buntem Gefieder.

Im Bau siebenundachtzig, der durch die Explosion völlig zerstört wurde, liegt Fritz mit aufgerissenem Leib tot neben dem Azetonbad.

Otto F. Walter

DIE ERSTEN UNRUHEN NACH DEM TOD EINES SUBJEKTS

Zusammen wissen wir hier eine ganze Menge. Man trifft sich schließlich. Man redet über dies oder das, erzählt sich, wie's früher war, und andere wieder haben von Großvätern gehört, wie's früher war, oder sie wissen Neuigkeiten, dies oder das, selber gesehen, gehört und weiter erzählt, wie's früher und gestern nachmittag war. Das läppert sich im Lauf der Jahrzehnte ganz schön zusammen. Das hängt in den Häusern herum. Und natürlich in der Zeitung, dies oder das. Dieser Tage war wieder im Fernsehen die Rede davon. Oder natürlich nach der Betriebsversammlung und auch in Briefen, in diesen Hoch- und Reihenhäusern, die Straße längs und die Aare längs und von der Brücke auch drüben längs hinauf und hinunter, Briefe von auswärts, an viele von uns in den ganzen Jahren, in den Häusern, jedenfalls nachts, diesen Küchen, diesen Wohn-, Kinder- und Schlafräumen, immer noch irgendwo Zeitungen, Briefe, Schulbücher, Schullese- und Geschichtsbücher und vollgeschriebene Zettel, in den Schrankschubladen und ganz zuoberst hinten in den Wäscheschränken, Blech- oder Holzschatullen. Oder alle die Fotoalben. Zu schweigen vom Stadtarchiv, da steht ja auch eine Menge drin, zu schweigen von den Aufsätzen in diesen Ober- und Unterstufen der ganzen Gegend – einmal alles zusammengenommen, erfunden, gesehen, gelesen, geschrieben, gehört und noch, vermutet, getratscht, gelogen, geträumt, in allen diesen Längs- und Quer- und Seitenstraßen, Büros, Produktion und Planung, Kontokorrent, das läppert sich, in Polizeirapporten, Seitenstraßen und Zimmern, allein schon im ersten Stock, im zweiten Stock, im achten Stock, überall täglich: wissen sie schon, oder weißt du, oder es war einmal.

Zuerst war immer nur von zwei Blocks die Rede gewesen. Aber wir hätten es uns ja denken können. Als wir einzogen, damals, im Mai vor einem Jahr, war schon die letzte Wohnung vermietet.

Gegen zweihundert Leute, allein hier, im Block Attika 1. Im
Zweier drüben kamen sie zwei Monate später an, und schon ging's
los mit den Gerüsten für den Dreier, den Vierer. Eine Zeitlang
haben wir uns darüber nicht viel Gedanken gemacht. Großüber-
bauung Attika. Bald war auch die Straßenbeleuchtung montiert,
die Bushaltestelle wurde eingerichtet, die beiden Parkplätze im
Hof reichten aus, und eine Zeitlang war auch noch so etwas wie
ein Pioniergefühl in der Luft, und wir konnten immerhin den Eindruck haben, daß wir in Attika 1 und 2 eine besondere, eine be-
vorzugte Wohnlage hatten, weg vom Getümmel und nicht weit
zum Wald. Aber die bauen ja wie die Irren weiter. Schon soll auf
der Baustelle von Attika 9 das Aufrichtefest vorbei sein. Acht fertig
bewohnte Blocks, und im Sommer werden es zehn sein. Zehn
Blocks zu rund zweihundert Leuten, acht Parkplätze sind nun aus-
geteert, die zweite Fernheizung ist eingerichtet, das zweite Ein-
kaufs-Center macht nächsten Monat auf, an die zweitausend Menschen, Kinder, Großväter, natürlich auch schon massenhaft Flik-
ker. Auch Spanier. Alle in den gleichen 4,30 × 3,50-Wohnzim-
mern, alle abends auf denselben Balkonen. Alle mit ihren Würsten
in den eingebauten Kühlschränken und mit denselben Fernseh-
programmen. Ab und zu ist das ja ganz lustig. Man trifft sich im
Aufzug oder auf dem Park- oder Spielplatz. Man tauscht Ansich-
ten über Strompreise, PS, über Wetter und Hausmeister aus oder
spricht von Gesundheit und Todesfällen, wie's eben so kommt.
Aber an gewissen Abenden, auch nachmittags, ist es so, daß niemand mehr spricht. Wir alle in unsern Wohn-, Schlaf- oder Kinderzimmern, im dritten, im siebten, im elften Stock, das spielt
keine Rolle, wir alle bisweilen und plötzlich mit diesem Gefühl,
daß wir hier gar nicht so richtig zu Hause sind. Unter und über uns
und nebenan Leute. Wir kennen sie. Natürlich. Aber dennoch, zu
Hunderten, fremde Leute, Hunderte von Mietern, oben, unten,
nebenan, alle in denselben Räumen oder in diesen Räumen, die
sich gleichen – das Wohnmaschinengefühl, das Alleinseingefühl in
einer solchen Leere von tausend, von zweitausend Menschen Bevölkerung, sind allein, stehen herum. Horchen. Stehen mit dem
Ohr an der Wand. Nur ja nicht anders sein. Nur ja nicht zeigen
oder ihnen sagen, daß wir uns manchmal, das Ohr an der Wand,
plötzlich hassen, alle diese Türschildernamen, diese Vorlegetep-
piche in den Fluren, die Mietergesichter, oben, unten, und die
Geiferstimmen nebenan, die Musik und die Kranken. Haß auf einmal und die Angst oder die durch überhaupt nichts begründete
Hoffnung, jetzt, endlich jetzt, jetzt spätestens werde etwas Irres,

Unerwartetes, irgendeine Katastrophe geschehen, ein Erhängter oder Schreie bis zum Wahnsinn und Fäuste, die dreinschlagen, immer drein, in alle diese freundlichen Tausendgesichter, Obszönes, Aufruhr, Inzest, Totschläger, Mord und Rauschgift und geschändete, blutige Leintücher statt der hundert hübschen Vorhangpaare, die Sirenen des Gerichts. Dastehn. In dieser Wut und dem Gefühl von Macht. Und wieder wissen, allmählich wieder und deutlich dann, wir sind Mieter. Fernbeheizte Wohnung mit allem Komfort. Jeder in Attika trägt durch Freundlichkeit, Ruhe und Sauberkeit zum Wohle der Gemeinschaft bei.

Diese Leute müssen sich endlich einmal sagen lassen, daß sie destruktiv sind. Die Alphag ist ein strikt unpolitisches Unternehmen. Die Mehrheit liegt bei Aktionären, die sich politisch überhaupt nicht betätigen. Wer das Gegenteil behauptet, betreibt systematische Verleumdung. Ein Fabrikationsbetrieb dieser Größenordnung kann sich doch anderes als Neutralität gar nicht leisten. Bei diesem Exportvolumen! Bei diesem Fachkräftemangel! – Ja und wie, wenn es anders wäre? Wenn die Leute an der Spitze politische Überzeugungen hätten – was dann? Ist das etwa verboten? Soll dem stärksten Steuerzahler in der Stadt etwa egal sein, was mit seinem Geld passiert? Haben nicht gerade die Großen in dieser Beziehung eine besondere gemeindepolitische Verantwortung? Übrigens ist wirtschaftliche Macht in unserem Land doch gar nicht so selten verbunden gewesen mit politischer, mit öffentlicher Verantwortung. In gewisser Weise. Das müssen diese ewigen Kritiker doch auch mal sehen. Oder wollen sie etwa nicht?

Uns oder jedenfalls einigen von uns macht das Sprechen neuerdings wieder Mühe. Eine ganze Zeitlang ist eigentlich alles gut gegangen. Aber jetzt? Irgendwie wird hier alles immer unübersichtlicher. Wir brauchen nur «wir» zu sagen oder auch nur irgendeins der Wörter zu nehmen – sagen wir: «heute», oder «sagen», oder «was ist hier los», irgend so etwas – kurz und gut: irgend etwas ist jetzt wieder anders, und das Sprechen oder wenn man so will das Ganze ist jetzt ganz einfach wieder schwierig geworden. Irgendwie kompliziert, und kaum daß wir den Mund aufmachen, haben wir – natürlich nicht wir, jedenfalls nicht alle hier, einige, höchstens einige von uns hier haben wir das Gefühl, so ein undeutliches Gefühl, mehr nicht, da ist jetzt ganz einfach das Ganze wieder viel komplizierter. Manchmal, wenn wir uns treffen, das heißt uns oder sonst jemand, sagen wir vielleicht einmal von auswärts, und

wir werden gefragt, wie's uns geht oder was heute hier los ist zum
Beispiel oder irgend so etwas ziemlich Unwichtiges, nun gut,
jedenfalls leicht fällt's uns nicht, das können wir ruhig sagen oder
wie auch immer. Wahrscheinlich, oder vielleicht möglicherweise
liegt's ganz einfach daran, daß irgend etwas geändert hat und nochmals geändert und jetzt stimmt's nicht mehr zusammen und so weiter. Daß man überhaupt nicht mehr so richtig weiß, was eigentlich
los ist, ja und alles ist eben ziemlich unübersichtlich geworden.

Nicht etwa, daß hier immer und überall alles in Ordnung wäre.
Aber man kann gegen Jammers sagen, was man will – die Lage ist
großartig. Landschaftlich richtig fabelhaft. Wenn wir zum Beispiel nach den Ferien die Hauensteinstraße herunterfahren, jedes
Jahr wieder muß man sich sagen: am schönsten ist es zu Hause.
Schon allein nur die Lage. Wie die Stadt, mit dem Rücken zum
Jura, sich gegen Süden und Westen ausbreitet. Im Süden den in
die Mittellandebene vorgeschobenen Höllenstein, ganz oben das
Schlößchen, westlich dann die breite Flanke des Bornwaldes, zwi-
schendurch die Aare, mitten durch die City, in großer Schleife um
die Altstadt und hinunter, breit und ruhig, durchs Industriequar-
tier, mit den drei Brücken – ehrlich, und wenn dann noch so die
Abendsonne über dem Ganzen liegt: sogar die Hochkamine der
Zementfabrik sehen dann toll aus. Am allerschönsten ist's in der
Dämmerung. Von da oben, vom Balkon haben wir den großen
Blick. Ein richtiges Schauspiel: wie über dem Alphag-Hochhaus
plötzlich die riesigen Lettern leuchtend rot dastehn, wie in rascher
Folge der ganze farbenprächtige Teppich der Reklamelichter unten
im Zentrum zu schimmern anfängt, und dann, am Gegenhang, die
Lampen, in den ganzen weitverzweigten Terrassen, Hunderte von
Lichtern, in diesen Hunderten von Wohnzimmern, Küchen,
Schlaf- und Kinderzimmern, Licht über Licht bis zu sechzehn
Stockwerken hoch, unglaublich, und mit einem Schlag dann sämt-
liche Straßenlampen in der ganzen Stadt und den breiten Zufahrt-
straßen – ein Anblick, also ob Sie's glauben oder nicht, wir da
oben haben schon oft zueinander gesagt: man kann hier, nicht zu
Unrecht, manches kritisieren. Aber so einmal alles zusammenge-
nommen ist's hier, zu Hause, einfach am schönsten. Nicht zuletzt
deshalb, weil nämlich aus dieser Stadt etwas gemacht worden ist.
Von uns. Und dann eben, wie gesagt, die Lage.

Seien wir doch froh darüber! Warum sollen sie kein Flugblatt verteilen? Jahrelang, wir wollen das ruhig festhalten, haben wir uns

über sie beklagt. Dieser ewige Mangel unserer Jugend an politischem Interesse. Und jetzt? Jedenfalls haben sie gelernt, kritisch zu denken. Ist das nichts? Gerade uns als Parteivorstand kann nichts willkommener sein. Nun gut, noch ist viel in diesen jungen Köpfen unausgegoren. Viel Modisches mag mitschwingen. Manipulation – ein Schlagwort. Suchen wir doch die Diskussion. Mögen sie uns beweisen, daß hier manipuliert wird. Wer denn? Wen? Nein nein, wir wollen das nicht belächeln. Wir alle wissen zur Genüge, daß das, was man heute Manipulation nennt, bis weit ins neunzehnte Jahrhundert hinein auch hier gang und gäbe war. Entscheidend ist letztlich, in diesen jungen Hitzköpfen das Bewußtsein staatspolitischer Verantwortung zu pflanzen. Diskussion! Kritik! Dialog! Argumente! Sie werden erkennen, welche Bedeutung dieser Verantwortung zukommt, gerade auch gemeindeintern. Welche Bedeutung uns, den Trägern der politischen Parteien, ohne die das demokratische Kräftespiel ganz einfach nicht funktionieren kann. Und sie werden feststellen, hier sind die demokratischen Fundamente intakt, anders als anderswo, hier sind die demokratischen Kontrollen – und das ist der entscheidende Punkt – in Funktion. Denn sie werden ausgeübt von kritischen, von freien Bürgern einer freien Gemeinde in einem freien Staat.

Natürlich sind Stanzmaschinen nicht ganz ungefährlich. Sogar diese hier, auch die kleinen, die haben wir jetzt schon seit über sechs Jahren. Dreißig in einer Reihe. Fast zierlich sehen sie aus in ihren Plastikhüllen und so, als stünden sie da und schauten mit langer Nase durch die breite Fensterwand hinaus. Auf die Aare hinaus. Punkt sieben werden die Plastiks weggezogen, noch während der Gongton im Stanzraum herumhängt. Weg damit in die Schiebefächer. Los, los, meine Damen, und das Band fängt zu fließen an. Rotlicht. Die Plateau-Scheiben rücken an in langem Reih und Glied. Einsetzen, Knopfdruck, weg; einsetzen, Knopfdruck, weg, schön rhythmisch spielt man sich ein. Nach vier, fünf Minuten ist das Tempo des Gruppenakkords erreicht. Jede muß einmal vorn beginnen. Das gilt auch für Flicker. Am schwierigsten ist die Kontrolle. Kaum daß der Stanzkeil wieder hochgeht, müssen wir feststellen, ob jedes der sieben Löcher wirklich ausgestanzt ist. Stahlblech ist hart. Sieben Löcher. Da kommen die Rubine hin und ins große die Unruhwelle. Natürlich gibt's welche, die werden nervös. Neuerdings gibt's jede Stunde Plattenmusik. Zweimal zehn Minuten. Wenn der Takt dann so richtig knapp neben dem Stanzrhythmus liegt, also das vertragen von uns die wenigsten. Das kann einen richtig nervös machen. Und wenn wir

nervös werden, kann's natürlich schon auch passieren. Ob's dann
am zu frühen Druck auf den Stanzknopf liegt oder weil die Finger
noch drunter sind – schwupp, und eine Fingerkuppe ist flach, da
hilft nichts. Aber wir sind wenigstens gut versichert. In der Pause
gibt's Tranquilizer-Waffeln. Das beruhigt die Nerven. Das Aller-
wichtigste: nicht denken. Eine alte Regel unter Stanzerinnen. Sobald man nämlich zu denken anfängt, jetzt nimmst du die Scheibe
vom Band, jetzt legst du ein, jetzt arretieren und so weiter – schon
fällst du aus dem Takt, und aus. Nein nein: dasitzen und ein Hand-
griff nach dem anderen, einsetzen, Knopfdruck, weg, und die Gedanken sind zu Hause oder die Kinder oder irgendwo, dasitzen,
nicht denken, dann wird man auch gar nicht besonders nervös.
Ein bißchen haben wir's natürlich alle mit den Nerven zu tun.
Aber dafür sind wir auch gut bezahlt, jedenfalls hier, in der Alphag.
Acht Franken zwanzig die Stunde, das zahlt sich aus.

Wenn man so hört und liest, wie sich in anderen Ländern die Menschen politisch streiten, so muß man sich wirklich fragen, was das
überhaupt noch soll. Alles unter der Marke «Demokratie». Ob Italien, Deutschland, Frankreich – nichts als Zänkerei, Verleumdung,
Skandale, Gebrüll. Und die Folgen? – Unordnung! Regierungen,
die zum Regieren überhaupt nicht mehr fähig sind. Streiks! Soziales
Elend und Steuerlasten, die zum Himmel schreien! Das Schlimmste: der einzelne Bürger hat dazu überhaupt nichts zu sagen. Und so
etwas nennt sich Demokratie. Da ist man geradezu wieder versucht,
stolz zu sein auf unser bewährtes System. Ob in Bern, in Solothurn
oder hier, ob Bund, Kanton oder Gemeinde – politisch wird Maß
gehalten. Kaum ein Thema, über das die einzelnen Parteien sich
nicht verständigen könnten. Zusammenarbeit, das ist das unge-
schriebene Gesetz, zwischen Mehrheit und Minderheit, zwischen
den Verantwortlichen aller Parteien und selbst der Sozialpartner unserer Wirtschaft. Zusammenarbeit zwischen Regierung und Presse,
zwischen dem Mann an der Spitze und dem Mann von der Straße.
Nehmt unseren Wahlkampf – natürlich geht's da mit rauhen Tönen
zu, das gehört dazu, ist Tradition, entspricht unserem rauhen, im
Kern aber gutmütig-ehrlichen Schlag. Das dauert fünf, vielleicht
noch vier Wochen. Spätestens am 6. Juni werden wir wieder einmal
erleben, wie wir uns die Hand reichen nach manchem harten Ge-
fecht. Gerade wir Älteren haben oft genug erlebt, wie rasch hier in
der Stadt die Bereitschaft zur Verständigung auf der ganzen Linie
wieder da ist, hüben wie drüben, kaum daß der Wahlkampf verklun-
gen ist. Schließlich, Wahlkampf hin oder her, bei so ausgeglichenem

Kräfteverhältnis zwischen Sozialliberalen und Liberaldemokraten
kommt es letzten Endes dann doch wieder auf den Willen zur Zusammenarbeit an, auf – mit einem Wort: die politische Reife.

Früher haben wir hier noch ziemlich oft miteinander auch über andere Sachen geredet. Jetzt ist das alles irgendwie anders. Gerade die
Jüngeren reden jetzt eigentlich kaum mehr zusammen, das heißt
natürlich nicht, daß wir einfach stumm in den Büros hier sitzen würden, natürlich nicht. Und einige sind ja eigentlich auch ganz nett.
Aber es geht jetzt fast nur noch um Terminsachen oder wenn plötzlich in der Finanzbuchhaltung nebenan eine Buchungsmaschine zu
spuken anfängt oder das neue Kontensystem und solche Dinge.
Die Älteren noch am ehesten. Oder wieder die Jungen drüben.
Aber sonst haben wir doch eigentlich das Gefühl, da hat sich in der
Alphag im Verlauf der letzten Jahre ziemlich viel geändert. Vielleicht liegt's ja auch nur daran, daß wir jetzt auch nicht mehr ganz
die Allerjüngsten sind, und so mit vierzig, fünfundvierzig haben
wir hier natürlich alle unsere Wohnungen und Wagen und so
weiter, und um fünf fahren wir dicht gedrängt in den Keller. Von
da ist jeder gleich schon bei seinem Parkplatz. Man ist höflich, und
man wünscht sich natürlich noch immer guten Abend und Ciao,
klar, so ist es nicht. Aber dann abends dieses Dasitzen. Einatmen,
tief ein, um so richtig ausatmen zu können. Und die Augen zu-
machen, nur schnell, nur so für einen Augenblick, und wieder oder
noch immer diese Zahlenreihen um den Kopf, und Zahlen, und
auf einmal wieder dieses wahnsinnig laute Schreibmaschinen-
gerassel im Ohr, ausatmen, ein- und ganz lange ausatmen. Warum
können wir neuerdings eigentlich nicht mehr so richtig wie früher
reden zusammen?

Silja Walter

WAS HEISST SCHON ZEIT IN DER GESCHICHTE

Die Flüsse liefen aber noch immer durch die Alleen, und die Krane
drehten sich. Wir waren also gar nicht vertrieben. Man muß diese
Geschichte sehr rasch aufschreiben, solange sie brennt, man muß
sie glühend aufschreiben. Ist sie erkaltet, kann man nichts mehr
machen damit. Adam war damals neunundzwanzig Jahre alt und
Eva siebzehn. Bar Abbas ist aber ebenfalls Adam, Plazidus und
Magdalena und ich, wir sind alle Adam. Gott sagte nämlich gar

nicht: «Lasset uns einen Menschen machen.» Er schuf keinen Menschen, den er Adam nannte, genau genommen, sagte er: «Lasset uns Adam» – das ist: Menschen – «machen.» Damit meinte er also alle. Das ist wesentlich. Darin liegen die Zusammenhänge. Um diese Zusammenhänge geht es nämlich, die glühen. Das ergibt nun aber einen neuen Bericht. Indem man die Zeit herausnimmt, ergibt das einen ganz neuen Bericht. Was heißt schon Zeit in der Geschichte. Sagen wir nun also statt Adam wir, dann beginnt es damit, daß wir gar nicht vertrieben waren. Die Flüsse schoben sich immer noch durch die Alleen, und die Krane standen an den Ufern und drehten ihre Arme. Aber Gott war weggegangen.

Es war kaum zwei Uhr nachmittags. Aber wir sagten: «Man sieht ja nichts.» Wir sagten es beinahe alle gleichzeitig, und wir begriffen nichts.

Einer lief hin und schaltete die große Lampe ein an der Brücke.

«Der Automat hat nicht funktioniert», sagte er. Wir hatten gar nichts begriffen. Es war Mitte Sommer, um zwei Uhr nachmittags. «Merkwürdig, wie es dunkel wird», sagte Bar Abbas. Und Magdalena kam zu mir her und fürchtete sich. Die Beleuchtung war so schlecht wie in einer trüben Mondnacht im März. Es lag jedoch an uns. Wir sahen schlecht. Wie durch Milchscheiben. Wir verstanden aber durchaus nicht, daß das eine Folge war.

Plazidus saß im Brückengeländer. Er pfiff leise. Adam war der Ansicht, man habe mit einem Gewitter zu rechnen. Ich war vollkommen davon überzeugt, daß nachher das Licht wieder da sei, das süße, es kam aber nie mehr zurück.

Die Vögel schnarrten auch bloß noch so.

Wir hatten alle gegessen. Es war auch gar kein Apfel. Ich hatte eher den Eindruck von einer außerordentlich süßen Feige. Andere bestanden darauf, daß es wie Ananas schmeckte oder wie Aprikosen. Es war, kurz gesagt, eine sehr süße Frucht, und wir hatten alle davon gegessen. Alle. Niemand kann sagen: Ich nicht.

Natürlich, wir hatten alle die beste Absicht. Wir wollten doch nichts Böses tun, das kam uns gar nicht in den Sinn, im Gegenteil, wir wollten das Allerhöchste und Allerbeste, das es gibt: die reine Erkenntnis des Ganzen, und das war doch sehr gut, wir hatten tatsächlich die beste Absicht. Daß wir nicht gehorchten, nun ja, aber konnte das nicht jeder mit seinem eigenen, persönlichen, freien Gewissen bereinigen?

Wir hatten uns nämlich gedacht: Man bekommt dann die Schau. Die Schau des Ganzen. Die verlangten wir zu haben, und ja, die hatten wir nun. Wir sahen kaum ein paar Meter weit.

Die Vögel schnarrten auch bloß noch so im Gras, wie ich schon sagte, und der Mond sang keinen Ton mehr, das war alles eine Folge.

Ich brachte auch keinen richtigen Gedanken mehr her. Es ging sehr lange, bis ich nur den geringsten richtigen Gedanken herbrachte, und meistens war er am Ende doch irgendwie falsch gedacht. Auch das war eine Folge.

Bar Abbas sagte übrigens offen heraus, er fühle sich mündig. Wir fühlten uns alle mündig. Er sagte, es liege ihm nichts daran, einen Vater zu haben, es lag uns allen nicht mehr viel daran, darüber waren wir uns einig: Wir waren keine Kinder mehr. Aber das kleine jüdische Mädchen hat nicht gegessen, das muß gesagt sein. Das steht einwandfrei fest: Das Mädchen aus Israel hat nicht gegessen. Man mag sagen, was man will.

Bar Abbas hat es natürlich nicht wahr haben wollen. «Wieso hat die kleine Jüdin nicht gegessen, wieso, frag ich, wieso soll sie nicht gegessen haben? Ist sie vielleicht kein Mensch? Macht doch keine Geschichten.»

Da sah ich, wie Plazidus weiß wurde. Er ging auf Bar Abbas los, man hält es nicht für möglich, wenn man Plazidus sieht, diesen naiven Jungen. Aber er ließ nichts an das Mädchen aus Israel heran, wirklich, er ging auf Bar Abbas los, zum erstenmal ging einer auf den andern los, mit den Fäusten, muß man wissen, und er riß ihn zu Boden, wir konnten uns nicht mehr rühren vor Schrecken, wir verstanden gar nichts.

An jenem schrecklichen ersten Abend blieben auch die Sterne zum erstenmal weg. Diese singenden Kugeln stiegen nicht mehr auf über dem Wasser. Wir warteten lange. Schließlich sagte Magdalena: «Die kommen auch nicht mehr herauf.» Und dann löschte auch die Lampe an der Brücke aus. Kurzschluß.

Keiner wagte mehr den andern anzusehn, und Plazidus sagte: «Vermutlich sind wir jetzt gottlos geworden.» Da schauten alle bloß so. Auf einmal lachte Adam. Wie einer, der nicht weiß, was er sagen soll. Aber dann lachten alle los, alle lachten so, daß Bar Abbas sagte: «Ich muß mich setzen.» Er war ein hübscher junger Mensch, und Magdalena fuhr oft in seinem Schoner mit hinaus, wenn er fischen ging, aber jetzt sah er roh aus und plump. «Gottlos!» Er schrie vor Lachen. «Gottlos ist gut!»

Plazidus lachte nicht. Er sah angestrengt über den Strom. Die Krane drehten sich aber noch. «Sie drehen sich gottlob noch», sagte er, «aber sie singen nicht mehr.»

«Das macht nichts», erklärte Bar Abbas, «wir lassen uns auf keinen Fall einschüchtern. Was bedeutet es schon, wenn die Krane nicht mehr singen? Ich setze mich trotzdem in jede der Hängekabinen und schmeiße den Kram auf die Schiffe.» Bar Abbas tat unheimlich großartig.

Da fragte mich Plazidus, ob ich die Sonnenblume neben dem Bassin noch singen höre, ich hörte aber nichts. Auch die blauen Quallen auf dem Grund des Wassers schwankten bloß auf und ab und waren totenstill.

«In mir singt es auch nicht mehr, Plazid!» sagte ich erschrocken. Aber da stand Bar Abbas auf, zog die Mütze schief ins Gesicht und erklärte: «Ich gehe fischen. Nachts beißen sie immer an.»

Magdalena wollte aber nicht mitgehen, denn der Strom floß schauerlich still, und sie fürchtete sich, mit hinauszufahren.

«Gestern sang die Brücke noch», sagte sie zu mir, «aber jetzt hört man nichts mehr.»

«Wenn nichts mehr singt, dann ist Gott fort», behauptete Plazid, «die Krane drehen sich zwar noch.» Das war kein Trost. Ich wußte jedoch, was ich tun wollte. Ich wollte morgen mittag an den Fluß hinab, um mit Gott zu sprechen. Zwischen elf und ein Uhr ging er meistens in der Allee auf und ab, wenn es kühl war, meistens. Ich wollte unter keinen Umständen gottlos sein. Der Gedanke allein schon konnte mich umbringen, ich ertrug ihn nicht, auch nicht zum Spaß, ich mußte unbedingt mit Gott selbst darüber sprechen.

Werner Weber

«Der Aufbruch des Herzens»

Es ist ein Gemeinplatz, zu sagen, das Jahr 1914 stelle auch in der Dichtungsgeschichte der Schweiz eine Wende dar. Wobei natürlich das eine Jahr 1914 nur behelfsmäßig nützlich sein kann; denn die Wende vollzieht sich in der größeren Spanne von 1900 bis 1920. Um die Veränderung verstehen zu können, müssen wir wohl fragen, was denn vorher gewesen sei. Und jetzt fallen dem Frager sogleich Namen ein, Fixpunkte in dem nicht so leicht überschaubaren geschichtlichen Lauf. Die Namen heißen, sozusagen für jedermann: Heinrich Pestalozzi, Jeremias Gotthelf, Gottfried Keller, Conrad Ferdinand Meyer. Man erinnert sich an Pestalozzis «Lienhard und Gertrud». Der Schöpfer dieses Buches hat keinen Zweifel darüber offengelassen, wie er selber die Sache auffaßte und

wie er sie von seinen Zeitgenossen aufgefaßt haben wollte. In der
«Vorrede» sagt er es, besonders mit den folgenden Sätzen: «Diese
Bogen sind die historische Grundlage eines Versuchs, dem Volk
einige ihm wichtige Wahrheiten auf eine Art zu sagen, die ihm in
Kopf und ans Herz gehen sollte... Ich habe keinen Teil an allem
Streit der Menschen über ihre Meinungen; aber das, was sie fromm
und brav und treu und bieder machen, was Liebe Gottes und Liebe
des Nächsten in ihr Herz und was Glück und Segen in ihr Haus
bringen kann, das, meine ich, sei, außer allem Streit, uns allen und
für uns alle in unsere Herzen gelegt.» Da ist an ein Lehrbuch gedacht; es sollte dem Leser am Beispiel einer Geschichte etwas deutlich gemacht, etwas beigebracht werden; ein Erziehungsakt im
Buch, durch das Buch. Aber noch im gleichen Jahrhundert, gegen
Ende desselben, erscheint das Werk, in welchem die Krise des er-
zieherischen Verhältnisses zwischen Dichter und Nation sichtbar
wird – ich denke an Gottfried Kellers Roman «Martin Salander».
Bei schnellen Literaturbetrachtungen wird bisweilen gesagt, das
Buch lasse die schwindende oder gar schon die geschwundene
Kraft des Dichters merken; «Martin Salander» sei ein unpoeti-
sches Programmwerk, in dem kaum mehr ein Hauch von dem
schöpferischen Geist zu verspüren sei, welcher die früheren Werke
des großen Mannes durchweht und belebt habe. Carl Spitteler berührte den Sachverhalt in einer Glosse («Gottfried Kellers ‹Salander› im Spiegel der deutschen Kritik»): «... In diesem Roman tritt
das Lokale und, sagen wir offen, das Außerpoetische (das Moralische, das Kernhafte, das Mannhafte und das Politisch-Patrio-
tische) so sehr in den Vordergrund, daß sich die Frage nach dem
Selbständigkeitswert dieser Legierung jedermann aufdrängte...»
Solche Zweifel also waren in der Schweizer Dichtungsgeschichte
erlebt und als eine fast gesetzliche Fügung bei den Geistigen vertraut, als eine neue Generation zu neuen Botschaften ansetzte; es
ist die Generation, welche in der Spanne zwischen 1905 und 1920
die Wende durchleben und künstlerisch benennen wird. Und wie
immer in solchen Schwellenzonen, antworten die Zeitgenossen
auf den Anspruch ihrer Zeit einerseits theoretisch-kritisch in Auf-
rufen und Manifesten; andererseits geben sie gestaltetes Leben als
gleichnishafte Erwiderung; und manchmal ist der Theoretiker, ist
der Pamphletist identisch mit dem Dichter.
1905 erschien eine Erzählung, deren erste Sätze (über die befristete
Gelegenheit hinaus) einen beinah programmatischen Nebenton
mit sich führen. Es heißt da unter dem Titel «Die Heimkehr des
Richters»: «‹Warten mit dem Aussteigen! Warten denn, bis der

Zug hält!› ‹Dienstmann gefällig? Dienstmann?› So, das wäre jetzt
also die Heimat, nach welcher man sich das Herz aus dem Leibe
gesehnt hat! Dem Landjäger, der dort in der Halle lungert, würde
mans auch nicht ansehen. Ich glaube gar, er gähnt. Heimat und
Gähnen!» So beginnt die Erzählung «Imago» von Carl Spitteler.
Ein knappes Jahrzehnt darauf, am 14. Dezember 1914, wird Carl
Spitteler in Zürich, im Saal des Zunfthauses zur Zimmerleuten, in
einer Veranstaltung der Neuen Helvetischen Gesellschaft vor etwa
zweihundert Hörern die Rede halten, welche dann, als ihr Wortlaut gedruckt zu haben war, Hunderttausende im ganzen Land beschäftigte: «Unser Schweizer Standpunkt». 1914 – der Weltkrieg
war da. Und wir? Wie auf den übrigen Gebieten, so habe auch im
Gemüts- und Geistesleben der Schweizer «die Plötzlichkeit des
Kriegsausbruches gleich einer Bombe eingeschlagen», sagte Spitteler; und er fügte bei (das Verhältnis des Schweizers zu den Nachbar-
völkern bedenkend): «Das Distanzgewinnen ist für den Deutschschweizer ganz besonders schwierig. Noch enger als der West-
schweizer mit Frankreich ist der Deutschschweizer mit Deutschland auf sämtlichen Kulturgebieten verbunden.» Nun war die
Heimat und das Verhältnis des Bürgers zu ihr nichts mehr, an dem
man ohne energisches Nachdenken vorbeigehen konnte. Der mehr
oder weniger schläfrig-gleichgültige Privatmann war herausge-
klopft in die Zeit. So in Manifesten, in zeitgeschichtlichen Erörte-
rungen wie in Werken der Dichter fielen die Kennwörter der
Epoche. 1915 ist Jakob Schaffners «Geschichte der Schweizerischen Eidgenossenschaft» erschienen. Darin wird abschließend
gefordert, es solle ein Fortschritt des schweizerischen Staatswe-
sens inskünftig mit dem Fortschritt des «Menschheitsgedankens»
übereinstimmen; schweizerische Angelegenheiten müßten uni-
versale Angelegenheiten werden – dann wörtlich: «Nur so entgeht
ein kleines Volk der Gefahr, mit kleinen Geschäften und kleinen
Aussichten moralisch zu verzwergen.» Der weitere Lebensweg
Jakob Schaffners bis in die Zone des Verrats beschäftigt uns in diesem Zusammenhang nicht; wir behalten aus dieser früheren
Epoche nur das für die allgemeine Regung charakteristische Kennwort «Menschheitsgedanken». Nach Schaffner, 1917, brauchte
Leonhard Ragaz in seinem Buch «Die neue Schweiz. – Ein Programm für Schweizer und solche, die es werden wollen» das Kennwort «Weltbürgerrecht» – ein Weltbürgerrecht müsse sich bilden,
übergeordnet jedem Bürgerrecht; und weiter: «Wir gelangen also
zu dem Satze: Wir können nicht international sein, ohne national
zu sein. Er paßt gut zu dem andern: Wir können nicht national

sein, ohne international zu sein. Jeder für sich allein bildet einen Irrtum, beide zusammen eine herrliche Wahrheit.»

Der allgemeine Anspruch wird deutlich: im Dorfbürger soll der Weltbürger erweckt werden; Parole: Aufmerksamkeit für die größeren Verhältnisse des Kontinents. Auch in der Literatur. «Die Schweizerliteratur, die nie zersetzenden Geistes war, schreibe auf die weiße Fläche der Zukunft ein schöpferisches Wort der Hoffnung und des Glaubens an eine Weltänderung.» So schrieb Eduard Korrodi, 1918, in seinen «Schweizerischen Literaturbriefen». Seldwyla als Ort und Stoff der Dichtung hieß nun ebensoviel wie: jede Möglichkeit zu glaubwürdiger Stimme in der Kunst verlieren.

Was so von Kulturkritikern, von Beobachtern der Zeit an Mißstand gerügt und an Besserung gefordert wurde, das bildeten, aus demselben Geist der Wende bewegt, die Dichter nach; unter ihnen Jakob Schaffner, Robert Walser, Felix Moeschlin, Albert Steffen. «Der Zustand der Welt war eine Prüfung des einzelnen», heißt es in Steffens Roman «Sibylla Mariana»; und ebenda, im vierzehnten Kapitel, fällt das Wort, das ein Geleitwort für die dichterische Erneuerung in dieser Zeit überhaupt sein könnte: «Was sonst nur Ärzten und Richtern bekannt ist, was nur in Irrenhäusern und Gerichtssälen vernommen wird, trat jetzt ans Tageslicht. Der Mensch bekam zu hören, was sonst verborgen in ihm liegt, und entsetzte sich. Würde er vorher das Kriminalarchiv in seiner Seele studiert haben, so hätte er gesagt: ‹Ich bin ein Schuldiger. In mir muß die Sühnung beginnen›...»

Das hört sich auch an wie ein Prosageleit zu Gedichten dieser Epoche; einige Buchtitel können selber wie Kennworte genommen werden – von Max Pulver: «Selbstbegegnung», 1916; von Robert Faesi: «Aus der Brandung», 1917; von Konrad Bänninger: «Stille Soldaten», 1917. Dann von Karl Stamm: «Der Aufbruch des Herzens», 1919, und darin der Zyklus «Soldat vor dem Gekreuzigten», endend mit dem «Gebet des neuen Menschen».

Aufbruch des Herzens. Das war es; darum ging es. Und was hierin die Formen der Dichtung betrifft: die Schweiz hat nicht aus sich selber plötzlich neue Gebärden der Sprache entdeckt; sie arbeitete im Zusammenhang, im Anschluß an künstlerische Bewegungen größerer Kultur- und Sprachräume. In der Zeit von 1905 bis 1915 erschienen die Werke Dostojewskis in deutscher Übertragung – ein ungeheurer Bericht über die Seele zwischen Heiligkeit und Verbrechen; Zolas «Les Rougon-Macquart» («Histoire naturelle et sociale d'une famille sous le second Empire») erhöhten das Leid-

und Mitleidvermögen der Zeitgenossen; und aus der deutschen
Nachbarschaft tönte die Alarmsprache des Expressionismus herein – Hermann Bahr: «... So finden wir, durch die ‹Zivilisation›
zunichte gemacht, in uns eine letzte Kraft, die dennoch nicht zunichte werden kann: diese holen wir in unserer Todesangst heraus,
diese kehren wir gegen die ‹Zivilisation› hervor, diese strecken
wir ihr beschwörend entgegen: Zeichen des Unbekannten in uns,
dem wir zutrauen, daß es uns erretten soll, Zeichen des gefangenen
Geistes, der aus dem Kerker brechen will, Zeichen des Alarms aller
banger Seelen gibt der Expressionismus.» Die Stimme Ernst
Stadlers wirkte herüber (zu Karl Stamm besonders); vor allen andern aber Franz Werfel. Robert Faesi spricht nicht nur für sich
selbst, wenn er in seinem Erinnerungsbuch «Erlebnisse – Ergebnisse» bekennt: «Unter den Neutönern fühlte ich mich am stärksten von Franz Werfel angezogen. Wie er mit hinreißender Wucht
seine Gedichte herausschrie, das war für mich der Gipfel des Expressionismus.» Nebenbei: die extremen Unternehmungen im
expressionistischen Jahrzehnt, beispielsweise diejenigen eines
August Stramm, erreichten in der Literatur der Schweiz nicht dieselbe Bedeutung. So sieht die Dichtung in der Schweiz nach dem
Ersten Weltkrieg anders aus: gesteigerte Energie des Denkens
und Fühlens; erweiterte Erfahrung in Fragen der Form. War das
Vaterland, war die Nation, welche im Jahrhundert vorher die
Schaffenden mit einer spürbaren, aber nicht bedrückenden Grenze
umgab – war die vaterländische Schranke nicht nur übersprungen,
sondern endgültig vergessen? Hatte die vehemente Kritik am
Denken und an den Erscheinungsformen dieses Denkens jede
Sicherheit, jede Fassung aufgelöst?

«Das Ohr des Riesen»

Nach dem Ersten Weltkrieg, nach der unerbittlichen Prüfung und
Erprobung des überkommenen Gutes an Gedanken und Formen,
nach dem Scheiden von Brauchbarem und Unbrauchbarem, bestand doch etwas Altüberkommenes weiter, freilich besser geprüft
und heftiger erprobt als vordem: das Vertrauen des Menschen in
den Menschen; von da aus das Vertrauen in die Menschheit. Innerhalb dieses weiten Rahmens, besser vielleicht: dieses umfassenden
Empfindens, brachte der Dichter auch dem überschaubaren Ort
seines Daseins, dem Vaterland, ein erneuertes Vertrauen entgegen.
Das Internationale war im Nationalen gespiegelt, fast wie eine Idee
in der Erscheinung. Bei aller Kritik, bei aller hochskeptischen Aufmerksamkeit übte der Schweizer Dichter nach dem Ersten Welt-

krieg doch alle Kritik und alle Skepsis auf dem Grund der Liebe zum Land – Liebe ganz sachlich, ohne Überschwang verstanden. Ich denke an den genauen, vielerfahrenen, in Prüfung und Selbstprüfung gefestigten, ja gehärteten Betrachter Jakob Bosshart, an seinen «Rufer in der Wüste», an dieses Mahnwort für eine Gemeinschaft, die ihren inneren Halt in äußerlichem Erfolgsdenken aufbrauchte; das Werk ist 1921 erschienen, sein Wortlaut aber verrät die Zeit, in der es geschrieben wurde: 1916 bis 1919. Ich denke an Kritiker wie Jakob Bührer, an landvertraute, unbestechliche Beobachter wie Meinrad Inglin; ich denke an Traugott Vogel – was schrieb er, 1924, in seinem Roman «Unsereiner»? «Sie suchen die Seele des Lebens? Ich weiß, wo sie ist. Dem Leben fehlt die Seele, wenn ihm das i fehlt. Dann wird das Leben zu Lieben.» Oder ich denke an einen der damals Jungen, an Albert Ehrismann, der für uns das «Lächeln auf dem Asphalt» entdeckte, Menschheitsgedanken, Menschheitsgefühle in den überschaubaren Raum der Stadt, der Schweizer Stadt hereingenommen. «Aufbruch des Herzens» sei das Kennwort für die Spanne in unserer Dichtungsgeschichte, welche zwischen 1900 und 1920 vorbereitet und in den zwanziger Jahren durchgebildet wurde. In einer Zeitschrift wie der von Max Rychner geleiteten «Neuen Schweizer Rundschau» spiegelte sich dieses größere Fühlvermögen so gut wie die offenere Geistesgegenwart; «Neue Schweizer Rundschau» hieß soviel wie Beobachtungsort Schweiz für Regungen und Ergebnisse von Rang in der Literatur aller Kulturlandschaften.

Aber da trat nun Eduard Korrodi, gute zehn Jahre nachdem er seine Literaturbriefe veröffentlicht hatte (diese «Fehdebriefe an das unheilige Herkommen», wie Josef Nadler sagte) – jetzt trat er mit seinem Lob des hohen Herkommens auf: 1929 mit dem Lesebuch «Geisteserbe der Schweiz». Und da wagte er das Wort, auch diejenigen, denen die Schweiz im größeren «globus intellectualis» vielleicht höchst unwirklich erscheine – auch sie könnten sich der Heimat nicht entledigen: «Nicht das Alphorn, aber eine irrationale Anhänglichkeit ruft sie immer wieder zum Ursprung zurück: entfremdete Bürger eines kleinen Staates, die kein anderes Zeugnis für ihre Liebe haben als die Tränen, die der heimirrende Odysseus unter dem Purpur seines Gewandes verbirgt.» Was steht hinter solchen Botschaften, wie Korrodis «Geisteserbe» eine war (und bis heute ist)? Es steht dahinter ein Vorahnen des Ungeistes, der sich in Europa zum Waffengang rüstete. 1933 war er als offizielle Macht in Deutschland etabliert. Jetzt war dem «Aufbruch des Herzens» eine neue Schranke gesetzt. Ich möchte sagen, 1933 sei

die schweizerische Literatur von den unmittelbar Beteiligten aus
der großen Bewegung in weiten geistigen Feldern zurückgeholt
worden: nach der Ära des Aufbruchs die Ära der Sammlung. Im
Anschluß an den entsprechenden größeren Kulturkreis (insbesondere Deutschland), aus dem geistigen Tauschgeschäft mit ihm,
konnte sich bald kein Schaffender mehr Entwicklung, Steigerung –
und das heißt: Leben versprechen; nur noch Verkümmerung. Der
Schweizer Dichter zog sich auf den engen Raum seines Herkommens zurück und behauptete hier mehr oder weniger entschieden
und ausschließlich heimatlichen Gehalt. Und das war richtig, war
zur gegebenen Stunde das unausweichlich Geforderte. Aber wir
wollen nicht vergessen, daß es für die Betroffenen auch ein Opfergang war, ein Opfergang des schaffenden Geistes, der in seinem
Wirken auf Freizügigkeit, auf Offenheit angewiesen bleibt.

Wie ein solcher Opfergang aussieht, wie er sich im Leben und in
der Arbeit eines Dichters darstellt, das wäre beispielhaft am Fall
Albin Zollingers abzulesen. Am 24. Januar 1895 wurde Albin Zollinger in Zürich geboren; am 7. November 1941 ist er ebenda gestorben; das heißt: die Epoche der Weltkriege und des Totalitaris-
mus war ihm nicht nur ein Gerücht, sondern wirklicher Lebensort.
1939, im Herbst, schrieb Albin Zollinger, Füsilier in einer Terri-
torialkompagnie, an seinen Freund Traugott Vogel: «Der *Tag*
(200 Jahre) gehört der Faust; der blaue Himmel der ewigen Ordnungen wölbt sich *über* dem Gewölk der Betriebsamen und Barbaren. Wir nehmen den Traum ins Grab; er wird sprossen und in
die übernächsten Generationen hineinblühen... Es will mir, allem
Anschein, allen Beweisen entgegen nicht in den Kopf, daß *das* die
Welt beherrschen soll, und ich warte weiterhin auf das herum-
reißende Wunder. Welch schauerlichen Hintergrund hat das Ge-
spenstische unserer privaten Verhältnisse bekommen, und welche
Höllenleitern hinab und herauf rasen wir im Verlauf der Stunden.
Die Kreise sind auseinandergeflogen von geisterhafter, lautloser
Bombe...» Der Zusammenbruch eines solchen Lebens hat private
Gründe; aber es wäre zu bequem, nur darauf abzustellen; es sind
auch die Krisen der Epoche, welche hier im Herzen eines einzelnen
zerstörende Fieber ausgelöst haben.

Dann 1945: Kriegsende. Wir erinnern uns noch der Entlastung.
Auf einmal sprang der eiserne Ring, den man über Jahre hin um
die Brust getragen hatte. Es kam ein erster, tiefer Atemzug. Und
gleich das Wohlgefühl, es möchte nun ein ausgreifenderer Schritt
im Denken wieder möglich sein. Aber das Wohlbehagen wich bald
der Ratlosigkeit. Es zeigte sich, wie schwer es hält, wieder aus-

greifend zu denken und zu formen, nachdem der Geist, nachdem die Formkraft über mehr als ein Jahrzehnt hin in kleinsten Schritten, ja manchmal am Ort hatte wirken müssen. Man schaute sich um, noch nicht fähig, diesen Zustand zu benennen. Bis zum Tag, da in Deutschland das erste wichtige Stück nach dem Krieg bekannt wurde: Wolfgang Borcherts «Draußen vor der Tür». So war es! Der Dichter hatte nicht nur den genauen Titel für die Handlung seines Stückes gefunden; er hatte mit dem Titel die Lage des einzelnen überhaupt erfaßt: draußen vor der Tür. Die Häuser, die Wohnungen waren tatsächlich zerstört, aber auch geistig gab es die alten Häuser und die alten Wohnungen nicht mehr. Das galt für die Welt um uns. Bei uns selbst, das heißt: bei den Zuschauern und Zeugen, standen die Häuser noch; bei uns gab es die Wohnungen noch. Aber es dauerte nicht lange, bis das in Erschütterungen des Kontinents verfeinerte Fühlvermögen der Zuschauer und Zeugen vor den intakten Häusern und vor den intakten Wohnungen das Erlebnis deutlich werden ließ; die Wohnungen des Geistes waren auch bei uns erschüttert.

Was nun den Schweizer Dichter im besonderen betrifft: er schaute zu, wie – vor allem in Deutschland – nach dem Krieg die Sprache gesucht wurde, welche vor den Tatsachen des Zusammenbruchs glaubhaft und überhaupt noch verantwortbar wäre. Wolfgang Weyrauch gab 1949 eine «Sammlung neuer deutscher Geschichten» heraus, «Tausend Gramm» nannte er sie; in den Worten, mit denen er diese Zeugnisse begleitete, fiel der Ausdruck: «Kahlschlag» – der schmuckvolle Wald, das dichte Gestrüpp, der reiche Wuchs der Sprache mußte ausgeholzt werden; es ging darum, die Sprache auf ihre einfachsten Züge zurückzuführen, auf die ersten Bewegungen, welche übersichtlich, bis in jeden Winkel offenbar blieben; man wollte einige Gewähr dafür haben, daß sich nicht Lüge und Entstellung durch Wohlklang und verschlungene Rede wieder einschleichen könnten – «die Kahlschläger fangen in Sprache, Substanz und Konzeption von vorn an», sagte er. Und Wolfgang Borchert selber hatte noch mitgeteilt, alles, was wir tun könnten, sei addieren, Teil neben Teil setzen – immer gehalten von höchster Vorsicht und Wachsamkeit gegenüber dem Ausdruck; angestachelt von der Sorge, der Ausdruck möchte selbsttätig zu wirken beginnen und am Ende wieder mehr schöne Lüge als Schönheit geben. So bemerkte der schweizerische Zuschauer und Zeuge in der deutschen Nachkriegsdichtung ein kalt-leidenschaftliches Mißtrauen in die Sprache, und das ist nicht mehr und nicht weniger als ein allgemeines Mißtrauen in den Menschen – noch weiter genom-

men: ein allgemeines Mißtrauen in die Menschheit. Und da kamen
auch die Dokumente der nationalsozialistischen Barbarei an den
Tag; im Umgang mit diesen Zeugnissen des Schreckens und des
Grauens wurde der Schweizer Dichter erst recht vom mitleiden-
den Zuschauer und Zeugen zum Teilhaber am Entsetzen – wobei
wir wissen und es immer gegenwärtig haben wollen, daß das Ent-
setzen aus Dokumenten nicht das Entsetzen aus der unmittelbaren
Tat sein kann. Diesen Abstand wollen wir nie verwischen. – Zu
alledem gehörte auch die Erfahrung, daß das Atom teilbar ist. In
Max Frischs Stück «Die Chinesische Mauer» (geschrieben in den
Jahren 1945 und 1946) bekam man diesen Wortwechsel zu hören:
JUNGER MANN: Exzellenz...
NAPOLEON: Sprechen Sie schon!
JUNGER MANN: Exzellenz, das Atom ist teilbar.
NAPOLEON: Was heißt das?
JUNGER MANN: Das heißt: der nächste Krieg, der ausbricht, wird
der letzte sein. Das heißt: es kommt auf den Menschen an, ob es
eine Welt gibt, und nur auf den Menschen. Die Sintflut ist herstell-
bar...
Und dann erlebten wir, daß die Erde zum Objekt, genaugenom-
men: zum Gegenüber werden kann; daß man ihr von weit außen
zuschauen kann, was sie tut – und daß man sie stören könnte in
dem, was sie tut.
Das sind die Erlebnisse, welche das Lebensgefühl nach dem Zweiten Weltkrieg nicht mehr in eben der Fassung ließen, welche nach
dem Ersten Weltkrieg noch hatte gelten dürfen. Gegenüber dem
Vertrauen von damals herrschte nun, wie gesagt, das Mißtrauen
ganz und gar. Und durch das Mißtrauen kam die Angst herein und
besetzte uns. Wolfdietrich Schnurre gibt dafür (in der Chronik
«Das Los unserer Stadt», 1959) ein Bild: «Ingenieure haben bei
Befestigungsarbeiten am Rande der Stadt eine furchtbare Entdeckung gemacht. Sie sprengten eben einen die Zufahrtsstraße be-
drohenden Felsen vom Berg, als sich unterhalb der Gesteinswunde
ein ungeheures Auge auftat... Inzwischen ist die schlimmste aller
Befürchtungen Wahrheit geworden: Unsere Stadt wurde auf der
Brust eines schlafenden Riesen erbaut: nun haben ihm die Ingenieure eine Braue gesprengt, und er beginnt zu erwachen. Es sind
bereits zahlreiche Kommissionen ernannt worden, die den Auftrag
erhielten, das Ohr des Riesen zu finden, um ihm den Wunsch vorzutragen, doch noch einige Zeit liegenzubleiben.»
An dieser Angst – der Riese könnte aufstehen –, an der Art und
Weise, wie darauf das Erlebnis- und das Formvermögen antworten,

scheiden sich alt und jung – wobei das äußerliche, das amtlich bestätigte Lebensalter nicht gar so wichtig scheint. Ich möchte jetzt,
um der Deutlichkeit willen, verallgemeinern dürfen; und so wäre
zu sagen: «Alt» wurde durch jene Angst zur Besinnung getrieben;
«Alt» kennt das Gepäck, mit dem das Geschlecht der Großväter
und der Väter durch die Zeit heraufgekommen ist; «Alt» weiß
nun, was damit im Leben der Gemeinschaft an Erfolg und an Katastrophe möglich geworden ist. Wie kam es? Das ist die Frage.
Es ist die Frage, welche den Menschen auf die Geschichte lenkt.
Frage an das gewachsene, an das wachsende Leben. Es ist ein Befragen dessen, was durchs Dasein heraufgetragen und von Gegenwart zu Gegenwart den Mitlebenden unterbreitet worden ist. Es
ist die Frage an die Tradition. Und diejenigen, die so fragten, die
«Alten», versuchten zu ermitteln, was als untauglich und verderbt
aus dem Väter-Gepäck geworfen werden sollte; sie versuchten aber
auch zu ermitteln, was als hilfreich und nützlich darin verbleiben
müßte. Zu ihrer Denk- und Fühl-Arbeit gehörte die Rehabilitation.
Was die «Alten» unter den Schweizer Dichtern angeht, so haben
sie dieses Befragen und Prüfen des gewachsenen und wachsenden
Lebens im kleinen, im überschaubaren Felde vollzogen, in der
Stadt, im Kanton – ich denke, zum Beispiel, an die Chronik «Alles
in allem» von Kurt Guggenheim. Da setzte man beim Naheliegenden, beim Selbsterfahrenen an, um das Vertrauen gegenüber diesem
Naheliegenden und Selbsterfahrenen wieder aufzubauen – und
wenn sich von da aus das Vertrauen zum Menschen und zur
Menschheit wiederum einstellen möchte, um so besser. Anders die
Jungen. Sie kannten das Gepäck kaum, welches von ihrer Groß-
väter- und Vätergeneration durch die Geschichte heraufgetragen
worden war. Sie wußten nur, hatten nur vor Augen, was daraus
möglich wurde. Sie sahen die Zerstörung des Kontinents. Das
Befragen der Geschichte schien ihnen müßig, das Überprüfen der
Tradition ein Zeitverlust. Nicht die Frage «Wie kam es?» brannte
bei ihnen. Sie stellten fest: Es kam! Und darauf reagierte das Herz
mit Ärger, mit Zorn, mit Hohn. Der zornige junge Mann ist eine
Modefigur geworden; er war aber, bevor er zur Mode herabsank,
eine ergreifend wahre Erscheinung. Diese Jungen nahmen nun
einen anderen Weg, um aus der Angst heraus in ein verläßliches
Verhältnis zum Dasein zu gelangen. Sie sagten sich von der überschaubaren öffentlichen Gemeinschaft los, verbaten sich den Anspruch der Umgebung. «Ich bin nicht Stiller!» das ist der erste
Satz von Max Frischs Roman «Stiller» (geschrieben 1953/54); und
als Motto steht vor diesem Roman ein Wort aus Kierkegaards

«Entweder – Oder»: «... darum ist es so schwer, sich selbst zu wählen, weil in dieser Wahl die absolute Isolation mit der tiefsten Kontinuität identisch ist, weil durch sie jede Möglichkeit, etwas anderes zu werden, vielmehr sich in etwas anderes umzudichten, unbedingt ausgeschlossen wird.» Und Friedrich Dürrenmatt wird sein Gelächter gegen die selbstgenügsame, wohlig-unheimlich sich selber betrügende Konjunkturgemeinschaft erschallen lassen. Und die Jüngsten werden sich spitz, heftig, ironisch sarkastisch beobachtend und meldend freisetzen. Nicht vom Dorf aus sollte sich die Menschheit wieder erwahren – man wollte vorerst bei sich selber bleiben, unbehelligt, zu sich selber ausgesetzt. Vielleicht – doch das war eine spätere Sorge – konnte von da aus, vom auf sich selbst gestellten Ich das Vertrauen zur öffentlichen Gemeinschaft erlangt werden. Dieser selbe Prozeß, die gleiche Scheidung zwischen «alt» und «jung» ist sichtbar, ist sichtbares Leben geworden in den entsprechenden dichterischen Formen. Für «Alt» blieb die Form ein Gehäus, eine Wohnung, erschüttert wohl und in der Erschütterung um den einen oder andern leeren Zierat gebracht, im ganzen jedoch verläßlich, ja verläßlicher als vorher, denn nun war ein prüfender Sturm darübergegangen. Für «Jung» dagegen war Form gleichviel wie: Durchgang; Weg im Offenen, wo die Wetter von allen Seiten hereinschlagen können. Auch hierin waren die Jungen nicht auf ihren eigenen Rat, auf ihre Erfahrung allein angewiesen; sie schauten sich um und fanden Beispiele, verhältnismäßig alte Beispiele, die aber eben jetzt besonders lesbar und verständlich wurden: Eliot, Pound, Joyce, Benn, Brecht. Daß bei alledem in der zeitgenössischen Dichtung der Schweiz die neue Form nicht in jedem Fall von Erlebnis getragen ist, stört uns in diesem Zusammenhang wenig; wir halten uns an die Dichter, nicht an die Macher, welche wohlbehütet in ihrem geistigen Reihenhäuschen an bevorzugter Lage lauter unbehelligte Tage hinleben und auf dem Papier so tun, als hätten sie eine Ahnung von der Angst der Epoche.

So also scheiden sich «Alt» und «Jung»; so steht «Alt» gegen «Jung». Was haben sie miteinander zu tun? Nichts. Ihr Denken und ihr Formen sind unvereinbar. Und sollen unvereinbar bleiben; sollen Satz und Gegensatz sein und so unser Dasein bewegen. Was danken wir «Alt»? Wir danken ihm die Form als Gehäus; das geprüfte Vertrauen in die Tradition; die Möglichkeit, geschichtlich zu fragen, geschichtlich zu denken. Die Gefahr auf dieser Seite heißt Verkapselung. Was verdanken wir «Jung»? Wir verdanken ihm die Offenheit; den einfachen Mut zum losgelösten Selbst, welcher bisweilen den Rand des Selbstverlustes, der gemeinschaftfernen Leere streift. Beides zusammen; eines gegen das andere, das eine im andern: Es macht unser Dasein wahr.

Und nun sehen wir auch deutlich, was die Vermutung: «alt» gleich «mindere Qualität», «jung» gleich «bessere Qualität» auf sich hat: nichts. «Alt» und «jung» sind in solch genereller Form keine Qualitätszeichen. Es gibt keine generelle Qualität; es gibt nur die Qualität des einzelnen. Es ist nicht nur bequem, sondern brutal, nach Qualität anders zu fragen, als indem man nach dem einzelnen fragt.

Und da sehe ich die Stelle des Kritikers. Er soll sich außerhalb von «alt» und «jung» zu stellen vermögen; und dort – ich möchte sagen: am dritten Ort – ist er zum Umgang mit dem einzelnen verpflichtet. Dort ist er zum Zeigen, Deuten und Bewerten des einzelnen aufgerufen. Da soll er Wunder und Klimbim von Fall zu Fall entlarven. Und indem er das tut, vereinigt er in seinem Gespräch das, was wir (ich wiederhole es: etwas schematisch schwarzweiß) «alt» und «jung» genannt haben. Er stellt durch seine Arbeit das Klima her, aus dem am Ende «Alt» und «Jung» allein zu wirken vermögen.

Heinz Weder

DER VATER

I

Februar, und ein plötzlicher Spaziergang, unterwegs irgendwo, die ländliche Kneipe mit der gläsernen Veranda, niemand stört mich, das Mädchen bringt das Gewünschte, der gläserne Februar, Strohsessel, Kuhfladen, Misthaufen, Mistgabel, alles überblickbar von diesem Strohsessel aus, auch die Vergangenheit, immer wieder einmal der Wunsch, das Leben zu ordnen, auch jetzt, im Februar in gläserner Kneipe.

– : vergeßt, daß ihr einen Sohn habt, vergeßt alles, seine Vergangenheit, seine Gegenwart, seine Zukunft, vergeßt seine Träume, seine Freude, seinen Zorn, vergeßt seine Bubenstreiche, vergeßt die Unfälle, den Beinbruch, den Sturz von der Treppe, vom Fahrrad, vergiß den Ekel, Vater, den ich empfand, als ich mit dir in der Badekabine stand und wir uns entkleideten, vergeßt auch das Namenlose, das mir und euch nicht mehr einfällt, das mich aber verfolgt in meinen Träumen, vergiß den Augenblick als du mich zeugtest, Vater, und du Mutter, vergiß die Stunde meiner Geburt, streicht mich aus eurem spröden Gedächtnis, geht auf die Friedhöfe und denkt an den Tag, da man euch ins Grab legt, denkt an euch von Tag zu Tag, aber vergeßt mich, den Mann, der hinter einem Schreibtisch sitzt und Briefe diktiert und telefoniert und Partagas raucht und Whisky trinkt und mit Frauen schläft, denkt daran, nachts und an ländlichen Parties, daß ihr nicht mehr prahlt mit dem Ruhm eures Sohnes, denkt daran, am frühen Morgen, wenn ihr erwacht mit schlechtem Mundgeruch und Kopfweh, und denkt daran, mittags, wenn ihr Kaffee trinkt, und abends, und nachts, wenn ihr von Träumen geplagt seid, denkt daran, der Mann, der hinter einem Schreibtisch sitzt, ist ein Fremdling, der geht euch nichts an, der liebt die Filme von Antonioni und Fellini, die ihr nicht kennt, und durchstreift die Museen von New York, wenn ihr am Straßenrand steht, sonntags gelangweilt, und mit den Leuten, den zufällig Vorübergehenden, über den Ruhm eures Sohnes reden wollt, vergeßt die trüben Sonntage, blättert nie in dem Album, wo diese Sonntage aufbewahrt werden.

2

– : an regnerischen Sonntagen, wenn der verschlafene Vater im Salon erschien, nach elf Uhr etwa, weil ihn das Sonntagmorgenkonzert geweckt hatte, verärgert und schlecht gelaunt dann hereinkam, ungewaschen, unrasiert, mit pelziger Zunge, sprach er von Flegelei und Herrgottnochmal, wenn man endlich Ruhe und Ordnung wolle er schaffen und vertrage keine Störungen, ungehört trat er ab von der Salonszene, ich spielte mit der Tochter des Vaters Schach, der andere Sohn des Vaters schoß auf Papierblumen und der dritte Sohn des Vaters endlich modellierte mit Lehm Köpfe, riesige, breite, schwellende Köpfe und Masken und verdrehte Hälse, und der Vater ging in die Küche, wo die Frau des Vaters den Sonntagsbraten bereitete, eine zuverlässige Hausfrau, sie fürchtete sich vor der schlechten Laune des Vaters, der Rüben kaute und Rüben kauend wieder in die Schachszene, in die Schießszene und die lehmige Maskenszene hereinkam, und der König von rechts oder links, und das Gewehr des anderen Sohnes in den Anschlag und auf die Lehmköpfe des dritten Sohnes zielte und auf die Geranientöpfe schoß, das Geheul dann der Frau des Vaters, als sie die Scherben und in der Küche den Braten vernachlässigt und angebrannt und Rauch über dem zwölf-Uhr-Idyll an Sonntagen, heute, sagte der Vater, besuchen wir die Tanten, sagte der Vater, und als man den angebrannten Braten der Frau des Vaters gegessen hatte, gab es Kaffee und Schnaps, und niemand spielte Schach, niemand schoß und niemand formte Köpfe aus Lehm, alle saßen im Wagen und fuhren zu den Tanten durch eine saubere Landschaft mit Geranien und gepflegten Hüten und schlechten Launen, aber die Tanten waren freundlich und warteten mit Tee und Kuchen auf uns, kein Sonntag ohne Besuch bei den Tanten hinter geschlossenen Jalousien legen die Tanten Patiencen, der Vater hatte eine Vorliebe für geschlossene Jalousien und Patiencen und die Tanten, die seiner Wahrsagerin glichen, mit Kübeln und Krügen und Katzen und schwarzen Tüchern und kleinen Altären in Nischen, der Vater hatte eine Schwäche für geheimnisvolle Interieurs, nur zu Hause war er ein Anhänger von eindeutigen Wirklichkeiten, kein Liebhaber von Einfällen, er wollte nicht überrascht werden, die Tanten küßte er auf die Stirn, die Frau des Vaters wurde eifersüchtig, während ich mit der Tochter des Vaters die Jalousien hinausstellte, dann erzählte ich den Tanten von einem Katzenmörder, die Tanten schrien und der Vater wurde wütend und die Frau des Vaters weinte, nach zwei Stunden fuhren wir nach Hause durch die stumpfe drei-Uhr-Landschaft, zu Hause gab es wieder Tee, aber der Vater mochte Tee nicht, nur bei den Tanten trank er den Tanten zulieb ein Täßchen, der Vater ging in die Kneipe, dann hatten wir Ruhe, die Frau des Vaters blätterte in Magazinen, ich spielte mit der Tochter des Vaters Schach, der andere Sohn des Vaters schoß auf Papierblumen, und der dritte Sohn des Vaters knetete Nasen und Augen und Hälse, bis der Vater zurückkam und den Holzhändler eine Sau nannte und essen wollte, den Sonntag als beendet erklärte und früh schlafen ging, die Lampen löschte und wir alle im Dunkeln saßen, und diese Sonntage wiederholten sich, schlechte Laune, Tanten, Kneipe, Zorn, lustlos und unbedeutend vergingen die Jahre, die Sonntage, die Wochen, die Abende mit Album und Erinnerungen, was aber sind diese Erinnerungen?

3

– : verbrennt sie, damit eure Pläne für eure Zukunft nicht Schaden nehmen, denkt nicht mehr daran, auch dann nicht, wenn der Gärtner die Blumen holt im November, nur die Aloe bleibt, die alle dreißig Jahre blüht, denkt dann auf keinen Fall daran, daß das der erste Schultag war, vergeßt auch jenen Sommer, als ich dreizehn war, und nun sitze ich hinter einem riesigen Schreibtisch und telefoniere mit einem Fremden in Paris, ich weiß nicht einmal seinen Namen, wozu? seid rücksichtslos, gemein und hinterhältig, das sind positive Eigenschaften, dann werdet ihr mich rasch vergessen können, es nützt nichts, zu flehen und zu bitten, und Schluchzen überzeugt auch nicht, und nicht die nächtliche Wut, das Gebröckel über der zugeschlagenen Tür, vergeßt die Reisen in die Berge.

4

– : wie auffällig waren die Tanten im Gebirge, mit Rucksack, Sonnenbrille und Feldstecher, ein schöner Tag, die feuchte Maserung im Gestein, im lehmigen Weg, über der Hand, die den Feldstecher vom Gesicht herabnimmt, gespannte Neugier, Vermutung im Kreis herum, die Tanten, der Vater und ich, warum eigentlich immer mit diesen Tanten? so bedeutend konnte die Familie doch nicht sein, oder war es ein freundliches Gefühl, eine leichtfertige Bestätigung seines Hangs, die Verwandten nicht zu vernachlässigen, ihnen mit dieser Bergidee etwas besonderes zu bieten? Ich zweifelte an der Gutmütigkeit des Vaters, der unsere Gruppe anführte, anführen wollte, dieser Schlucht entlang, die immer tiefer sank, in den Nachmittag hinein, in die Schatten hinein, wortlos ging ich am Schluß, hinter den Tanten, die mit ihren Rucksäcken und Stiefeln mühsam des Vaters Bewegungen folgten, ungefähre Aufwärtsbewegungen, schwere, überanstrengte Schattenrisse vor mir, das Ziel war die Hütte, vier Stunden insgesamt, wenn der Vater eine Idee hatte, war sie gut, sagten alle, obwohl ich von dieser Idee, mit den Tanten ins Gebirge zu gehen, nicht begeistert war, noch eine Stunde, sagte der Vater, dann machen wir eine Pause mit einem gekochten Ei, Schinken und gedörrten Früchten, der Vater trank Wein aus einer bauchigen Flasche, lehnte sich gegen die Felswand, ich saß auf Grasbüscheln, die Tanten auf einem Felskopf, der Vater schwitzte, die Tanten husteten, ich beobachtete mit umgekehrtem Feldstecher die Szene, die Tanten waren müde, der Vater war überzeugt, daß er ihnen, den Tanten, etwas besonderes bieten konnte mit diesem Aufstieg, man ging weiter, die Hütte war noch nicht in Sicht.

5

– : vergiß diese Geschichte, Vater, vergeßt alles, auch meinen Ruhm, ihr habt nichts dazu beigetragen, das Tujagartenhaus zerfiel, die Bäume wurden gefällt, die Sträucher ausgerissen, niemand lebt mehr in der Nachbarschaft, geht auf die Friedhöfe und zählt die Namen und zählt eure Namen dazu, aber vergeßt endlich den Namen des Mannes, der hinter einem Schreibtisch sitzt und Briefe diktiert und Besprechungen führt und nicht gestört sein will, den

Mann, der das Namenlose liebt, der in teuren Hotels wohnt und
Bordelle meidet.

6

– : und wenn ich Vergangenheit und Zukunft durcheinander-
bringe?

7

Mit dem Vater im Büro –
Mit der Tochter des Vaters am Strand –
Der andere Sohn des Vaters mit dem Vater und dem kleinen Sohn
im Garten –
Der kleine Sohn dann mit mir im Wald –
Die Frau des Vaters mit den Tanten hinter geschlossenen Jalousien –
Der Vater auf dem Friedhof –
Die Tochter des Vaters mit dem kleinen Sohn in der Gärtnerei –
Mit der Frau des Vaters in der Kirche –
Der Vater als Präsident eines Vereins –
Der Vater in der Kneipe –
Die Tochter des Vaters und die drei Söhne des Vaters auf einer
Reise mit der Frau des Vaters, der Vater hatte keine Zeit für Reisen
und war schlecht gelaunt, weil ihn der Holzhändler in der Kneipe
wiederholt eine Sau genannt und der Vater mit der Polizei gedroht
hatte, während ich mit der Tochter des Vaters im Wald und der
andere Sohn mit der Frau des Vaters im Garten und der kleine
Sohn davon gelaufen ist –
Auf dem Friedhof sind der Vater des Vaters und die Frau des
Vaters des Vaters begraben, und immer, wenn der Vater schlecht
gelaunt war und mit dem Holzhändler in der Kneipe Streit gehabt
hat, ging der Vater auf den Friedhof, weil der Vater glaubte, der
Friedhof würde ihm weiterhelfen, würde ihn auch den Tanten
näherbringen, den Schwestern des Vaters des Vaters –
Dieser arme Vater.

8

Dann hatte der Vater eine Krise, Herzkrise und Kopfweh, jedenfalls einen Anfall von weinerlichem Unwohlsein, er verspürte
wenig Lust, das Bett zu verlassen, verlangte Tee oder Milch und
den Arzt, der aber erst gegen Abend kam, weil der Arzt den Vater
kannte, kam er erst gegen Abend und verordnete Bettruhe und be-
tonte, daß Aufregung in diesem Zustand schlecht wäre, also keine
Belästigungen, keine Telefone, keine Besuche und keine Korre-

spondenz, keine Geschäfte, und dies, allerdings, mußte den Vater noch nervöser gemacht haben. Fieber, Schüttelfrost, am Rand einer Lungenentzündung und Weinkrämpfe, es war traurig, die Frau des Vaters war besorgt und brachte ihm nicht nur Tee oder Milch, sie machte ihm Umschläge und kontrollierte, nach den Anweisungen des Arztes, regelmäßig den Puls. Nur nicht ins Krankenhaus, hatte der Vater immer gesagt, der Arzt beruhigte ihn, an einem kleinen Fieber und an Herzklopfen sei noch kaum einer gestorben, und selbst der Tod sei nicht das Schlimmste, was ihm, dem Vater, passieren könnte, auch Krankheit nicht, aber sein Geiz, seine Rachsucht, sein Zorn, seine Rechthaberei, sein Egoismus, dies alles könnte sein Verderben sein, sein Untergang, aber der Arzt war noch nicht am Ende des Berichts, schrie der Vater, bäumte sich im Bett auf und verfluchte den Arzt. Dieses Hin und Her dauerte Tage, Wochen, und der Vater erholte sich nicht von seinem kleinen Fieber und dem Herzklopfen, er fürchtete sich vor den Sonntagen und magerte, weil er nichts mehr essen wollte. Yoghurt vielleicht, Quark und Früchte, Maiskuchen, Nüsse, Orangensaft, die Verdauung machte ihm zu schaffen, der Urin war seit Wochen farblos, der Vater lag bewegungslos in den Kissen und atmete schwer, und die Frau des Vaters trocknete ihm die Stirn, wusch seinen Körper und wechselte die Bettwäsche, der Arzt kam nur noch alle drei Tage, gab eine Spritze und sprach von deutlichem Zerfall, Kräftezerfall, empfahl vieles und meinte, alles versucht zu haben, erleichtere das Gewissen der Nachgeborenen, und dann kam der Arzt nicht mehr. Eines Abends, April, läuteten die Glocken, der Vater war plötzlich gestorben, ich spielte Schach mit der Tochter des Vaters, der andere Sohn des Vaters schoß im Garten auf Amseln, und der kleine Sohn jagte die Hühner des Nachbarn und drehte einem schönen Exemplar den Hals um, die Frau des Vaters wechselte nicht mehr die Bettwäsche, und der Schreiner brachte den Sarg, eine Holzkiste, alle waren beschäftigt, wer aber kümmerte sich um den Vater? Drei Tage später wurde er begraben, und heute? wer erinnert sich an seine auffällige Erscheinung mit Schlüsselbund und lotterigem Fahrrad? Er wurde nachträglich zum Ehrenbürger gemacht, eine Genugtuung für die Frau des Vaters und ein Ärgernis für viele, mir bedeutete diese Geschichte nichts, Ehrenbürger, sagte ich zu einem anderen Ehrenbürger, der den Vater überlebte, sind Heuchler, das vertrug dieser andere Ehrenbürger nicht, er wollte mich verklagen, ich machte ihn auf die Kosten aufmerksam, denn dieser andere Ehrenbürger war geizig. Wie soll diese Geschichte aufhören? mit einem Fa-

milienfest, obwohl ich keine besondere Schwäche für Familien-
feste hatte, machten wir ein Familienfest, zunächst weinten alle,
und dann war eine unvorhersehbare Ausgelassenheit, jeder, der
einmal ein kleines Fieber hat, sollte vorsichtig sein, sagte ich, sagte
der Arzt, die Frau des Vaters hatte auch den Arzt eingeladen, sie
tanzten miteinander, da schoß der andere Sohn dem Arzt den Hut
vom Kopf, und das Familienfest fiel auseinander, die Tanten waren
verstört, die abwechslungsweise mit dem Pfarrer getanzt hatten,
die Frau des Vaters hatte auch den Pfarrer eingeladen, der auf den
Vater einen freundlichen Nachruf und schöne Worte am Sonntagmorgen, da lief ich davon, denn schöne Worte von diesem Pfarrer
an einem Sonntagmorgen konnte ich nicht ausstehen und ging
spazieren, in den Wald, anderntags war auch das Familienfest vergessen, wir, die Nachgeborenen, saßen mit der Frau des Vaters im
Garten und aßen Äpfel, wie schwärmte doch der Vater von Äpfeln,
ich dachte an die Sonntage und mußte mich plötzlich erbrechen.

9
– : wessen Vergangenheit ist wichtiger? die des Vaters oder die der
Nachgeborenen? Wir sprachen nie darüber, werden nie darüber
sprechen, ein Ehrenbürger kann nicht Gegenstand von Gesprächen sein, er ist ein Denkmal, ein Monument, Geschichte, nicht
mehr zu verändern, definitiv, aber als Nachgeborener werde ich
überfordert.

LANDSCHAFT MIT STATUEN

Die Nachmittage im Büro,
die Abende auf der Brücke,
und nachts irgendwo.
Hüte in träger Luft,
die Boulevards und den Geruch der Kaffeerösterei
werde ich nicht vergessen.

Achselhaar,
Ocker und Salbei,
der Juni mit seinen Überraschungen
bringt auch die Nachmittage durcheinander,
die blauen Reisenden verändern die Szene,
nachts auf der Brücke oder irgendwo –:

eine Landschaft mit Statuen.

SCHLECHTE AUSSICHTEN
FÜR DAS NÄCHSTE WOCHENENDE

In der Ebene wolkig,
Hunde fressen Gras,
schlechte Aussichten
für das nächste Wochenende.

Freundlich und warm,
abends,
über der Ebene
die gleichmäßige Ruhe des Windes.

Stare sammeln sich,
Schwärme anderer Vögel
ziehen über das Haus.
Schließ das Fenster.

Wechselnd, meist stark bewölkt,
rasche Veränderungen möglich.

Verfolge den Wind auf der Karte,
er geht mit den Vögeln
und begünstigt ihren Flug.

Schließ auch die Läden.
Die Statue im Garten
ist unwesentlich geworden,
sie geht dich nichts mehr an.

KÜNGOLDINGEN

Die Absicht war,
am Abend Küngoldingen zu erreichen,
Kräutergeruch, dumpfe Luft,
August verbrennt Stimmen,
Tee aus metallenem Geschirr,
die Ebene beobachten,
die Waldparzelle S.

Küngoldingen ist auf der Karte ein winziger Fleck,
ein Punkt,
ein Nichts.

Der Abend verlief ohne Überraschungen.

Max Wehrli

Wer ist Max Rychner? Unsere Vorstellung von einem Zeitgenossen ist gewöhnlich durch irgendein Leitbild bestimmt, eine vielleicht zufällige Reminiszenz, die sich uns doch sinnbildlich eingeprägt hat. So ist mir der Name Rychner verbunden mit der Erinnerung an ein Gespräch vor vielen Jahren: er pries das Glück des Schreibens, genauer: das Entzücken vor dem leeren, schönen, weißen Blatt, vor dem der Schreibende sitzt und zur Niederschrift ansetzt, das Abenteuer eingeht, seine Gedanken in Zeichen zu formen, aus der Fülle der Möglichkeiten eine Wirklichkeit zu schaffen. Dieser Augenblick, der den Schriftsteller Rychner fasziniert und beglückt, ist der Augenblick des Ursprungs, des reinen Beginns, der rätselhafte Quellpunkt jeder sprachlichen und dichterischen Schöpfung. Schriftsteller zu sein: das ist für Rychner immer wieder die Erneuerung oder ein Abglanz des Ursprungs im Schöpfungswort, des fiat lux überhaupt und darum auch ein Ereignis der Freude. Menschliche Sprache ist freilich auch, seit ihr Träger vom Baum der Erkenntnis gegessen hat, eine gefährliche und abenteuerliche Unternehmung geworden. Rychner hat in seiner wunderbar schwebenden Dichtung «Die Ersten», einer Dichtung des Beginns, die von Adam, Eva und der Schlange handelt, auch diesen *menschlichen* Ursprung der menschlichen Sprache umkreist. – Niemand weiß so wie der Dichter, der Kritiker und der Philologe, wie menschliches Existieren an die Sprache gebunden ist, die, wenn auch nur zeichenhaft, auf den wahren Logos hinweist. Alles, was je gedacht, gefühlt und erkannt worden ist und werden wird, kann in den wenigen Buchstaben eines Alphabets aufbewahrt werden, ja vielleicht kann es außerhalb dieser Buchstaben gar nicht existieren oder doch gar nicht vermittelt werden. Immer wieder bewegt auch den Lyriker Max Rychner dieses Sprachexistenzwunder, wo der Gedanke zum Zeichen, das Zeichen zum Gedanken wird, wo sich zwischen Traum und Tag ein «Schöpfungswort» auf die Lippen drängt und Leben sich selber erkennt:

Aus der Asche ist ein Strahl gefahren,
Und das Fernste ruft, daß ich es nenne –
Nicht im Dunkel mehr, im Morgenklaren
Spricht ein Zeichen, daß ich es erkenne.

Sprache ist nicht nur Ausdruck, ist vielmehr auch Mitteilung, ist «Stimme zwischen dir und mir». Menschliches Dasein ist auf Mitmenschlichkeit angelegt, selbst die Dichtung, dieses geheimste Sich-selber-Finden, nennt sich «Freundeswort». Das selbe Staunen, das an der eigenen Sprache entsteht, gilt auch der Sprache des andern. Es lebt auch am Grunde von Rychners kritisch-essayistischem Werk, in seiner Literaturkritik, die gleichsam überall bei jenem Moment des Ursprungs einsetzt und von da aus die Vielfalt der Stimmen fast wie von innen her vernimmt. Ein ursprüngliches Vermögen der Ahnung, ein Urteil, eine Kennerschaft, die den Namen Rychners seit nahezu vierzig Jahren auch im Ausland zu einem bekannten und verehrten gemacht hat. Kritiker pflegen «gefürchtet» zu sein: man darf Rychner wohl als einen liebenden und darum auch geliebten Kritiker bezeichnen. Seine Literaturkritik lebt aus einem nach-vollziehenden Verstehen, sie hat die Positivität, die innere Freude, die dem wahren, ursprünglichen Hören und Sprechen eigen ist.

Dichter *und* Kritiker – beiden gilt unser Dank und unsere Verehrung, und zwar gerade darum, weil sie nicht voneinander zu trennen sind. Man pflegt die Literarhistoriker und Kritiker gern als verhinderte Dichter zu bezeichnen, oder man spricht abschätzig von Kapellmeistermusik. Wer die Dichtung Rychners kennt, ist anderer Meinung. Seine Lyrik ist freilich nicht einem chaotischen Raunen verpflichtet, ist nicht romantisch betörend und keine pompöse Vergewaltigung der Sprache – sie ist von einer unvergleichlichen Behutsamkeit und Wachheit, sie ist «zauberhell», wie es einmal heißt, sie beschäftigt den Geist, ja die Intelligenz, doch dieser Geist erscheint selbst im Geheimniszustand. Es ist eine leise Lyrik, mit eigenartiger Präzision, die das Klangliche und die Vorstellung durchsichtig macht, eine Lyrik des sich erkennenden Geistes. Wenn sie es liebt, thematische oder formale Anregungen etwa aus Valéry, aus Mörike, aus Eliot aufzunehmen und im eigenen abzuwandeln und fortzusetzen, so ist dies nicht die Abhängigkeit eines Nachfahren, sondern ursprüngliche dichterische Antwort auf verwandte Stimmen, Freundeswort auch hier in der Teilnahme am Geistergespräch der Literatur. Rychner hat echte Dichtung nie bloß in wilden Stürmen des Genies erkennen wollen (auf das sich jeder Stümper berufen kann). Er wagt sogar zu sagen, echte Dichtung sei noch immer aus der Kritik, aus dem Gedanken hervorgegangen, und er kann dies ja nicht nur mit großen Dichtern der Weltliteratur, wie Dante, belegen, sondern im Grund mit 2000 Jahren europäischer Tradition, die das Bewußtsein, das sprachliche Können, ja selbst die philologisch-gelehrte Bildung nicht als dichtungsfeindlich betrachtet hat.

Aber das heißt auch umgekehrt, daß auch die Prosa, Rychners kritische Essays, wahrhaft dichterische Substanz besitzen, nur in anderer Form als die Lyrik. Es ist eine Prosa mit Atem zwischen den Wörtern, geistvoll, wach und hell, nie gepreßt und nie manieriert – kurz, wie man schreiben können möchte, und wie man über Literatur schreiben sollte. Ihr künstlerischer Rang beruht wohl letztlich darauf, daß sie rein und adäquat und genau der Sache dienen will, nicht vor dem Spiegel geschrieben, sondern offen und gewissenhaft antwortend auf alles, was die untrüglichen Antennen des Wissenden und des Schaffenden berührt. Und diese Antworten sind darum voller Leben und ernster Heiterkeit. Man zögert fast, Rychner einen Kritiker zu nennen, wenigstens im deutschen Wortsinn. Denn diese Kritiken sind Antworten, erteilen keine Zensuren, meiden die Negation oder gar die Satire. Das Kämpferische liegt ihnen nur, wo es zur Abwehr unumgänglich scheint. Rychner wendet sich gegen das, was er die «Trostlosigkeit und das Verdummende des Hasses» nennt und findet über die Satire, in seiner großen Lichtenberg-Abhandlung, den Satz: «Die Satire, die sich schwarz-weiß-malend als das Gute gegen das Schlechte setzt, will nichts wissen von einer innern Dialektik ihres eigenen Prinzips und verhindert sich so, das Wahre wahrhaft zu ergreifen.»

Das Wahre wahrhaft zu ergreifen – nur dieser Wille machte es möglich, in solchem Maß sich die europäische Literatur anzueignen, zu vermitteln und in *einem* Bewußtsein zu vereinigen – auch heute, wo es eine solche Literatur vor lauter Katastrophen und Widersprüchen kaum mehr zu geben scheint. Als der 25jährige Max Rychner die «Neue Schweizer Rundschau» auch nach außen hin und unter dem neuen Titel übernahm, da stand im Eröffnungsartikel der Satz: «Und die Literatur, sie soll den Platz an der Sonne haben, der ihr gebührt.» Was da in einem beinahe frisch-fröhlichen Ton verkündet wurde, das war dennoch ein Programm, dem Rychner unablässig die Treue hielt bis heute – es wurde ein Platz an der Sonne gefordert nicht nur im Rahmen der Zeitschrift, sondern auch im Sinn des geistigen Lichtes und der Sympathie, mit welchen hier das literarische Leben verstanden wurde.

Die Zeitschrift wurde zu einer Literaturzeitschrift, wie sie die Schweiz vorher und nachher nie besaß, zu einem Spiegel, einem vom Herausgeber gehandhabten schaffenden Spiegel jener zwanziger Jahre, die uns heute bereits als eine letzte klassische Epoche unserer Literatur vorkommen wollen. Und daran schloß sich die

Arbeit in andern Zeitschriften und in Tageszeitungen des In- und
Auslandes, während der Zeit der nazistischen Herrschaft, in der
Kriegs- und der Nachkriegszeit. Unverrückbar und ohne das Geringste zurücknehmen zu müssen, diente sie dem Gedanken der
weltliterarischen Einheit, suchte sie das Band der Liebe, das
«vinculum amoris» sichtbar zu machen, das die echten Geister
über Zeiten und Zonen hinweg verbindet. Die Aufsatzsammlung
«Zur europäischen Literatur zwischen zwei Weltkriegen», 1943
mitten im Krieg erschienen, hat bekenntnishaft diese große Zeit
im Rückblick versammelt. Es war die Epoche einer letzten großen
deutschen Literatur mit dem Spätwerk der Rilke, George und
Hofmannsthal und der Romandichtung Thomas Manns, Hesses,
Kafkas, und eine Zeit des europäischen Geistes im Werk der Gide,
Proust, Valéry, Joyce, Eliot, Ortega, die dem deutschen Sprachgebiet zum Teil unter Führung Rychners erschlossen wurden.
Aber schon hier und erst recht in den folgenden Sammelbänden
bis zu dem jüngsten von 1961 ist der Blick offen auf die gegenwärtig und künftig Schaffenden und die Empfangenden und wird
die Kontinuität lebendig und tröstlich aufrecht erhalten.

Wenn die Qualitäten des großen Kritikers bestehen in Sensibilität,
Wahrhaftigkeit und Konsequenz, so ist bei Max Rychner noch auf
eine weitere und besondere Garantie hinzuweisen: nicht nur der
weite Raum der zeitgenössischen Weltliteratur verbürgt ihm die
Maßstäbe, sondern immer wieder der Besitz der geschichtlichen
Überlieferung, der Weltliteratur auch in der Tiefe der Zeit. Vergessen wir nicht: Max Rychner hat ein wohlgerundetes literar-
historisches Studium absolviert und seine Dissertation einem großen Literarhistoriker gewidmet, Georg Gottfried Gervinus. Wenn
allerdings Gervinus der Ansicht war, die Literaturgeschichte sei
mit Goethes Tod abgeschlossen (was der Traum manches be-
quemen Literarhistorikers noch heute ist), so ist für Rychner das
Ausholen in die Vergangenheit nur sinnvoll für eine Zukunft.
«Nur aus dem Fernsten kommt uns die Erneuung», zitiert er – die
erfüllte Geschichte erst gibt die Hoffnung auf Kommendes, allerdings auch eine gewisse Kaltblütigkeit gegenüber einer oft allzu
lauten Gegenwart. Es gibt in den Essaybänden nichts Beglücken-
deres als dieses zwanglos-selbstverständliche Sich-zurück-Besin-
nen und Hereinholen der großen Vorbilder, über Goethe zurück
zu Vergil und Homer, aber auch der schlichteren und verschmitz-
teren Träger der europäischen Substanz wie Fontane und Lichten-
berg. Gegen die Geschichtsfeinde und Europamüden wendet sich
der Kritiker in einem Dialog über das Schlagwort «Bewältigung

der Vergangenheit» – denn er sieht in dem krisenhaften Geschichtsverhältnis von heute das Symptom einer schweren seelischen Blokkierung.

Der Literaturkritiker wird so, ob er will oder nicht, immer auch
zum Zeitkritiker, und er selbst stößt immer wieder auf die Frage
der gesellschaftlichen Funktionen der Literatur. Wem so wie
Rychner die Dichtung zum Element des Lebens geworden ist, wer
selbst den Monolog der Lyrik als «Freundeswort» erfährt und das
«Lesen als Begegnung» – wer ein Leben lang als Kritiker Dichtung vermittelt und damit in konkretes Leben umzusetzen versucht hat, der kann auf keinem elfenbeinernen Turm zu Hause sein –
auch dann nicht, wenn ihm alle wahre Kunst nur als ein Unbedingtes, Spontanes und Unwillkürliches gelten kann. Die Frage
wurde schon akut bei Gervinus und dessen politischer und nationaler Literarhistorie; sie durchzieht offen und heimlich die Essaybände – sei es in der Auseinandersetzung mit marxistischer Literaturtheorie, sei es in Auseinandersetzung mit Gottfried Benns Geschichts- und Gemeinschaftsverachtung oder mit Thomas Manns
politischer Wirksamkeit. Rychner spricht von dem «alles verödenden Streitgespräch» um das sogenannte Engagement des Dichters
– alles verödend, weil es dieses Engagement viel zu täppisch und
zu nahe sieht. In seiner meisterhaften Studie über Thomas Mann
und die Politik zeigt Rychner, welch echtere und tiefere Politik
sich in der vielstimmigen Menschlichkeit eines scheinbar unpolitischen Romans äußern kann, als in den lärmenden polemischen
und theoretischen Kundgebungen eines Dichters. Engagiert kann
der Dichter nur an seiner Dichtung sein – und dann ist er freilich
am Menschen und an allen Menschen engagiert.

Dennoch mögen Sie, Herr Dr. Rychner, uns am heutigen Tag gestatten, ein klein wenig zu insistieren auf der Mitmenschlichkeit
auch Ihres kritischen und dichterischen Unternehmens. Denn da
ist eine schweizerische Stadt, ein soziales und politisches Gebilde,
das sich anschickt, Ihnen eine Freundschaftserklärung zu machen,
ein symbolisches vinculum amoris auch zwischen Ihnen und ihr zu
flechten. Wenn aber schon das politische Engagement der Dichtung ein heikles Problem ist, so ist ja umgekehrt das literarische
Engagement einer Polis noch heikler. Eine Besinnung, was Sie
und Ihr Werk der Stadt Zürich bedeuten, ist durchaus am Platz.
Sie sind, obwohl ein Bürger des Kulturkantons und obwohl im
St.-Gallischen aufgewachsen, ein Element zürcherischer Kultur;
Sie haben zwar, wie Gottfried Keller sagt, den «anmutig-hellen
Dialekt» des Toggenburgs noch nicht ganz abgelegt, aber Sie tre-

ten damit nur in die Fußstapfen des größten Zürchers, der auch aus dem Toggenburg stammte. Sie haben, ein Absolvent der zürcherischen Schulen, in dem dicksten Buch, das Sie geschrieben haben, in dem Rückblick auf vier Jahrhunderte unserer Stadt die geistvollste und anmutigste zürcherische Kulturgeschichte geschenkt. Sie taten es im Moment, als Sie mit der «Neuen Schweizer Rundschau» resolut ins Weite und Offene aufbrachen und die wahren Maßstäbe europäischer Währung aufgerichtet haben.

Es wäre nun leicht, den Geist Johann Jakob Bodmers, unseres echtesten zürcherischen Literaturheiligen, zu beschwören. Es wäre möglich, Ihre den weitesten Horizonten gewidmete Arbeit als gut schweizerische und zürcherische Tradition hinzustellen; Sie haben sogar auch ein kleines biblisches Epos geschrieben, wenn auch zum Glück nicht gerade eine Bodmersche Patriarchade, und man könnte Sie im Hinblick auf ihre Redaktionstätigkeit und Ihre Förderung junger Leute sogar als neuen «Vater der Jünglinge» darstellen. Ich bewahre Sie davor – denn der Vergleich hinkt beträchtlich, und Sie haben ihn auch nicht nötig. Aber das ändert nichts daran, daß in dieser Stadt viele alte und junge Menschen, denen die Literatur wichtig ist, in Ihnen einen unvergleichlichen Lehrer und Helfer verehren und Ihr schlankes Werk sorgsam hüten. Von Ihrem Schreibtisch aus sind Wirkungen ausgegangen, die im schönsten Geben und Nehmen diese Stadt mit der Welt verbunden haben, zu beider Nutzen, und Sie haben unser aller herzlichen Dank verdient.

Dies sind einige der Erwägungen, welche die Literaturkommission der Stadt Zürich veranlaßt haben, dem Hohen Stadtrat den Antrag zu stellen, es möge Dr. Max Rychner, von Aarau und Zürich, geb. 1897, mit dem Literaturpreis der Stadt Zürich ausgezeichnet werden.

Peter K. Wehrli

TIRANA

«Do you like Mao?» fragt mich der Kellner im Hotel Dajti, der die Suppe bringt. «Swiss people adore chairman Mao» zitiere ich aus «China im Bild». So stand es dort gedruckt und drum ist der Kellner zufrieden. Er ist stolz auf uns. In seiner Zimmerstunde will er uns zur Kunstgewerbefabrik führen. Kunst ist immer schön.

Dort: Souvenir of Tirana. Mao Tse-tung, «die rote Sonne im Herzen der Völker aller Welt», aus eingefärbtem Stroh geflochten, mit gütiger Segensgebärde aus dem Rahmen winkend; Josef Stalin mit forscherem Blick, aus bunten Fäden genäht; Lenin zukunftsfroh aufwärtsschauend in Stoff gewoben; dynamisch gestaffelte Vierergruppe – Marx, Engels, Lenin, Stalin – ein Mosaik aus grellen Stoffen, die Augen nach einer bessern Welt gewandt. Dies: Souvenir of Albania.

Den Vorsitzenden Mao unter dem Arm – er trägt sich leicht – gehe ich über den Boulevard Neues Albanien. Man geht leicht in Tirana, leicht. Keine finstern engen Straßenschluchten, deren Schatten schwer auf dir lasten, die Häuserreihen sind locker gefügt. Tirana wurde nicht gebaut, Tirana wurde ausgestreut ins Grün.

Leichtheit: Auch kein Dauerdröhnen von Automotoren als akustischer Background und Wohlstandsphonometer wie anderswo. Die Schwingungen der Luft sind leicht, nicht belastet von repräsentierendem Zivilisationsgetös.

Boulevard Neues Albanien: Ein monumentales Band, ein flaches Denkmal, ausgewalzt. Sechs Fahrbahnen breit. Man läßt die gewaltige Avenue Monument sein; ihren Zweck kann sie später dann erfüllen. Fortschritt – meint man hier – muß nicht auf der Straße ablesbar sein wie an einem Pegel, Zivilisation vollzieht sich im Innern, zwischen den Kanälen, wo das Bewußtsein liegt.

Schwere lastet nur auf einem Marmorsockel: Josef Stalin steht darauf, überlebensgroß, mit weitem Blick wie ein Steuermann bei ruhiger See. Wie ich Josef Stalin in die Augen schaue, auf ihrem Grund den Schatten der Macht suchend, klickt Erichs Kamera: Souvenir of Albania.

Jenseits des Skanderbeg-Platzes, an den Tischen auf dem Gehsteig, trinke ich Bier, trinke ich *das* Bier aus getrübter Flasche ohne Markenschild. Bier ist Bier. «All men are created equal», sagt man mir, «und würde der eine anderes Bier trinken als der andere, so wären die beiden nicht mehr: equal».

Von meinem Tisch auf dem Gehsteig aus sehe ich von einem Ende der Stadt zum andern. Die Straße schlitzt die Stadt querdurch auf; Boulevard Neues Albanien, das ist der Durchmesser von Tirana. Durchmesser: ein Maß. Ein Bewußtseinsmaß. Nicht Fortschrittsmaß mit Millimetereinzeichnung. Ebenmaß auch: In der Mitte liegt Skanderbegs Platz.

Den Radius abschätzend erfahre ich: Albanien ist nicht einfach Teil der Welt. Tirana ist nicht Weltsegment. Hier bist du außerhalb. Albanien ist eine Welt in Europa.

Auch die roh geknetete Fassade über mir ist leicht, sie ist Fassade, nicht Sockel für Zahnpastareklame, Coca-Cola oder «Persil wäscht weißer», solche Lügen erzählt man hier nicht. Und wenn irgendwo steht «Rrofte Shoku Enver Hodscha» oder «Nieder mit dem Imperialismus», so kann man das für bare Münze nehmen. Und zudem: Wandzeitungen flattern leicht.

Vom Minarett der Ethem-Beg-Moschee aus, der Name täte nichts zur Sache, denn sie hat als einzige Moschee Tiranas die Kulturrevolution überlebt, vom Minarett der Moschee aus, vom Minarett, das nicht raucht und dennoch aufrecht steht, überblicke ich diese Welt, in Europa gelegen, deren Oberfläche mit Würfeln bestreut ist, locker und leicht. Kaum für die Ewigkeit gebaut. Was wächst, ist nicht aus Stein.

Der Schatten des Minaretts sticht in den Skanderbeg-Platz hinein; sein Radius, der sich dehnt und schwindet. Das ist das Maß! – den Tageszeiten angepaßt.

Nur Platz; man könnte meinen: ausgeglüht von der Augustsonne, weil ohne Platzfunktion. Schon wieder ein flachgewalztes Denkmal: Place Etoile auf albanisch. Und einer hier hat Macht: Der Polizist in der Mitte wartet auf ein Auto. Sie ist fantastisch, die Stoßzeit in Tirana. Irreal darf man nichts nennen, was wirklich ist.

Ich spreche von der Hauptstadt, nicht von den Albanern. Sie fürchten nämlich Wandzeitungen und drum auch mich. Über sie kann ich nur sagen, was man mir über sie sagte: «All men are created equal.» Und Albanien ist das einzige Land Europas, Australiens und beider Amerika, in dem dies stimmt. Sagt man uns. Und Arme gibt es nur dort, wo es Reiche gibt.

Hans Werthmüller

VERSUCHSWEISE SAGST DU LIBIDO

Dann bist du allein mit dem Leierkasten deiner Gedanken. Was du sonst hörst, ist das Holz, das ununterbrochen arbeitet in den Stühlen, im Tisch, im geduldigen Gebälk. Das Dunkel des Zimmers ist gestreift, gerieffelt durch die Fensterläden. Es ist zwei Uhr früh, und die autoritäre Erziehung stellst du dir mit Embonpoint vor, du denkst an Sancho Pansa. Antiautoritäre Erziehung heißt Don Quijote. Aber um zwei Uhr früh bist du vorwiegend katholisch, und weil du auf der rechten Seite liegst, ist dein rechtes Nasenloch verstopft, das linke frei.

Auf der Straße, unten, in der Kurve kreischt ein bremsendes Auto,
quietschen die Pneus. Was in dir um zwei Uhr nach Ruhe, Stille,
Bewegungslosigkeit verlangt, das nannte Freud Todestrieb: den
Wunsch, sich zu entspannen, sich nicht mehr zu verändern, auf der
rechten Seite liegen zu bleiben, zu schlafen im Widerspruch mit
dem Lebenstrieb, den alle Spannungen reizen, alle Reize spannen.
Versuchsweise sagst du Libido. Du möchtest auch wissen, ob Wahrheit, wenn es sie gibt, eine Zielscheibe oder ein Pfeil sei. Mit diesem
Wunsch bist du aber nicht allein. Das ist eine Frage, die auch im
Holz ununterbrochen arbeitet, in den Stühlen, im Tisch, im dienst-
baren Gebälk.

KRYPTOMAGIE

Auf seinem Grabstein
siedelt sich
Silbermoos an:
Bryum argenteum.
Ganz hübsch
aber schrecklich gewöhnlich.
Dreht er sich um
in seinem Grab darunter?
Ihn freuten
als er noch lebte
über achthundertfünfzig
Laubmoosarten
in seinem Herbarium
darunter Seltenheiten
wie Bruchia vogesiaca.

IN OTTMARSHEIM

In Ottmarsheim
neben der achteckigen Kirche
blühte der Apfelbaum.
Als ich heraustrat
grüßte ich ihn
vielleicht etwas achteckig
aber zärtlich.

Er blühte weiter
und nicht etwa so
als wäre nichts geschehen:
er blühte.

EWIGE WIEDERKUNFT

Hier verlassen die Wege
den Weg:
gradaus zur Klus nach Aesch
nach Laufen rechts
und links hinab nach Flüh.
Ich habe meine Wahl getroffen.
Und jedesmal
in aller Zukunft und Vergangenheit
wenn sich die Schlange Ewigkeit
hier in den Schwanz beißt
wähle ich den Weg nach links:
den Weg nach Flüh.
Und jedesmal
entstehen diese Verse hier.
Beim Schreiben stört mich
jedesmal der Wiesenblumenstrauß
für meine Frau.

ÜBERSETZUNGEN

Das Tao-te-king von Lao-Tse
Alle sieben Übersetzungen
die du besitzest
nebeneinandergelegt
auf deinem Tisch

Der Mond hat einen Hof

Auf dem Dach
hörst du den neuen Schnee
auf den alten fallen:
ein Geräusch
wie sauberes Denken

Fritz Widmer

BALLADE VO DENE WO SECH GUET VERSTANGE HEI

«Das isch ietze die Frou, won-i tröimt ha dervo»,
het er sech ändleche gseit;
är het gstuunet u gluegt, u het dänkt: «Die isch's itz,
die wo mi würklech versteit.»
un är het se bim Tanze chli nöcher gno,
u so isch's äbe cho, wie's het müesse cho:
   es isch chuum e Halbstund ggange,
   u si hei sech guet verstange.

un är het zu däm härzige Meitschi gseit:
«I gloube, mir blybe binenanger»,
äs het gseit: «Bjerebong daroblei saligü
giwatschees amautro grejs elanger.»
Es isch äbe kei hiesegi gsi, wi me ghört,
aber das het si Vorsatz gar nid gstört,
   trotzdäm si sech nid verstange hei,
   hei si sech guet verstange.

Das sältsame Wäse, die bsungeri Sprach
hei ne ganz eifach verwandlet;
är het gseit: «Usländisch hin oder här,
i ha gnue gredt, itz wird ghandlet.»
U si hei mitenangere Hochzyt gha.
Eis Wort het si chönne, nämlech «ja».
   Und wüu si sech nid verstange hei,
   hei si sech guet verstange.

Mit der Zyt het die Frou o no Bärndütsch glehrt,
zwar müesam, aber's isch ggange;
u'd'Lüt hei zunenangere gseit,
«Itz verstöh si sech ändlech afange,»
und ou dir tänkit vilech i däm Momänt,
das syg itzen äuwä ds Häppy-änd,
   nei, wüu si sech itz verstange hei,
   hei si sech nümme verstange.

Urs Widmer

Ich sehe zum Fenster hinaus. Die Tour de Suisse hat sieben Etappen. Die erste führt von Zürich-Oerlikon über Schaffhausen und die Enklave Büsingen nach Herisau. Die Appenzeller sind die kleinsten Leute, sieben Berner gehen auf eine Kuhhaut, aber vierzehn Appenzeller. Am Vorabend werden die Räder plombiert. Im Hof der Sulzer AG stehen die Schulbuben und vergleichen die Bilder im Tip mit den Männern, die in Maßanzügen ihre Rennräder daherschieben, zum Tisch, wo die Offiziellen sitzen: drei Funktionäre des Schweizer Radsportbundes, der Obmann, der Kassier und der Aktuar. Der Obmann raucht einen Stumpen, er zeigt dem Rennfahrer, wo er unterschreiben muß, den Applaus der Schulbuben hört er nicht, nachts träumt er davon, noch einige Nächte lang. Fünfundneunzig Routiers haben sich angemeldet, vierundneunzig haben unterschrieben. Gianni Santarossa kommt nicht, er kommt eine Viertelstunde zu spät. Der Obmann, der Kassier und der Aktuar kennen das Reglement. Aber eine Tour de Suisse ohne Gianni Santarossa ist keine Tour de Suisse, und so lassen sie die Fünf gerade sein. Vor Gianni Santarossa haben sich eingeschrieben: Bruno Ziffioli (I), Rudi Altig (D), Fritz Binggeli (Sz), Aldo Fornara (I), Jacques Anquetil (Fr), Jean Starobinsky (Fr), Peter Post (Ho), Gottfried Weilenmann (Sz), Eddy Merckx (Be), Petro Santarossa (I), Rik van Steenberghen (Be), Fritz Schär (Sz), ich, Mario Cortesi (Sz), Jan Goldschmit (Lux), Jan Jansen (Be), Federico Bahamontes (Sp), Paul «leone» Zbinden (Sz), Vittorio Adorni (I). Vittorio Adorni schreibt Vittorio Adorni unter ein Foto von Vittorio Adorni, das ihm ein Schulbub hinhält.

Die zweite Etappe führt durchs Mittelland. Nach Aarau ist die Staffelegg zu nehmen, ich prüfe mit einem trockenen Antritt die Konkurrenz, aber Adorni steigt nach, mit ihm Bahamontes, der spanische Bergkönig, ich insistiere nicht. In dieser Reihenfolge holen wir uns die Bergpreispunkte: Ich, Adorni, Bahamontes vor dem überraschend starken Goldschmit, der eigentlich ein Roller ist.

Ich bin ein Roller und ein Kletterer und ein Sprinter. Ich greife, bei der Dreihundertmetermarke, aus der letzten Position an, aber manchmal ziehe ich den Sprint auch von der Spitze aus durch.

Die Brüglingerstraße steigt steil an, Basel ist nichts für Hundertprozentsprinter. Fritz Schär, Jan Jansen und Vittorio Adorni su-

chen die Entscheidung in Gelterkinden (km 214), Mario Cortesi
bolzt kräftig mit, kann aber das mörderische Tempo nicht halten.
Bei Sankt Jakob presche ich vor, ich habe Santarossa, Santarossa
und van Looy am Hinterrad, ich lasse ihnen im Spurt aber keine
Chance. Ich kreuze das Zielband 1:14 hinter dem Sieger Adorni
(256 km in 4:43:38,7, Mittel 35,203). Ich bin frisch für das Zeitfahren.

Das Zeitfahren ist das Rennen der Wahrheit. Wer im Rennen gegen die Uhr versagt, ist den Gummi auf seinen Felgen nicht wert.

Ferdy Kübler war ein Abfahrer, der Kopf und Kragen riskierte.
Was machsch dänn du da, fragte Hugo Ferdy, als Ferdy nach
Göschenen wieder in der Spitzengruppe auftauchte.

Ich gewinne das Zeitfahren.

Das Tragen des Goldtricots belastet die Nerven, vor allem vor der
großen Alpenetappe. Adorni trinkt Ovomaltine, Santarossa trinkt
Ovomaltine, Gianni Motta ißt Redoxon. Ich bin sehr ruhig.

Bis Tirano lassen sich die Favoriten nicht aus den Augen. Ich habe
immerhin ein Polster von 2:12, da kann ich ruhig abwarten. Nach
Campocologno zieht Göpf Weilenmann das Tempo an, in Le
Prese fällt er vom Rad, aber er hat das Feld gesprengt.

In Poschiavo holt sich Ziffiolo den mit zweitausend Franken do-
tierten Premio Cooperativa. Die ersten Rampen bis Sfazù werden
geschlossen genommen. Da schau einmal zum Fenster hinaus, sagt
Alois. Ich werde bei La Rösa angreifen. Ich muß bis Ospizio mindestens eine Minute dreißig auf Santarossa und Bahamontes her-
ausfahren. Ich gewinne die Etappe. Damit ist die Tour gelaufen.
Die Schlußetappe ist eine reine Formalität, Mädchen und Bauern
stehen an den Straßen und klatschen.

Ja, sage ich, was ist?

Da kommt jemand, weit unten am Hang.

Nach der Wegbiegung aber noch vor der Buche kommt ein
schwarzer Punkt bergauf. Der Briefträger kanns nicht sein.

Heinrich Wiesner

DER ANRUF BLIEB AUS

«Bitte nehmen Sie Platz!» Der Arzt hat meine Karteikarte vor sich.
Er lacht mir zu, wir sind durch Bekannte miteinander bekannt.
«Kürzlich», sagt er, «ist mir doch folgendes passiert: Ich verlasse
die Praxis und will noch schnell zum Coiffeur.»

Seiner gutdurchbluteten Haut ist ein angeborenes Braun eigen, das ihn sportlich erscheinen läßt. Er nimmt die Brille ab und reibt sich die Augen. Die Lidränder kamen mir schon vor drei Jahren entzündet vor.

«Der Laden ist geschlossen, ich schaue auf die Uhr: fünf nach halb sieben. Und will gehen. Da ruft mich der Coiffeur zurück: Kommen Sie doch noch! Auf fünf Minuten kommt es mir auch nicht mehr an.»

Der Arzt hat einen klingenden Baß. Mit seiner Stimme müßte ich mich vor der Klasse nicht so anstrengen, müßte ich mich nicht dauernd einer zu hohen Stimmlage bedienen wie ein Offizier, hätte ich nicht jenen Predigerton, würde ich mich weniger ausgeben.

«Wir kommen», sagt der Arzt, «ins Gespräch. Schließlich fragt er mich nach dem Beruf. Internist, sage ich, Magendarmkrankheiten.»

Der Arzt muß lockere Stimmbänder haben. Wie die G-Saite einer Geige oder eines Cellos.

«Ich hatte einmal ein Geschwür im Dickdarm, sagt mir der Mann. In letzter Zeit hab ich manchmal wieder Schmerzen.»

Leute mit einer tragenden Stimme sind meist gute Erzähler.

«Ich bezahle und will das Geschäft verlassen. Halt, sage ich mir, er hat Überzeit gemacht deinetwegen. Kommen Sie doch morgen um viertel vor acht zu mir, ich will Sie mir doch einmal ansehen.»

Ich erinnere mich, wie uns der Arzt einen Abend lang unterhalten hat. Er kennt Dürrenmatt persönlich.

«Und da erwische ich bei ihm im Rektum tatsächlich einen Krebs.»

Ich habe eines jener kleinen schwarzen Tierchen vor Augen, wie ich sie am Golf von Biskaya beobachtet hatte. Sie flüchten seitwärts, nicht im Rückwärtsgang.

«Ein Jahr später wäre der Mann glatt verloren gewesen.»

Der Arzt ist in den drei Jahren um nichts gealtert. In seinem dünnen, aber dichtgewachsenen Haar findet sich kaum eine weiße Strähne. Würde er sein Alter mit 42 angeben, fände man nichts dabei. Er ist 52. Seine Stimme möchte ich haben.

«In Ihrer Familie starb nur der Großvater an Krebs.» Meine Krankengeschichte liegt vor ihm.

«Mein Großvater väterlicherseits mit einundsechzig.»

«Sonst niemand.»

«So viel ich weiß, niemand. Auch in der weiteren Verwandtschaft nicht. Über die Todesursache meiner Urgroßväter und -mütter bin ich nicht im Bild.»

Ich habe eine große Verwandtschaft. Ich komme auf dreiundfünfzig Cousins und Cousinen.

«Sie kommen zur Kontrolle.»

«Ja und nein. Ich komme hauptsächlich wegen verdächtig auftretenden Knoten am ganzen Leib.»

Der Arzt notiert.

«Ich nehme Sie vor den Ferien noch auf ins Programm. Unser nächstes Rendez-vous ist am Mittwoch. Alles Nähere wird Ihnen die Schwester sagen.»

Ich habe meinen Großvater nur noch in Erinnerung, nachdem er bereits vom Krebs befallen war. Er ging an einem Knotenstock, hatte eine Warze seitlich an der Nase und sprach wenig.

Der Kehlkopfkrebs Friedrichs III. wurde lange nicht als solcher erkannt. Professor Virchow irrte sich dreimal bei der Untersuchung.

Großvater verbrachte seine letzte Zeit mit Korben. Damals verstand sich noch jeder Bauer darauf. Ich erinnere mich, wie er uns einen neuen Korb brachte und Mutter sich bedankte.

Als Friedrich III. aus dem Mund der Ärzte erfuhr, daß das lange verkannte Leiden Krebs war, ertrug er es mit Fassung, wie es sich für eine Kaiserliche Hoheit gehört.

Großvater hatte nach Erkennen des Krebses noch ein halbes Jahr vor sich, Friedrich III. noch drei Monate.

Großvater bekam einen künstlichen Mageneingang. Wenn er ins Wirtshaus ging, schüttete er den Weißen draußen in der Wirtshausküche in den Trichter, den er in der linken Brusttasche trug.

Der spanische Arzt Avenzoar aus Sevilla, gestorben 1162, verwendete beim Speiseröhrenkrebs bereits das Silberröhrchen und das Nährklistier durch den Mastdarm.

Der deutsche Kronprinz wollte nichts von einer totalen Kehlkopfoperation wissen. Nur fünf von hundert Operationen verliefen damals erfolgreich. Das Seilziehen des Arztkonsiliums hatte zu lange gedauert.

Mein Großvater war der erste Tote, den ich zu Gesicht bekam. Ich war fünf Jahre alt. Von der Kinnbinde schloß ich auf Hals- oder Ohrenschmerzen. Ich durfte ihn nur von der Türe aus betrachten, weil man einen Schock befürchtete.

Am 9. März 1888 starb der alte Kaiser. Friedrich III. bestieg mit einer Kanüle im Hals den Thron. Er starb am 15. Juni. Wer auf ihn folgte, weiß man. Die Reden des Deutschen Kaisers sind bekannt.

7.55 Uhr.

Eine vollschlanke Dame steht vor der offenen Glastür zur «Anmeldung».

«Schwester», sagt die Dame.

Die Schwester steht mit dem Rücken zur Dame am Ende des schlauchartigen Raums an der Mange, deren Summen es ihr erlaubt, die Dame zu überhören.

«Schwester», sagt die Dame um einen Ton lauter. Ihr gesundes Gesicht hat ein freundliches Lächeln. Die Schwester glättet unbeirrt weiter.

«Schwester!» ruft die Dame. Sie macht keinerlei Miene, sowohl ihr Vorhaben als ihre Freundlichkeit aufzugeben. Es wird ihr noch immer keine Antwort zuteil.

Sie ruft ein weiteres Mal. Die Schwester blickt unwillig zurück.

«Schwester, ich bin da.» Die Schwester quittiert es mit stummem Nicken.

«Ich glaube, ich geh mal nach unten, es wird ja doch darauf hinauslaufen.» Je zwei Dulcolax um 18 und 20 Uhr, steht auch auf meinem Kärtchen.

Die Schwester nickt. Ich benutze die Gelegenheit, meine Anwesenheit durch Winken anzuzeigen.

«Sie dürfen noch einen Augenblick ins Wartezimmer, Sie sind gleich an der Reihe», sagt die Schwester freundlich.

Ich versinke in einem Fauteuil und greife zum «Nebelspalter». Das allmählich beginnende Bauchgrimmen läßt mich befürchten, mit der Dame im Soussol ein dringliches Gespräch anknüpfen zu müssen. Im Bauch beginnt es zu brodeln. In diesem Moment geht die Tür auf. Die Dame von vorhin tritt ein. Das Erlebnis im Soussol hat ihrer Freundlichkeit keinen Abbruch getan. Freundlichkeit scheint ihr angeboren. Es gibt Leute, die kommen mit einem Lachen zur Welt und verlernen es nicht mehr. Ich erhebe mich rasch, damit mir der Herr, der ebenfalls Platz genommen hat, nicht zuvorkommt. Im Soussol befindet sich nur eine Toilette.

Ich sitze in derselben Kabine wie vor drei Jahren. Eigentlich hatte ich nicht zum Arzt gehen wollen. Aber die Knoten am Körper wurden immer mehr. Meine Frau wurde mißtrauisch. «Sind die Knoten beweglich?» fragte Frau Dettwiler, der ich Frau Doktor sage, weil sie den Doktor med. auch besitzt. Jetzt besitzt sie vier Kinder. Sie prüfte einen Knoten am Unterarm: «Der ist ja beweglich!» ruft sie beruhigend aus.

Donnerstag- und Freitagvormittag ist Röntgen. Die Schüler haben Stillbeschäftigung von acht bis zehn. Zwei Stunden vermögen sie ohne Aufsicht zu arbeiten. So weit habe ich sie. Hugo wird einen Blick in die Klasse tun.

Die Kabine ist klein, eine Zweikubikmeterzelle, nach oben allerdings offen. In Brasilien sollen die Inhaftierten in 1,50 m hohen
Betonbunkern kauern. Oben ist ein Luftloch angebracht, das ihnen
bei der lastenden Hitze wenig nützt. Die Vorstellung erweckt sofort Platzangst. Ich erhebe mich.

«Kein Abendessen, um 18 und 20 Uhr je zwei Dulcolax, morgens
nüchtern» steht auf Kärtchen Nummer zwei.

«Heute bekommst Du den Holzknecht», sagte meine Frau. Als
Herr Breitschmid vom Holzknecht sprach, den er bekommen habe,
dachte ich unwillkürlich an Hölzernes. Ich trug die Vorstellung
lange in mir herum. Breitschmid feierte kürzlich seinen Neun-
zigsten. Von seinem Fünfundneunzigsten an wird ihm das Radio
alljährlich gratulieren. Anschließend Tannhäuser, wenn es sich
machen läßt. Breitschmid besitzt den ganzen Wagner. Holzknecht
war österreichischer Röntgenologe und Erfinder des nach ihm benannten Kontrastbreis. «Sie machen Dir einen Einlauf», sagte
meine Frau. Der Einlauf von gestern war unangenehm gewesen.
Ich lag seitwärts. Unmittelbar danach tat das Öl seine nichtenden-
wollende Wirkung. Anschließend Rektoskopie. Ich kniete mich
bäuchlings in Ledergurten. Der Arzt kippte den Apparat. Ich kam
kopfunter zu liegen im Winkel wie man nach dem Sprung vom
Brett ins Wasser taucht. «Das ist mein Finger», hörte ich den Arzt
sagen. «Jetzt ja nicht bewegen!» rief er eindringlich, «sonst ver-
letze ich Ihren Darm! Liegen Sie völlig entspannt!» Ich ent-
spannte mich, so weit es meine Lage erlaubte. Die Luft blähte den
Darm bis zum Magen hinauf. So jedenfalls kam es mir vor. Er bewegte das Rohr. Ich stelle es mir als ausziehbares, gegen das Ende
hin konisch zulaufendes metallisch glänzendes Rohr vor. Er bohrte
weiter in mir herum. Endlich kam das erlösende «Fertig» und der
Nachsatz: «Sie sind ein Modellrektoskopist.» Auch ich lobe meine
Schüler bei jeder Gelegenheit. «Dreißig Zentimer weit habe ich
Ihren Darm untersucht. Alles in bester Ordnung. Die Verhärtung
am Eingang ist eine Zyste, keine Hämorrhoide. Sie bekommen
eine Salbe. Morgen ist unser nächstes Rendez-vous.»

Ich habe mich wieder gesetzt, angetan mit einer Art dunkelblauem
Frotteerock ohne Aufschläge. «Ich bin so weit!» höre ich die
Dame rufen. Ich schätze sie Mitte fünfzig. Man vermutet bei ihr
nichts Krankes. «Sie dürfen die Tür zum Röntgenzimmer doch
nicht öffnen!» ruft die Schwester mehr als ungehalten, «gehen Sie
bitte in die Kabine und warten Sie, bis man Sie ruft!» Die Frau verfügt sich in die Kabine nebenan. Es knistert, als trage sie Wäsche

aus Papier. Dann wird es still. Sie sitzt auf dem Stuhl. Nicht einmal atmen höre ich sie.

Die Schwester bittet mich ins Röntgen. Aus der Dunkelheit grüßt mich der Arzt. Die einzige private Bemerkung während der ganzen Untersuchung. «Stellen Sie sich bitte hier drauf. Achtung Stufe!» Die Assistentin faßt mich an den Lenden und rückt mich zurecht. Der Arzt wirkt mit Röntgenbrille und unförmiger Bleischürze wie ein Magier vor dem Apparat.

Röntgen nannte die von ihm entdeckten Strahlen X-Strahlen. Später wurden sie nach ihm benannt. Die zerstörende Wirkung auf gesunde Gewebe war anfänglich nicht bekannt. Edison stellte seine Versuche sofort ein, als ein Mitarbeiter wegen schweren Verbrennungen seinen Arm verlor. Edison saß mit seinen Assistenten, die er mit Drehorgelmusik wachhielt, siebzig Stunden pro Woche vor dem Röntgenapparat.

Nach Entdeckung einer «neuen Art von Strahlen» drängte Kaiser Wilhelm II. zu einer Fotoaufnahme seiner verkümmerten linken Hand. In Thomas Manns «Königliche Hoheit» weiß Prinz Klaus Heinrich seine linke verkümmerte Hand diskret mit einem weißen Handschuh zu verbergen.

Ich mache mich auf die Kontrastmahlzeit gefaßt. Den Becherinhalt schätze ich auf drei, wenn nicht auf fünf Deziliter. Der Arzt drückt mir die kalte Glasplatte an den Leib. Das Schaltpult der Schwester ist durch ein rotes Lämpchen erhellt. Ich erwarte den Bariumbrei. «Rechte Seite etwas vor bitte!» Jetzt nicht erschrecken. Der Apparat surrt. Ich sinke rückwärts in die Horizontale und komme mir dabei vor wie ein Astronaut. Demnach keine Mahlzeit diesmal. «Legen Sie sich auf die Seite!» Schon wieder. Die Schwester stößt mir abrupt das Schlauchende in den Leib. Sie weiß nichts von einer schmerzhaften Zyste. Der Arzt dreht mich auf den Rücken und zieht den über seinem Kopf befindlichen Tubus herunter. «Bitte Luft! … Bitte langsam einfließen lassen!» Ich fühle Kühles darmaufwärts wandern. Der Einlauf ist entschieden weniger unangenehm als der von gestern.

Holzknecht waren die schädigenden Wirkungen anfänglich auch nicht bekannt. Er starb nach dreißigjährigem Siechtum. Sein rechter Arm mußte ihm scheibenweise amputiert werden. Ein Jahr nach Entdeckung der Röntgenstrahlen hatte man eine Lösung gefunden, die zugleich ungiftig und strahlenundurchlässig war. Die Strahlen durchdringen Holz, Papier, Tuch, Metall, und zwar mit einer Leichtigkeit, die im umgekehrten Verhältnis zur Dichte des Gegenstands steht.

Der Arzt macht Entdeckungsreisen durch meine Gedärme. Vor drei Jahren hatte ich ein Geschwür im Zwölffingerdarm, ulcus duodeni. Die Stuhlanalyse ergab zunächst Krebsverdacht. Es war dann aber doch nur ein gutartiges, von der entzündeten Schleimhaut ausgehendes Geschwür. Mein erstes Geschwür hatte ich mit fünfundzwanzig, nachdem ich in Onoldswil eine fünfte Klasse mit 52 Schülern angetreten hatte, um sie auf die Aufnahmeprüfung vorzubereiten. Es saß im Mageneingang. «Fingerbeergroß», hatte der damalige Arzt gesagt, «das bringen wir weg mit Diät». Ein hoher Prozentsatz hat die Aufnahmeprüfung damals bestanden. Seither besteht ein hoher Prozentsatz die Aufnahmeprüfung, pauke ich weiter, gelte ich als guter Lehrer, nehmen meine Depressionen zu. Seither leide ich an Magenschmerzen, jetzt an Schmerzen im Zwölffingerdarm, besonders nachts. Gewisse Sachen vertrage ich abends nicht. Rotwein oder Bier beispielsweise. Ein Fondue mit Weißem macht meinem Zwölffingerdarm erfahrungsgemäß zwei Tage zu schaffen. Der Zwölffingerdarm geht in den Leer- und Krummdarm über, der in den ersten Abschnitt des Dickdarms führt. Jetzt sitzt das Geschwür womöglich noch tiefer. An Gastritis Leidende ertragen es nicht, wenn sie gehänselt werden. Nierenleidende sind der Anteilnahme sicher. Wer auf einen Herzinfarkt zurückblicken kann, genießt Hochachtung. Darmleidende sind Hypochonder, bis man erfährt, daß es Krebs gewesen ist. «Bei Hypochondern und Ärzten ist das Erfassen des Krebses am schwierigsten», hatte der Arzt gesagt. «Der Hypochonder führt jeden Schmerz auf seine Hypochondrie zurück. Der Arzt glaubt sich ohnehin zu kennen. Und bei Hafenarbeitern. Diese Schränke haben kein Schmerzempfinden. Ich habe gerade wieder einen Fall von Speiseröhrenkrebs. Ich habe, sagt mir der Mann, seit einer Woche Schwierigkeiten beim Schlucken, vorher überhaupt keine Schmerzen. Dabei war die Speiseröhre bereits praktisch zu.» Darmkrebs liegt hauptsächlich im Dickdarm mit Bevorzugung des Mastdarms. Nur frühzeitige ärztliche Behandlung kann lebensrettend sein. – «Kommen Sie auf jeden Fall in einem Jahr wieder», hatte der Arzt vor drei Jahren gesagt. «Das Geschwür im Zwölffingerdarm bringen wir ohne Eingriff zum Verschwinden.»

Das Klistier bläht mich auf. Es drückt auf den Magen. Ein Bauch wie ein Ballon, stelle ich mir vor. Langsam kreisend wandert der Tubus meinen Bauchraum ab. Der Arzt verrät weder mit einer Silbe noch einem Räuspern, ob eine Verschattung erkennbar ist. Er geht ans Pult und überläßt mich der Schwester für die Röntgen-

aufnahmen. Sie schiebt den Filmrahmen in die Schiene und drückt
mir den Apparat auf den Bauch. Ihre Hände verändern unmerklich
meine Lage. Endlich ist sie zufrieden. Sie rennt zum Schaltpult:
«Tief einatmen! Jetzt nicht mehr atmen! Ja nicht atmen! Atem
schön anhalten!» Sie wiederholt sich wie ein Lehrer. Es surrt.
«Wieder atmen!» Sie rennt zurück und fügt einen neuen Film ein.
Dann wieder zum Schaltpult. Das mehrere Male. «Sie können sich
anziehn und auf die Toilette gehn!»
Der Brei ist weißgelb. Bariumsulfat dient zur Sichtbarmachung
von Magen und Darm bei Einwirkung von Röntgenstrahlen.
«Sehen Sie», hatte der Arzt vor drei Jahren gesagt, als ich vor den
Röntgenbildern stand, «alles weiche, rundliche Formen, schöne
saubere Ränder. Wären sie eckig oder ausgefranst, wären das
Symptome.»
Ich bekomme zunehmend ein leeres Gefühl im Magen. So stelle
ich mir den Ernstfall vor: Diese Öde, erschüttert von periodischen
Krämpfen. Dann die Mitteilung, daß eine Operation unumgänglich sei. Die ohnehin nicht mehr hilft. Äthernarkose... Nur das
nicht. Oder wenn schon, dann Euthanasie. Euthanasie ist die griechische Bezeichnung für das Erleichtern des Sterbens bei Tod-
kranken durch Verabreichung schmerzstillender, narkotischer Mittel. Zweimal erlitt ich als Kind buchstäblich den Erstickungstod.
Das erste Mal mit acht. Der Blinddarm war bereits seit Stunden
geplatzt. Weil Karfreitag war, wollte der Arzt nicht kommen. Auf
mein Drängen ging Vater endlich ins Dorf und telefonierte dem
Krankenhaus. Um Mitternacht wurde ich operiert. Antibiotica
kannte man damals noch nicht. Der Eiter floß durch ein Gummi-
röhrchen aus der Bauchhöhle ab. «Der blaue Husten», sagte die
Schwester nach sechs Wochen bei der Entlassung zu Mutter, «hat
ihm womöglich das Leben gerettet. Und sein gesundes Blut.»
Zweimal täglich hatte ich meinen Hustenanfall, der eine Stunde
dauerte: morgens um fünf und nachmittags um zwei. Während der
Besuchszeit brachte ich oft kein Wort heraus. Vielleicht haben die
Hustenstöße das Ausfließen des Eiters aus der Bauchhöhle begünstigt. Wer weiß.
Die Euthanasie wird vor allem von der katholischen Kirche als
Eingriff ins persönliche Leben abgelehnt.
Das zweite Mal mußte ich mir den Bruch operieren lassen, der auf
die vereiterte Blinddarmentzündung zurückzuführen war. Auch
diesmal war die Dosis so bemessen, daß ich wieder erwachte. Seither leide ich an Platzangst. Sollte erneut eine Operation notwendig
werden, bitte ich um eine Rektalanästhesie.

Der letzte Wunsch eines Sterbenden sollte berücksichtigt werden.
Sokrates starb einen philosophischen Tod: «Wer Angst und
Schmerz besiegt, ist nicht nur frei, sondern wird selbst zum Gott.
Für ihn gibt es nicht mehr den *einen* Gott. Entschließt er sich zum
Suizid, tötet er sich, ohne im eigentlichen Sinn Selbstmörder zu
sein.» Sokrates verzichtete auf den Fluchtweg, der ihm offenstand.
Insofern war sein Tod Suizid gewesen. Insofern auch Jesus' Tod.
Aber möglicherweise will der Todkranke nicht um das Todes-
erlebnis kommen und hängt bis zum letzten Atemzug verzweifelt
am Leben. Möglicherweise auch nicht. Beuggers Ida war Zeit ihres
Lebens, was man ein fröhliches Naturell nennt. Sie starb mit neun-
undvierzig an Magenkrebs. Vierzehn Tage zuvor gestand sie mir
noch: «Du weißt, ich hab gern gelebt. Jetzt gäbe ich alles drum,
wenn mir jemand zum Sterben verhelfen würde.» Ungeachtet ihrer
Frömmigkeit verlangte sie nach der vorzeitigen Beendigung ihres
Lebens. Da sie bei keiner Krankenkasse war, verschaffte ihr kein
Arzt die notwendige Erleichterung.
Endlich erhebe ich mich.
«Mittwochmorgen nüchtern, am Abend zuvor etwas Tee, am
Mittwochabend nüchtern, Donnerstagmorgen nüchtern» steht auf
der Anweisung.
Mein Frühstück im nahen Café besteht aus sechs Parisergipfeln,
einer Portion Kaffee, einer Tüte Ovomaltine und neun Stück
Zucker.

«Teigwaren», erklärt die freundliche Dame im Nebenzimmer,
«vertrage ich gut, nur abends nicht. Bananen ebenfalls abends
nicht. Woher kommt das, Herr Doktor?» «Lassen Sie», sagt der
Arzt, «die Bananen am Abend einfach weg, es gibt ja noch andere
Früchte. Ich empfehle Ihnen vorläufig nur gekochtes Obst, Kompott.» «Von Kompott bekomme ich Sodbrennen. Ich wache jedesmal auf und muß in die Küche und nehme Magbis ein, bis zu
sechs Stück, Herr Doktor.» «Hören Sie», sagt der Arzt. «Wissen
Sie», sagt die Frau, «und kann hinterher nicht mehr einschlafen.
Oft liege ich bis zu zwei Stunden wach.» Ich stelle mir die uner-
bittliche Freundlichkeit vor, mit der ihr Gesicht geprägt ist.
«Alles ausziehn, Höschen anbehalten», hatte die Schwester gesagt,
«der Arzt wird gleich kommen.» Die Dame im Nebenzimmer hat
einen ruhigen Tonfall.
Ich bekomme kühl.
Sie spricht mit der Sicherheit einer Person, die davon überzeugt ist,
daß der Arzt sich einzig und allein für ihr Anliegen interessiert.

Ich beginne zu frösteln.

Die Stimme des Arztes bleibt neutral.

Ich ziehe mir das Leibchen wieder an.

Durch die geschlossene Schiebetüre verstehe ich jedes Wort. «Alles Gesüßte verursacht sofort Sodbrennen, besonders auf die Nacht.»

Ich ziehe mir auch das Hemd wieder über.

«Essen Sie, was sie vertragen!» Seine Stimme trägt jetzt noch besser. Die Stimme der Dame bleibt unbeirrt. «Nein, eine Diätliste brauchen Sie nicht.» Die Stimmen verschieben sich im Raum, vermutlich gegen die Türe. «Essen Sie einfach, was Ihnen gut tut.» Ich vermute die Stimmen im Vorraum. «Ja», sagt der Arzt. «Sicher», sagt der Arzt. «Wissen Sie», sagt die Dame. «Schön!» sagt der Arzt laut und endgültig.

Ich ziehe das Hemd wieder aus.

Die Stimmen entfernen sich. Ich verstehe nichts mehr, obwohl der Arzt jetzt einen kategorischen Tonfall hat.

Ich ziehe auch das Leibchen wieder aus.

Der Arzt tritt ins Zimmer.

Er blickt auf die Armbanduhr und schnaubt durch die Nase aus: «Jetzt habe ich bereits um halb neun eine Viertelstunde Verspätung. Es gibt Leute, die bringe ich beim besten Willen nicht hinaus. Wie machen Sie's denn?» Wie vermag, wer nackt, nur mit Calida-Höschen bekleidet, vor seinem Arzt steht, seinen Arzt zu beraten? Es will mir nichts einfallen angesichts der Eile, zu welcher er gezwungen sein wird. Schließlich sage ich: «Ich erhebe mich einfach und halte die Hand zum Gruß hin.»

«Mach ich auch, mach ich auch!» ruft er emphatisch und streckt die Hand aus. «Und was geschieht? Meine Hand findet keine Hand und bleibt im Imaginären hängen.» Er nimmt die Hand zurück und bittet mich resigniert auf die Liege.

Der Knoten unter der linken Achselhöhle scheint ihm keinen Eindruck zu machen. Ich weise auf den noch größeren Knoten an der entsprechenden Stelle unter der rechten Achselhöhle hin. Den Knoten neben dem Nabel betastet er mit derselben beruhigenden Gleichgültigkeit. «Fettumore», sagt er beiläufig. Ich mache ihn auf weitere Knoten aufmerksam. «Fettgewebewucherungen, gutartige.»

«Aber sie treten am ganzen Körper auf und werden immer mehr. So viele gutartige Fettumore kann ein gesunder Mensch gar nicht haben.» Meine Frau hatte mich schließlich wegen der Knoten angemeldet. Sie nannte mich Knöterich, ich mich bereits Metastatiker. Mit solchen Scherzen hielten wir uns die Besorgnis vom Leib.

Die Träume klärten mich gründlich auf über meine Todesangst. Muschg hat dieselben Symptome. «Meine Frau und ich», lachte er, «sind uns natürlich im klaren, daß es sich um ein Neuröschen handelt.»

Der Arzt bestreicht beide Handinnenflächen: «Knoten auf dem Mondberg wären verdächtiger.» Er bindet den linken Oberarm ab. «Sie haben, was die Knoten betrifft, nichts zu befürchten.»

«Blutdruck 135/80.» Seine Stimme drückt Zufriedenheit aus.

«Bitte aufrichten!»

«Bitte tief atmen!» Ich keuche durch den offenen Mund, während er den Rücken betastet: «Ihre Lungenflügel verschieben sich um vier, statt nur um drei Finger wie bei normalen Sterblichen.» Was meint er damit?

«Puls 44. Sie haben ja Küblerpuls!» Damit meint er den prominentesten Radrennfahrer der Schweiz. Ich denke an meine Erschöpfungszustände im Frühling, besonders im Mai.

«Ich kenne Ihre Vitalpotenz nicht, aber eigentlich müßten Sie zu außerordentlichen physischen Leistungen befähigt sein.» Er macht aus mir einen kerngesunden Menschen, einen Hochleistungssportler obendrein. Auf die beiden vorgängigen Untersuchungen kommt er mit keiner Silbe zurück. Die Leberverfettung übergeht er. Den Zwölffingerdarm auch. «Sie haben eine starke Leberverfettung», hatte er vor drei Jahren erklärt. «Abgestorbene Leberzellen erneuern sich nicht mehr. Wann, sagten Sie, hatten Sie die Gelbsucht?»

«Mit siebzehn.»

Ein Lehrer starb daran. Bevor ich gelb wurde, hatte ich mich eine Woche lang übergeben müssen. Der Lehrer war erst fünfundvierzig. Es war in den Sommerferien. Weil ich zu früh an die Julisonne mußte – damals nahm man das Getreide noch von Hand auf – bekam ich eine Leberaffektion. Seither habe ich diese dauernde Müdigkeit. Ich beneide, ja hasse Leute, die, je später es wird, desto munterer werden.

«Gewicht fünfundachtzig.»

«Seit zwanzig Jahren», ergänze ich.

«Vor drei Jahren waren Sie noch 79 Kilo schwer», droht er mit dem Zeigefinger. Ich ziehe die Richtigkeit in Zweifel.

«Sehen Sie, ich weiß besser Bescheid als Sie. Phänomenales Gedächtnis!» lacht er und tippt sich an die Stirn. Meine Krankengeschichte liegt drüben auf dem Schreibtisch.

«Unser nächstes Rendez-vous ist am...» Er bittet mich ins Nebenzimmer und blättert in der Agenda.

«Am 9. August 9.50 Uhr sehen wir uns wieder.» Ich sehe ihn be-
griffsstutzig an. In sechs Wochen erst. «Ich fahre nächsten Samstag» – seine Stimme triumphiert – «nämlich in die Ferien. Falls
sich etwas gefunden hat, bekommen Sie bis Freitag ein Telefon.»

Gerda Zeltner

DER UMGEKEHRTE KRIMI

Am Schluß eines späten Romans von Robert Pinget steht die An-
gabe «Sirency 1968». Gemeint ist das französische Nest Sirency-la-
Louve nahe dem Städtlein Agapa. Das tönt so glaubhaft, daß es
auf der Karte nicht zu finden ist. Die Namen gehören in eine imaginäre Landschaft, die sich durch viele Bücher verdichtet hat, bis
Pinget vorgibt, selber hier zu wohnen und seine Romane zu schreiben.
Dieser Genfer Advokat, der bei der ersten Gelegenheit nach dem
Krieg nach Frankreich übersiedelte, um dem «Diskurs in der
Enge» zu entgehen, ist fast französischer als die Franzosen selbst.
Sirency-la-Louve, das meint französische Dörflichkeit schlechthin; mit dem Hauptplatz, dem Bistro, der Bäckerei, … mit den
umgebenden Wäldern und dem Landschloß. Man wohnt abseits
der abstrakten Geometrie moderner Siedlungen, man wohnt neben
der Kirche, gegenüber dem Schuhmacher, bei der Brücke, und
nicht in Straßen mit Namen und Nummern; und man hat Nachbarn und braucht daher die Tratschgeschichten nicht aus dem
Kioskheft zu beziehen…
Wenn aber die Idylle vergiftet wäre? Und wenn die Ziegenhirtin
mit ihrem Strickzeug, dem Köter und der lauernden Wachsamkeit
nur eine Parodie auf alle Schäferromantik bedeutete? Wenn schließlich Dörflichkeit überhaupt nur dafür einstünde, daß das Alibi –
nämlich die Ablenkungen durch rasend leerlaufende Geschäftig-
keit – fehlt? Wenn das Innere versagt, steht hier nicht gleich ein
Spielautomat – in irgend einer Form – zur Hand, hier heißt es vielmehr «la mort au moindre défaut de la pensée». Sirency ist ein
Bezirk voller Bedrohungen und Dunkel.

Frankreich zählt Pinget zu seinen Nouveaux Romanciers, den
immer noch nicht überholten Begründern des zeitgenössischen
Romans. Was den neuen Roman vom alten unterscheidet, wurde
schon tausendmal wiederholt. Im alten finden wir eine geschlossene

Welt, in der alle Handlungen, Gestalten und Dinge durchsichtig und plausibel sind, da sie ja auch von dem über allem stehenden Autor eigens für die Dauer seines Spiels erfunden wurden. Im neuen sind sie das nicht mehr. Im Augenblick, da der Autor den gottgleichen Standpunkt verlassen oder verloren hat, ist es vorbei mit der ganzen schönen Durchsichtigkeit. Denn es war eine Durchsichtigkeit, wie sie nur fiktiven Welten eignet. Erst wenn der Autor nicht mehr das Ganze schon zuvor fertig in Händen hält und der Stoff auch für ihn undurchsichtig und rätselhaft wurde, ist es plausibel, den Roman als ein Mittel der Erkenntnissuche anzusehen – wie es Michel Butor und mit ihm alle Nouveaux Romanciers tun.

Der Inbegriff der rätselvollen Erzählung ist der Detektivroman. Er hat – in seiner klassischen Form, wie ihn beispielsweise Agatha Christie schreibt – nur den einen Schönheitsfehler, daß die Verrätselungen, Verknüpfungen und die endliche Lösung von einem demagogischen Autor aufs Sorgfältigste arrangiert wurden.

Pingets Romane sind in einer diffusen Weise von Kriminalgeschichten gleichsam unterwandert. Nur fehlt ihnen jener Schönheitsfehler des vorangegangenen Arrangements. Damit werden sie auch enttäuschend: statt eine Lösung zu bringen, häufen sie nur Undurchsichtigkeit auf Undurchsichtigkeit.

Im Hörspiel «Autour de Mortin» liegt die Addition der Rätsel ganz offen da. Acht Stimmen, acht ganz verschiedene Leute werden interviewt, um zu sagen, was sie von einem alten, soeben zu Grabe getragenen Mann erinnern. Daraus entstehen acht verschiedene Geschichten, die einander überall widersprechen und das Bild Mortins, statt zu zeichnen, nur in steigendem Maß auflösen. Das hat eine magische Wirkung; zunächst ist man ein «gewöhnlicher» Rundfunkhörer mit der üblichen Neugier auf Information; sehr bald aber erfährt man, daß diese Interviews gar keine Information hergeben. Hier berichtet jeder, anhand von Mortin, nur über sich selbst, wobei berichten aus allem besteht, aus übertreiben, verschönern, verschweigen und lügen. Durch diesen affektiven Raum geistert das verblichene Leben des Mannes; zwischen den Worten dieser «Zeugen» müssen wir es zusammensuchen, wie ein Vexierbild. Wir finden uns unversehens in der Situation eines Inspektors, der aus lauter Abweichungen und Widersprüchen in pausenloser Denkarbeit ein Verbrechen rekonstruieren muß.

Ein Hauptwerk Pingets ist direkt nach einem Gerichtsverfahren benannt: «L'inquisitoire». Ein Mann wird befragt nach dem Leben und Treiben in einem Schloß, wo er vor Jahren als Diener

wohnte. Und was tut er? Er beschreibt. Zum Beispiel von Zimmer
zu Zimmer tausend Details am Mobiliar, Statuen, Statuetten,
Nippsachen und anderem Kram, der eher in einen Antiquitäten-
laden als in eine Wohnstätte passen würde. Ecole du regard? Mit-
nichten. Diese Beschreibungen geben nicht das Psychogramm
einer bestimmten Seelenlage. Sie haben vorwiegend die Funktion
einer Ablenkung. Der Diener geht hinter ihnen in Deckung; denn
solange er beschreibt, kann ihm nichts zustoßen, solange wird
nichts anderes gefragt: Die Antworten des Dieners sind ein einziges Sich-Entwinden.

Hat er denn etwas zu verbergen? Das eben ist zunächst gar nicht
ausschlaggebend. Es braucht sich hier nicht um besonders kriminelle Subjekte zu handeln; wer aber derweise befragt wird, nimmt
von selber eine defensive Haltung ein. Die Art und Weise, wie
Pinget die undurchsichtig gewordene Wirklichkeit angeht, be-
schwört das Dubiose als seine Konsequenz herauf.

Die Recherche bewegt sich demnach in einem Teufelskreis. Die
Wirklichkeit wurde für den neuen Autor undurchsichtig und un-
aufgeklärt. Um sie zu stellen, veranstaltet er ein Inquisitorium.
Aber diese Methode, mit der man sonst einem Verbrechen auf die
Spur zu kommen versucht, genügt allein schon, damit sich alles
auf vertrackte und widersprüchliche Art entzieht. Was aber sich
entzieht, ist schon verdächtig. Wahrheit ist verdächtig. Pingets
Fragen nach Menschen oder Vorfällen macht diese Menschen oder
Vorfälle, wie immer sie gewesen sein mögen, tief suspekt.

Natürlich ist der Autor nicht unschuldig daran. Nur das Unsichere
ist des Fragens wert, und so sucht er sich seine Gewährsleute auch
in dieser Richtung aus. Der alte Diener ist taub und auch sonst
etwas verwackelt. Seit langem als dienstuntauglich entlassen, bleibt
er zudem auf sein Gedächtnis angewiesen, was bekanntlich nochmals eine trügerische und unsichere Sache ist.

Auch der Roman «Passacaille» ist exemplarisch. Der Raum ist
vorwiegend grau, aus Dämmerung oder Nacht gemacht; und
schon auf der ersten Seite begegnen uns verschlossene Fensterläden und lassen bloß durch einen Spalt den Mann erkennen, der
am Tisch sitzt, ein paar Stunden bevor man ihn tot auf dem Mist
fand. Jedoch die Unzuverlässigkeit des Wahrnehmens wird auch
hier vorwiegend ins Innere der Gestalten gelegt, ist aus Versoffen-
heit oder Senilität gemacht oder aus der Öde des Daseins: «...
l'ennui qui suintait de notre existence était tellement compact
qu'on n'y voyait pas à deux mètres, la cuisinière ou le facteur étant
à peine différenciés dans ce brouillard...»

Und so kommt es dann: Wenn man keine zwei Meter weit sieht, ist nicht auszumachen, woher das Blut stammt, dessen Spuren die Köchin auf der Straße findet oder wessen Schritte im Hof zu hören sind. Indem aber nichts in seinen Zusammenhang gebracht werden kann, bleibt es suspekt und kommt nie mehr zur Ruhe. Es dreht und dreht – selbst wenn das «Tourner, retourner, revenir» nicht wie ein Refrain immer wieder dastünde.

Das Vorgehen hat allgemeinere Bedeutung. Die Wahrheit, so haben wir gesehen, entzieht sich gleichsam von selber vor der Art dieses Fragens. Die wenigsten Romane Pingets jedoch sind Inquisitorien. Es braucht gar nicht so explizit zuzugehen. Schreiben an sich ist hier schon so etwas wie ein Verhör; denn auch es bedeutet ein Fragen, und vor dem Vorangehen der Wörter entflieht das Befragte wie der Horizont vor sich nähernden Schritten.

Wenn man demnach nie direkt auf das zusteuern kann, was so gemeinhin die Wirklichkeit heißt, muß man Listen und Umwege erfinden. Und ein solcher wäre der Versuch, von der anderen Seite dieses Horizontes herzukommen. Was dies bedeutet, darüber gibt «Passacaille» wohl die beste Auskunft. Dieses Abgedunkelte, Neblige, die verstopften Sinne und schließlich der Mann am Tisch, von dem es heißt, daß er nicht allein war und daß er etwas aufs Papier kleckst: das alles erinnert an jene nächtlichen Sitzungen, bei denen die Surrealisten vor allem durch die Erschöpfung abgeschirmt gegen die rationalen Mächte des Wollens und Denkens, unmittelbar nach dem einzigen Diktat des Unterbewußtseins Wörter daherkritzelten. Aber auch in «L'inquisitoire» kann man zusehen, wie der alte Diener in eine Erschöpfung hineinmanipuliert wird, in der alle bewußten Schranken und Hemmungen fallen und immer tiefere Schichten scheinbar selbsttätig den Stoff heraufbefördern.

In diesem Zusammenhang ist wichtig, daß Pinget unter dem bestimmenden Einfluß des Surrealisten Henri Michaux zu schreiben begonnen hatte, und daß er heute noch sagt: «Ma confiance en la mécanique du subconscient demeure, pour l'essentiel, inébranlable.» Es ist längst ein offenes Geheimnis, daß die écriture automatique der Surrealisten ihr Ziel verfehlte. Der Mechanismus des Unterbewußten, die sous-conversation, schlägt sich nicht selbsttätig in Worten nieder; sie ist auf Übersetzung, auf ein sehr zielbewußtes Machen angewiesen. Und auch was Pinget übt, ist eine bloß pseudoautomatische Schreibweise, die in Wahrheit die unbewußten Vorgänge in sehr differenzierten Prozessen transponiert.

«Quelques images qu'il fallait amplifier, débarrasser de leurs sco-
ries, enténébrer jusqu'au moment où devenues interchangeables
leur différence profonde ferait surgir un monde d'agressivité et de
déroute, c'était la tâche qu'il s'était imposé à cette table...» So
lautet in einem Roman die Poetik, die sich wohl sehr weit verallgemeinern läßt. Pinget ist immer wieder dabei zu treffen, daß er
den Rohstoff des Unterbewußtseins, dem immer auch Zufälliges
anhaftet, auf seine Wesentlichkeit hin vertieft und zugleich erkennen läßt, daß in dieser Tiefe die Bilder vertauschbar werden und in
ihrer Vertauschbarkeit das Widersprüchliche und Herausfordernde
viel schärfer artikulieren. So entstanden Texte, die weder Träume
schildern noch aus dem Unterbewußtsein Traumbrocken heraufbefördern, sondern in ihren Strukturen Traumvorgänge nach-
bilden, wo lautlos, ohne Übergänge und mit perfider Selbstverständlichkeit ein Bild an die Stelle des anderen tritt: Texte, die
träumen.

Daß in unseren Träumen immer auch Verbrechen umgehen, ist
mindestens seit Freud eine abgemachte Sache. Und so zeigt sich
noch einmal: durch das, was zunächst ein «bloß» formales Vorgehen ist, schleicht sich wieder fast zwangsläufig das Kriminali-
stische in Pingets Bücher ein.

Warum aber werden diese Träume so bald zu einem cauchemar?
«Tourner, retourner, revenir»: die verstreuten Signale drehen in
sich selbst. Statt einer Antwort kehrt nur die gleiche Frage in anderer Gestalt zurück, die gleichen verdächtigen, unaufgeklärten
Spuren. Der Weg von der anderen Seite des Horizonts, der Umweg
über das Unterbewußte, verliert sich in eben dem Dunkel, aus dem
er Erkenntnisse erhoffte. Die Sprache, die sich durch den Ort der
Trugbilder zieht, gibt Auskünfte über die inneren Schattenreiche
des Menschen. Aber es gelingt ihr nicht, in den Tag hinauszugrei-
fen und irgendeine Klärung oder Unterscheidung zu bringen.

Das aber ist nicht Pingets Privatsache, das wirft ein Licht auch auf
unsere Zeit. Wenn jedes Trugbild – eine Vogelscheuche, ein Skelett oder was immer – eine so aufsäßige Präsenz an sich reissen
kann, als stünde es leibhaft vor den Augen, dann muß das auch ein
Beleg dafür sein, daß das Widerständliche und objektiv Verbürgte,
das wir «Wirklichkeit» nennen, verlorenging. «Quelque chose doit
être cassé dans la mécanique» steht schon auf der ersten Seite von
«Passacaille». Pingets nächtliche Sprache artikuliert immer auch
einen Realitätsverlust in einer zerbrochenen Welt. In Sirency-la-
Louve, diesem Ort, der überall liegt, wo Menschen sind, weiß man

nicht mehr, was Wirklichkeit ist. Wir müssen sie verloren haben, wir kennen nur noch Spiegelungen von etwas, das es nicht gibt. «Dans les bassins se reflètent des nuages qu'on ne reconnaît pas au ciel.» Derart zieht die Spaltung durch Innen und Aussen, Bild und Abbild, Ich und Du, Ich und Ich...

Traktor, Abschlepp-Jeep und ähnliches brauchte nicht in den scheinbar so behüteten Weiler einzudringen, und doch wäre der Text situiert in einer überindustrialisierten Zeit, wo der Mensch sich selbst und dem Nachbarn fremd geworden ist. Und wo die Gegenstände über ihn herrschen. Sie tun es von innen her; die Uhr, das Strickzeug, die Ente und vieles noch nimmt im Bewußtsein eine übersinnliche und undefinierbare Gewalt an, der sich niemand zu entwinden vermag. Auch gewisse Gestalten können zu einem Fetisch werden. In ein paar Geschichten erscheint der Pfarrer oder der Doktor als eine Art versoffener und verschlissener Dorfheiliger; in einem frühen Roman geht die Holzsammlerin um wie eine hexenhafte Verkörperung der gestorbenen und verdorrten Zeit. Ferner der Dorfidiot, mit dem in «Passacaille» ein halb obszöner halb zärtlicher Kult getrieben wird.

Schon in «Quelqu'un» kam der Depp als einzige liebenswerte Gestalt vor, und schon dort zeigte sich, daß er eine Schlüsselfigur ist. Er impliziert Pingets Protest gegen alles, was unsere Zeit vergiftet: der zur «Wissensexplosion» angewachsene Erkenntnisrummel; Informationszwänge; von der Technik diktierte Handgriffe; Rationalisierung aller Lebensfunktionen; durch die Vergesellschaftung heraufbeschworene gewitzte Verlogenheit der menschlichen Bezüge. In «Passacaille» wird dieses für die ganze Fortschrittswut so völlig unbrauchbare Wesen getötet, und zwar bezeichnenderweise, weil es die gefährliche moderne Schneidmaschine nicht zu handhaben versteht. So erhält der Protest hier ein blutiges Gesicht.

Pinget freilich zielt nie direkt auf diese Anklage. Er schreibt alles andere als Tendenzliteratur. Er sagt «Tout ce qu'on peut dire ou *signifier* ne m'intéresse pas, *mais la façon de dire*». Oder auch «Il me semble que l'intérêt de mon travail jusqu'aujourd'hui a été la recherche d'un *ton*», und viele ähnliche Dinge. Wenn aber der Ton stimmt, dann fallen von dem Text her eben doch Lichter – oder Irrlichter – auf die gesellschaftlichen Strukturen unserer Gegenwart. Und eine Gegenwart, die für den simple d'esprit, den Unschuldigen, keinen Platz mehr hat, ist eine kriminelle Gegenwart.

Zusammenfassend: Ganz von selber fast, nur aus der Art und Weise des Fragens, ergibt sich zunächst der – unechte – Kriminal-

roman Pingets. Immer deutlicher aber zeigt es sich, wie diese Form
auch ihre entsprechende Semantik provoziert. Wenn Roland Bar-
thes, der Chefideologe des neuen Romans, die Literatur ein System
von Zeichen nennt, das erst nachträglich Bedeutungen produziert,
dann ergeben Pingets Romane dafür einen vielfältigen und über-
zeugenden Beleg. Ihr formaler Kanon evoziert ein diffuses und
allem Leben heimlich beigemischtes Verbrechen; unablässig wird
in ihm der kriminelle Status unserer Welt mitbetroffen.

ANHANG

NACHWORT

Ich möchte mit dieser Anthologie keinesfalls den Eindruck erwecken, es gebe eine autonome «schweizerische» Literatur. Der Begriff «schweizerisch» ist anhand der vorliegenden Gedichte, Erzählungen, Romanausschnitte, Skizzen und Essays kaum zu definieren. Der Terminus «schweizerische Literatur» wird gewiß auch fragwürdig, wenn man sich die thematische, gedankliche und sprachliche Vielfalt der in diesem Buch versammelten Werke vor Augen hält. Die Distanz zwischen Maria Lauber und Ernst Burren, zwischen R. J. Humm und Eugen Gomringer, zwischen Meinrad Inglin und Otto F. Walter oder zwischen Jakob Bührer und Beat Brechbühl ist kaum zu überbieten. Autoren wie Robert Faesi und Peter Bichsel, Cécile Lauber und Walter Matthias Diggelmann lassen sich nicht unter einen Hut bringen. Ungeachtet aller thematischen, sprachlichen und auch ideologischen Divergenzen versuchte ich also einen möglichst repräsentativen Einblick in die zeitgenössische deutschsprachige Literatur in der Schweiz zu geben.

Wie nun stellt man so verschiedenartige Schriftsteller vor? Ich dachte zuerst daran, die Sammlung chronologisch zu ordnen. Schließlich schien mir die Kapiteleinteilung «Lyrik» – «Prosa» – «Essay» sinnvoller zu sein. Diese Lösung wäre ja gewiss die «wissenschaftlichste», zugleich aber wohl auch die sterilste. Unbefriedigend ist selbstverständlich auch die alphabetische Anordnung. Sie kam aber meiner Absicht am meisten entgegen, die Sammlung so abwechslungsreich, so spontan und so anregend wie möglich zu gestalten.

Ich habe primär nach qualitativen Gesichtspunkten gearbeitet. Ich verzichtete aber auch von Anfang an darauf, eine Sammlung zusammenzustellen, die bloss nach ästhetischen Kriterien beurteilt werden kann. So habe ich mich entschlossen, auch Texte aufzunehmen, die man als dokumentarisch bezeichnen könnte. Aus «dokumentarischen» Gründen berücksichtigte ich denn auch die Beiträge einiger Essayisten und Philologen.

Der literarische Essay wird innerhalb der deutschsprachigen Dichtung in der Schweiz etwas stiefmütterlich behandelt. Es ging mir nun freilich nicht darum, den Beweis anzutreten, daß die Gattung «Essay» gleichberechtigt neben den Gattungen «Lyrik» oder «Prosa» bestehen kann. Ich wollte vielmehr einige knappe Eindrücke von Wesen und Schaffen der literarischen Kritik, der Kunst-, Film- und Theaterkritik vermitteln. Die literarischen, soziologischen und volkskundlichen Studien kann man gewissermaßen als Fußnoten zu den belletristischen Texten betrachten. Die Beiträge von Urs Jaeggi, Karl Schmid, Guido Bachmann, Gerhard Saner, J. R. von Salis, Manfred Gsteiger, Hugo Leber, Werner Weber und Paul Nizon spiegeln nicht zuletzt die Atmosphäre wider, unter deren Einfluß der Schweizer Autor lebt und arbeitet.

Der Leser wird feststellen, daß in meiner Bestandesaufnahme keine dramatischen Arbeiten enthalten sind. Es ist längst kein Geheimnis mehr, dass die deutschsprachige Literatur in der Schweiz eine äußerst «undramatische» Literatur ist. Während meiner Sammelarbeit bekam ich den Eindruck, daß vollends seit 1964 herzlich wenige Szenen geschrieben wurden, die man guten Gewissens als repräsentativ bezeichnen könnte. So sah ich davon ab, zwei oder drei dramatische Texte einzustreuen, die in sprachlicher und formaler Hinsicht als Fremdkörper erschienen wären.

Diese Anthologie enthält also Arbeiten, die nach 1964 erschienen sind. Der Band «Gut zum Druck» ist eine Fortsetzung der von Bruno Mariacher und Friedrich Witz im «Expo»-Jahr 1964 herausgegebenen Sammlung «Bestand und Versuch». Es ist verblüffend, wie viele junge Autoren in den vergangenen acht Jahren erstmals an die Öffentlichkeit traten! Gleichzeitig berührt es mich etwas schmerzlich, daß einige namhafte Vertreter der «älteren» Generation in diesen acht Jahren verstummten und keine Texte neueren Datums zur Verfügung stellen konnten. Da ich besonders verdienstvolle Wegbereiter «schweizerischer» Literatur nicht missen wollte, habe ich auch einige Arbeiten aufgenommen, die zum Teil lange vor 1964 geschrieben wurden, die aber beispielhaft sind für das Gesamtwerk des Autors – für Gesamtwerke, die man nicht aus dem deutschsprachigen Schrifttum in der Schweiz wegdenken möchte (Carl J. Burckhardt, Meinrad Inglin, Cécile Lauber, Maria Lauber, Albert Bächtold u.a.).

Ein Herausgeber ist zu Dank verpflichtet. Ich danke den Mitarbeitern, den Autoren, für ihre spontane Bereitschaft, mir Texte für diese Anthologie zu überlassen. Bei der Zusammenstellung des bio-bibliographischen Anhangs konnte ich mich zum Teil auf das Register in «Bestand und Versuch» stützen. Ich möchte dem Verfasser, Dr. Egon Wilhelm, für diese «Vorarbeit» danken.

Basel, im Juli 1972   DIETER FRINGELI

BIOGRAPHISCHES REGISTER
UND BIBLIOGRAPHIE

ACKLIN JÜRG, Zürich 20. II. 1945 in Zürich. Primarlehrer. Arbeit an einer staatsrechtlichen Dissertation.
Lyrik, Erzählung, Roman. Der einsame Träumer, Gedichte, 1967 – In der Kalaharisteppe, Kurzgeschichte, 1968 – Michael Häuptli. Der Traum eines jungen Menschen, Roman, 1969 – Alias. Ein Text, 1971.

BACHMANN DIETER, Zürich 17. XII. 1940 in Basel. Studium der Germanistik, der Kunstgeschichte, der Philosophie und der Komparatistik. Seit 1967 Redaktor der literarischen Umschau «Lesezeichen» am Schweizer Fernsehen. Seit 1970 Feuilleton-Redaktor der «Weltwoche». Mitherausgeber der «Regenbogen-Reihe».
Essay. Essay und Essayismus. Benjamin, Broch, Kaßner, H. Mann, Musil, Rychner, 1969.

BACHMANN GUIDO, Bern 28. I. 1940 in Luzern. Schauspielschule. Studium der Germanistik und der Theaterwissenschaft. Musiker.
Roman, Erzählung, Lyrik. Gilgamesch, Roman, 1966/67 – Feuerharfe, Gedichte, 1967 – Wannsee, Novelle, 1967/70 – Ad Astra. Ein kosmischer Sonettenkranz, 1968 – Die Klarinette. Eine Kriminalnovelle, 1969 – Gloria/Wannsee, Erzählungen, 1970.

BÄCHTOLD ALBERT, Zürich 3. I. 1891 in Wilchingen SH. Lehrer. Langjähriger Aufenthalt im Ausland (Rußland, Amerika). Seit 1935 freier Schriftsteller. Schreibt Romane in Klettgauer Mundart.
Roman. De Tischtelfink, 1939 – De Hannili-Peter, 1940 – De goldig Schmid, 1941 – Wält uhni Liecht, 1944 – De Studänt Räbme, 1947 – Pjotr Ivànowitsch, 2 Bde., 1951 – De Silberstaab, 1953 – De ander Wäg, 1957 – D Haametstimm, 1962

BICHSEL PETER, Bellach SO 24. III. 1935 in Luzern. Primarlehrer. Heute freier Schriftsteller und Publizist.
Prosa, Essay. Eigentlich möchte Frau Blum den Milchmann kennenlernen, Geschichten, 1964 – Die Jahreszeiten, Prosa, 1967 – Kindergeschichten, 1969 – Des Schweizers Schweiz, Essays, 1969.

BOESCH HANS, Stäfa ZH 13. III. 1926 in Frümsen-Sennwald SG. Studium am Technikum Winterthur. Verkehrsplaner, wissenschaftlicher Mitarbeiter an der ETH Zürich.
Roman, Erzählung, Lyrik. Oleander, der Jüngling, Gedichte, 1951 – Pan, Gedichte, 1955 – Der junge Os, Erzählung, 1957 – Das Gerüst, Roman, 1960 – Die Fliegenfalle, Roman, 1968 – Ein David, Gedichte, 1970.

BOLLIGER MAX, Adliswil ZH 23. IV. 1929 in Glarus. Heilpädagoge. Herausgeber der Borgis-Gedichtmappen.
Lyrik, Prosa, Kinderbuch. Gedichte, 1953 – Verwundbare Kindheit, Prosa, 1957 – Ausgeschickte Taube, Gedichte, 1958 – Der Clown, Fragmente zum

Thema, 1959 − Der brennende Bruder, Erzählungen, 1960 − Knirps, Bilderbuch, 1962 − Das alte Karrussell, 1963 − David, Erzählung, 1965 − Schweigen, vermehrt um den Schnee, Gedichte, 1969 − Jiri Trnka, Leuchtkäfer-
chen. Erzählt von M.B. 1969 − Virginia Lee Burton, Das kleine Haus. Übersetzt von M.B. − Celestino Piatti, Der goldene Apfel, Eine Geschichte von
M.B. 1970 − Helga Aichinger, Der Regenbogen. Text von M.B. 1972.

BRAMBACH RAINER, Basel 22. I. 1917 in Basel. Acht Jahre Volksschule, dann
verschiedene handwerkliche Berufe. Zuletzt Gartenbauarbeiter. Seit 1959
freier Schriftsteller.
Lyrik, Prosa. Tagwerk, Gedichte, 1959 − Wahrnehmungen, Prosa, 1961 −
Marco Polos Koffer, Gedichte (gemeinsam mit Jürg Federspiel), 1968 − Ich
fand keinen Namen dafür, Gedichte, 1969 − Sechs Tassen Kaffee, Gedichte,
1972.

BRECHBÜHL BEAT, Rapperswil SG 28. VII. 1939 in Oppligen BE. Schriftsetzer-
lehre. Arbeitete als Hersteller in einem Zürcher Verlag. Heute freier Schriftsteller.
Lyrik, Roman. Spiele um Pan, Gedichte, 1962 − Die Stiere, Erzählung, 1964 −
Lakonische Reden, Gedichte, 1965 − Gesunde Predigt eines Dorfbewoh-
ners, Gedichte, 1966 − Die Bilder und ich, Gedichte, 1968 − Die Litanei von
den Bremsklötzen und andere Gedichte, 1969 − Auf der Suche nach den
Enden des Regenbogens, Gedichte, 1970 − Kneuß, Roman, 1970 − Der geschlagene Hund pißt an die Säulen des Tempels, Alte und neue Gedichte,
1972.

BROCK-SULZER Elisabeth, Zürich 25. I. 1903 in Elgg ZH. Romanistische und
altphilologische Studien. Gymnasiallehrerin. Theaterkritikerin.
Literaturwissenschaft, Essay. Natur und Mensch im Werke Honoré de Balzacs, 1930 − Theater. Kritik aus Liebe, 1954 − Friedrich Dürrenmatt. Stationen seines Werkes, 1960/72 − Ernst Ginsberg, Essay, 1962 − Ernst Ginsberg, Abschied. Erinnerungen, Theateraufsätze, Gedichte (als Herausgeberin), 1965 − Friedrich Dürrenmatt: Theater-Schriften und Reden (als
Herausgeberin), 1966/69 − Lessing, 1967 − Dürrenmatt in unserer Zeit. Eine
Werkinterpretation nach Selbstzeugnissen (als Herausgeberin), 1968.

BROCK ERICH, Zürich 30. VIII. 1889 in London. Aufgewachsen bei Berlin;
später in Süddeutschland lebend. Seit 1925 in der Schweiz, 1934 eingebür-
gert. Privatdozent für Philosophie an der Universität Zürich.
Drama, Aphorismus, Essay, philosophische Schriften. Das Weltbild Ernst
Jüngers, Darstellung und Deutung, 1945 − Befreiung und Erfüllung, Grund-
linien der Ethik, 1954 − Götter und Titanen, Zwei Dramen aus griechischen
Bereichen, 1954 − Blick in den Menschen, Aphorismen, 1958 − Sätze und
Gegensätze, Aphorismen, 1970 − Die Grundlagen des Christentums, 1970.

BÜHRER JAKOB, Verscio/Pedemonte TI 8. XI. 1882 in Zürich. Jugend in Schaff-
hausen. Kaufmännische Lehre. Während mehrerer Semester als freier Hörer
an der Universität Zürich. Redaktor, Mitarbeiter der Neuen Helvetischen
Gesellschaft, dann freier Schriftsteller in Zürich und Basel, seit 1935 im
Tessin.
Roman, Erzählung, Drama (Mundart und Hochdeutsch), Lyrik, Essay, Hörspiel.
Kleine Skizzen von kleinen Leuten, Erzählungen, 1910 − Landrat Broller,

Einakter, 1912 − Die schweizerische Theaterfrage, Essay, 1912 − Das Volk der Hirten: Die Nase, Satire, 1914 / Drei lustige Spiele, 1919 / Gesamtausgabe mit zehn Spielen, 1925 / Schauspiel, 1934 − Die Steinhauermarie und andere Erzählungen, 1916/1924 − Aus Konrad Sulzers Tagebuch, Prosa, 1917 − Toni der Schwämmeler, Erzählungen, 1918/1923 − Didel oder Dudel, Satire, 1918 − Marignano, Schauspiel, 1918 − Zöllner und Sünder, Lustspiel, 1922 − Ein neues Tellenspiel, 1923 − Die sieben Liebhaber der Eveline Breitinger, Roman, 1924 − Der Kaufmann von Zürich, Schauspiel, 1931 − Man kann nicht..., Roman, 1932 − Die Pfahlbauer, Tragikomödie, 1932 − Galileo Galilei, Dramatische Dichtung, 1933 − Kein anderer Weg? Drama, 1933 − Brennesseln und Gras, Gedichte, 1933 − Sturm über Stifflis, Roman, 1934 − Das letzte Wort, Roman, 1935 − Im roten Feld, Roman in drei Bänden: Der Aufbruch, 1938; Unterwegs, 1944; Die Ankunft, 1951 − Was muß geschehen? Essay, 1942 − Nationalrat Stöcklis Traum und Wende, Komödie, 1943 − Perikles, Drama, 1945 − Judas Ischariot, Drama, 1946 − Die rote Mimmi, Komödie, 1946 − Die drei Gesichte des Dschingis-Khan, Schauspiel, 1950/ 1951 − Gotthard, Drama, 1952 − Yolandas Vermächtnis, Roman, 1957 − Der dritte Weltkrieg wird nicht abgehalten, Dramatische Dichtung, 1960 − Kommt dann nicht der Tag? Gedichte, 1962 − Eines tut not. Ein Zwiegespräch, 1965 − Hörspiele.

BURCKHARDT CARL JACOB, Vinzel VD 10. IX. 1891 in Basel. Studium der Geschichte. 1918−1921 Gesandtschaftsattaché in Wien. 1927 Privatdozent und 1929 außerordentlicher Professor für Geschichte an der Universität Zürich. 1932 ordentlicher Professor am Institut Universitaire de Hautes Etudes Internationales, Genf. 1937−1939 Hochkommissar des Völkerbundes in der Freien Stadt Danzig. Präsident des Internationalen Komitees vom Roten Kreuz von 1944 bis 1948. Schweizerischer Gesandter in Frankreich von 1945−1949. Viele nationale und internationale Ehrungen. Mitglied zahlreicher Akademien.

Biographie, Erzählung, Essay, Geschichtsschreibung. Carl Christoph Burckhardt, Biographie, 1917 − Der Berner Schultheiß Charles Neuhaus, Biographie, 1925 − Kleinasiatische Reise, Essay, 1925 − Die Kaiserin Maria Theresia, Biographie, 1932 − Richelieu, Biographie, 1935 − Gestalten und Mächte, Studien, 1941; erweiterte Ausgabe 1961 − Erinnerungen an Hugo von Hofmannsthal, Essay, 1943 − Ein Vormittag beim Buchhändler, Essay, 1943 − Rodin, Vortrag, 1950 − Reden und Aufzeichnungen, 1952 − Drei Erzählungen, 1952 − Vier historische Betrachtungen, 1953 − Gedanken über Karl V., Biographie, 1954 − Heimat, Essay, 1954 − Briefwechsel mit Hugo von Hofmannsthal, 1956 − Bilder aus der Vergangenheit, Studien, 1956 − Begegnungen, Essays, 1958 − Bildnisse, Studien, 1958 − Der treue Hebel, Essay, 1959 − Meine Danziger Mission 1937−1939, 1960 − Episode Randa, Essay, 1961 − Berichte und Betrachtungen, 1964 − Richelieu/Behauptung der Macht und Kalter Krieg, Biographie (Band II), 1965 − Richelieu/Großmachtpolitik und Tod des Kardinals, Biographie (Band III), 1966 − Richelieu/Anmerkungen, Biographie (Band IV), 1967 − Carl J. Burckhardt/Max Rychner, Briefwechsel 1926−1965, 1970 − Wolfsjagd, Erzählungen, 1970 − Gesammelte Werke (6 Bände), 1971.

BURGER HERMANN, Küttigen AG 10. VII. 1942 in Menziken AG. Vier Semester Architektur an der ETH, dann Studium der Germanistik an der Universität

Zürich. 1972 Lizentiatsarbeit über Paul Celan. Redaktor und Schriftsteller. *Lyrik, Erzählung.* Rauchsignale. Gedichte, 1967 – Bork. Prosastücke, 1970 – Publikationen in Zeitungen und Zeitschriften.

BURKART ERIKA (Erika Halter-Burkart), Althäusern bei Muri AG 8. II. 1922 in Aarau. Primarlehrerin. Heute freie Schriftstellerin. Verheiratet mit dem Schriftsteller Ernst Halter.
Lyrik, Prosa. Der dunkle Vogel, Gedichte, 1953/58 – Sterngefährten, Gedichte, 1955 – Bann und Flug, Gedichte, 1956 – Geist der Fluren, Gedichte, 1958 – Die gerettete Erde, Gedichte, 1960 – Mit den Augen der Kore, Gedichte, 1962 – Ich lebe, Gedichte, 1964 – Die weichenden Ufer, Gedichte, 1967 – Moräne. Der Roman von Lilith und Laurin, 1970.

BURKHALTER GERTRUD, Zürich 9. I. 1911 in Biel. Im Berner Seeland aufgewachsen. Schulen in der französischen Schweiz und in Zürich. Journalistische Tätigkeit. Reisen. Seit 1946 Bibliothekarin an der Pestalozzibibliothek in Zürich.
Drama, Mundartlyrik. Das Leben, ein Spiel, 1942 – Stygüferli, berndeutsche Lyrik, 1943 – Heligeland, berndeutsche Lyrik, 1957.

BURREN ERNST, Oberdorf SO 20. XI. 1944 in Oberdorf SO. Primarlehrer.
Mundartlyrik und -prosa. derfür und derwider, Mundartgedichte, 1970 – Scho wider Sunndig, Sächs Gschichte, 1971.

DAVI HANS LEOPOLD, Luzern 10 I. 1928 in Santa Cruz de Tenerife (Kanarische Inseln / Spanien). Kindheit und Jugend in Santa Cruz de Tenerife. Primar- und Mittelschulen. Buchhändlerlehre in Zürich. Zwei Jahre in Paris. Buchhändler.
Lyrik, Aphorismus, Kurzgeschichte, Essay, Übersetzung. Gedichte einer Jugend, 1952 – Huellas en la Playa / Spuren am Strand, Gedichte, spanisch-deutsch, 1956 – J. R. Jiménez, Herz, stirb oder singe, Auswahl und Übertragung von H. L. Davi, 1958 – Canciones de niños / Kinderlieder, Gedichte, spanisch-deutsch, 1959 – Spanische Lyrik der Gegenwart. Vincente Aleixandre, Dámaso Alonso, Jorge Guillén, Rafael Alberti. Auswahl und Übertragung, 1960 – Stein und Wolke, Gedichte, spanisch-deutsch, 1961 – Spanische Erzähler der Gegenwart, Auswahl und Übertragung, 1968 – Distel- und Mistelworte, Aphorismen, 1971 – Luzern. Ein Stadtbuch, 1972

DIGGELMANN WALTER MATTHIAS, Etagnières VD 5. VII. 1927 in Zürich. Abenteuerliche Jugend. Den letzten Teil des Zweiten Weltkrieges in Italien und Deutschland, vor allem auch in Gefängnissen verbracht. In der Schweiz nach 1945 als Pferdeknecht, Fabrikarbeiter, Hotelportier usw. gearbeitet. Autodidakt. Freier Schriftsteller und Journalist.
Roman, Kurzgeschichte, Drama, Hörspiel. Mit F-51 überfällig..., Roman, 1954 – Der Major, Erzählung (erschienen im Sammelband «Windrose»), 1957 – Die Jungen von Grande Dixence, Jugendroman, 1958 – Geschichten um Abel, Roman, 1960 – Das Verhör des Harry Wind, Roman, 1962 – Sandra, Hörspiel, 1962 – Die Rechnung, Erzählungen, 1963 – Ein Crime passionnel, Schauspiel, 1963 – Die Hinterlassenschaft, Roman, 1965 – Freispruch für Isidor Ruge, Roman, 1967 – Die Vergnügungsfahrt, Roman, 1969 – Hexenprozeß / Die Teufelsaustreiber von Ringwil, 1969.

DÜRRENMATT FRIEDRICH, Neuenburg 5. 1. 1921 in Konolfingen BE. Gebürtig aus dem bernischen Guggisberg. Studium der Philosophie, Theologie und Germanistik in Bern und in Zürich. Zeichner, Illustrator, Theaterkritiker, dann freier Schriftsteller.

Drama, Erzählung, Roman, Essay, Hörspiel. Weihnacht / Der Folterknecht, Erzählungen, 1943 – Das Bild des Sisyphos / Der Theaterdirektor, Erzählungen, 1945 – Die Falle / Die Stadt / Pilatus, Erzählungen, 1946 – Es steht geschrieben, Drama, 1946 – Der Doppelgänger, Hörspiel, 1946 – Der Blinde, Drama, 1947 – Romulus der Große. Ungeschichtliche Komödie, 1948 / Neufassung 1964 – Die Ehe des Herrn Mississippi, Filmdrehbuch, 1950 – Der Richter und sein Henker, Erzählung, 1950 – Der Verdacht / Der Hund / Der Tunnel, Erzählungen, 1951 – Der Prozeß um des Esels Schatten, Hörspiel, 1951 – Die Stadt, gesammelte Erzählungen, 1952 – Nächtliches Gespräch mit einem verachteten Menschen, Hörspiel, 1952 – Stranitzky und der Nationalheld, Hörspiel, 1952 – Ein Engel kommt nach Babylon, Fragmentarische Komödie, 1953 – Herkules und der Stall des Augias, Hörspiel, 1954 – Das Unternehmen der Wega, Hörspiel, 1954 – Theaterprobleme, Essays, 1954 – Grieche sucht Griechin, Prosakomödie, 1955 – Der Besuch der alten Dame, Tragische Komödie, 1955 – Die Panne, Hörspiel, 1956 – Romulus, II. Fassung, Komödie, 1956 – Das Versprechen, Requiem auf den Kriminalroman, 1957 – Komödien I, Sammelband, 1957 – Frank der Fünfte, Oper einer Privatbank, 1958 – Vortrag über Schiller, 1959 – Gesammelte Hörspiele, 1961 – Die Physiker, Komödie, 1961 – Herkules und der Stall des Augias, Theaterfassung, 1962 – Theater-Schriften und Reden I, 1966 – Der Meteor, Komödie, 1966 – Die Wiedertäufer, Komödie, 1967 – König Johann (nach Shakespeare), 1968 – Play Strindberg (nach August Strindbergs «Totentanz»), 1969 – Monstervortrag über Gerechtigkeit und Recht, nebst einem helvetischen Zwischenspiel, 1969 – Titus Andronicus. Ein Drama nach Shakespeare, 1970 – Sätze aus Amerika. Kritische Anmerkungen zu einer Reise, 1970 – Komödien II und Frühe Stücke, 1970 – Porträt eines Planeten, Drama, 1971 – Der Sturz, Erzählung, 1971 – Komödien III, 1971 – Theater-Schriften und Reden II, 1972.

EGGIMANN ERNST, Langnau im Emmental 23. IV. 1936 in Bern. Studium der Germanistik und der Geschichte in Bern. Sekundarlehrer in Langnau.

Lyrik, Erzählung. Die Kehrseite / Heraklit, Erzählungen, 1963 – psalmen, 1967 – Henusode, Mundartgedichte, 1968 – Vor dem jüngsten Jahr, Erzählungen, 1969 – Heikermänt, Mundartgedichte, 1971 – Willygeschichten, 1971.

EHRISMANN ALBERT, Zürich 20. IX. 1908 in Zürich, Primar- und Sekundarschule in Zürich. Kaufmännische Lehre. Buchhalter. Seit dem zwanzigsten Lebensjahr freier Schriftsteller.

Lyrik, Erzählung, Mundartprosa und Mundartgedicht. Lächeln auf dem Asphalt, Gedichte, 1930 – Schiffern und Kapitänen, Gedichte, 1931 – Sterne von unten, Gedichte, 1939 – Der neue Kolumbus, Erzählung, 1939 – Kolumbus kehrt zurück, Legende, 1948 – Der letzte Brief, Erzählungen, 1948 – Das Stundenglas, Gedichte, 1948 – Das Traubenjahr, Gedichte, 1950 – Morgenmond, Gedichte, 1928/1951 – Tag- und Nachtgleiche, Gedichte, 1952 – Mein kleines Spittelbuch, Gedichte, 1953 – Ein ganz gewöhnlicher Tag, Gedichte, 1954 – Das Kirschenläuten, Gedichte, 1956 – Die Himmelspost, Gedichte,

1956 – Nein, die Nacht ist nicht das Ende, Gedichte, 1957 – Der wunderbare Brotbaum, Gedichte und Erzählungen, 1958 – Riesenrad der Sterne, Gedichte, 1960 – Wir haben Flügel heut, Gedichte, 1962 – Nachricht von den Wollenwebern, Gedichte, 1964 – Heimkehr der Tiere in der heiligen Nacht, Gedichte 1965 – Wetterhahn, altmodisch, Gedichte, 1968 – Die Gedichte des Pessimisten und Moralisten Albert Ehrismann, Gedichte, 1972.

ERNI FRANZ XAVER, Zürich 22. IX. 1927 in Turgi AG. Gymnasium in Zürich. Studium an den Universitäten Zürich, Basel, Innsbruck und Graz. Redaktor bei verschiedenen schweizerischen Tageszeitungen. Seit 1961 Chefredaktor der Zeitschrift «Mosaik».
Lyrik, Erzählung, Essay. Messen und Schweben, Gedichte, 1958 – Elsässische Form, 1958 – Immer auf der Suche, 1962 – Zurzach, 1972.

FAESI ROBERT, Zollikon 10. IV. 1883 in Zürich. Studium der Germanistik. Professor für neuere deutsche Literatur an der Universität Zürich (1922–1953).
Alle Gattungen. Zürcher Idylle, Erzählung, 1908/1963 – Odysseus und Nausikaa, Tragödie, 1911 – Die offenen Türen, Komödie, 1911 – Das poetische Zürich, Miniaturen (zusammen mit Eduard Korrodi), 1913 – Aus der Brandung, Gedichte, 1917 – Füsilier Wipf, Erzählung, 1917/1938 – Die Fassade, Lustspiel, 1918 – Rainer Maria Rilke, Studie, 1919 – Gestalten und Wandlungen schweizerischer Dichtung, Essays, 1922 – Der König von Ste-Pélagie, Novelle, 1924/1962 – Conrad Ferdinand Meyer, Studie, 1925/1948 – Der brennende Busch, Gedichte, 1926 – Vom Menuett zur Marseillaise, Novelle, 1930 – Spittelers Weg und Werk, Studie, 1933 – Heimat und Genius, 1933 – Das Antlitz der Erde, Gedichte, 1936 – Der Magier, Spiel, 1938 – Tag unseres Volks, Kantate, 1939 – G. Keller, Studie, 1941 – Die Stadt der Väter, Roman, 1952 / Die Stadt der Freiheit, Roman, 1944 / Die Stadt des Friedens, Roman, 1952 – Über den Dächern, Gedichte, 1946 – Ungereimte Welt gereimt, Gedichte, 1946 – Die schwarze Spinne (zusammen mit Georgette Boner), Operntext 1949, Spielfassung 1956 – Die Gedichte, Gesammelte Auswahl, 1955 – Thomas Mann, Studie, 1955 – Alles Korn meinet Weizen, Roman, 1961 – Briefwechsel mit Thomas Mann, 1962 – Erlebnisse–Ergebnisse, Autobiographie, 1963 – Diodor. Ohnmacht der Macht, Erzählung, 1968.

FARNER KONRAD, Thalwil 11. VII. 1903 in Luzern. Studium der Kunstgeschichte, der Geschichte, der Staatswissenschaft und der Theologie (bei Karl Barth). Seit 1923 Mitglied der Kommunistischen Partei (nachher Partei der Arbeit); 1969 ausgetreten. Lehrbeauftragter der Universität Zürich.
Essay, Kulturgeschichte. Gustave Doré, der industrialisierte Romantiker (2 Bände), 1963; erweiterte Neuausgabe 1973/74 – Theologie des Kommunismus?, 1969 – Aufstand der Abstrakt-Konkreten, 1970 – Kunst und Gesellschaft. Ausgewählte Essays, 1972.

FEDERSPIEL JÜRG, Basel 28. VI. 1931 in Winterthur. Primarschulen in Davos und Zürich. Gymnasialzeit in Basel. Längerer Aufenthalt in Paris. Bis 1957 ausschließlich als Journalist (Reporter, Filmkritiker u.a.) mehrerer Schweizer Zeitungen tätig; wegen Krankheit längerer Aufenthalt in Davos. Seit 1958 freier Schriftsteller.
Erzählung, Roman, Hörspiel, Essay. Orangen und Tode, Erzählungen, 1960 – Herr Hugo, Hörspiel, 1962 – Massaker im Mond, Roman, 1963 – Orangen

vor ihrem Fenster, Hörspiel, 1963 – Der Mann, der Glück brachte, Erzählungen, 1966 – Marco Polos Koffer, Gedichte (gemeinsam mit Rainer Brambach), 1968 – Museum des Hasses / Tage in Manhattan, 1969 – Die Märchentante, Erzählung, 1971.

FRINGELI ALBIN, Nunningen SO 24. III. 1899 in Laufen BE. Lehrerseminar Solothurn. Mehrjährige Lehrtätigkeit, dann Studium der Literatur, Geschichte, Geographie und der Volkskunde. Hochschule für Journalismus, Paris. Von 1927 bis 1969 Bezirkslehrer.
Lyrik, Essay, Erzählung, Festspiel (Mundart und Hochdeutsch). Dr Schwarzbueb, Jahr- und Heimatbuch, alljährlich seit 1923 – Heimatkunde und Schweizergeschichte in solothurnischen Lesebüchern, 1930 ff. – Das Kaltbrunnental, 1932 – Das Amt Laufen, Berner Heimatbuch, 1946 – Wanderatlas Solothurn, 1946 – Der Holderbaum, Mundartgedichte, 1949 – Zyt und Lüt, Spiel, 1952 – Isola-Gedenkspiel, 1953 – Das Schwarzbubenland, Schweizer Heimatbuch, 1953 – Schönes Schwarzbubenland, Essays, 1955 – Am stille Wäg, Mundartgedichte, 1957 – Steine und Sterne, Essays, 1957 – Heimfahrt, Erzählungen, 1959 – Mein Weg zu Johann Peter Hebel, Essays, 1961 – Der Maler August Cueni, Biographie, 1961 – Öisi Schuel, Spiel, 1961 – In dr große Stadt, Mundarterzählungen, 1963 – Flucht aus der Enge, Essays, 1964 – Dorneck-Thierstein, Monographie, 1964 – Die frohe Einkehr, Weihespiel, 1964 – 's Lied vo dr Scharteflueh, Spiel, 1964 – Solothurner Festspiel für die Expo 64 – Bärschbler Bilder-Boge, Spiel, 1965 – Die Zeitlosen, Prosastücke, 1972 – Das Schwarzbubenland im Bild, Essay, 1972 – Hörspiele.

FRISCH MAX, Küsnacht ZH und Berzona TI 15. v. 1911 in Zürich. Besuch des Gymnasiums in Zürich. Studien an der Universität Zürich (Germanistik) und an der Eidgenössischen Technischen Hochschule (Architektur). Verschiedene Auslandreisen vor und nach dem Zweiten Weltkrieg. Mehrere Jahre in Rom wohnhaft.
Prosa, Roman, Drama, Tagebuch. Jürg Reinhart, Roman, 1934 – Antwort aus der Stille, Novelle, 1937 – Blätter aus dem Brotsack, Tagebuch, 1940 – Die Schwierigen oder J'adore ce qui me brûle, Roman, 1943/1957 – Bin oder Die Reise nach Peking, Prosa, 1944/1952 – Santa Cruz, Schauspiel, 1944/ 1947 – Nun singen sie wieder, Schauspiel, 1945/1946 – Die Chinesische Mauer, Schauspiel, 1946/1947; Neubearbeitung 1955 – Tagebuch mit Marion, 1947 – Als der Krieg zu Ende war, Schauspiel, 1949 – Tagebuch 1946– 49, 1950 – Graf Öderland, Schauspiel, 1951/1961 – Don Juan oder Die Liebe zur Geometrie, Komödie, 1953 – Herr Biedermann und die Brandstifter, Hörspiel, 1953; Biedermann und die Brandstifter, Bühnenfassung, 1958/1959 – Stiller, Roman, 1954 – Achtung: die Schweiz. Pamphlet (gemeinsam mit Lucius Burckhardt und Markus Kutter), 1955 – Homo Faber, Roman, 1957 – Die große Wut des Philipp Hotz, Sketch, 1958 – Schinz, Novelle, aus «Tagebuch 1946–49», 1959 – Andorra, Schauspiel, 1961 – Stücke 1/2, Sammelbände, 1962 – Mein Name sei Gantenbein, Roman, 1964 – Biografie: Ein Spiel, 1967 – Wilhelm Tell für die Schule, 1971 – Tagebuch 1966–1971, 1972.

GANZ RAFFAEL, Ringwil ZH 2. IV. 1923 in St. Margrethen TG. Schulen in Zürich. Lebte seit 1945 viele Jahre in Frankreich, Spanien, Marokko. Sieben

Jahre in Washington, D.C.; Reisen und lange Aufenthalte in Schweden und Finnland.
Erzählung, Roman. Piste Impériale, Erzählung, 1960 – Orangentraum, Erzählungen, 1961 – Abend der Alligatoren, Erzählungen, 1962 – Schabir, Roman, 1966 – Im Zementgarten, Prosatexte, 1971.

GEISER CHRISTOPH, Ursellen BE 3. VIII. 1949 in Basel. Abgebrochenes Soziologie-Studium. Journalist.
Lyrik, Essay. Bessere Zeiten, Gedichte und Prosa, 1968 – Soldat in Zivil. Ein Beitrag, 1970 – Mitteilung an Mitgefangene, Gedichte, 1971.

GOLOWIN SERGIUS, Burgdorf 31. I. 1930 in Prag. Bibliothekar. Großrat.
Märchen, Erzählung, Essay, Lyrik. Ein Büchlein für die Katze, Märchen, Kurzgeschichten und Gedichte, 1955 – Aus den Höhen, Gedichte, 1956 – Dem Morgen zu, Gedichte, 1957 – Berner Johannis, Märchenerzählung, 1958 – Der verlorene Reif, Gedichte, 1959 – Dunkle Brücken, Gedichte, 1959 – Ilja von Murom. Eine russische Heldensage, 1959 – Zwischen Abend und Morgen, Erzählung, 1960 – Von den Erdmännchen und der Goldenen Zeit, Märchen, 1961 – Von Heldentaten und Hexenwerken, Märchen, 1961 – Der Sang von Loana, Gedichte, 1961 – Vom Volke der ewigen Jugend, Märchen, 1961 – Theophrastus Paracelsus im Märchenland, Essay, 1962 – Mären um den lieben Gott, Märchen, 1963 – Slowakische Sonnensagen, 1963 – Stadt im Grenzland, Prosa, 1963 – Vom weisen Salomo, dem König der Geister, Märchen 1964 – Die Legende von den Siebenschläfern, Märchen, 1964 – Magische Gegenwart, Essay, 1964 – Sagen aus dem Bernbiet, 1965 – Berns Stadtgespenster, Sagen, 1965/66 – Berner Märit-Poeten, 1969.

GOMRINGER EUGEN, Erkersreuth BRD 20. I. 1925 in Cachuela Esperanza (Bolivien). War von 1954 bis 1957 Sekretär von Max Bill an der Hochschule für Gestaltung in Ulm. Mitbegründer und Mitherausgeber der Zeitschrift «Spirale». Gründer und Herausgeber der Schriftenreihe «konkrete poesie – poesia concreta» und der Buchreihe «Kunst und Umwelt». Werbefachmann. Propagandachef.
Lyrik Essay. konstellationen, 1953 – konkrete dichtung, Essay, 1956 – Max Bill, Festschrift (als Herausgeber), 1958 – 5 mal 1 konstellation, 1960 – Das Gedicht als Gebrauchsgegenstand, Essay, 1960 – die konstellationen, 1964 – Aus dem Tagebuch, Prosatexte, 1964 – das stundenbuch, Lyrik, 1965 – 15 konstellationen, 1965 – Manifeste und Darstellungen der konkreten Poesie 1954–1966, 1966 – Josef Albers, Monographie, 1968 – Camille Graeser, Monographie, 1968 – Poesie als Mittel der Umweltgestaltung, Referat, 1969 – worte sind schatten. die konstellationen 1951–1968, 1969.

GROSS WALTER, Winterthur 12. X. 1924 in Winterthur. Volontär am Zoologischen Institut einer Universität. Lehre als Buchbinder. Arbeiter in verschiedenen Buchbindereien. Angestellter einer Bibliothek. Freier Schriftsteller.
Gedicht, Prosa. Die Taube, Gedicht, 1956 – Botschaften noch im Staub, Gedichte, 1957 – Antworten, Gedichte, 1964.

GSTEIGER MANFRED, Peseux-Neuchâtel 7. VI. 1930 in Twann. Studium der Romanistik. 1961–66 Feuilleton-Redaktor am Schweizer Radio, seit 1967 Dozent an der Universität Neuchâtel. Professor an der Universität Lausanne.

Lyrik, Essay, Literaturwissenschaft. Flammen am Weg, Gedichte, 1953 – Inselfahrt, Gedichte, 1955 – Rutebuf: Das Mirakelspiel von Theophilus (als Übersetzer), 1955 – Die Landschaftsschilderungen in den Romanen Chrestiens de Troyes, Studie, 1957 – Spuren der Zeit, Gedichte, 1959 – Französische Gedichte aus neun Jahrhunderten (als Übersetzer und Herausgeber), 1959 – Michaels Briefe an einen fremden Herrn, Prosa, 1959 – Zwischenfrage, Gedichte, 1962 – Literatur des Übergangs, Essays, 1963 – Ausblicke, Gedichte, 1966 – Poesie und Kritik. Betrachtungen über Literatur, 1967 – Littérature nationale et comparatisme, 1967 – Westwind. Zur Literatur der französischen Schweiz, Essays, 1968 – Pierre Reverdy: Die unbekannten Augen. Gedichte und Aufzeichnungen (als Übersetzer), 1968 – Französische Symbolisten in der deutschen Literatur der Jahrhundertwende, 1869–1914, 1971.

GUGGENHEIM KURT, Zürich 14. I. 1896 in Zürich. Schulen in Zürich. Aufenthalte in Frankreich, England, Holland. Lebt seit 1930 als freier Schriftsteller in Zürich.
Roman, Drama, Essay, Hörfolge, Drehbuch, Übersetzung. Entfesselung, Roman, 1935 – Sieben Tage, Roman, 1936 – Riedland, Roman, 1938/1958 – Der heitere Lebensabend, Komödie, 1939 – Wilder Urlaub, Roman, 1941 – Der sterbende Schwan, Schauspiel, 1943 – Die heimliche Reise, Roman, 1945 – Wir waren unser vier, Roman, 1949 – Alles in Allem, Roman, 4 Bde., 1952/1953/1954/1955; Ausgabe in einem Band 1957 – Der Friede des Herzens, Roman, 1956 – Sandkorn für Sandkorn, Die Begegnung mit Jean-Henri Fabre, 1959 – Die Wahrheit unter dem Fließblatt, Tagebücher, 1961 – Das offenbare Geheimnis (zusammen mit Adolf Portmann), 1961 – Heimat oder Domizil? Essay, 1961 – Die frühen Jahre, autobiographischer Roman, 1962 – Der Arzt, vom Patienten aus gesehen, Essay, 1963 – Tagebuch am Schanzengraben, 1963 – Salz des Meeres – Salz der Tränen, Roman, 1964 – Das Ende von Seldwyla / Ein Gottfried-Keller-Buch, 1965 – Der goldene Würfel, Roman, 1967 – Warum gerade ich? Worte für die Kranken, 1968 – Minute des Lebens, Roman um die Freundschaft zwischen Zola und Cézanne, 1969 – Der heilige Komödiant, Erzählung, 1972.

HALTER ERNST, Althäusern bei Muri AG 12. IV. 1938 in Zofingen. Studium der Germanistik und der Kunstgeschichte. Verlagslektor.
Lyrik, Erzählung. Die unvollkommenen Häscher, Gedichte, 1970 – Die Modelleisenbahn, Erzählungen, 1972.

HILTY HANS RUDOLF, Zollikerberg bei Zürich 5. XII. 1925 in St. Gallen. Schulen in St. Gallen. Studium der deutschen Literatur und der Geschichte in Zürich und Basel. Freier Publizist und Herausgeber in St. Gallen. Seit 1965 leitet er den Kulturteil der sozialdemokratischen Tageszeitung «Volksrecht» (seit 1970 «AZ») in Zürich.
Lyrik, Essay, Roman, Erzählung. Nachtgesang, Gedichte, 1948 – Carl Hilty, Biographie, 1949 – Die Entsagenden, Novellen, 1951 – Der kleine Totentanz, Spiel, 1951 – Vadian, Studie, 1951 – St. Gallen, Essay, 1952 – Carl Hilty und das geistige Erbe der Goethezeit, Studie, 1953 – Das indisch-rote Heft, Novellen und Miniaturen, 1954 – Friedrich Schiller, Studie, 1955 – Eingebrannt in den Schnee, Gedichte, 1956 – Daß die Erde uns leicht sei, Gedichte, 1959 – Jeanne d'Arc bei Schiller und Anouilh, Essays, 1960 – Parsifal,

Roman, 1962 – Der Rat der Weltunweisen, Roman (gemeinsam mit anderen Autoren), 1965 – Symbol und Exempel, Studie, 1966 – Zu erfahren, Gedichte, 1969 – Mutmaßungen über Ursula, Prosa, 1970.
Editionen: hortulus, Zeitschrift für neue Dichtung (1951–1964); Dämmerklee / Möglich, daß es gewittern wird / Land über Dächer (aus dem Nachlaß von Alexander Xaver Gwerder, 1955/1957/1959); Die Quadrat-Bücher (Buchreihe, 1959–1964); documenta poetica (2 Bände, 1962); Modernes Schweizer Theater (gemeinsam mit Max Schmid, 1964).

HOHL LUDWIG, Genf 9. IV. 1904 in Netstal GL. Dreizehn Jahre im Ausland. Viele Reisen. Lebt seit 1937 in Genf.
Prosa, Essay. Nuancen und Details I–II, 1939 / III, 1942; Neuausgabe I–III, 1964 – Nächtlicher Weg, Erzählungen, 1943; Neuausgabe 1971 – Vom Arbeiten, Essays, 1943 – Die Notizen oder Von der unvoreiligen Versöhnung, I–VI, 1944 / VII–XII, 1954 – Vernunft und Güte, Erzählung, 1956 – Polykrates. Erzählung, 1961 – Daß fast alles anders ist, Prosa, 1967 – Drei alte Weiber in einem Bergdorf, Erzählung, 1970.

HOHLER FRANZ, Uetikon am See ZH 1. III. 1943 in Biel. Abgebrochenes Universitätsstudium. Kabarettist. Soloprogramme: pizzicato (1965), Die Sparharfe (1967), Kabarett in 8 Sprachen (1969), Doppelgriffe (1970).
Prosa, Schauspiel. Das verlorene Gähnen und andere nutzlose Geschichten, 1967 – Idyllen, Prosa, 1970 – Schallplatten.

HÖRLER ROLF, Richterswil ZH 26. IX. 1933 in Uster ZH. Lehrer in Zürich.
Lyrik. Mein Steinbruch, Gedichte, 1970.

HUMM RUDOLF JAKOB, Zürich 13. I. 1895 in Modena (Italien). Besuch einer italienischen Mittelschule. Studien (theoretische Physik) an den Universitäten Zürich, München, Göttingen und Berlin. Seit 1948 Herausgeber der Zeitschrift «Unsere Meinung».
Roman, Novelle, Essay, Drama, Hörspiel. Das Linsengericht, Roman, 1928 – Die Inseln, Roman, 1936; Neuausgabe 1968 – Don Quijote und der Traum vom goldenen Zeitalter, Essay, 1939 – Theseus und der Minotaurus, Puppenspiel, 1943 – Carolin, Roman, 1944 – Glimmer und Blüten, 1945 – Brief über die Novelle, 1945 – Der Gesellschaftsroman, Essay, 1947 – Der Pfau muß gehen, Schauspiel, 1951 – Die vergoldete Nuß, Roman, 1951 – Der Vogel Greif, Roman, 1953 – Sieben Märchen der Elisa Barbanti, 1953 – Die Schuhe des Herrn Lamy, Drama, 1953 – Springinsfeld und Sauerkloß, Märchen, 1954 – Kleine Komödie, Roman, 1958 – Die Nelke. Zürcher Novelle, 1962 – Bei uns im Rabenhaus. Aus dem literarischen Zürich der Dreißigerjahre, Erinnerungen, 1963 – Spiel mit Valdivia, Roman, 1964 – Alex der Gauner, Roman, 1966 – Der Baron, Roman, 1967 – 7 × 7 Geschichten des Dr. Semper, Erzählungen, 1969 – Mitzudenken, Essays, 1969 – Lady Godiva, Roman, 1970 – Der Wicht, Roman, 1972.

INGLIN MEINRAD, Schwyz 28. VII. 1893 in Schwyz. Jugend in Schwyz. Studien in Philosophie, Psychologie und Literaturgeschichte. Häufiger Militärdienst. Freier Schriftsteller. Starb am 4. XII. 1971 in Schwyz.
Roman, Erzählung, Essay. Die Welt in Ingoldau, Roman, 1922; Neufassungen 1943 und 1964 – Jugend eines Volkes, Erzählungen, 1933/1939; Neu-

fassung 1948 – Die graue March, Roman, 1935; Neufassung 1956 – Schweizerspiegel, Roman, 1938; Neufassung 1955 – Güldramont, Erzählungen, 1943/1948 – Die Lawine und andere Erzählungen, 1947 – Werner Amberg, Roman, 1949; Neuausgabe 1969 – Ehrenhafter Untergang, Erzählung, 1952 – Rettender Ausweg, Anekdoten und Geschichten, 1953 – Urwang, Roman, 1954 – Verhexte Welt, Geschichten und Märchen, 1958 – Besuch aus dem Jenseits und andere Erzählungen, 1961 – Erlenbüel, Roman, 1965 – Erzählungen I, Sammelband, 1968 – Erzählungen II, Sammelband, 1970.

JAECKLE ERWIN, Zürich 12. VIII. 1909 in Zürich. Studium der Philosophie und der Germanistik. Von 1943 bis 1971 Chefredaktor der Tageszeitung «Die Tat», Zürich. 1942–1962 Parlamentarier im Gemeinderat der Stadt Zürich und im Nationalrat. Seit 1962 Feuilleton-Redaktor der «Tat».
Lyrik, Essay, Philosophie. Die Trilogie Pan, Gedichte, 1934 – Rudolf Pannwitz, Monographie, 1937 – Vom Geist der großen Buchstaben, Essay, 1937 – Die Kelter des Herzens, Gedichte, 1943 – Bürgen des Menschlichen, Essays, 1945 – Schattenlos, Gedichte, 1947 – Kleine Schule des Redens und des Schweigens, Aphorismen, 1951 – Phänomenologie des Lebens, Philosophische Abhandlung, 1951 – Gedichte aus allen Winden, mit einem Nachwort über die moderne Lyrik, 1956 – ABC vom Zürichsee, 1956 – Glück in Glas, Gedichte, mit einem Nachwort über die Zeit, 1957 – Die Elfenspur, Essays, 1958 – Die goldene Flaute. Von der wortlosen Kunst des Segelns, 1959 – Phänomenologie des Raums, Philosophische Abhandlung, 1959 – Aber von Thymian duftet der Honig, Gedichte, 1961 – Das Himmlische Gelächter, Gedichte, 1962 – Im Gitter der Stunden, Gedichte, 1963 – Der Ochsenritt, Gedichte, 1967 – Die Botschaft der Sternstraßen, Essays, 1967 – Zirkelschlag der Lyrik, Essays, 1967 – Der Zürcher Literaturschock. Ein Bericht, 1968 – Nachricht von den Fischen, Gedichte, 1969 – Die Schicksalsrune im Orakel, Traum und Trance, 1969 – Signatur der Herrlichkeit. Die Natur im Gedicht, Essays, 1970 – Die Osterkirche, 1970 – Die Zungenwurzel ab, Gedichte, 1971.

JAEGGI URS, Bochum BRD 23. VII. 1931 in Solothurn. Nach Schulbesuch Tätigkeit als Bankkaufmann. Studium der Nationalökonomie. Seit 1966 ordentlicher Professor für Soziologie an der Ruhr-Universität in Bochum.
Soziologische Studie, Erzählung, Roman. Die gesellschaftliche Elite, Studie, 1960/67 – Der Angestellte im automatisierten Büro, Untersuchung, 1963/66 – Sport und Student. Eine empirisch-soziologische Erhebung, 1963 – Wohltaten des Mondes, Erzählungen, 1963 – Die Komplicen, Roman, 1964 – Berggemeinden im Wandel. Eine empirisch-soziologische Untersuchung, 1965 – Der Soziologe, Studie, 1966 – Der Angestellte in der Industriegesellschaft, Untersuchung (gemeinsam mit Herbert Wiedemann), 1966 – Der Vietnamkrieg und die Presse, Untersuchung (gemeinsam mit Rudolf Steiner und Willy Wyniger), 1966 – Ordnung und Chaos. Der Strukturalismus als Methode und Mode, Studie, 1968 – Ein Mann geht vorbei, Roman, 1968 – Macht und Herrschaft in der Bundesrepublik, Studie, 1969 – Literatur und Politik, Essay, 1972.

KÜBLER ARNOLD, Zürich 2. VIII. 1890 in Wiesendangen ZH. Bauernsohn. Gymnasium Winterthur, Geologiestudium, Bildhauer, Schauspieler, Redaktor, jetzt freier Schriftsteller und Zeichner.

Drama, Roman, Essay, Zeichnungen. Der verhinderte Schauspieler, Roman, 1934 – Das Herz, die Ecke, der Esel und andere Geschichten, 1939/1944 – Öppi von Wasenwachs, der Sohn ohne Mutter, Roman, 1943 – Öppi, der Student, Roman, 1947 – Öppi und Eva, Roman, 1951 – Velodyssee, ein sportliches Epos, 1955 – Mitenand, gägenand, durenand, Bildbuch, 1959 – Zürich; erlebt, gezeichnet, erläutert von A.K., 1960 – 48 heitere Geschichten, 1961 – Das Wagnis; eines Zürchers Büchlein über Basel, 1961 – Stätten und Städte; erlebt, gezeichnet, erläutert, 1963 – Öppi der Narr, Roman, 1964 – Zeichne Antonio, Skizzenbuch, 1966 – Babette, herzlichen Gruß. Vorwiegend wahre Berichte und Zeichnungen, 1967 – De schwarz Panther, Komödie, 1967 – Paris – Bâle à pied, Reisebericht, 1967 – Sage & schreibe. Humoristisch-kabarettistisch-autobiographischer Beitrag zur Kulturgeschichte der Stadt Zürich, 1969 – Israel, ein Augenschein, 1970.

KUTTER MARKUS, Basel 9. X. 1925 in Beggingen SH. Studium der Geschichte und der deutschen und französischen Literatur. Redaktor in der chemischen Industrie. Seit 1958 Partner in der Werbeagentur Gerstner, Gredinger + Kutter (GGK) in Basel. Mitherausgeber des Wochenmagazins «Sonntags-Journal».
Publizistik, Monographie, Novelle. Naeman, Novelle, 1950 – Der arme Jacques von Bourbon, Novelle, 1952 – Wir selber bauen unsere Stadt (gemeinsam mit Lucius Burckhardt), Publizistik, 1953 – Celio Secondo Curione, Monographie, 1955 – Achtung: die Schweiz (gemeinsam mit Lucius Burckhardt und Max Frisch), Publizistik, 1955 – Die neue Stadt (gemeinsam mit Lucius Burckhardt und Max Frisch), Publizistik, 1958 – Leser gesucht / Gebrauchsanweisung, Texte, 1959 – Inventar mit 35, Texte, 1961 – Sachen und Privatsachen, Texte, 1964 – Referate, 1972.

LAUBER CÉCILE, Luzern 13. VII. 1887 in Luzern. Widmete sich zuerst der Malerei und Musik und erwarb sich ihre Bildung zum größten Teil autodidaktisch. Von 1942 bis 1956 Vorstandsmitglied des Schweizerischen Schriftsteller-Vereins.
Roman, Novelle, Lyrik, Drama. Die Erzählung vom Leben und Tod des Robert Duggwyler, Roman, 1922 – Die Versündigung an den Kindern, Erzählung, 1924/1947 – Die verlorene Magd, Schauspiel, 1925 – In der Stunde, die Gott uns gibt, Schauspiel, 1928 – Die Wandlung, Roman, 1929/1950 – Der Gang in der Natur, Erzählung, 1930 – Chinesische Nippes, Erzählungen und Gedichte, 1931 – Das kleine Mädchen mit den Schwefelhölzchen, Weihnachtsspiel nach Andersen, 1931 – Der dunkle Tag, Novellen, 1933 – Die Kanzel der Mutter, Legenden, 1936 – Gedichte, 1937 – Geschenk eines Sommers, Novelle, 1938 – Stumme Natur, Roman, 1939/1956 – Tiere in meinem Leben, Erzählungen, 1940 – Nala, das Leben einer Katze, Erzählung, 1942 – Musiker-Bildnisse, Darstellungen, 1943 – Ein Gastspiel, Novelle, 1946 – Land deiner Mutter, Heimat- und Jugendbuch in vier Bänden, 1946/1950/1952/1957 – Luzern, Monographie, 1947/1963 – Gesammelte Gedichte, 1955 – In der Gewalt der Dinge, Roman, 1961 – Gesang des Lebens, Dichtung für ein weltliches Oratorium, 1963 – Hagar und Ismael, Schauspiel, 1964 – Gesammelte Werke (6 Bände), 1970 ff.

LAUBER MARIA, Frutigen 25. VIII. 1891 in Frutigen BE. Lehrerinnenseminar. Lehrerin.

Erzählung, Gedicht. Volkskunde der Talschaft Frutigen, 1938 – Wo Grosatt nua het gläbt, 1939 – Hab Sorg derzue, Sagen, 1940 – Eghi Brügg, Erzählungen, 1942 – Der jung Schuelmiischter, 1945 – Va Winächten u junge Lüte, 1945 – Chüngold, Erzählung, 1950 – Chüngold in der Stadt, Erzählung, 1954 – Mis Tal, Gedichte, 1955 – Bletter im Luft, Gedichte, 1959 – Eines kleinen Mannes Ende, 1960 – Unter dem gekrönten Adler, Heimatkunde der Talschaft Frutigen, 1961 – Gesammelte Werke, 1965–68.

LAVATER-SLOMAN MARY, Zürich 14. XII. 1891 in Hamburg. Mädchenlyceum in Hamburg. 1909 mit den Eltern nach St. Petersburg. Heirat mit Emil Lavater von Zürich. Aufenthalt der Familie Lavater-Sloman in Athen von 1920 bis 1922. Von 1942 bis 1972 in Ascona.
Roman, Biographie, Essay. Der Schweizerkönig, Historischer Roman, 1935 – Henri Meister, Biographie, 1936 – Genie des Herzens, Lebensgeschichte J. C. Lavaters, 1939 – Katharina und die russische Seele, Biographie, 1941 – Die große Flut, Roman, 1943 – Einsamkeit, Leben der Annette von Droste-Hülshoff, Biographie, 1950 – Lucrezia Borgia und ihr Schatten, eine Chronik, 1952 – Pestalozzi. Die Geschichte seines Lebens, 1954 – Herrin der Meere (Elisabeth I. von England), Biographie, 1956 – Der strahlende Schatten (Goethes Eckermann), Biographie, 1959 – Wer sich der Liebe vertraut (aus Goethes Leben), 1961 – Triumph der Demut. Das Leben der heiligen Elisabeth, 1961 – Jeanne d'Arc, Lilie von Frankreich, Biographie, 1963 – Fünf romantische Novellen, 1965 – Ein Schicksal. Das Leben der Königin Christine von Schweden, 1966 – Das Gold von Troja. Leben und Glück des Heinrich Schliemann, 1969 – Löwenherz. Hinterlassene Spuren, 1971.

LEBER HUGO, Zürich 2. VI. 1930 in Luzern. Studium der Literaturgeschichte und der Theaterwissenschaft. Feuilleton-Redaktor des «Tages-Anzeiger» in Zürich. Heute Feuilleton-Redaktor beim Schweizer Radio. Theaterkritiker. Herausgeber der Anthologie «Texte. Prosa junger Schweizer Autoren».

LEHNER PETER, Bern 23. XI. 1922 in Thun. Primarlehrer. Mitherausgeber der Lyrik-Anthologie «ensemble» (1958) und der Literaturzeitschrift «apero».
Lyrik, Erzählung. rot, grün, Gedichte, 1955 – Asphalt im Zwielicht, Gedichte, 1956 – Ausfallstraße, Gedichte, 1959 – Fase Kran, Gedichte, 1964 – Angenommen, um o Uhr 10. Zerzählungen, Erzählungen, 1965 – ein bißchen miß im kredit. wort sport, Gedichte, 1967/71 – sakralitäten-blätterbuch, Gedichte und Prosa, 1971.

LOETSCHER HUGO, Zürich 22. XII. 1929 in Zürich. Studium der Politischen Philosophie, Soziologie und Wirtschaftsgeschichte. Dissertation über die «Politische Philosophie in Frankreich nach 1945». Literaturkritiker. 1958 Übernahme der literarischen Redaktion der Zeitschrift «Du». Redaktor der «Weltwoche». Lebt seit 1962 als freier Schriftsteller, hauptsächlich auf Reisen.
Drama, Roman, Reportage. Schichtwechsel, Drama, 1960 – Abwässer. Ein Gutachten, Roman, 1963 – Noah, oder Schacher um die Arche, Schauspiel, 1964 – Die Kranzflechterin, Roman, 1964 – Noah, Roman einer Konjunktur, 1967 – Zehn Jahre Fidel Castro, Reportage und Analyse, 1969. – Der Immune, Roman, 1972.

LUTZ WERNER, Basel, 25. X. 1930 in Wolfhalden AR. Graphiker. Seit 1948 in Basel.
Lyrik und Prosa in Anthologien und Zeitschriften.

MANGOLD CHRISTOPH, Basel 17. III. 1939 in Basel. Journalist, Werbetexter. Heute freier Schriftsteller.
Roman, Lyrik, Glosse. Manöver. Ein kleiner Roman, 1962 – Die Behandlung, Einakter, 1964 – Sei's drum. Gelegenheits-Gedichte, 1968 – Konzert für Papagei und Schifferklavier, Roman, 1969 – Christoph Mangolds Agenda, Prosa, 1970.

MARTI KURT, Bern 31. I. 1921 in Bern. Studium der protestantischen Theologie. Praktikum in der Kriegsgefangenenbetreuung des Ökumenischen Rates in Paris. Seit 1961 Pfarrer in Bern.
Lyrik, Prosa, Essay. Boulevard Bikini, Gedichte, 1958 – republikanische gedichte, 1959; Neuausgabe 1971 – Dorfgeschichten, 1960 – gedichte am rand, 1963 – Moderne Literatur, Essay, 1964 – Das Spiel des Schreibens, Essay, 1964 – Wohnen zeitaus, Geschichten zwischen Dorf und Stadt, 1965 – gedichte alfabeete & cymbalklang, Gedichte, 1966 – Die Schweiz und ihre Schriftsteller – die Schriftsteller und ihre Schweiz, Essay, 1966 – rosa loui, vierzg gedicht ir bärner umgangsschprach, 1967 – leichenreden, Gedichte, 1969 – Abratzky oder Die kleine Brockhütte, Lexikon in einem Band, 1971 – Heil-Vetia. Etwas wie ein Gedicht, 1971.

MATTER MANI (Hans Peter Matter), Wabern bei Bern 4. VIII. 1936 in Herzogenbuchsee. Studium der Jurisprudenz. Fürsprecher. Rechtskonsulent des Gemeinderates der Stadt Bern. Chansonnier. Wegbereiter der «Berner Troubadours».
Chanson. Us emene lääre Gygechaschte. Berndeutsche Chansons, 1969/72, Schallplatten.

MEIER GERHARD, Niederbipp BE 20. VI. 1917 in Niederbipp. Fabrikarbeiter.
Lyrik, Prosaskizze. Das Gras grünt, Gedichte, 1964 – Im Schatten der Sonnenblumen, Gedichte, 1967 – Kübelpalmen träumen von Oasen, Prosa, 1969 – Es regnet in meinem Dorf, Prosa, 1971.

MEIER HERBERT, Zürich 29. VIII. 1928 in Solothurn. Studium der Literatur, Geschichte, Kunstgeschichte, Philosophie; Schauspielunterricht. Aufenthalte in Wien und Paris. Lektor in Poitiers (Frankreich). Schauspieler, Dramaturg. Freier Schriftsteller.
Drama, Roman, Lyrik, Essay. Die Barke von Gawdos, Theaterstück, 1954 – Kaiser Jovian, Komödie, 1955 – Siebengestirn, Gedichte, 1956 – Dem unbekannten Gott, Oratorium, 1956 – Jonas und der Nerz, Theaterstück, 1957 – Ende September, Roman, 1959 – Der König von Bamako, Puppenspiel, 1960 – Drama als Ereignis, Essay, 1961 – Skorpione, Fernsehspiel, 1961 – Verwandtschaften, Roman, 1963 – Der verborgene Gott, Studien zu Barlach, 1963 – Skorpione, Fernsehstück, 1964 – Kaiser Jovian, Oper, 1966 – Der neue Mensch steht weder rechts noch links – er geht, Manifest und Reden, 1969 – Sequenzen. Ein Gedichtbuch, 1969 – Stiefelchen. Ein Fall, Roman, 1970 – Rabenspiele. Ein Stück, 1971 – Wohin geht es denn jetzt? Reden an Etablierte und ihre Verächter, 1971.

METTLER CLEMENS, Zürich 1. IX. 1936 in Ibach SZ. Zeichenlehrer. Seit 1961 freier Schriftsteller.
Roman, Erzählung. Der Glasberg, Roman, 1968 – Farbenstück, 1969 – Greller früher Mittagsbrand. Kindheitsgeschichten, 1971.

MEYER E. Y. (Peter Meyer), Ittigen BE 11. X. 1946 in Liestal. Studium der Philosophie und der Germanistik. Primarlehrer.
Prosa. Ein Reisender in Sachen Umsturz, 1972 – Hörspiele.

MOSER HANS ALBRECHT, Bern 7. IX. 1882 in Görz (Italien). Musikstudium (Klavier). Lebt als freier Schriftsteller und Klavierlehrer in Bern.
Roman, Erzählung, Aphorismen, Tagebücher. Die Komödie des Lebens, Aphorismen, 1926 – Das Gästebuch, Aphorismen in Rahmenerzählung, 1935 – Geschichten einer eingeschneiten Tafelrunde, Rahmenerzählung, 1935 – Der Kleiderhändler, Erzählung, 1938 – Alleingänger, Erzählungen und Aphorismen, 1943 – Über die Kunst des Klavierspiels, Pianistisches, 1947 – Aus dem Tagebuch eines Weltungläubigen, Tagebuchnotizen, Erzählungen und Aphorismen, 1954 – Vineta, Roman, 1955 – Regenbogen der Liebe, Novelle, 1959 – Ich und der andere, Aphorismen und Tagebuch, 1962 – Erinnerungen eines Reaktionärs, 1965 – Thomas Zweifel, Erzählung, 1968 – Aus meinem Nachlaß und anderes, Prosa, 1971.

MÜHLETHALER HANS, Stuckishaus BE 9. VII. 1930 in Mungnau bei Zollbrück (Emmental). Primarlehrer. Heute freier Schriftsteller. Sekretär der Schriftsteller-Vereinigung «Gruppe Olten».
Drama, Lyrik, Prosa. An der Grenze, Stück, 1963 – zutreffendes ankreuzen, Gedichte, 1967 – Außer Amseln gibt es noch andere Vögel, Prosa, 1969 – Hörspiele.

MUSCHG ADOLF, Kilchberg ZH 13. V. 1934 in Zollikon ZH. Studium der Germanistik, der Anglistik und der Psychologie. Dissertation über Ernst Barlach. Gymnasiallehrer. Nach 1962 Universitäts-Dozent in Japan, in Göttingen, in den USA und in Genf. Seit 1970 Professor für deutsche Literatur an der ETH in Zürich.
Roman, Erzählung, Drama, Essay. Im Sommer des Hasen, Roman, 1965 – Gegenzauber, Roman, 1967 – Rumpelstilz. Ein kleinbürgerliches Trauerspiel, 1968 – Fremdkörper, Erzählungen, 1968 – Das Kerbelgericht, Hörspiel, 1969 – Mitgespielt, Roman, 1969 – Papierwände, Essays, 1970 – Die Aufgeregten von Goethe, Schauspiel, 1971 – Liebesgeschichten, 1972.

NIZON PAUL, Zürich 19. XII. 1929 in Bern. Studium der Kunstgeschichte und Archäologie. Assistentenjahre an Museen. Kunstkritikertätigkeit. Längerer Aufenthalt in Rom. Freier Schriftsteller.
Prosa. Die gleitenden Plätze, Kurzprosa, 1959 – Canto, 1963 – Diskurs in der Enge, Essay, 1970 – Im Hause enden die Geschichten, Prosa, 1971 – Swiss made, Essays, 1971 – Untertauchen. Protokoll einer Reise, Erzählung, 1972.

OBERLIN URS, Zürich 30. III. 1919 in Bern. Studium der Rechte und der zahnärztlichen Medizin. Längere Aufenthalte in Italien, Griechenland, Frankreich, England, Indien, Nordafrika. Zahnarzt.
Lyrik, Drama, Kurzprosa, Übersetzung. Tagmond über Sizilien, ein Reiseerlebnis, 1950 – Eos, Gedichte, 1951 – Feuererde, Roman, 1952 – Sieben mal

Sieben, Gedichte (in Gemeinschaft mit anderen Autoren), 1955 – AEA, Gedichte, deutsch-französisch, 1958 – Sgrafits von Andri Peer, deutscher Teil, Gedichte, 1959 – Gedichte, 1961 – Die Tempel Agrigents von Antonio Arancio, deutsche Bearbeitung, 1961 – Cesare Pavese, Gedichte in deutscher Übertragung, 1962 – Zuwürfe, Gedichte, 1964 – Kalibaba oder Die Elternlosen, Roman, 1969 – Alle sind niemand, Gedichte, 1972.

PEDRETTI ERICA, Celerina (Engadin) 25. II. 1930 in Sternberg (Nordmähren). Verbrachte ihre Jugend in Hohenstadt/Zabreh, in Sternberg, Berlin und Freudenthal. Kam im Dezember 1945 mit einem Rotkreuztransport in die Schweiz, besuchte die Kunstgewerbeschule in Zürich, emigrierte 1950 in die USA und arbeitete zwei Jahre als Gold- und Silberschmiedin in New York. Verheiratet mit dem Maler und Bildhauer Gian Pedretti.
Prosa. Harmloses bitte, Texte, 1970 – Ils trais sudos / Die drei Soldaten. Bilderbuch, 1971 – Hörspiele.

PEYER RUDOLF, Dornach SO 2. III. 1929 in Olten. Jahrelange Reisen durch Westeuropa, Nordafrika, Nord- und Lateinamerika. Verschiedene Berufe. Heute Bezirkslehrer in Mariastein SO.
Literarische Beiträge in Zeitungen, Zeitschriften, Anthologien und im Radio.

RAEBER KUNO, München 20. V. 1922 in Klingnau. Studium der Germanistik, der Philosophie und der Geschichte. 1951 Direktor der Schweizer Schule in Rom. 1952 Assistent am Leibniz-Kolleg in Tübingen, 1955 am Europa-Kolleg in Hamburg. Seit 1959 freier Schriftsteller.
Lyrik, Erzählung, Essay. Gesicht im Mittag, Gedichte, 1950 – Die verwandelten Schiffe, Gedichte, 1957 – Die Lügner sind ehrlich, Roman, 1960 – Gedichte, 1960 – Calabria, Reiseskizzen, 1961 – Flußufer, Gedichte, 1963 – Mißverständnisse. 33 Kapitel, 1968.

VON SALIS JEAN RODOLPHE, Zürich 12. XII. 1901 in Bern. Studium der Geschichte, der Germanistik und Romanistik. Seit 1935 ordentlicher Professor an der Eidgenössischen Technischen Hochschule, Zürich (Geschichte und Politische Wissenschaft). Radioberichterstatter während des Zweiten Weltkrieges («Weltchronik»). Delegierter bei der Unesco-Konferenz. Von 1952 bis 1965 Präsident der Stiftung Pro Helvetia.
Essay, geschichtliche und kulturkritische Arbeiten. Sismondi, La Vie et l'œuvre d'un cosmopolite philosophe, 1773–1842, 2 Bde., 1932 – Rainer Maria Rilkes Schweizer Jahre, Studie, 1936/1952 – Giuseppe Motta, Dreißig Jahre Eidgenössische Politik, 1941 – Fritz Wotruba, Essay, 1948 – Weltgeschichte der Neuesten Zeit, 3 Bde., 1951–1960 – Niedergang oder Wandlung der Kultur? Essay, 1956 – Im Lauf der Jahre, Essays, 1962 – Weltchronik 1939–1945, 1966 – Schwierige Schweiz, Essays, 1968 – Geschichte und Politik. Betrachtungen zur Geschichte und Politik, 1971.

SANER GERHARD, Knonau ZH 4. X. 1941 in Basel. Aufgewachsen in Thusis GR. Primarlehrer. Studium der Literaturwissenschaft. 1969 Redaktor an der Wochenzeitung «Sonntags Journal». Schreibt an einem Buch über den Schriftsteller Friedrich Glauser. Journalistische Tätigkeit.

SCHAUB MARTIN, Zürich 3. IV. 1937 in Zürich. Studium der Germanistik (bei Emil Staiger). Dissertation über Heinrich v. Kleist. Journalist und Film-

kritiker. Ständiger Mitarbeiter am Zürcher «Tages-Anzeiger», an der «Weltwoche» und an filmwissenschaftlichen Zeitschriften.

SCHMID KARL, Bassersdorf ZH 31. III. 1907 in Zürich. Studium der Germanistik und der Geschichte. Professor für deutsche Literatur und Sprache an
der ETH. Seit 1969 Präsident des Schweizerischen Wissenschaftsrates.
Geistesgeschichte, Essay. Aufsätze und Reden, 1957 – Hochmut und Angst,
Essays, 1958 – Unbehagen im Kleinstaat, Essays, 1963 – Europa zwischen
Ideologie und Verwirklichung. Psychologische Aspekte der Integration,
1966 – Zeitspuren. Aufsätze und Reden (II. Band), 1967 – Schwierigkeiten
mit der Kunst, Essays, 1969.

SCHMIDLI WERNER, Basel 30. IX. 1939 in Basel. Arbeitete als Laborant in einer
chemischen Fabrik, verbrachte längere Zeit in Australien und lebt heute als
freier Schriftsteller in Basel.
Roman, Erzählung, Lyrik. Gespräch um Nichts, Einakter, 1964 – Der Junge
und die toten Fische, Erzählungen, 1966 – Meinetwegen soll es doch
schneien, Roman, 1967 – Der alte Mann, das Bier, die Uhr und andere Geschichten, 1968 – Das Schattenhaus, Roman, 1969 – Gebet eines Kindes vor
dem Spielen, Gedichte, 1970 – Margot's Leiden, Erzählung, 1970 – Sagen
Sie nicht: beim Geld hört der Spaß auf, Prosa, 1971 – Mir hört keiner zu,
Hörszenen, 1972.

SCHNEIDER HANSJÖRG, Basel 27. III. 1938 in Zofingen. Studium der Germanistik (bei Walter Muschg). Dissertation über Jacob van Hoddis. Journalist
und Schauspieler.
Lyrik, Erzählung, Drama. Geschichten Gedichte, 1965 – Leköb, Prosa, 1970
– Die Ansichtskarte, Erzählung, 1972 – Sennentuntschi, Stück, 1972.

SCHNEIDER HERMANN, Basel 24. VII. 1901 in Basel. Studierte Germanistik, Philosophie und Kunstgeschichte. Freier Schriftsteller und Journalist. Redaktor am «Schweizerischen Beobachter».
Drama, Hörspiel, Erzählung (Schriftsprache und Mundart), Roman. Dr erscht
Akkord, Sammlung von Mundartdramen, 1936 – Rhygaßballade, ein Totentanz, 1938 – Tor in d'Wält, Hörspiel, 1939 – Wenn die Stadt dunkel wird,
Roman, 1941 – Schiffe fahren nach dem Meer, Roman, 1943 – Ein Friedens-
spiel, Basler Münsterplatzspiel, 1945 – Das Feuer im Dornbusch, Roman,
1946 – Himmel und Hölle, Basler Münsterplatzspiel, 1947 – Ambrosio an der
Säule, spanische Novellen, 1948 – Melchior, Roman, 1952 – Die Geschichte
vom Ölzweig, Hörspiel, 1953 – Die Gerechtigkeit, Novelle, 1954 – Der Pilz,
Erzählung, 1957 – Die goldigi Schtadt, Basler Geschichten, 1971 – Der Mann
mit dem Hifthorn, Erzählung, 1971 – Kirschen aus Nachbars Garten. Autobiographischer Text, 1972 – Das Riehener Jahr, Geschichten, 1972 – Seit
1954 Arbeit am mehrteiligen Romanwerk Jenseits der Eisblumen (Teil-
abdrucke 1962/63 und 1967/72).

SCHORNO PAUL, Basel 8. IV. 1930 in Seewen SZ. Sekundarlehrer, Theaterkritiker. Mitarbeiter der «Basler Theater».
Gedichte und Prosa in Zeitschriften und Zeitungen. Dokumentationen über
schweizerische Schullesebücher, über Pornographie und Zensur, über Wehr-
bereitschaft und über Strafreform.

SCHUMACHER HANS, Zürich 2. III. 1910 in Zürich. Schriftsteller und Journalist. *Lyrik, Essay, Monographie, Editorisches.* In Erwartung des Herbstes, Gedichte, 1939 − Brunnen der Zeit, Gedichte, 1941 − Theodor Storm, Gesammelte Werke (als Herausgeber), 1945 ff. − Schatten im Licht, Gedichte, 1946 − Adalbert Stifter, Briefe (als Herausgeber), 1948 − Schweizer Erzähler des 19. Jahrhunderts (als Herausgeber), 1948 − Der Horizont, Gedichte, 1950 − Kleine Geschichten von schönen Gedichten, Essays, 1950 − Zum Ruhme Zürichs, Gedichte, 1951 − Zürich, die schöne Stadt, Monographie, 1954 − Glück, Idylle und Melancholie, Essays, 1954 − Zürich, Monographie, 1954 − Meridiane, Gedichte, 1959 − Gottfried Keller, Gesammelte Werke (als Herausgeber), 1960 − Rost und Grünspan, Erinnerungen eines Soldaten an den Aktivdienst 1939−1945, 1964 − ABC der Tiere, Kinderbuch, 1965 − Adalbert Stifter. Briefe (als Herausgeber), 1965 − Saure Wochen. Frohe Feste. Eine Sammlung von Texten über die Mühen und Freuden der Arbeit von der Antike bis zur Gegenwart, 1967 − In der Rechnung ein Fehler, Geschichten, 1968 − Karl Friedrich Schinkel. Reisen in Italien, der Schweiz, Frankreich und England. Aus Tagebüchern und Briefen (als Herausgeber), 1968 − Zürich überhaupt...! Eine Stadt im Spiegel der Literatur, 1970 − Folgerungen, Kurzgeschichten, 1971 − Der Bildhauer Josef Bisa, 1971 − Nachtkurs, Gedichte, 1971.

SCHWARZ MANFRED, Männedorf ZH 4. III. 1932 in Gerlafingen SO. Gymnasium in Solothurn. Journalismus. Schauspielschule, Regisseur. Redaktor bei der Tagesschau des Schweizer Fernsehens. Seit 1972 künstlerischer Berater am Städtebundtheater Biel-Solothurn. *Drama, Erzählung, Lyrik.* Eine Handvoll Menschen, Drama, 1960 − Um ein bißchen Rauch, Einakter, 1964 − Wer schrie: Kreuzige ihn!?, Hörspiel, 1969 − 's andere Gricht, Einakter, 1970 − Helvetisches und anderes für zwei Finger und eine Schreibmaschine, Prosa und Lyrik, 1971 − Dramen, Hörspiele.

SPÄTH GEROLD, Rapperswil SG 16. X. 1939 in Rapperswil. Kaufmännische Ausbildung. Orgelbauer. *Roman, Erzählung.* Unschlecht, Roman, 1970 − Stimmgänge, Roman, 1972.

STAIGER EMIL, Zürich 8. II. 1908 in Kreuzlingen TG. Studium der Germanistik und Altphilologie in Genf, München und Zürich. Doktorat in Zürich 1932. Privatdozent für deutsche Literaturgeschichte in Zürich 1934−1943. Seit 1943 ordentlicher Professor für neuere deutsche Literaturgeschichte in Zürich. 1951 Gastprofessur in New York und Berkeley (Kalifornien). Vortragsreisen in Deutschland, Dänemark, Schweden, Frankreich, England, Italien, Österreich, Holland. *Literaturgeschichte, Übersetzung.* Annette von Droste-Hülshoff, 1933 − Die Zeit als Einbildungskraft des Dichters, 1939 − Meisterwerke deutscher Sprache, 1943 − Sophokles' Tragödien, deutsch, 1944 − Griechische Epigramme, deutsch, 1946 − Grundbegriffe der Poetik, 1946 − Dichtung und Musik, 1947 − Euripides' Ion, deutsch, 1947 − Erläuterungen zu Goethes Gedichten, 1949 − Die Kunst der Interpretation, 1951 − Christusbilder der Goethezeit, 1952 − Goethe, 3 Bände, 1952−1959 − Kallimachos, Dichtungen, griechisch und deutsch (gemeinsam mit Ernst Howald), 1956 − Sappho, deutsch, 1957 − Aischylos' Orestie, deutsch, 1959 − Griechische Lyrik, deutsch, 1961 – Stilwandel, 1963 – Friedrich Schiller, 1966 – Geist und Zeitgeist, 1969 – Theokrit, Gedichte, deutsch, 1970.

STEINER JÖRG, Biel 26. X. 1930 in Biel. 1955 bis 1960 Verlag der Vorstadtpresse. Primarlehrer. Künstlerischer Berater bei den «Basler Theatern».
Roman, Erzählung, Lyrik. Episoden aus Rabenland, Gedichte, 1956 – Eine Stunde vor Schlaf, Erzählung, 1958 – Abendanzug zu verkaufen, Erzählung, 1961 – Bibliophile Mappe mit Collagen von Rolf Lehmann, 1962 – Strafarbeit, Roman, 1962 – Der schwarze Kasten, Spielregeln, 1965 – Ein Messer für den ehrlichen Finder, Roman, 1966 – Rabio, Filmdrehbuch, 1968 – Auf dem Berge Sinai sitzt der Schneider Kikrikri. Ein Geschichtenbuch, 1969.

STRUB URS MARTIN, Zürich, 20. IV. 1910 in Olten. Nach Absolvierung des humanistischen Gymnasiums Medizinstudien. Gynäkologisch-geburtshilfliche Dissertation. Ausbildung als Psychiater in der Wiener Schule, dann Assistent am Burghölzli, Zürich, Oberarzt 1943 in Rheinau, seit 1947 Chefarzt an der privaten Nervenklinik Kilchberg am Zürichsee.
Lyrik, Essay. Frühe Feier, Gedichte, 1930 – Die 33 Gedichte, 1940 – Lyrische Texte, 1953 – Die Wandelsterne, Gedichte, 1955 – Zürichsee, Essay (Einleitung zum gleichnamigen Bildband), 1963 – Signaturen Klangfiguren, Gedichte, 1964.

VOGEL MAGDALENA, Zürich 6. IV. 1932 in Zürich. Primarlehrerpatent. Studium der englischen und französischen Sprache. Längere Aufenthalte in Frankreich und England. Fremdsprachensekretärin.
Lyrik, essayistische und lyrische Prosa. Englische Prospekte, Skizzen, 1961 – Linka, Erzählung, 1964 – Fluch der Scheidung. Albin Zollinger an seine erste Frau, Briefauswahl und Begleittext, 1965 – Kringel und Raster, Gedichte, 1966 – Entwurf der Oase, Gedichte, 1970.

VOGEL TRAUGOTT, Zürich 27. II. 1894 in Zürich. Primarlehrer. Herausgeber der «Bogen»-Reihe im Tschudy-Verlag St. Gallen.
Roman, Erzählung, Hörspiel, Jugendtheater, Mundart, Jugendliteratur. Unsereiner, Roman, 1924 – Ich liebe, Du liebst, Roman, 1926 – Die Tore auf! Märchen, 1927 – Der blinde Seher, Roman, 1930 – Spiegelknöpfler, Jugendbuch, 1932/1942 – Leben im Grund oder Wehtage der Herzen, Roman, 1938 – De Baschti bin Soldate, Mundarterzählungen, 1941 – Anna Foor, Roman, 1944 – Ein Segenstag, Pestalozzispiel, 1946 – Schuld am Glück, Novellen, 1951 – Briefe an einen Freund (Albin Zollinger an T.V.), 1955 – Der rote Findling, Jugendbuch, 1955 – Holzschnitte, Künstler der Gegenwart, Band I, Schweiz, 1956 – Täilti Liebi, Mundartgeschichten, 1961 – Flucht ins Leben, Novellen, 1961 – Die verlorene Einfalt, Roman, 1964 – Hüt und früener, Mundartgeschichten, 1966.

VOGT WALTER, Muri bei Bern 31. VII. 1927 in Zürich. Medizinstudium. Röntgenarzt. Wirkt heute als Psychiater in Bern.
Roman, Erzählung, Essay, Drama. Husten. Wahrscheinliche und unwahrscheinliche Geschichten, 1965/68 – Wüthrich. Selbstgespräch eines sterbenden Arztes, Roman, 1966 – Aimez-vous Gotthelf?, Drama, 1966 – Melancholie. Die Erlebnisse des Amateur-Kriminalisten Beno von Stürler, Roman,

1967 – Alle Irrenhäuser sind gelb, Gedichte, 1967 – Der Vogel auf dem Tisch, Roman, 1968 – Schizophrenie der Kunst und andre Reden, 1971.

VUILLEUMIER JOHN FRED, Basel 1. XII. 1893 in Basel. Studium der Rechte. Dr. iur. Von 1919 bis 1962 viele und lange Reisen. Zwölf Jahre Paris, zehn Jahre New York. Studium des Verbrechers und der Strafanstalten in Amerika und Europa. Freier Schriftsteller und Journalist.

Roman, Kurzgeschichte, Feuilleton, Schauspiel. Wir alle, 1921 – Carl Christophs grüne Fassade, Novellen, 1927 – Cantor im Kaleidoskop, Roman, 1930 – Hilli, Hildebrand und ER, Roman, 1932 – Der Strom, Roman, 1936 – Steven Madigan, Roman, 1941 – Das Haus im Regen, Roman, 1943 – Die dreizehn Liebhaber der Jeannette Jobert, Roman, 1943 – Pax-Hotel, Schauspiel, 1943 – Die Sendung der Kate Bigler, Feuilletonroman, 1944 – Die Goldfliege, Feuilletonroman, 1945 – Irving Potter, Roman, 1946 – Die vom Berg, Roman, 1947 – Das Stichwort, Feuilletonroman, 1947 – Muramur, Roman, 1951 – Die Hexe von Montmartin, Feuilletonroman, 1952 – Stern im Süden, Erzählung, 1953 – Tropische Rhapsodie, Erzählung, 1954 – Palazzo Albizzi, Drama, 1956, in englischer Fassung 1956 – Die Welt des Wudi Waltisch, Feuilletonroman, 1957 – Die Stunde der Line Latour, Feuilletonroman, 1957 – Nebel am Mittag, Feuilletonroman, 1957 – Jeder Zoll ein König, Phantasie, 1960 – Sie irren, Herr Staatsanwalt, Roman, 1962 – Ursula Lion. Bilder aus dem Freiheitskampf der Freibergler um 1740, 1964 – Die Stunde der Line Latour, Roman, 1964 – Lincoln – Kennedy. Eine tragische Parallele, 1965 – Der ovale Spiegel, Prosastücke, 1967 – Der letzte Tunnel, Roman, 1970 – Die Einsamen, Erzählung, 1970.

WALTER OTTO FRIEDRICH, Darmstadt BRD 5. VI. 1928 in Aarau. Gymnasium. Buchhändlerlehre. Druckereivolontariat in Köln. Sekretär und Lektor bei Jakob Hegner. Seit 1956 Leiter des literarischen Programms im Walter-Verlag in Olten und Freiburg i.Br. Seit 1967 Leiter des literarischen Programms des Luchterhand-Verlags, Darmstadt.

Roman, Drama. Der Stumme, Roman, 1959 – Herr Tourel, Roman, 1962 – Elio, Ein Stück in drei Akten, 1963 – Die Katze, Stück, 1967 – Die ersten Unruhen, Roman, 1972.

WALTER SILJA (Sr. Maria Hedwig OSB), Kloster Fahr bei Zürich 23. IV. 1919 in Rickenbach SO. Lehrerinnenseminar. Arbeit in der katholischen Jugendbewegung der Schweiz (Kongregationszentrale Zürich).

Gedicht, Laienspiel, Erzählung. Die ersten Gedichte, 1944 – Gedichte, 1950 – Wettinger Sternsingerspiel, 1955 – Es singt die heil'ge Mitternacht, Oratorium, 1956 – Die hereinbrechende Auferstehung, Erzählung, 1958 – Beors Bileams Weihnacht, Erzählung, 1961 – Sie warten auf die Stadt, Erzählung, 1963 – Gesammelte Spiele, 1963 – Der Fisch und Bar Abbas, Erzählung, 1967 – Würenloser Chronikspiel, 1970 – Der Tanz des Gehorsams oder Die Strohmatte, Lyrik, 1970 – Das Kloster am Rande der Stadt. Der Tag der benediktinischen Nonne, 1971.

WEBER WERNER, Zürich 13. XI. 1919 in Huttwil BE. Jugend in Winterthur. Studium der Germanistik. Dissertation über «Die Terminologie des Weinbaus im Kanton Zürich, in der Nordostschweiz und im Bündner Rheintal» (1945). Gymnasiallehrer. Seit 1951 Leiter der Feuilleton-Redaktion der «Neuen Zürcher Zeitung».

Essay, Lyrik. Unter Dach und Himmel, Gedichte, 1942 – Im Hof des Herbstes, Gedichte, 1944 – Freundschaften Gottfried Kellers. Versuch über die Einsamkeit eines Genies, Essay, 1952 – Augenblicke, Prosa, 1954 – Figuren und Fahrten, Essays, 1956 – Wissenschaft und Gestaltung, Essays, 1957 – Zeit ohne Zeit, Essays, 1959 – Die Reise nach Sancheville, Skizze, 1959 – Kultur als Gerücht, Rede, 1960 – Der Rest ist Dank. Rede auf Friedrich Dürrenmatt, 1961 – Theodor Fontane, kritische Schriften I. Hg. von W.W., 1965 – Tagebuch eines Lesers. Bemerkungen und Aufsätze zur Literatur, 1965 – Über Alfred Andersch, Rede, 1967 – Theodor Fontane, Kritische Schriften II. Hg. von W.W., 1967 – Forderungen. Bemerkungen und Aufsätze zur Literatur, 1970 – Herausgeber der Werke von Matthias Claudius, J. P. Hebel u. a.

WEDER HEINZ, Bern 20. VIII. 1934 in Berneck (St.Galler Rheintal). Gymnasium in St.Gallen. Arbeitet in der Leitung des Verlages Hans Huber, Bern (Medizin und Psychologie).
Lyrik, Essay, Prosa, Editorisches. Klaus Tonau, Prosa, 1958 – Gegenwart und Erinnerung. Eine Sammlung deutschschweizerischer Prosa (als Herausgeber), 1961 – Kerbel und Traum, Gedichte, 1962 – Kuhlmann, Prosa, 1962 – Eduard Korrodi: Aufsätze zur Schweizer Literatur (als Herausgeber), 1962 – Fritz Ernst: Aufsätze zur Literatur (als Herausgeber), 1963 – Ludwig Hohl: Wirklichkeiten (als Herausgeber), 1963 – Figur und Asche, Gedichte, 1965 – Briefe von Albin Zollinger an Ludwig Hohl (als Herausgeber), 1965 – Niemals wuchs hier Seidelbast, Gedichte, 1967 – Johann Gaudenz von Salis, Essay, 1968 – Der Makler, Prosa, 1969 – Gottfried Keller über Jeremias Gotthelf (als Herausgeber), 1969 – Gegensätze, Gedichte, 1970 – Über Rodolphe Töpffer, Essay, 1970 – Am liebsten wäre ich Totengräber geworden. Ein Arrangement für sieben Stimmen, 1971 – Jean Cassou: Œuvre lyrique / Das lyrische Werk (als Herausgeber), 1971 – Hommage à Carl Spitteler (als Herausgeber), 1971.

WEHRLI MAX, Zürich 17. IX. 1909 in Zürich. Studium der Germanistik. Seit 1953 Ordinarius für deutsche Literatur an der Universität Zürich, 1970–1972 Rektor.
Literaturwissenschaft, Übersetzung. J. J. Bodmer und die Geschichte der Literatur, 1936 – Das barocke Geschichtsbild in Lohensteins Arminius, 1938 – Allgemeine Literaturwissenschaft, 1951 – Das Lied von der Entstehung der Eidgenossenschaft / Das Urner Tellenspiel, 1952 – Deutsche Barocklyrik, 4. Aufl., 1967 – Deutsche Lyrik des Mittelalters, 2. Aufl., 1963 – Jacob Bidermann, Philemon Martyr, herausgegeben und übersetzt, 1960 – Jacob Balde, Dichtungen, herausgegeben und übersetzt, 1963 – Formen mittelalterlicher Erzählung, 1969 – Aufsätze in Fachzeitschriften und Sammelwerken. (Vollständige Bibliographie in: Typologia litterarum, Festschrift für M.W., herausgegeben von St. Sonderegger, A. Haas und H. Burger, 1969).

WEHRLI PETER KONRAD, Zürich 30. VII. 1939 in Zürich. Studium der Kunstgeschichte. Journalist. Reisen (Albanien, Bulgarien, Türkei, Syrien, Jordanien, Irak, Persien, Pakistan, Afghanistan, Indien usw.). 1966–69 Redaktor des Kulturmagazins «Kontakt» im Schweizer Fernsehen. Mitherausgeber der Anthologie «Dieses Buch ist gratis».
Reisetexte. Ankünfte. Sieben Reisetexte, 1971 – Albanien: Reise ins europäische China. Eine Reportage, 1971.

WERTHMÜLLER HANS, Basel 23. VI. 1912 in Burgdorf. Nicht beendetes Studium. Buchhandel in Bern; seit 1945 in Basel. Eigene Buchhandlung seit 1952. Seit 1971 freier Schriftsteller.
Lyrik, Prosa. Der Weltprozeß und die Farben. Grundriß eines integralen Analogiesystems, 1950 − Erleuchtete Fensterzeile, 49 Gedichte, 1962/1964 − Jahr des Augenblicks, Gedichte, 1965 − Ein großer Vogel fliegt über den Fluß, Gedichte und Prosa, 1970.

WIDMER FRITZ, Bern 5. II. 1938 in Kirchberg BE. Lehrer. «Berner Troubadour». Verschiedene Schallplatten.

WIDMER URS, Frankfurt a.M. 21. V. 1938 in Basel. Studium der Germanistik und Romanistik. Verlagslektor, Literaturkritiker. Besorgte eine Auswahl aus dem Werk von Sean O'Casey.
Prosa, Hörspiel. Alois, Erzählung, 1967 − Wer nicht sehen kann muß hören, Hörspiel, 1969 − Die Amsel im Regen im Garten, Erzählung, 1971.

WIESNER HEINRICH, Reinach BL I. VII. 1925 in Zeglingen BL. Primarlehrer.
Lyrik, Aphoristik, Prosa. Der innere Wanderer, Gedichte, 1951 − Leichte Boote, Gedichte, 1958 − Lakonische Zeilen, Aphorismen, 1965 − Lapidare Geschichten, 1967 − Schauplätze. Eine Chronik, 1969 − Rico. Ein Fall, 1970 − Der Jaß, Einakter, 1971.

ZELTNER-NEUKOMM GERDA, Zürich 27. I. 1915 in Zürich. Studium der Romanistik. 1941–1950 Redaktorin der literaturkritischen Zeitschrift «Trivium». Arbeitet als Literaturkritikerin für Zeitungen, Zeitschriften und für das Radio.
Essay, Literaturkritik. Formwerdung und Formzerfall im Werke Pierre Corneilles, 1942 − Das Wagnis des französischen Gegenwartromans, 1960 − Die eigenmächtige Sprache. Zur Poetik des Nouveau Roman, 1965 − Das Ich und die Dinge, 1968 − Was ist ein moderner Roman?, 1972.

Der Herausgeber:

FRINGELI DIETER, Basel 17. VII. 1942 in Basel. Studium der Germanistik, Geschichte und Philosophie in Basel und Freiburg i. Ue. Während zweier Jahre Lehrer an einem Basler Gymnasium, heute freier Schriftsteller. Mitarbeiter verschiedener Zeitungen und Zeitschriften, Dozent für neuere deutsche Literatur an der Volkshochschule der Universität Basel, 1972 Lehrauftrag für neuere deutsche Literatur an der ETH Zürich. Sekretär des deutschschweizerischen PEN-Clubs.
Lyrik, Essay. Zwischen den Orten, Gedichte, 1965 − Was auf der Hand lag, Gedichte, 1968 − Das Nahe suchen, Gedichte, 1969 − Die Optik der Trauer. Alexander Xaver Gwerder, Wesen und Wirken. Essay, 1970 − Das Wort reden, Gedichte, 1971 − Mach keini Schprüch. Schweizer Mundart-Lyrik des 20. Jahrhunderts. Hg. von D. F., 1972.

AUTOREN- UND QUELLENVERZEICHNIS

Acklin Jürg
Münchhausens Enkel, aus «Alias», Flamberg, Zürich 1971   5

Bachmann Dieter
Biographie, amtlich, unveröffentlicht 9

Bachmann Guido
Poeten – Preise – Potentaten, Erstdruck: «Der Bund» Nr.
269 vom 19.12.1971 14

Bächtold Albert
Stoff für en ganze Romaan, aus «De ander Wäg», Meier,
Schaffhausen 1957 (Mundart des Klettgaus, Schaffhausen)   17

Bichsel Peter
Ich mag Geschichten, aus «Die Jahreszeiten», Luchterhand,
Neuwied 1967 27

Boesch Hans
Roland, aus «Die Fliegenfalle», Artemis, Zürich 1968 . . 30

Bolliger Max
Sei vorsichtig, Ich habe gewohnt, aus «Schweigen, vermehrt
um den Schnee», Magica, Meilen/Zürich 1969 38

Brambach Rainer
Paul, Poesie, Glätterei, Salz, Hasenathletik, aus «Ich fand
keinen Namen dafür», Diogenes, Zürich 1969 39
Heiterkeit im Garten, Wanderung, aus «Basler Texte Nr. 3»,
Pharos, Basel 1970 39

Brechbühl Beat
*Rechnung eines Kirchenmalers, Das Dorf, Die Ballade vom
Sporttoto, Erstaunliche Feststellung, Armbrustzeichen, Aula,*
aus «Der geschlagene Hund pißt an die Säulen des Tempels», Diogenes, Zürich 1972 41

Brock-Sulzer Elisabeth
Dürrenmatt: Der Meteor, Erstdruck: Frankfurter Allge-
meine Zeitung, 24.1.1966 44
Strehlers Goldoni, Erstdruck: «Die Tat», 12.6.1967 47

Brock Erich
Aphorismen, unveröffentlicht   49

Bührer Jakob
An die Jungen, aus «Eines tut not», Benteli, Bern 1965 . .   50

Burckhardt Carl Jacob
Das broschierte Buch, Erstdruck «Neue Zürcher Zeitung»
Nr. 1524 vom 20.6.1954   54

Burger Hermann
Die Leser auf der Stör, aus «Bork», Artemis, Zürich 1970   56

Burkart Erika
Dazwischen, Arcanum, aus «Ich lebe», Artemis, Zürich
1964   60
Das Wort, Exekution, aus «Die weichenden Ufer», Arte-
mis, Zürich 1967   59
Partizipation, Die Wahrheit, unveröffentlicht   61

Burkhalter Gertrud
Wunsch, aus «Heligeland», Volksverlag Elgg, 1957   63
Oni Überschrift, unveröffentlicht (Mundart des Berner See-
landes)   63

Burren Ernst
Löht doch mi Honda in Ruei (gekürzt), unveröffentlicht (Umgangssprache von Oberdorf, Solothurn)   64

Davi Hans Leopold
Distel- und Mistelworte aus «Distel- und Mistelworte», Kandelaber, Bern 1971   70
Wenn, Erstdruck «Neue Zürcher Zeitung», Nr. 85, 21.2.
1971   71

Diggelmann Walter Matthias
Thomy (gekürztes Romankapitel), unveröffentlicht   71

Dürrenmatt Friedrich
Schriftstellerei als Beruf, aus «Theater-Schriften I», Arche,
Zürich 1966   77
A's Sturz vollzog sich gleichsam bürokratisch, aus: «Der
Sturz», Arche, Zürich 1971   80

Eggimann Ernst
we si so tumm isch, aus «Henusode», Arche, Zürich 1968
gäu das isch, los, aus «Heikermänt», Arche, Zürich 1971,
Umgangssprache des Emmentals   84

Ehrismann Albert
Jedem das Seine, Weshalb die Vögel singen, aus «Die Gedichte
des Pessimisten und Moralisten Albert Ehrismann», Nebelspalter, Rorschach 1972 86
Von Wäldern, Quellen und Flüssen, unveröffentlicht 86

Erni Franz Xaver
Ich werde die Vögel füttern! unveröffentlicht 88

Faesi Robert
Die Ohnmacht der Macht, aus «Diodor», Atlantis, Zürich
1968 91

Farner Konrad
Zur Identifikation des Künstlers, zwei Vorträge, gehalten am
Bayrischen Rundfunk München, 1965/66 96

Federspiel Jürg
Hitlers Tochter, unveröffentlicht 103

Fringeli Albin
I dr große Stadt, aus «In dr große Stadt», Jeger-Moll, Brei-
tenbach 1963 (gekürzt); Mundart des solothurnischen
Schwarzbubenlandes 115

Frisch Max
Statik, aus «Tagebuch 1966–1971», Suhrkamp, Frankfurt
1972 117

Ganz Raffael
Im Zementgarten, unveröffentlichtes Romankapitel 124

Geiser Christoph
schuldig, normal, en verité, wand, unterschied, aus «Mitteilung
an Mitgefangene», Lenos, Basel 1971 128

Golowin Sergius
Beim Freund der neuen Wanderer, Erstfassung in «Apero»,
Gurtendorf 1967 130

Gomringer Eugen
visuelle poesie, Erstdruck im Katalog der Ausstellung «visuelle poesie», Hamburg 1972 138
worldwide, erscheint, unveröffentlicht 140

beweglich, der einfache weg, aus «worte sind schatten», Rowohlt, Reinbek 1969 139

Gross Walter
Im August, An Cesare Pavese, Aus den Wäldern, Epistel, aus «Antworten», Piper, München 1964 141

Gsteiger Manfred
Westwind, aus «Westwind», Kandelaber, Bern 1968 144

Guggenheim Kurt
Mit dem Bahnhof hat es seine eigene Bewandtnis, aus «Der goldene Würfel», Artemis, Zürich 1967 149

Halter Ernst
Asthma, aus «Die Modelleisenbahn», Benziger, Zürich 1972 153

Hilty Hans Rudolf
Erdbestattung, aus «Zu erfahren», Kandelaber, Bern 1969 157
Rumänische Sequenzen '70, unveröffentlicht 157

Hohl Ludwig
Von einer Löwin, Bild und Wirklichkeit, aus «Daß fast alles anders ist», Walter, Olten 1967 159

Hohler Franz
Grueß vom Horaz, Durch das Fenster, unveröffentlicht ... 161

Hörler Rolf
Ich frage mich, Kartengruß aus Jütland, aus «Mein Steinbruch», Regenbogen, Zürich 1970 163

Humm Rudolf Jakob
Vom Schreiben und Lesen, Erstdruck in «Unsere Meinung», Zürich, Februar 1972 164

Inglin Meinrad
Nachts bei den Brüdern Schoeck, unveröffentlicht (mit freundlicher Erlaubnis des Atlantis-Verlags, Zürich) 176

Jaeckle Erwin
Meine Uhrenlegende, aus «Die Botschaft der Sternstraßen», Klett, Stuttgart 1967 182
Gedichte, unveröffentlicht 185

Jaeggi Urs
Hausordnungen, unveröffentlicht 186

Kübler Arnold
Un mot en français, aus «Sage & schreibe», Artemis, Zürich
1969 196

Kutter Markus
Nicht gehaltene 1.-Mai-Rede, Erstdruck in «Sonntags-Journal», 8.5.1971 201

Lauber Cécile
Pien-Piens Edelstein, aus «Gesammelte Werke», Bd. II,
Benteli, Bern 1970 205

Lauber Maria
Der chli Chünig, aus «Va Winächten u junge Lüte», Egger,
Frutigen 1945 (Mundart des Berner Oberlandes) 208

Lavater-Sloman Mary
Heinrich von Kleist und Bruder Tod, aus «Fünf romantische
Novellen», Artemis, Zürich 1965 (gekürzt) 214

Leber Hugo
Randnotizen zur jüngeren Literatur in der Schweiz, unveröffentlicht 221

Lehner Peter
Schafherden, sagt man, Kreuzigt den Querulanten! aus «ein bißchen miß im kredit», Anabas, Steinbach/Gießen und Walter Zürcher, Gurtendorf/Bern, 1967/71 226

Loetscher Hugo
Der Immune, unveröffentlichter Romanabschnitt 227

Lutz Werner
*Er, Wenn die Schnecken kommen, Weinstube, Gebetchen, Über-
gänge,* aus «Basler Texte Nr. 3», Pharos, Basel 1970 . . 233

Mangold Christoph
Anrufung der Rosacige, unveröffentlichter Romanabschnitt
(gekürzt) 235

Marti Kurt
ich habe gelernt, wunder, das leere grab, aus «gedichte am rand»,
Niggli, Teufen 1963/68 239

löcherbecki, 22 läbe, wo chiemte mer hi?, antonionischi situation,
schpiegel, aus «rosa loui», Luchterhand, Neuwied 1967
(Berner Umgangssprache) 240
Gottesdienst, Erstdruck: «Luchterhands Loseblatt-Lyrik»
Nr. 21, Januar 1970 239

Matter Mani
ir ysebahn, farbfoto, ballad, unveröffentlicht (Berner Mundart) 242

Meier Gerhard
Der andere Tag, unveröffentlicht 244
Das Gras grünt, Ich sah, aus «Das Gras grünt», Benteli,
Bern 1964.. 246

Meier Herbert
Niemand blickt sich um, aus «Stiefelchen», Benziger, Zürich
1970 247

Mettler Clemens
Hör zu Tell, aus «Dieses Buch ist gratis», Zürich 1971 .. 256
Wir haben das beste, unveröffentlicht 257

Meyer E. Y.
Inselgeschichte, aus «Ein Reisender in Sachen Umsturz»,
Suhrkamp, Frankfurt 1972 257

Moser Hans Albrecht
Der Weihnachtsabend, aus «Aus meinem Nachlaß und an-
deres», Artemis, Zürich 1971 266
Aphorismen, unveröffentlicht 272

Mühlethaler Hans
weihnachten 66, von der städtischen schuldirektion, aus «zutreffendes ankreuzen», Kandelaber, Bern 1967 273

Muschg Adolf
*Hans im Glück, oder: Eine Empfehlung an Ihre Majestät die
Königin Victoria,* unveröffentlicht 274

Nizon Paul
Das Revier des Falken, aus «Im Hause enden die Geschich-
ten», Suhrkamp, Frankfurt 1971 283
Engnis der Enge, aus «Diskurs in der Enge», Kandelaber,
Bern 1970.. 288

Oberlin Urs
Roy, unveröffentlichter Romanabschnitt 292
Geleit, aus «Zuwürfe», Neske, Pfullingen 1964 302

Pedretti Erica
Nicht an Kaninchen denken, aus «Harmloses bitte», Suhrkamp, Frankfurt 1970 302

Peyer Rudolf
Schwertlilien, Mexikanische Notizen, unveröffentlicht 305

Raeber Kuno
Alexius unter der Treppe, unveröffentlichter Romanabschnitt 308

von Salis Jean R.
Kulturelle Außenpolitik, aus «Schwierige Schweiz», Orell
Füßli, Zürich 1968 311

Saner Gerhard
Muffiger Mythos, Erstdruck in «Sonntags-Journal», 18./19.
Juli 1970 318

Schaub Martin
Anleitung zum Verrat, unveröffentlicht 324

Schmid Karl
Engagement und Opposition, aus «Schwierigkeiten mit der
Kunst», Artemis, Zürich 1969 329

Schmidli Werner
Der Pfarrer kam nicht immer als Kunde, aus «Der alte Mann,
das Bier, die Uhr», Gute Schriften 1968/71 340

Schneider Hansjörg
Hopp Schwiiz!, Der senkrechte Schweizer, Erstdruck: «neutralität» Nr. 10 vom Oktober 1970 343

Schneider Hermann
Die Klagemauer, unveröffentlicht 343

Schorno Paul
Sozialpolitik, Supersicherheit, Geschichtsunterricht, unveröffentlicht 346

Schumacher Hans
Die weiße Wand, aus «In der Rechnung ein Fehler», Artemis, Zürich 1968 347
Codiert, Die Formel, aus «Nachtkurs», Artemis, Zürich 1971 349

Schwarz Manfred
Tummheit, 'S chunnt druf aa, aus «Helvetisches und anderes», Gute Schriften Zürich, 1971 350

Späth Gerold
Der Milliarden-Stauffacher, unveröffentlicht 351

Staiger Emil
Carl Zuckmayer, Erstdruck in «Neue Zürcher Zeitung», Nr. 25, 16.1.1972 358

Steiner Jörg
Unterwegs im grauen Olivenhain, aus «Auf dem Berge Sinai sitzt der Schneider Kikrikri», Luchterhand, Neuwied 1969
Spielregeln, Schweizeräpfel, aus «Der schwarze Kasten», Lenos, Basel 1965/72 365

Strub Urs Martin
Das Blatt, Erhebung, aus «Signaturen Klangfiguren», Hoffmann und Campe, Hamburg 1964.. 369

Vogel Magdalena
Spannungen, Im Stadtpark, unveröffentlicht 370

Vogel Traugott
Herkommen und Hingehen, aus dem unveröffentlichten Erinnerungsbuch «Strandgut der Zeit» 371

Vogt Walter
Ich hasse diese Stadt, aus «Der Vogel auf dem Tisch», Lukianos, Bern 1968 377

Vuilleumier J. F.
Der Schaden geht in die Millionen, aus «Der letzte Tunnel», Walter, Olten 1970 379

Walter Otto F.
Die ersten Unruhen nach dem Tod eines Subjekts, aus «Die ersten Unruhen», Rowohlt, Reinbek 1972 382

Walter Silja
Was heißt schon Zeit in der Geschichte, aus «Der Fisch und
Bar Abbas», Arche, Zürich 1967   388

Weber Werner
Alt und jung..., aus «Tagebuch eines Lesers», Walter,
Olten 1965 (leicht verändert)   391

Weder Heinz
Der Vater, unveröffentlicht   402
*Landschaft mit Statuen, Schlechte Aussichten für das nächste
Wochenende, Küngoldingen,* aus «Gegensätze», S. Fischer,
Frankfurt 1970   408

Wehrli Max
Max Rychner, Erstdruck «Jahrbuch vom Zürichsee»
1960/1   410

Wehrli Peter K.
Tirana, aus «Ankünfte», Regenbogen, Zürich 1971   415

Werthmüller Hans
Versuchsweise sagst du Libido, unveröffentlicht   417
Kryptomagie, In Ottmarsheim, Ewige Wiederkunft, aus «Jahr
des Augenblicks», Fretz & Wasmuth, Zürich 1965   418
Übersetzungen, unveröffentlicht   418

Widmer Fritz
Ballade vo dene wo sech guet verstange hei, unveröffentlicht
(Mundart des bernischen Emmentals)   420

Widmer Urs
Die Tour de Suisse hat sieben Etappen, aus «Alois», Diogenes,
Zürich 1967   421

Wiesner Heinrich
Der Anruf blieb aus, unveröffentlichter Romanabschnitt . .   422

Zeltner-Neukomm Gerda
Der umgekehrte Krimi, unveröffentlicht   433